Le Groupe d'Étude des Rythmes Biologiques

Le Groupe d'Étude des Rythmes Biologiques (G.E.R.B.) créé en 1969 s'est donné pour objectif de rassembler dans un cadre multidisciplinaire les chercheurs francophones intéressés par la chronobiologie, mais pas uniquement eux. Les membres fondateurs ont en effet compris très tôt la nécéssité d'élargir le cercle des biologistes (médecins et physiologistes pour la plupart) à des personnalités appartenant à d'autres disciplines : physique, mathématiques, statistiques, psychologie, etc... La démarche était audacieuse mais elle a permis une collaboration mutuellement enrichissante, qu'il s'agisse de traitement des données ou de modélisation par exemple. À ce jour, le Groupe rassemble plus de 400 membres, pour la grande majorité de nationalité française, belge ou suisse, ce qui en fait la Société de Chronobiologie numériquement la plus importante en Europe.

L'originalité du GERB par rapport aux autres associations de spécialistes a été de se considérer comme un groupe de travail plutôt qu'une société savante, groupe de travail au sein duquel des idées, des critiques et des suggestions sont échangées. C'est notamment un lieu de discussions privilégié pour les jeunes chercheurs qui découvrent, au cours de leur travail de recherche, l'existence de processus périodiques dans les phénomènes qu'ils étudient. Ils trouvent là, pendant la durée qu'ils souhaitent, des conseils et des encouragements. Cette coopération entre chercheurs confirmés et jeunes chercheurs donne vie à notre groupe et contribue à intéresser un nombre toujours plus grand de collègues à notre discipline, même s'ils ne deviennent pas permanents.

Les thèmes de recherche abordés concernent tous les niveaux d'organisation et tous les êtres vivants. Si la mise en évidence d'un phénomène rythmique était utile dans les années 70 pour enrichir l'inventaire qui était en cours, il convient aujourd'hui d'élucider les mécanismes qui font que le processus étudié a un caractère répétitif. Nul doute que tôt ou tard la biologie moléculaire s'y intéressera à notre grande satisfaction. Mais parallèlement se développent des travaux qui montrent l'intérêt que présente dans la pratique quotidienne la chronobiologie pour les médecins, les agronomes et bien d'autres professions.

L'évolution qui est en train de se manifester est perceptible à travers les communications présentées aux Congrès annuels organisés par le GERB. Le nombre de participants et la diversité de leurs origines sont la preuve du dynamisme de notre Groupe. Nous en avons encore eu la démonstration avec la rencontre organisée à Paris les 25 et 26 mai 1992. Que MM. Beau et Vibert soient remerciés pour leur efficacité dans la préparation et le suivi de ce congrès européen.

L'ouvrage qu'ils publient aujourd'hui en est le témoignage. Il contribuera, j'en suis certain, à élargir le champ de vision des membres du GERB et à susciter de nouvelles vocations de chronobiologistes.

Bernard Millet
Président du G.E.R.B.

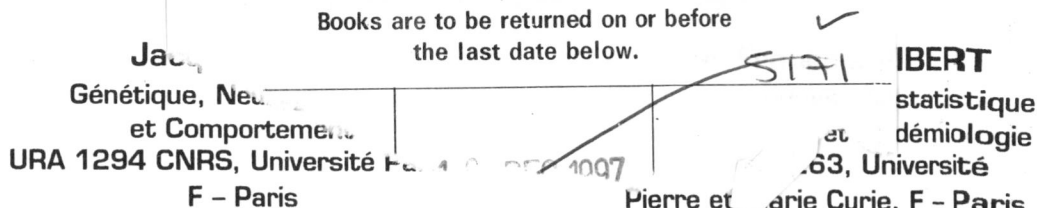

Ja... ...IBERT

Génétique, Ne... ...statistique,
et Comporteme... ...et ...démiologie
URA 1294 CNRS, Université F... ...1007 ...63, Université
F – Paris Pierre et ...arie Curie, F – Paris

RYTHMES BIOLOGIQUES :
de la cellule à l'homme

BIOLOGICAL RHYTHMS :
from cell to man

Actes du Congrès GERB 92 – Paris, 25-26 mai 1992

*Proceedings of the GERB'92 Meeting –
Paris, 1992, may 25-26*

Préface de
Franz HALBERG et Germaine CORNELISSEN
Chronobiology Laboratories – University of Minnesota – USA

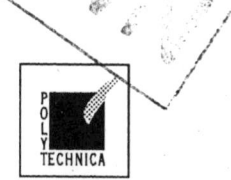

Chez le même éditeur

MODELES ET TRANSFORMATIONS
La Biologie Théorique
et Pierre DELATTRE

coordonnateur C.P. Bruter

160 pages – 15,5 x 24 – 1993 – ISBN 2-84054-011-8

© **POLYTECHNICA – 1993**
15, rue Lacépède, F-75005 Paris
ISBN 2-84054-012-6

Table des Matières
Contents

AVANT-PROPOS/*FOREWORD*

Cet ouvrage est le résultat des travaux de la première réunion des sociétés de chronobiologie européennes qui se sont réunies à Paris les 25 et 26 mai 1992, sous l'égide de la société de chronobiologie française, le GERB. Nous sommes heureux de pouvoir présenter les actes de cette réunion sous la forme d'un volume qui constitue, nous en sommes persuadés, le premier tome d'une longue série.

Afin d'assurer une meilleure diffusion du contenu scientifique des travaux du congrès GERB 92, nous avons édité un ouvrage bilingue, soit français, soit anglais. Dans la table des matières, le titre donné en premier indique la langue dans laquelle le corps de l'article est rédigé. Lorsque le texte est en français, un long résumé en anglais a été demandé aux auteurs, et réciproquement pour un texte en anglais. De même, les légendes des figures sont fournies dans les deux langues.

Nous tenons à remercier les auteurs de communications[1] au congrès qui ont collaboré à la réalisation du premier ouvrage de cette série en acceptant le surcroît de travail correspondant à une rédaction et une présentation "camera ready copy".

This book is the result of the works for the first meeting of the european chronobiological societies who met in Paris on 1992, may 25 and 26, on behalf of the french chronobiological society, the GERB. We are happy to have the opportunity to present the proceedings of this meeting as, we are confidant about this, the first volume of a long lasting series.

In order to provide a better diffusion of the scientific content of the work done at the GERB 92 meeting, we edited a bilingual text, either french or english. In the table of contents, the first title indicates the main text language. When the paper is written in english, a full size french abstract was asked to authors, and reciprocally when the paper was written in french. In the same way, figure captions are given in both languages.

We thank the meeting communication[1] authors who collaborate to the first volume of this series by accepting the work overload corresponding to a camera ready copy text preparation.

Paris le 22 décembre 1992

Jacques BEAU

Secretaire-Adjoint du GERB
Second Secretary of the GERB

Jean-François VIBERT

Vice-Président du GERB
Deputy Chairman of the GERB

---

[1]Comme pour les communications lors du Congrès, les opinions et résultats scientifiques présentés dans cet ouvrage sont sous la seule responsabilité de leurs auteurs. *As for the meeting communications, scientific opinions and results presented here remain the author's responsability.*

PRÉFACE

La raison d'être de la chronobiologie comprend aussi bien *multa* que *multum*. Cette discipline orientée vers l'étude de la structure temporelle de l'organisme se doit d'en couvrir toutes ses facettes. En effet, la diversité des sujets (*multa*) présentés dans cet ouvrage donne une idée de la généralité des phénomènes rythmiques. Cette notion est déjà exprimée dans le titre et la table des matières de ce volume et il est donc inutile d'aborder ce sujet.

Que le lecteur soit intéressé à la biologie moléculaire (Young, 1992), à la morphogénèse (Rensing, 1992), à la pédagogie aux niveaux primaires et secondaires (Halberg, 1979; Schmitt et coll., 1978) ou académiques (Florian Delbarre a introduit un cours de chronobiologie à l'Université René Descartes; Halberg et Delbarre, 1979), ou à la médecine clinique (Carandente, 1990; Halberg et coll., 1986d, 1988; Minors et Waterhouse, 1981; Reinberg et Smolensky, 1983; Tarquini, 1987; Touitou et Haus, 1992). Quelques unes des présentations à la réunion du GERB à Paris le 25 et 26 mai 1992, résumées ici, ouvriront une nouvelle perspective en donnant un aperçu des fruits recueillis par des sujets de recherches complémentaires. Cette préface a plutôt pour but d'essayer d'intégrer et d'unifier les différents articles en un tout cohérent (*multum*). Elle tâche d'offrir une vue générale de l'essence des données présentées au 24ème congrès annuel du GERB, à savoir la pénétration, par la "fission" en rythmes, du domaine des "valeurs normales", c'est-à-dire des variations physiologiques, une tâche plus importante du point de vue scientifique et médical que la fission de l'atome. Nous avons appris que l'atome, autrefois regardé comme étant indivisible, est sujet à la fission et à la fusion. Le domaine des variations physiologiques peut aussi être scindé en "chrones" et unifié en "chronomes" (Cornélissen et Halberg, 1992; Halberg et coll., 1991b).

Aperçu historique de la chronobiologie en France

Vers un *e pluribus unum*, les chronobiologistes de langue française ont continué de montrer la voie, comme le montre Jean De Prins dans un numéro spécial du GERB (1989). La même année que Claude Bernard, suivant l'avis de l'académicien Guizot, décidant de changer sa carrière de dramaturge en étudiant la médecine, Charles Chossat, médecin-savant de Génève, démontrait la persistance du rythme circadien de la température du cloaque des pigeons jusqu'à ce qu'ils meurent d'inanition et de déshydratation (Chossat, 1843; Halberg et coll., 1959). Claude Bernard décrivait comme une de ses découvertes principales la "variabilité extrême du milieu intérieur" (Bernard, 1865; Halberg, 1967) et Virey (1814) écrivait au sujet de l'importance du moment d'administration des médicaments (Halberg, 1974b). Ces divers travaux antérieurs peuvent être considérés comme précurseurs de la chronopharmacologie quantitative telle que l'a introduite Alain Reinberg en France (Reinberg et Halberg, 1971, 1979). Alfred Fessard (1936) a reconnu la rythmicité comme une propriété fondamentale du système nerveux. Cette théorie était aisément étendue à toute forme et matière vivante (Halberg et Reinberg, 1967) et amplement démontrée du niveau moléculaire (Cornélissen et coll., 1989a; Halberg, 1960; Walker et coll., 1985) à l'homme dans ses routines sur terre, au cours du travail posté et dans l'espace extra-terrestre (Halberg et coll., 1970, 1991a; Quadens et Green, 1984). Pierre Passouant a quantifié les variations ultradiennes chez les narcoleptiques. Il partageait la vue que la chronopathologie impliquait une dédifférentiation temporelle, observée de manière tant macroscopique (Passouant et coll., 1969) que microscopique (Halberg, 1974a). A la chronophysiologie des hormones stéroïdes d'origine periphérique (Halberg, 1953, 1979; Halberg et coll., 1951; Kaine et coll., 1955; Reinberg et coll., 1971), les études de l'école de Paul Robel et Etienne Baulieu ajoutent une vue critique sur les rythmes circadiens et circaseptains des neurostéroïdes. Les noms de Jacques Benoît et Ivan Assenmacher (1970) sont associés au rôle joué par le régime de lumière, et à la quantification objective du rythme circannuel de l'activité thyroïdienne (Astier et coll., 1970). L'école de Montpellier de Ivan Assenmacher a également montré la persistance du cycle surrénalien en l'absence des noyaux supra-chiasmatiques (Szafarczyk et coll., 1977).

Chronomes

Tout un spectre de rythmes caractérise un enregistrement des besoins insuliniques rapportés jour et nuit pendant plusieurs années, un résultat qui rappelle le spectre de l'excrétion urinaire des 17-cétostéroïdes chez un sujet en bonne santé (Halberg et coll., 1965), ou le spectre du CA130 salivaire, un marqueur de prolifération. L'importance des intermodulations circadiennes et circaseptaines (avec une période d'environ 7 jours) en chronopharmacologie (Halberg et Halberg, 1980), aussi bien que dans le contexte de l'ontogénèse et de l'oncogénèse, et la praticabilité de mesurer ces deux composantes rythmiques avec des enregistreurs physiologiques, nous ont conduits à reconnaître la généralité des spectres de rythmes, leur relation génétique avec les tendances liées à la croissance, au développement et à la maturation, ainsi que les influences cosmiques. C'est sur cette base que le concept de chronome a été introduit. Cette structure temporelle est composée de rythmes de plusieurs fréquences, de tendances en fonction de l'âge, ou du risque de développer l'une ou l'autre maladie et sa manifestation symptomatique, et de résidus (le chaos, déterministe ou stochastique).

Le terme "chronome" est dérivé de "chronos" (temps), "nomos" (règle), de même que le terme "génome" vient de "gène" et "chromosome". Les tendances du chronome caractérisent non seulement la valeur moyenne mais aussi les paramètres des rythmes eux-mêmes, tels que l'amplitude, la phase ou la forme de l'onde. Le chronome est une entité génétiquement ancrée, synchronisée par l'environnement socioécologique et influencée (si non modulée) par les perturbations magnétiques interplanétaires (Breus et coll., 1989; Cornélissen et Halberg, 1992; Halberg et Cornélissen, 1991).

A l'encontre d'autres préfaces, celle-ci est illustrée et cite des références illustrant des résultats pertinents, nouveaux ou anciens. La chronobiologie est passée par une phase de transition d'une concentration majeure sur les systèmes circadiens pendant les années 1950 (Halberg, 1953, 1959) vers les interactions spectrales des années 1960 (Halberg, 1969; Halberg et Reinberg, 1967) et le concept du chronome introduit en 1990 (Cornélissen et Halberg, 1992; Halberg et Cornélissen, 1991). Les composantes ultradiennes, circadiennes et circaseptaines peuvent maintenant être déterminées en même temps de manière routinière pour une variable telle que la pression sanguine ou la fréquence cardiaque. Un exemple du caractère indépendant bien qu'interactif de ces différentes entités des chronomes physiologiques est fourni par les séries temporelles de ces variables, pendant l'isolement prolongé hors du temps: non seulement les circadiens (Siffre et coll., 1966) mais aussi les circaseptains (Halberg et coll., 1990b) continuent d'osciller en libre cours avec une période proche mais statistiquement significativement différente de 24 heures et 7 jours, respectivement, malgré la présence de stimuli appliqués régulièrement toutes les 4 heures pendant une partie de l'expérience (Díez-Noguera, communication personnelle). De retour au sein de la société après 4 mois d'isolement sous-terrain, les circadiens se sont rapidement resynchronisés alors que la composante circaseptaine de la pression sanguine et de la fréquence cardiaque continuait son libre cours (Halberg et coll., 1990). De même chez l'animal de laboratoire, la composante circannuelle persiste avec une période indépendante de la durée du cycle circadien (des journées de 23, 24 et 25 heures avaient été imposées artificiellement; Zucker, 1988).

Cela vaut la peine de mettre l'accent sur les composantes circaseptaines, notamment dans le cadre d'un modèle pour l'étude des aspects génétiques de l'apprentissage. Duyme et coll. (1992) ont trouvé une variation hebdomadaire pour les temps de réaction chez les enfants, le jeudi apparaissant toujours le meilleur et le lundi le plus mauvais, du point de vue de la hiérarchie des performances en fonction du jour de la semaine. Ces résultats concordent avec le rythme circaseptain de l'excrétion des 17-cétostéroïdes qui présente un pic vers le milieu de la semaine en conditions de synchronisation avec la semaine sociale (Halberg et coll., 1965). Des composantes majeures décrivant les statistiques de morbidité et de mortalité ont été rapportées à la réunion du GERB, notamment celles liées au comportement suicidaire (Bilora et coll., 1992) et aux hémorragies gastrointestinales aiguës (Manfredini et coll., 1992). Pasqualetti et ses collaborateurs du groupe de Gianfranco Natali de l'Université

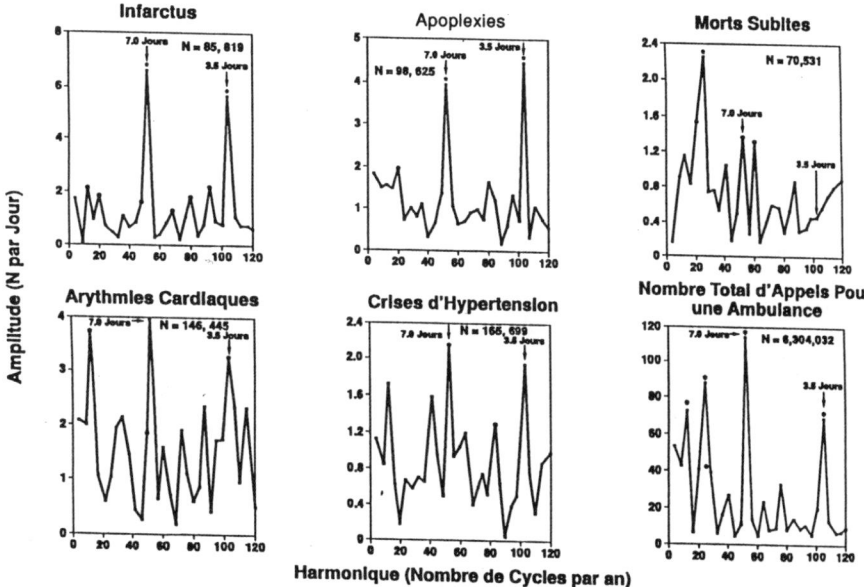

Figure 1: *L'amplitude en fonction de la fréquence est obtenue par l'ajustement par moindres carrés aux données de fonctions cosinusoïdales avec des fréquences indiquées en abscisse. Chaque amplitude évalue l'étendue des variations prévisibles au cours d'un cycle à la fréquence indiquée en abscisse. Les pics identifiés dans chaque spectre servent à la détection et à la quantification des composantes périodiques. Des pics sont observés à une fréquence d'un et de deux cycles par semaine, surtout dans le cas des infarctus et des apoplexies. La signification statistique de ces composantes est démontrée par la méthode du cosinor de population, la signification biologique par l'importance des statistiques de morbidité et de mortalité de ces maladies. ©Halberg.*

de l'Aquila (1992), publient des études au sujet des variations circadiennes, circaseptaines et circannuelles caractérisant la fréquence des maladies cérébrocardiovasculaires, qui ont toutes été validées statistiquement par la méthode du cosinor, par ces auteurs et d'autres (Breus et coll., 1989; Cornélissen et coll., sous presse; Halberg, 1984; Johansson et coll., 1990), pour des populations résidant à des latitudes et longitudes différentes. Une vue internationale ainsi étend les résultats quantifiés auparavant par Alain Reinberg et coll. (1973) et Michael Smolensky et coll. (1972), pour le cas des composantes circadiennes et circannuelles. Des résultats plus récents démontrent non seulement l'importance des circaseptains et circasemiseptains (dont la période est d'environ 3.5 jours) (Breus et coll., 1989; Cornélissen et coll., sous presse; Halberg, 1984; Johansson et coll., 1990) mais aussi leur variation en libre cours (Halberg et coll., 1990b) qui souligne leur caractère endogène.

Un des défis majeurs de notre époque est donc l'élucidation de nos structures multifréquentielles, les chronomes, pour les aligner avec l'étude du génome. Le fait que la fréquence des problèmes cérébrocardiovasculaires varie selon des rythmes circadiens, circaseptains et circannuels souligne l'importance de considérer les aspects multifréquentiels du chronome. Des résultats semblables ont été trouvés dans des études impliquant plus de 6 millions d'appels d'urgence, rapportés par les hôpitaux de Moscou (Figure 1), ainsi que des séries de plusieurs milliers de données physiologiques enregistrées automatiquement pendant plusieurs années.

XIII

Figure 2: *L'effet putatif des perturbations magnétiques planétaires sur la fréquence journalière des infarctus à Moscou est suggéré par une cohérence spectrale pendant les années 1979-1981. Cette cohérence spectrale se produit à une période proche de 3.5 (3.17) jours en 1979. En 1980, elle reste statistiquement significative mais se produit à une période légèrement plus courte. En 1981 (du point de vue de la période cohérente), les résultats reproduisent exactement ceux de 1979 mais ne sont pas statistiquement significatifs. La résolution des phénomènes biologiques conduisant à une telle cohérence spectrale est un problème cliniquement important qui nécessite l'élucidation des latéroactions.* ©*Halberg.*

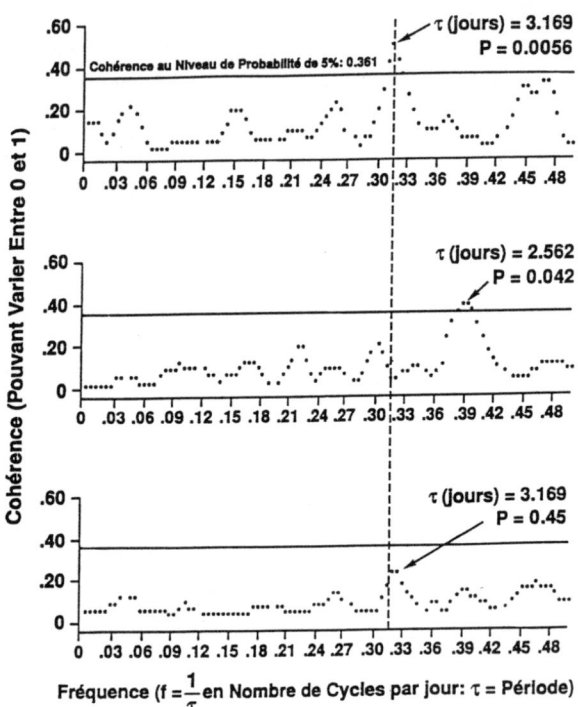

Influence des perturbations interplanétaires

L'influence des perturbations magnétiques interplanétaires est suggérée indirectement par des analyses de cohérence spectrale entre l'indice géomagnétique Kp et la fréquence journalière d'infarctus, qui impliquent notamment les rythmes circasemiseptains (Figure 2). Ceux-ci jouent peut-être un rôle médiateur par l'intermédiaire de la glande pinéale, éminemment circaseptaine, puisqu'il semble que celle-ci soit sensible aux changements du champ magnétique (Halberg et coll., 1991a; Leung et coll., sous presse). Un effet plus direct des perturbations magnétiques interplanétaires est validé statistiquement par un accroissement de la fréquence journalière d'infarctus, après un changement d'orientation vers le sud, de la composante verticale (Bz) du champ magnétique interplanétaire. Une élévation du MESOR de la fréquence cardiaque d'un septuagénaire a lieu plus ou moins en même temps que le changement d'orientation de Bz, qui est précédé d'environ deux jours par une élévation du MESOR de la pression sanguine, chez ce sujet ayant subi une opération du coeur ("bypass") il y a à peu près 11 ans. Une composante d'environ 7 jours caractérise les variations de Bz et de Kp. Celle-ci est assez instable et présente parfois plusieurs pics, dont le plus important possède une période qui diffère d'exactement 7 jours de manière statistiquement significative.

Les applications pratiques de la chronobiologie présentées ici, mettent l'accent sur la pression sanguine et sur les recherches dans le domaine de la chronothérapie du cancer.

Pression artérielle et chronobiologie

Les méthodes de la chronobiométrie présentent une utilité particulière pour la correction des anomalies de pression sanguine. Les chronobiologistes définissent ainsi un certain nombre de caractéristiques dynamiques, par exemple l'amplitude et l'acrophase pour chaque composante rythmique et pour chacune de leurs harmoniques déterminant la forme de l'onde. Une altération de ces caractéristiques dynamiques précède généralement une augmentation de la moyenne globale. Ces altérations des rythmes sont des présages de troubles à venir, qui devraient être prévenus par des interventions adéquates. La justification de cette déclaration est révélée par un examen chronobiologique des données obtenues chez la femme enceinte, chez le nouveau-né ainsi que chez les enfants et les adultes avec une anamnèse familiale positive ou négative d'"hypertension" ou de maladies cardiovasculaires (Cornélissen et coll., 1989b; Halberg et coll., 1988, 1990b). La chronobiologie peut séparer ces groupes en terme de caractéristiques de rythmes de plusieurs fonctions physiologiques, alors que l'approche conventionnelle ne les distingue pas.

Le sphygmochron. Plutôt que de se fonder sur quelques mesures occasionnelles effectuées par une équipe médicale ou sur une série de mesures personnelles, qui demandent beaucoup de discipline, il existe maintenant un équipement médical qui peut être porté confortablement jour et nuit, afin de réunir des données nécessaires pour répondre aux questions cruciales pour la santé. Il existe des cartes sur lesquelles on obtient un enregistrement individualisé sur au moins 48 heures et que l'on peut comparer aux résultats d'un large groupe homogène d'individus de mêmes âge et sexe afin de décider s'il est nécessaire de traiter une pression sanguine anormale (Halberg et coll., 1988). Cette carte est appelée un sphygmochron. En plus des caractéristiques circadiennes (MESOR, amplitude, acrophase) de la pression systolique et diastolique, et du rythme cardiaque, la durée et le(s) moment(s) au(x)quel(s) les valeurs prises par ces variables dépassent celles de groupes en bonne santé, et le degré de ces excès ou déficits sont calculés. Les valeurs en dehors des limites de référence indiquent le risque de problèmes de santé. Les limites de référence pour la pression systolique sont illustrées dans la Figure 3 pour le cas de la femme enceinte. Plusieurs caractéristiques couramment calculées à partir de ces données, peuvent être utiles pour signaler le risque cardiovasculaire avant toute manifestation de maladie, en particulier pour la femme enceinte et le foetus (Cornélissen et coll., 1989b; Halberg et coll., 1990b). En suivant des nouveau-nés, des groupes d'enfants à faible risque génétique ont été distingués de ceux à haut risque d'éprouver des problèmes de pression sanguine élevée et anormale plus tard dans la vie.

Le sphygmochron peut aussi aider le médecin à prescrire une médication qui doit être prise de façon à réduire la pression et le rythme cardiaque, aux moments où un individu présenterait des valeurs élevées en l'absence de traitement. Cette organisation temporelle du traitement rend la médication non seulement plus efficace, mais aide aussi à empêcher une réduction de la pression sanguine quand celle-ci est déjà basse. Cet effet secondaire cause les vertiges qu'éprouvent certaines personnes en prenant des médicaments contre la pression sanguine élevée. Le sphygmochron sert également à évaluer l'efficacité des médicaments, ce qui permet souvent au médecin de réduire ou d'ajuster les dosages, ainsi que le moment de leur administration et d'aider ainsi à prévenir des effets secondaires indésirables ou nocifs, comme les arythmies cardiaques, la goutte ou l'impuissance sexuelle.

Limitations actuelles et directions futures. Bien que les progrès techniques aient déjà conduit aux appareils enregistreurs physiologiques ambulatoires, leur utilisation à grande échelle nécessitera des perfectionnements. Une miniaturisation et une simplification d'usage encore plus poussée peuvent réduire le coût du personnel médical. Une capacité d'emmagasinage d'archives suffisantes pour l'analyse chronobiologique ne nécessitant pas le transfert de données sera utile. Un tel instrument qui peut être implanté pour le diagnostic d'une anomalie de la pression sanguine, pourrait ensuite être modifié pour accomoder aussi l'administration chronothérapeutique de médicaments en circuit fermé. Les moments d'administration des médicaments seraient ainsi ajustés pour chaque patient en particulier et tiendraient compte de la courbe d'excès individuelle. Une alarme pourrait même être incorporée dans un tel instrument, afin d'alerter quand l'excès de pression sanguine dépasse une limite spécifiée a priori (tant pour la durée de l'excès que pour son étendue ou le moment de son occurrence). Un logiciel pourrait aussi être développé qui rendrait l'instrument "intelligent" en lui procurant la capacité d'apprendre suivant les règles des systèmes experts, quel peut être le meilleur

XV

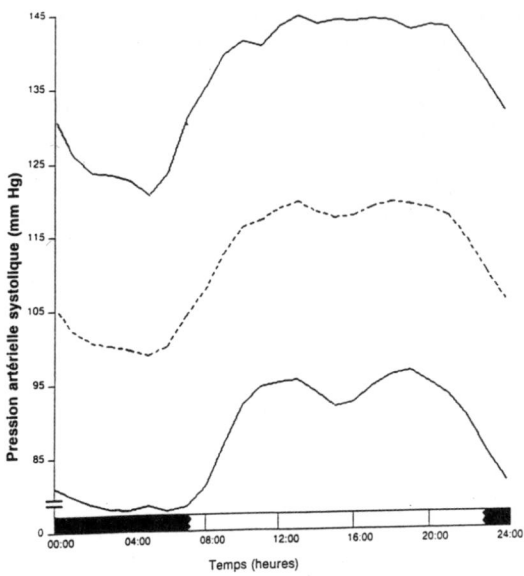

*112 femmes enceintes en bonne santé ont contribué 179 profils, chacun couvrant 24 à 48 heures, avec un intervalle d'échantillonnage d'environ 1 heure. Ces données ont servi au calcul des limites de prédiction à 90% spécifiées en fonction du stade du rythme circadien.

Figure 3: *Limites de référence pour la pression systolique de femmes enceintes.* ©*Halberg.*

schéma de chronothérapie pour éliminer les anomalies de la pression artérielle. Un tel instrument pour applications chez l'homme ne devrait pas rester une utopie aujourd'hui, alors que ses capacités d'enregistrement et d'analyse en temps réel sont déjà une réalité chez le rat (Halberg et coll., 1988). La disponibilité d'appareils capables de mesurer la pression artérielle et le pouls de manière continue, plutôt qu'à intervalles finis de quelques minutes à une ou deux heures, ouvrira une autre dimension en permettant une analyse rigoureuse des rythmes à haute fréquence biologique: non seulement les caractéristiques du rythme cardiaque même, mais aussi de sa modulation entre autres par le rythme respiratoire et par les ondes de Meyer-Traube-Hering, pourront être évaluées. Le coût actuel des enregistreurs ambulatoires est un autre facteur qui limite leur utilisation, mais celui-ci devrait décroître par leur usage accru et simplifié.

Les indices non-paramétriques d'excès devront aussi être améliorés (Halberg et Bingham, 1987). Leur estimation actuelle implique l'existence de limites de référence bien définies ainsi qu'une relation linéaire entre le degré d'excès et combien de tort cet excès cause à l'organisme. Rien n'indique en fait qu'une valeur de pression artérielle prise à un moment déterminé cause du tort ou non. Les limites critiques ne sont pas définies et la fonction reliant l'excès au tort est vraisemblablement nonlinéaire. Il est aussi probable qu'une pression artérielle acceptable puisse contribuer à une compensation pour un excès observé momentanément auparavant. En effet les lésions causées par l'artériosclérose sont réversibles par le maintien de la pression artérielle dans des limites acceptables (Halberg et coll., 1986b). Un autre aspect à considérer est le fait que le tort causé par un excès de pression artérielle n'est probablement pas le même en fonction du stade des rythmes auquel il se produit. Ces différents aspects devront éventuellement être pris en ligne de compte dans le calcul des indices non-paramétriques d'excès (ou de déficit).

Diagnostic chronobiologique en vue d'une approche préventive. Des rythmes de plusieurs fré-

Figure 4: *Structure circadienne et ultradienne de la fréquence cardiaque chez le nouveau-né: une périodicité d'environ 3 heures est probablement liée aux heures d'allaitement (toutes les 3 heures sauf pendant la nuit) des bébés (Tarquini, 1987; Mainardi et coll., 1988).* ©Halberg.

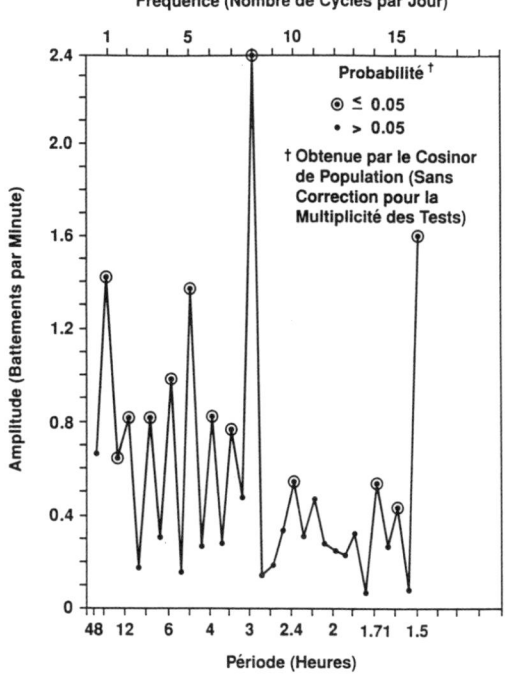

quences sont déjà exprimés chez le nouveau-né pour la pression sanguine et la fréquence cardiaque. Les bébés à risque élevé de développer des problèmes cardiovasculaires présentent une amplitude plus grande que les bébés à bas risque, sur le plan des rythmes ultradiens (avec une période d'environ 3 heures; Aguilar et coll., 1990; Figure 4), circadiens (Halberg et coll., 1986a), circaseptains (Cornélissen et coll., 1987) et circannuels (Cornélissen et coll., 1990; Halberg et coll., 1990a). De plus, les bébés qui ont été exposés *in utero* aux bêtamimétiques, prescrits pour éviter un accouchement précoce, présentent aussi une plus grande amplitude circadienne et circannuelle (Tarquini et coll., 1990). Ce résultat suggère que ces médicaments, quoique très utiles pour la femme enceinte, peuvent être associés à une augmentation du risque cardiovasculaire du foetus qui semble persister au moins jusqu'à l'adolescence (Syutkina et coll., 1991).

Un des défis de la chronobiologie aujourd'hui consiste à reconnaître une élévation du risque de développer une hypertension de gestation ou une prééclampsie, de manière à pouvoir optimiser les soins préventifs pendant la grossesse. Il s'agit d'un aspect prometteur de la chronobiologie dans un domaine où il est vital d'éviter toute complication. Dans les années 1990 il est possible d'interpréter une mesure de pression sanguine ou de pouls par rapport à des limites de référence qui sont spécifiées en temps, Figure 3. Tout d'abord, il semble désirable d'utiliser de tels standards, simplement parce qu'une pression entre 125 et 140 mm Hg pendant les heures de repos est anormale, alors qu'elle est acceptable pendant les heures d'activité. D'autre part, des différences sous-jacentes à une augmentation de risque (par exemple celui de développer une hypertension de gestation) peuvent être observées dans les bornes des variations physiologiques et peuvent être détectées par l'enregistrement chronobiologique des fonctions physiologiques (alors que les valeurs moyennes restent inférieures à 120/75 mm Hg; pression systolique/diastolique; Figure 5).

Exemple illustratif. L'importance de pénétrer le domaine des variations physiologiques et d'utili-

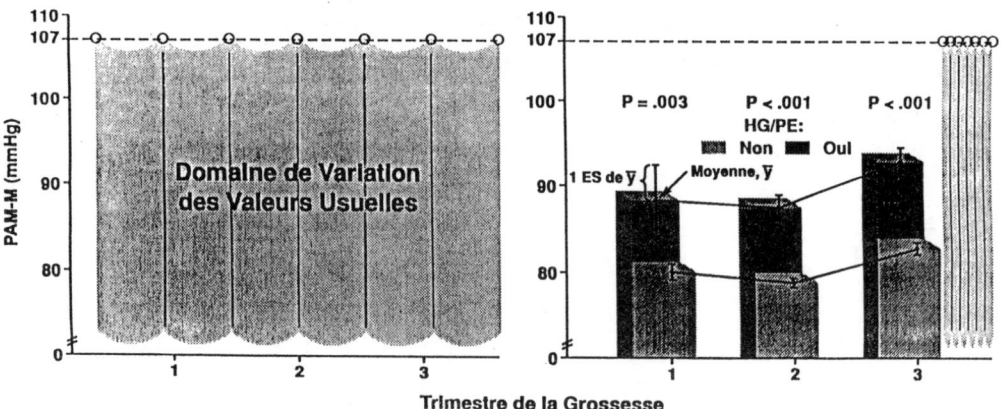

Figure 5: *Séparation de groupe par le MESOR de la pression artérielle moyenne entre les femmes enceintes qui développent une hypertension de gestation ou une prééclampsie (nombre respectif de femmes enceintes: 9, 21 et 26 pendant le premier, deuxième et troisième trimestre) et celles dont la grossesse sera sans complication (nombre respectif de femmes enceintes: 60,123 et 88 pendant le premier, deuxième et troisième trimestre). Chacun des deux groupes a un MESOR en-dessous de la limite de 107 mm Hg. La différence entre les deux groupes est d'au moins 8 mm Hg en moyenne. Elle est déjà statistiquement significative pendant le premier trimestre de la grossesse à partir de mesures automatiques prises toutes les heures pendant 48 heures, alors que le résultat ne peut pas être démontré à partir de valeurs occasionnelles. ©Halberg.*

ser l'information fournie par les paramètres de rythme est illustrée, pour le cas d'une femme enceinte, chez qui une élévation de l'amplitude circadienne de la pression sanguine fut détectée 8 semaines avant l'apparition de convulsions et l'accouchement d'un bébé prématuré dans la 28ième semaine de la grossesse. Quand le résultat fut rapporté au service de santé, la portée d'une déviation d'une caractéristique dynamique plutôt que de la valeur moyenne ne fut pas suffisamment comprise par le médecin qui ne jugea pas urgent d'intervenir. Le coût des soins intensifs dont eu besoin le bébé pendant les premiers 13 mois de sa vie s'élevèrent à U.S. $615,000. Dans un autre cas, une élévation du MESOR fut prise compte, la femme enceinte fut hospitalisée et alitée, ce qui lui permit de prolonger sa grossesse de plusieurs semaines et d'accoucher d'un bébé bien portant. Il a été montré qu'avec un budget de $615,000 et avec l'aide de volontaires, il serait possible d'enregistrer la pression sanguine de manière longitudinale pendant toute la durée de 70,000 à 100,000 grossesses, au cours de 8 années (la durée de vie moyenne des enregistreurs) et d'en donner une interprétation chronobiologique (Halberg et coll., 1991b).

Les rapports tels que ceux fournis par le sphygmochron sont recommandés en pratique autant qu'en recherche. La séparation entre la pratique et la recherche souvent n'est pas justifiée. Un investissement dans la chronobiologie préventive est indiqué compte tenu des souffrances et du coût résultant d'un accouchement aussi prématuré. Les limites de référence spécifiées en temps pour l'interprétation de mesures occasionnelles, ainsi que pour celle des caractéristiques de rythmes, devraient être introduites à grande échelle dans la pratique médicale.

Vers une chronothérapie appliquée au cancer

Alors que jusqu'à présent, la chronothérapie du cancer était surtout guidée par des rythmes marqueurs liés aux différentes toxicités du traitement, dans le but de les minimiser (Cornélissen et Hal-

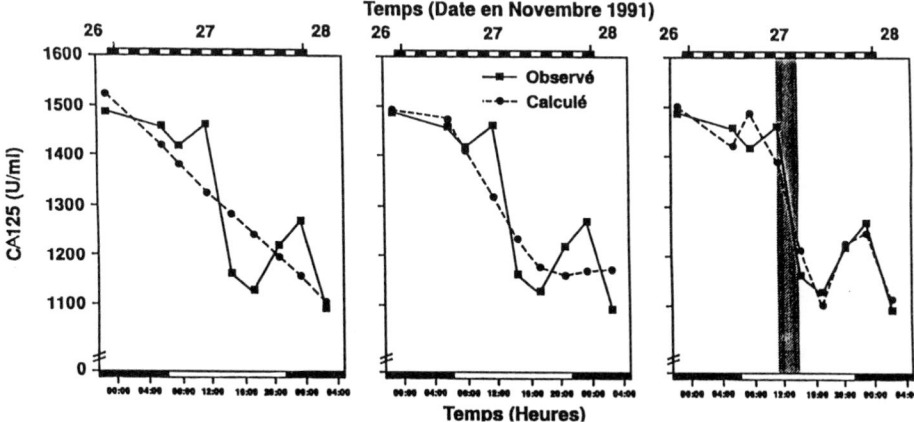

Figure 6: *Marqueur de tumeur CA125 chez une patiente (EH, âgée de 71 ans) souffrant d'un cancer de l'ovaire recevant son premier traitement au taxol. La décroissance de CA125 pendant le traitement est significative (P=0.007; à gauche). Le CA125 continue à décroître pendant plusieurs semaines après ce traitement. Il semble que le CA125 décroît le plus rapidement pendant l'intervalle de temps entre 11:15 et 13:53. La figure du milieu représente le modèle consistant en une tendance linéaire et une fonction cosinusoïdale, avec une période de 24 heures (R2=0.620; P=0.051). Le meilleur ajustement correspondant à ce type de modèle est obtenu pour une fonction cosinusoïdale avec une période de 14 heures (à droite; P [modèle] = 0.002; P [tendance] = 0.001; P [fonction cosinusoïdale] = 0.020). Une période de 14 heures n'avait pas été prévue a priori. ©Halberg.*

berg, 1989), les marqueurs de tumeur peuvent maintenant servir pour l'optimisation temporelle de l'efficacité de la chimiothérapie (Halberg et coll., 1977, 1992). En pratique courante, ces marqueurs de tumeur servent pour le diagnostic clinique, pour suivre la progression de la maladie et pour évaluer comment les patients répondent au traitement. Un but majeur urgent est de voir si certains stades des variations circadiennes, ultradiennes et infradiennes de ces marqueurs de tumeur peuvent être associés à un effet anticancéreux maximal de la chimiothérapie appliquée. Une telle information temporelle pourrait servir de base pour l'individualisation d'une chronothérapie du cancer. La praticabilité d'une telle approche a déjà été démontrée pour le cas de la radiothérapie du cancer de la cavité orale en se servant d'un marqueur sans spécificité, à savoir la température de la tumeur: quand le traitement est administré au moment où la température tumorale est à son pic journalier, une régression plus rapide du cancer est observée ainsi qu'un taux de survie sans maladie apparente plus élevé 2 ans plus tard (Halberg, 1977; Halberg Francine et coll., 1989).

Étude du CA125 pendant une infusion continue de taxol au cours de 24 heures. Les variations de la concentration du marqueur de tumeur CA125 dans le sérum sanguin d'une patiente (EH) avec un adénocarcinome d'origine müllérienne impliquant les ovaires (Stade IV très avancé) ont été étudiées pendant l'infusion de taxol continue au cours de 24 heures. L'objectif était d'examiner s'il y a une réponse tumorale immédiate au traitement, et dans ce cas de déterminer quel est l'effet anticancéreux réalisé et si celui-ci varie de manière circadienne (E. Halberg et coll., 1992). Une étude pilote de la chronobiologie du CA125 a servi de base pour la formulation d'hypothèses dans le contexte de la recherche expérimentale animale sur les mérites du traitement spécifié en temps et du dosage modulé en fonction des rythmes marqueurs (Cornélissen et coll., 1991; Halberg et coll., 1973).

Le CA125, connu comme un marqueur du cancer de l'ovaire humain (Bast et coll., 1981), en fait un marqueur général de prolifération (Cornélissen et coll., 1992a et b), fut déterminé environ toutes les 3 heures chez la patiente EH au cours d'une infusion constante de taxol pendant environ 24 heures. Ces déterminations permettent l'examen de la dépendance circadienne de la réponse tumorale au traitement (Figure 6). Cette patiente, dont le cancer de l'ovaire fut diagnostiqué le 28 décembre 1990 à l'âge de 70 ans, avait reçu 12 autres régimes de chimiothérapie ("chronothérapie" cisplatinum/doxorubicin, traitements 1-2; carboplatinum/cytoxan, traitements 3- 6 et 10-12; chimiothérapie conventionnelle à base de 5-FU/cytoxan, traitements 7-9) avant d'être traitée au taxol. La Figure 6 montre qu'au cours du 13ème traitement (taxol), le 27 novembre 1991, le CA125 decroît de 395 U/ml (de 1490 à 1095 U/ml) en l'espace de 24 heures (P=0.007; à gauche). Cette diminution du CA125 n'est pas suffisamment bien approximée en fonction du rythme circadien (P=0.051; au milieu). Un meilleur ajustement est obtenu pour un modèle comprenant une tendance linéaire et une composante cosinusoïdale d'environ 14 heures (P=0.002; à droite). Bien qu'une période de 14 heures n'ait pas été prévue a priori, un raccourcissement de la période circadienne et/ou des variations ultradiennes pouvait être anticipé à partir d'autres résultats expérimentaux obtenus antérieurement. C'est le cas notamment pour la température centrale dont la période circadienne est raccourcie après l'administration d'une toxine d'origine bactérienne (Halberg et Spink, 1956). Des composantes ultradiennes d'environ 12 heures ont été rapportées auparavant pour la prolifération des cellules cancéreuses, mesurée par la cytométrie de flux chez 30 patientes avec un cancer de l'ovaire (Klevecz et coll., 1987). Selon ces auteurs, ces composantes ultradiennes auraient une acrophase similaire d'une patiente à l'autre. Avec un autre pic vers 22:00, la prolifération des cellules tumorales était maximale entre 10:00 et 12:00, c.à.d. plus ou moins au moment où le taux de décroissance en CA125 est maximal pendant le traitement au taxol chez la patiente EH.

Au cours du deuxième traitement au taxol le 18 et 19 décembre 1991, le CA125 sanguin fut de nouveau déterminé à peu près toutes les 3 heures. Suite au traitement précédent, la concentration sanguine en CA125 était descendue à 187 U/ml. Au cours de la deuxième infusion constante de taxol pendant 24 heures, la concentration sanguine en CA125 decroît de nouveau de manière statistiquement significative. Une variation ultradienne avec une période d'environ 8 heures est superposée à la tendance linéaire. Cette période constitue une multiplication en fréquence des composantes circadiennes et circaseptaines (3ème et 21ème harmoniques). Le moment associé à la décroissance maximale du CA125 a lieu de nouveau le matin entre 06:25 et 12:20, Figure 7.

Étude du FSC-M pendant une infusion continue de taxol au cours de 24 heures. L'effet anticancéreux du taxol est corroboré par un autre marqueur du cancer de l'ovaire, le facteur stimulant des colonies de macrophages (FSC-M). La concentration sanguine de ce marqueur, élevée avant le traitement (5.3 ng/ml), baisse à l'intérieur des limites de référence des contrôles suite au traitement. Comme dans le cas du CA125, la décroissance du FSC-M pendant le premier traitement au taxol est accompagnée d'une modulation ultradienne avec une période d'environ 14 heures, Figure 8.

La décroissance du FSC-M persiste après le traitement. Elle est accompagnée d'une composante circasemiseptaine, détectée dans les échantillons urinaires relevés jour et nuit pendant 5 jours. La collecte d'urines par EH continue et à ce moment, les échantillons d'urine de presqu'une année entière nous permet de valider statistiquement plusieurs composantes infradiennes du chronome de plusieurs marqueurs de prolifération. Une amplification des circaseptains et des circasemiseptains avait déjà été notée auparavant par Dérer (1960), chez les cancéreux traités par chimiothérapie. Plusieurs autres marqueurs de tumeur dont le CA125 salivaire et urinaire et le UGP ("urinary gonadotropin peptide", aussi appelé auparavant "urinary gonadotropin fragment" ou "beta fragment") sont également caractérisés par une composante de 7 jours chez la patiente EH. De même, ses électrolytes déterminés dans l'urine varient suivant des rythmes circadiens et circaseptains.

Détermination non-invasive des marqueurs de tumeur. La possibilité de déterminer de manière non- invasive dans la salive ou dans l'urine la concentration en CA125 (ou en CA130, un épitope du CA125, un autre marqueur de prolifération utilisé pour l'évaluation du cancer de l'ovaire)

Figure 7: *Changements relatifs du marqueur du cancer de l'ovaire, CA125, fortement (-) ou modérément (· · ·) élevés pendant 2 infusions constantes de taxol (135 mg/m²/24h) administrées a 3 semaines d'intervalle. Pendant le deuxième traitement au taxol de EH, une variation ultradienne du CA125 accompagne la décroissance de ce marqueur de tumeur. Cette fois, la période ultradienne qui donne lieu au meilleur ajustement de ce type de modèle est d'environ 7.5 heures (plutôt que de 14 heures pendant le premier traitement au taxol). ©Halberg.*

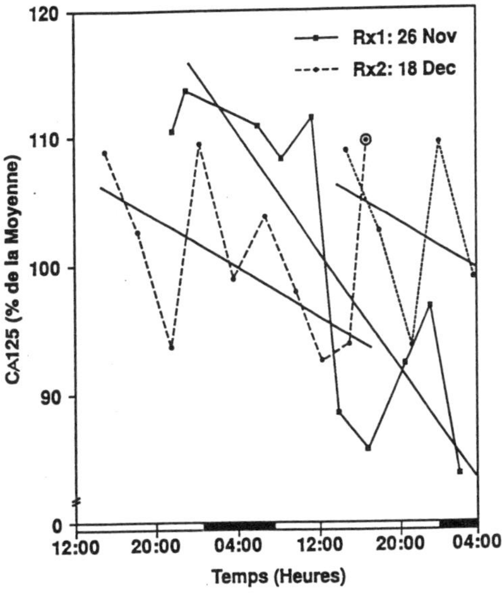

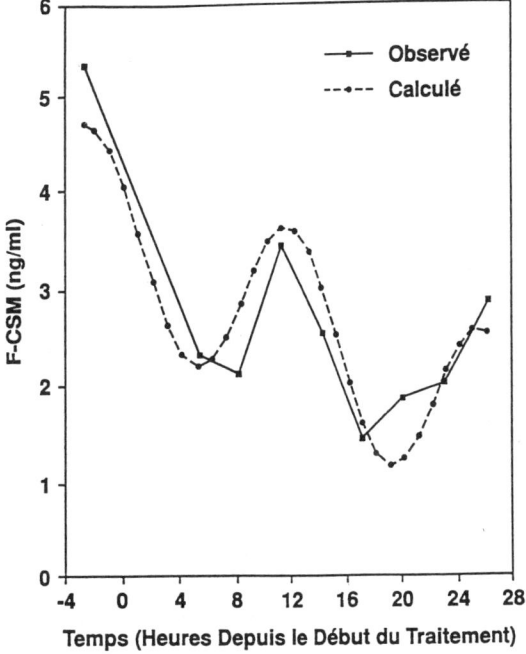

Figure 8: *Variation du marqueur de tumeur FSC-M pendant le premier traitement au taxol chez la patiente EH. Le modèle ajusté consiste en une tendance linéaire et une fonction cosinusoïdale avec une période de 14 heures; P (modèle) = 0.018; P (tendance) = 0.018; P (fonction cosinusoïdale) = 0.033. ©Halberg.*

permet de suivre les variations rythmiques de ces variables, longitudinalement, pour l'optimisation temporelle du traitement appliqué à chaque patient individuellement. Le CA130 est sensiblement plus spécifique que le CA125 du point de vue de l'estimation de la masse cancéreuse du fait que sa concentration mais pas celle du CA125 est restée dans les limites acceptables chez quelques patientes en rémission et libres de symptômes cliniques de la maladie (Kobayashi et coll., 1991). Une cartographie du chronome de plusieurs marqueurs de tumeur a été récemment établie à partir de 4,702 déterminations faites dans le sérum, la salive et l'urine de l'être humain, ainsi que dans le sang et la salive de plusieurs espèces animales et révèle plusieurs composantes, notamment une composante circaseptaine non synchronisée avec la semaine sociale.

Chez EH, un rythme circadien a été validé statistiquement dans la salive pour la concentration du CA125, CA130, FSC-M et OVX1, dans l'urine pour la concentration et le taux d'excrétion du UGP, CA125 et FSC-M ainsi que pour le taux d'excrétion du OVX1 et aussi pour le UGP et le CA125 "normalisés" par la créatinine. Une composante circaseptaine a été trouvée pour le CA125 salivaire, pour le taux d'excrétion du UGP et du CA125 ainsi que pour la concentration urinaire et le taux d'excrétion du FSC-M. Une composante d'environ 20 jours caractérise aussi le UGP, tandis qu'une composante d'environ 14 heures est détectée pour le taux d'excrétion urinaire du FSC-M.

Implications pour les recherches futures. Ces résultats obtenus en grande partie dans le cadre de l'étude pilote chronobiologique sur la patiente EH, ainsi que chez 5 autres malades et quelques personnes en bonne santé, suggèrent que le moment auquel le traitement est le mieux toléré ne doit pas être la seule considération. Ce moment ne correspond pas nécessairement au moment le plus opportun pour rendre le traitement aussi efficace que possible. L'éradication du cancer est la tâche immédiate de l'oncologie; sa prévention est un devoir absolu. Ces deux objectifs peuvent profiter de la cartographie des rythmes de prolifération qui, elle, dépend des études longitudinales. A part une rythmicité circadienne plus marquée et plus régulière dans la salive et l'urine que dans le sang, des variations ultradiennes et infradiennes, dont une composante d'environ 7 jours et une autre correspondant approximativement à l'intervalle entre deux sessions de chimiothérapie successives, sont aussi détectées dans les échantillons salivaires et urinaires. Dans le cas où une composante ultradienne caractérise l'activité tumorale, il est possible de tâcher de choisir l'un des deux moments de la journée correspondant au critère optimum relatif à l'efficacité du traitement qui soit au mieux compatible avec les désidérata relatifs à la minimisation des effets néfastes du traitement (Cornélissen et coll., 1992a).

Le fait qu'un rythme circadien du CA125 et du CA130 salivaires caractérise aussi les femmes en bonne santé, bien que celles-ci aient un MESOR moins élevé que les patientes avec un cancer gynécologique, rend le marqueur beaucoup moins spécifique mais peut-être plus généralement utilisable, aussi dans un but préventif. Le fait que la concentration du CA125 et du CA130 dans la salive n'est pas spécifique aux sujets avec un cancer de l'ovaire est démontré par une étude physiologique comparative chez d'autres espèces animales. Bien que la production de ces marqueurs ne reflète donc pas uniquement l'activité tumorale, leurs caractéristiques dynamiques exprimées par des variations rythmiques de plusieurs fréquences pourraient peut-être servir un jour dans un but de dépistage d'une élévation de risque de développer un cancer. Une fois diagnostiqué à temps, les chances de succès de traiter un "précancer" par la chimiothérapie étant beaucoup plus grandes, la chronobiométrie des marqueurs de tumeur devient un objectif majeur.

Commentaires et conclusion

Le domaine des valeurs normales n'est pas indivisible comme le présume de nombreux laboratoires cliniques. De même que l'atome peut être subdivisé en particules plus petites et ainsi libérer de l'énergie par fission, la résolution d'un spectre de rythmes révèle une nouvelle information suivant l'échelle temporelle. De même qu'en physique atomique, la fusion libère encore plus d'énergie, l'identification des relations entre les différentes composantes du chronome (rythmes, tendances, résidus) produit une information accrue qui peut servir à quantifier l'état de santé et à reconnaître une élévation du risque de développer l'une ou l'autre maladie. Qu'il s'agisse d'une prépathologie ou d'une maladie manifeste, l'étude des rythmes circaseptains et circasemiseptains offre une nouvelle perspective. Suivant les travaux de Duyme et coll. (1992), le chronome doit entrer dans l'éducation primaire et secondaire (Halberg, 1979; Schmitt et coll., 1978). Les rythmes circaseptains de la pression sanguine sont de grande amplitude chez le bébé né à terme (Cornélissen et coll., 1990; Halberg et coll., 1990).

Le rapport d'amplitude du rythme circaseptain et du rythme circadien peut servir de critère putatif pour identifier les bébés prématurés qui succombent au SIDS ("sudden infant death syndrome") pour le cas de la fréquence respiratoire et la saturation en oxygène. A part une composante circadienne et circannuelle ainsi qu'une différence en fonction de l'âge du nouveau-né, le nombre de cas de "SID" varie selon un rythme circaseptain et circasemiseptain (Halberg et coll., 1991a).

Ces rythmes se retrouvent de manière éminente dans la fréquence journalière d'infarctus, morts subites et apoplexies identifiés parmi plus de 6 millions de cas d'urgence rapportés à Moscou, pendant les années 1979 à 1981 (Figure 1) (Breus et coll., 1989; Cornélissen et coll., sous presse; Halberg et coll., 1991a). Ces composantes circaseptaines et circasemiseptaines gardent une relation de phase stable au cours du temps et semblent représenter un phénomène très général, comme en atteste une synthèse mondiale de la fréquence d'infarctus, rapportée dans 48 publications représentant 104.412 cas (Cornélissen et coll., sous presse). Ces mêmes composantes circaseptaines et circasemiseptaines sont détectées au niveau moléculaire dans le contenu en glutathione dans le plasma humain riche en thrombocytes (Radha et Halberg, 1987), une variable vraisemblablement liée aux mécanismes sous-jacents aux problèmes de coagulation vasculaire.

Généralité des rythmes circaseptains. Les rythmes circaseptains jouent également un rôle important en relation avec le cancer. Chez une patiente refusant d'être traitée pour un cancer du sein, la température superficielle du sein fut enregistrée par Gautherie et Gros (1977), sur le sein gauche sain ainsi que sur le sein droit cancéreux. Alors que le sein gauche présentait une composante d'environ 29 jours, une autre de 7 jours et un rythme circadien de grande amplitude, le spectre caractérisant le sein cancéreux comprend des composantes d'environ 84, 42 et 21 heures (Gautherie et Gros, 1977): il semble donc y avoir eu un compromis spectral pour accomoder une désynchronisation circadienne et une multiplication en fréquence de la composante circatrigintaine, compromis dans lequel les composantes circaseptaines et circasemiseptaines jouent un rôle pivot (Halberg E. et coll., 1979). Une transposition de variance d'une proéminence circatrigintaine vers une proéminence circaseptaine caractérise la température superficielle du sein en présence d'un risque accru de développer le cancer du sein (Simpson et coll., 1989a, b). Une composante d'environ 7 jours caractérise plusieurs marqueurs du cancer de l'ovaire, tels que le CA125 salivaire et le UGP chez la patiente EH. Un rythme circaseptain en libre cours caractérise l'excrétion urinaire de créatinine chez la même patiente (Cornélissen et coll., 1992a).

L'amplification du rythme circaseptain chez les cancéreux rappelle leur proéminence chez le nouveau-né, en accord avec une théorie de reste embryonique de la formation d'un néoplasme, proposée par Julius Cohnheim il y a plus d'un siècle et demi (voir revue en 1930). Il s'agit d'une hypothèse formelle mais non causale. La question reste de savoir pourquoi une cellule embryonaire chez l'adulte commence subitement à croître et pourquoi cette croissance est parfois bénigne et parfois maligne. C'est ici que la fonction circaseptaine de la glande pinéale doit être considérée en rapport avec l'étiopathologie du cancer, mise à part sa contribution dans d'autres applications (Halberg et coll., 1988; Sanchez et coll., 1988). L'importance clinique des composantes circaseptaines relève également du fait qu'il est possible d'optimiser le régime de chronothérapie suivant l'échelle de 7 jours, en faisant varier la dose de jour en jour: suivant le régime utilisé, la croissance de la tumeur inoculée chez le rat augmentera ou diminuera et le temps de survie sera raccourci ou prolongé (Halberg E. et Halberg F.,

1980).

Les composantes circaseptaines se trouvent aussi souvent en relation avec les fonctions immunitaires. Le risque de rejet d'une greffe augmente à chaque multiple de 7 jours après l'opération chirurgicale (De Vecchi et coll., 1979). Cette observation combinée au renouveau d'intérêt pour l'utilisation d'immunostimulants en tant que traitement adjuvant de certains cancers (Tubiana, 1992), offre de nouvelles applications pour le contrôle du cancer, notamment en terme de régimes temporels basés sur la périodicité de 7 jours.

Le fait que les rythmes circaseptains représentent une composante endogène, au même titre que les rythmes circadiens, émerge d'une série de résultats montrant leur variation en libre cours chez des sujets sains en isolement temporel (Halberg et coll., 1990b) ou non (Halberg et coll., 1965). Les circaseptains se manifestent également à la suite d'un seul stimulus (Halberg et coll., 1965, 1982; Hübner, 1967), indépendamment du jour de la semaine auquel il est appliqué (De Vecchi et coll., 1979). Le degré de généralité des rythmes infradiens, notamment des circaseptains, est apparent du fait qu'ils caractérisent aussi bien la croissance du prokaryote E. coli (Halberg et coll., 1990c) ou d'une algue (Schweiger et coll., 1986), la luminescence de l'unicellulaire Gonyaulax polyedra (Cornélissen et coll., 1986), l'oviparité de l'insecte Folsomia candida (Cutkomp et coll., 1987) et aussi le temps de survie de Musca autumnalis soumis à des changements répétés du régime de lumière (Hayes et coll., 1986), ainsi que plusieurs variables chez l'homme (volume urinaire, excrétion du sodium, potassium, calcium, phosphore inorganique, cortisol, triglycérides, cholestérol, pression sanguine, fréquence cardiaque et température, ...). C'est dans cette perspective que ce volume peut offrir *multa* et *multum*, pour les spécialistes des systèmes circadiens autant que pour chaque médecin et biologiste.

Franz Halberg
Germaine Cornélissen
Minneapolis, Minnesota,
le 23 décembre 1992

Références

Aguilar L., Cornélissen G., Mainardi G., Tarquini B., Cagnoni M., Holte J., Halberg F.: Toward ultradian markers of the neonatal risk of developing high blood pressure later in life - Abstract, 2nd World Conference on Clinical Chronobiology, Monte Carlo, April 10-13, 1990. Chronobiologia 17: 165, 1990.

Astier H., Halberg F., Assenmacher I.: Rythmes circanniens de l'activité thyroïdienne chez le canard pékin. J. Physiol. (Paris) 62: 219-230, 1970.

Bast R.C. Jr, Feeney M., Lazarus H., Nadler L.M., Colvin R.B., Knapp R.C.: Reactivity of a monoclonal antibody with human ovarian carcinoma. J. Clin. Invest. 68: 1331-1337, 1981.

Benoît J., Assenmacher I. (eds.): La Photorégulation de la Reproduction chez les Oiseaux et les Mammifères. CNRS, Paris, 1970.

Bernard C.: De la diversité des animaux soumis à l'expérimentation. De la variabilité des conditions organiques dans lesquelles ils s'offrent à l'expérimentateur. J. de l'Anatomie et de la Physiologie normales et pathologiques de l'homme et des animaux 2: 497-506, 1865.

Bilora F., Manfredini R., Saccaro G., Chiesa M., San Lorenzo I., Dazzi A.: Circadian periodicity in suicidal behavior. Résumé de communication, 24ème Congrès Annuel, Groupe d'Etude des Rythmes Biologiques, Paris, 25-26 mai 1992a.

Breus T.K., Komarov F.I., Musin M.M., Naborov I.V., Rapoport S.I.: Heliogeophysical factors and their influence on cyclical processes in biosphere. Itogi Nauki i Techniki: Medicinskaya Geografica 18: 138-142, 145, 147, 148, 172-174, 1989.

Carandente F.: Elementi di cronobiologia: sperimentale e clinica. Casa Editrice Il Ponte, Milan, 1990, 115 pp.

Chossat C.: Recherches expérimentales sur l'inanition. Mémoires, Académie Royale des Sciences de l'Institut de France 8: 438, 1843.

Cohnheim J.: cited in Neue Deutsche Klinik, Urban & Schwarzenberg, Berlin/Vienna, 1930, vol. 5, p. 749.

Cornélissen G., Breus T.K., Bingham C., Zaslavskaya R., Varshitsky M., Mirsky B., Teibloom M., Bakken E., Halberg F., International Womb-to-Tomb Chronome Initiative Group: Beyond circadian chronorisk: worldwide circaseptan-circasemiseptan patterns of myocardial infarctions, other vascular events, and emergencies. Chronobiologia, sous presse.

Cornélissen G., Broda H., Halberg F.: Does Gonyaulax polyedra measure a week? Cell Biophysics 8: 69-85, 1986.

Cornélissen G., Halberg E., Bakken E., Delmore P., Halberg F. (eds.): Toward phase zero preclinical and clinical trials: chronobiologic designs and illustrative applications. University of Minnesota/Medtronic Chronobiology Seminar Series, #6, September 1992a, 411 pp.

Cornélissen G., Halberg E., Halberg Francine, Halberg J., Sampson M., Hillman D., Nelson W., Sánchez de la Peña S., Wu J., Delmore P., Marques N., Marques M.D., Fernandez J.R., Hermida R.C., Guillaume F., Carandente F.: Chronobiology: a frontier in biology and medicine - Chronobiologia 16: 383-408, 1989a.

Cornélissen G., Halberg E., Haus E., O'Brien T., Berg H., Sackett-Lundeen L., Fujii S., Twiggs L., Halberg F., International Womb-to-Tomb Chronome Initiative Group: Chronobiology pertinent to gynecologic oncology. University of Minnesota/Medtronic Chronobiology Seminar Series, #5, July 1992b, 25 pp. text, 7 tables, 30 figures.

Cornélissen G., Halberg E., Long H.J. III, Prem K., Bakken E., Touitou Y., Elg S., Haus E., Halberg F.: Toward a chronotherapy of ovarian cancer with taxol. Part I: Basic background - Chronobiologia 18: 153-166, 1991.

Cornélissen G., Halberg F.: The chronobiologic pilot study with special reference to cancer research: Is chronobiology or, rather, its neglect wasteful? In: Cancer Growth and Progression, vol. 9, ch. 9, H. Kaiser series ed., A.L. Goldson volume ed., Kluwer Academic Publ., Dordrecht, 1989, pp. 103-133.

Cornélissen G., Halberg F.: Broadly pertinent chronobiology methods quantify phosphate dynamics (chronome) in blood and urine - Clin. Chem. 38: 329-333, 1992.

Cornélissen G., Halberg F., Tarquini B., Mainardi G., Panero C., Cariddi A., Sorice V., Cagnoni M.: Blood pressure rhythmometry during the first week of human life - In: Social Diseases and Chronobiology: Proc. III Int. Symp. Social Diseases and Chronobiology, Florence, Nov. 29, 1986, Tarquini B., ed., Società Editrice Esculapio, Bologna, 1987, pp. 113-122.

Cornélissen G., Kopher R., Brat P., Rigatuso J., Work B., Eggen D., Einzig S., Vernier R., Halberg F.: Chronobiologic ambulatory cardiovascular monitoring during pregnancy in Group Health of Minnesota - Proc. 2nd Ann. IEEE Symp. on Computer-Based Medical Systems, Minneapolis, June 26-27, 1989b, Computer Society Press, Washington DC, pp. 226-237.

Cornélissen G., Sitka U., Tarquini B., Mainardi G., Panero C., Cugini P., Weinert D., Romoli F., Cassanas G., Maggioni C., Vernier R., Work B., Einzig S., Rigatuso J., Schuh J., Kato J., Tamura K., Halberg F.: Chronobiologic approach to blood pressure during pregnancy and early extrauterine life - In: Hayes D.K., Pauly J.E., Reiter R.J., eds.: Chronobiology: Its Role in Clinical Medicine, General Biology, and Agriculture, Part A, Wiley-Liss, New York, 1990, pp. 585-594.

Cutkomp L.K., Marques M.D., Snider R., Cornélissen G., Wu J., Halberg F.: Chronobiologic view of molt and longevity of Folsomia candida (Collembola) at different ambient temperatures - In: Advances in Chronobiology, Part A, Proc. XVII Int. Conf. Int. Soc. Chronobiol., Little Rock, Ark., USA, Nov. 3-7, 1985, Pauly J.E., Scheving L.E., eds., Alan R. Liss, New York, 1987, pp. 249-256.

De Prins J.: Introduction. Bull. GERB 21: 3-5, 1989.

Dérer L.: Rhythm and proliferation with special reference to the six-day rhythm of blood leukocyte count. Neoplasma 7: 117-134, 1960.

DeVecchi A., Carandente F., Fryd D.S., Halberg F., Sutherland D.E., Howard R.J., Simmons R.L., Najarian J.S.: Circaseptan (about 7-day) rhythm in human kidney allograft rejection in different geographic locations. In: Chronopharmacology, Proc. Satellite Symp. 7th Int. Cong. Pharmacol., Paris 1978, A. Reinberg, F. Halberg eds., Pergamon Press, Oxford/New York, 1979, pp. 193-202.

Duyme M., Beau J., Carlier M., Capron C., Perez-Diaz F.: Extraction du rythme hebdomadaire du temps de réaction chez l'enfant, application à une méthode de correction des données dans une perspective d'analyse génétique. Résumé de communication, 24ème Congrès Annuel, Groupe d'Etude des Rythmes Biologiques, Paris, 25-26 mai 1992.

Fessard A.: Propriétés rythmiques de la matière vivante. Hermann, Paris, 1936.

Gautherie M., Gros C.: Circadian rhythm alteration of skin temperature in breast cancer. Chronobiologia 4: 1-17, 1977.

Halberg E., Halberg F.: Chronobiologic study design in everyday life, clinic and laboratory. Chronobiologia 7: 95-120, 1980.

Halberg E., Halberg F., Cornélissen G., Garcia-Sainz M., Simpson H.W., Taggett-Anderson M.A., Haus E.: Toward a chronopsy: Part II. A thermopsy revealing asymmetrical circadian variation in surface temperature of human female breasts and related studies. Chronobiologia 6: 231-257, 1979.

Halberg E., Long H.J. III, Cornélissen G., Blank M.A., Elg S., Touitou Y., Bakken E., Delmore P., Haus E., Sackett-Lundeen L., Prem K., Halberg F.: Toward a chronotherapy of ovarian cancer with taxol: Part II: Test pilot study on CA125. Chronobiologia 19: 17-42, 1992.

Halberg Francine, Halberg J., Halberg E., Halberg Franz: Chronobiology, radiobiology and steps toward the timing of cancer radiotherapy - In: Cancer Growth and Progression, vol. 9, ch. 19, H. Kaiser series ed., A.L. Goldson volume ed., Kluwer Academic Publ., Dordrecht, 1989, pp. 227-253.

Halberg F.: Some physiological and clinical aspects of 24-hour periodicity. J. Lancet (USA) 73: 20-32, 1953.

Halberg F.: Physiologic 24-hour periodicity; general and procedural considerations with reference to the adrenal cycle. Z. Vitamin-, Hormon- u. Fermentforsch. 10: 225-296, 1959.

Halberg F.: Temporal coordination of physiologic function. Cold Spr. Harb. Symp. quant. Biol. 25: 289-310, 1960.

Halberg F.: Claude Bernard and the 'extreme variability of the internal milieu'. In: Claude Bernard and Experimental Medicine, Grande F., Visscher M.B. eds., Schenkman, Cambridge, Mass., 1967, pp. 193-210.

Halberg F.: Chronobiology. Ann. Rev. Physiol. 31: 675-725, 1969.

Halberg F.: More on educative chronobiology, health and the computer. Int. J. Chronobiol. 2: 87-105, 1974a.

Halberg F.: Protection by timing treatment according to bodily rhythms Äan analogy to protection by scrubbing before surgery. Chronobiologia 1 (Suppl. 1): 27-68, 1974b.

Halberg F.: Biological as well as physical parameters relate to radiology. Guest Lecture, Proc. 30th Ann. Cong. Rad., January 1977, Post-Graduate Institute of Medical Education and Research, Chandigarh, India, 8 pp.

Halberg F.: Les rythmes biologiques et leurs mécanismes: base du développement de la chronophysiologie et de la chronoéthologie. In: Du Temps Biologique au Temps Psychologique, Fraisse P., Halberg F., Lejeune H., Michon J.A., Montangero J., Nuttin J., Richelle M. eds., Presses Universitaires de France, Paris, 1979, pp. 21-72.

Halberg F.: Preface. In: Chronobiology 1982-1983, Haus E., Kabat H. eds., S. Karger, Basel, 1984, pp. v-viii.

Halberg F., Bingham C.: The scope and promise of chronobiology and biostatistics: interpenetrating, inseparable disciplines. Proc. Biopharmaceutical Section, Am. Statistical Assn., Chicago, Illinois, August 15-18, 1986, pp. 11-32, 1987.

Halberg F., Breus T.K., Cornélissen G., Bingham C., Hillman D.C., Rigatuso J., Delmore P., Bakken E., International Womb-to-Tomb Chronome Initiative Group: Chronobiology in space - University of Minnesota/Medtronic Chronobiology Seminar Series, #1, December 1991a, 21 pp. of text, 70 figures.

Halberg F., Cornélissen G.: Consensus concerning the chronome and the addition to statistical significance of scientific signification. Biochim. Clin. 15: 159-162, 1991.

Halberg F., Cornélissen G., Bakken E.: Caregiving merged with chronobiologic outcome assessment, research and education in health maintenance organizations (HMOs) - In: Hayes D.K., Pauly J.E., Reiter R.J., eds.: Chronobiology: Its Role in Clinical Medicine, General Biology, and Agriculture, Part B, Wiley-Liss, New York, 1990a, pp. 491-549.

Halberg F., Cornélissen G., Bingham C., Fujii S., Halberg E.: From experimental units to unique experiments: chronobiologic pilots complement large trials - in vivo 6: 403-428, 1992.

Halberg F., Cornélissen G., Bingham C., Tarquini B., Mainardi G., Cagnoni Panero C., Scarpelli P., Romano S., März W., Hellbrügge T., Shinoda M., Kawabata Y.: Neonatal monitoring to assess risk for hypertension - Postgrad. Med. 79: 44-46, 1986a.

Halberg F., Cornélissen G., Carandente F.: Chronobiology leads toward preventive health care for all: cost reduction with quality improvement. A challenge to education and technology via chronobiology - Chronobiologia 18: 187-193, 1991b.

Halberg F., Cornélissen G., Halberg E., Halberg J., Delmore P., Bakken E., Shinoda M.: Chronobiology of human blood pressure. Medtronic Continuing Medical Education Seminars, 1988, 4th ed., 242 pp.

Halberg F., Cornélissen G., Kopher R., Choromanski L., Eggen D., Otsuka K., Bakken E., Tarquini B., Hillman D.C., Delmore P., Kawabata Y., Shinoda M., Vernier R., Work B., Cagnoni M., Cugini P., Ferrazzani S., Sitka U., Weinert D., Schuh J., Kato J., Kato K., Tamura K.: Chronobiologic blood pressure and ECG assessment by computer in obstetrics, neonatology, cardiology and family practice - In: Computers and Perinatal Medicine: Proc. 2nd World Symp. Computers in the Care of the Mother, Fetus and Newborn, Kyoto, Japan, Oct. 23-26, 1989, Maeda K., Hogaki M., Nakano H. eds., Excerpta Medica, Amsterdam, 1990b, pp. 3-18.

Halberg F., Delbarre F.: Summary: quo vadis chronobiologia? In: Chronopharmacology, Proc.Satellite Symp. 7th Int. Cong. Pharmacol., Paris 1978, A. Reinberg and F. Halberg eds., Pergamon Press, Oxford/New York, 1979, pp. 403-426.

Halberg F., Engeli M., Hamburger C., Hillman D.: Spectral resolution of low-frequency, small-amplitude rhythms in excreted 17-ketosteroid; probable androgen-induced circaseptan desynchronization. Acta endocr. (Kbh.) Suppl. 103: 5-54, 1965.

Halberg F., Gupta B.D., Haus E., Halberg E., Deka A.C., Nelson W., Sothern R.B., Cornélissen G., Lee J.K., Lakatua D.J., Scheving L.E., Burns E.R.: Steps toward a cancer chronopolytherapy. In: Proc. XIV Int. Cong. Therapeutics, Montpellier, France, L'Expansion Scientifique Française, 1977, pp. 151-196.

Halberg F., Halberg E., Barnum C.P., Bittner J.J.: Physiologic 24-hour periodicity in human beings and mice, the lighting regimen and daily routine. In: Photoperiodism and Related Phenomena in Plants and Animals, Robert B. Withrow ed., Ed. Publ. #55, Am. Assn. Adv. Sci., Washington, DC, 1959, pp. 803-878.

XXVI

Halberg F., Halberg E., Herold M., Vecsei P., Günther R., Reinberg A.: Toward a clinospectrometry of conventional and novel effects of ACTH 1-17–Synchrodyn(r)–in rodents and human beings. In: Toward Chronopharmacology, Proc. 8th IUPHAR Cong. and Sat. Symposia, Nagasaki, July 27-28, 1981, R. Takahashi, F. Halberg, C. Walker eds., Pergamon Press, Oxford/New York, 1982, pp. 119-161.

Halberg F., Haus E., Cardoso S.S., Scheving L.E., Kühl J.F.W., Shiotsuka R., Rosene G., Pauly J.E., Runge W., Spalding J.F., Lee J.K., Good R.A.: Toward a chronotherapy of neoplasia: Tolerance of treatment depends upon host rhythms. Experientia (Basel) 29: 909-934, 1973.

Halberg F., Haus E., Halberg E., Cornélissen G., Scarpelli P., Tarquini B., Cagnoni M., Wilson D., Griffiths K., Simpson H., Balestra E., Reale L.: Chronobiologic challenges in social medicine: illustrative tasks in cardiology and oncology. Proc. 2nd Int. Conf. Medico-Social Aspects of Chronobiology, Florence, Oct. 2, 1984, Halberg F., Reale L., Tarquini B. eds., Istituto Italiano di Medicina Sociale, Rome, 1986b, pp. 13-42.

Halberg F., Marques N., Cornélissen G., Bingham C., Sánchez de la Peña S., Halberg J., Marques M., Wu J., Halberg E.: Circaseptan biologic time structure reviewed in the light of contributions by Laurence K. Cutkomp and Ladislav Dérer - Acta entomol. bohemoslov. 87: 1-29, 1990c.

Halberg F., Reale L., Tarquini B. (eds.): Proc. II International Symposium on Chronobiologic approach to social medicine, Florence, October 2, 1984, Istituto Italiano di Medicina Sociale, Rome, 1986d, 791 pp.

Halberg F., Reinberg A.: Rythmes circadiens et rythmes de basses fréquences en physiologie humaine. J. Physiol. (Paris) 59: 117-200, 1967.

Halberg F., Sánchez de la Peña S., Wetterberg L., Halberg J., Halberg Francine, Wrba H., Dutter A., Hermida Dominguez R.C.: Chronobiology as a tool for research, notably on melatonin and tumor development - In: Biorhythms and Stress in the Physiopathology of Reproduction, Pancheri P., Zichella L., eds., Hemisphere, New York, 1988, pp. 131-175.

Halberg F., Spink W.W.: The influence of brucella somatic antigen (endotoxin) upon the temperature rhythm of intact mice. Lab. Invest. 5: 283-294, 1956.

Halberg F., Visscher M.B., Flink E.B., Berge K., Bock F.: Diurnal rhythmic changes in blood eosinophil levels in health and in certain diseases. J. Lancet (USA) 71: 312-319, 1951.

Hayes D.K., Halberg F., Cornélissen G., Shankaraiah K.: Frequency response of the face fly, Musca autumnalis, to lighting schedule shifts at varied intervals - Ann. Entomol. Soc. Am. 79: 317-323, 1986.

Hübner K.: Kompensatorische Hypertrophie, Wachstum und Regeneration der Ratenniere. Ergebn. allg. Path. path. Anat. 48: 1-80, 1967.

Johansson B.B., Norrving B., Widner H., Wu J., Halberg F., 1990: Stroke incidence: circadian and circaseptan (about-weekly) variations in onset - In: Hayes D.K., Pauly J.E., Reiter R.J., eds.: Chronobiology: Its Role in Clinical Medicine, General Biology, and Agriculture, Part A, Wiley-Liss, New York, pp. 427-436. Kaine H.D., Seltzer H.S., Conn J.W.: Mechanism of diurnal eosinophil rhythm in man. J. Lab. Clin. Med. 45: 247-252, 1955.

Klevecz R.R., Shymko R.M., Blumenfeld D., Braly P.S.: Circadian gating of S-phase in human ovarian cancer. Cancer Res. 47: 6207-6271, 1987.

Kobayashi F., Fujii S., Nonogaki H., Nanbu Y., Iwai T., Konishi I., Sagawa N., Mori T., Hosono M.N., Endo K.: An extraordinarily high CA 125 level in a woman without apparent pathological foci of CA 125 production: dissociation between serum levels of CA 125 and CA 130. Am. J. Ob. Gyn. 165: 1297-99, 1991.

Leung B., Cornélissen G., Hillman D., Wang Z.R., Binkley S., Bingham C., Halberg F.: Halting steps toward a circadian-infradian pineal melatonin chronome. In: Proc. Workshop on Computer Methods on Chronobiology and Chronomedicine, Tokyo, Sept. 13, 1990, Otsuka K., Watanabe H., Cornélissen G., Halberg F. eds., in press.

Manfredini R., Gallerani M., Salmi R., Caló G., Pasin M., Pareschi P.L., Fersini C.: Circadian rhythmicity in the time of onset of acute gastrointestinal bleeding. Résumé de communication, 24ème Congrès Annuel, Groupe d'Etude des Rythmes Biologiques, Paris, 25-26 mai 1992.

Mainardi G., Tarquini B., Halberg F., Shinoda M., Panero C., Cugini P., Cornélissen Guillaume G., Bingham C., Cariddi A., Sorice V., Hermida R., Scarpelli P., Croppi E., Livi R., Scarpelli L., Cagnoni M.: Zum Risiko des Neugeborenen spätrr in Leben einen Hochdruck zu entwickeln - Sozialpädiatrie 10: 900-905, 88.

Minors D.S., Waterhouse J.M.: Circadian Rhythms and the Human. Wright/PSG, Bristol, England, 1981, 332 pp.

Pasqualetti P., Casale R., Festuccia V., Di Lauro G., Natali L., Maccarone C., Natali G.: Epidemiological chronorisk for acute cardiocerebrovascular diseases in L'Aquila, Abruzzi, Italy. Résumé de communication, 24ème Congrès Annuel, Groupe d'Etude des Rythmes Biologiques, Paris, 25-26 mai 1992.

Passouant P., Halberg F., Genicot R., Popoviciu L., Baldy-Moulinier M.: La périodicité des accès narcoleptiques et le rythme ultradien du sommeil rapide. Rev. neurol. (Paris) 121: 155-164, 1969.

Quadens O., Green H.L.: Eye-movements during sleep in weightlessness. Science 225: 221-222, 1984.

Radha E., Halberg F.: Rhythms of isolated platelet glutathione, aging and the internal evolution of species - In: Advances in Chronobiology, Part A, Proc. XVII Int. Conf. Int. Soc. Chronobiol., Little Rock, Ark., USA, Nov. 3- 7, 1985, Pauly J.E., Scheving L.E., eds., Alan R. Liss, New York, 1987, pp. 173-180.

Reinberg A., Gervais P., Halberg F., Gaultier M., Roynette N., Abulker Ch., Dupont J.: Mortalité des adultes: Rythmes circadiens et circannuels dans un hôpital parisien et en France. Nouv. Presse méd. 2: 289-294, 1973.

Reinberg A., Ghata J., Halberg F., Apfelbaum M., Gervais P., Boudon P., Abulker C., Dupont J.: Distribution temporelle du traitement de l'insuffisance corticosurrénalienneÄessai de chronothérapeutique. Ann. Endocr. (Paris) 32: 566- 573, 1971.

Reinberg A., Halberg F.: Circadian chronopharmacology. Ann. Rev. Pharmacol. 2: 455-492, 1971.

Reinberg A., Halberg F. (eds.): Chronopharmacology: Proc. Satellite Symp. 7th int. Cong. Pharmacol., Paris, July 21-24, 1978, Pergamon Press, Oxford, 1979, 429 pp.

Reinberg A., Smolensky M.H.: Biological rhythms and medicine. Cellular, metabolic, physiopathologic, and pharmacologic aspects. Springer, New York, 1983, 305 pp.

Rensing L. (ed.): Oscillations and Morphogenesis. Cellular Clocks Series/5. Marcel Dekker Inc., New York, 1992, 520 pp.

Robel P., Synguelakis M., Halberg F., Baulieu E-E.: Neurophysiologie.- Persistance d'un rythme circadien de la déhydroépiandrostérone dans le cerveau, mais non dans le plasma, de rats castrés et surrénalectomisés - C.R. Acad. Sc. Paris 303, Série III, #6: 235-238, 1986.

Sánchez de la Peña S., Halberg F., Ungar F., Lakatua D.: Ex vivo hierarchy of circadian-infradian rhythmic pineal-pituitary-adrenal intermodulations in rodents - In: Biorhythms and Stress in the Physiopathology of Reproduction, Pancheri P., Zichella L., eds., Hemisphere, New York, 1988, pp. 177-214.

Schmitt G., Halberg F., Cornélissen G.: La chronobiologie et l'enseignement secondaire. Biol. Géol. Bull. Pédagog. trimest. 65: 414-441, 1978.

Schweiger H-G., Berger S., Kretschmer H., Morler H., Halberg E., Sothern R.B., Halberg F.: Evidence for a circaseptan and a circasemiseptan growth response to light/dark cycle shifts in nucleated and enucleated Acetabularia cells, respectively - Proc. Natl. Acad. Sci. USA 83: 8619-8623, 1986.

Siffre M., Reinberg A., Halberg F., Ghata J., Perdriel G., Slind R.: L'isolement souterrain prolongé. Etude de deux sujets adultes sains avant, pendant et après cet isolement. Presse méd. 74: 915-919, 1966.

Simpson H.W., Pauson A., Cornélissen G.: The chronopathology of breast pre-cancer - Chronobiologia 16: 365-372, 1989a.

Simpson H.W., Pauson A.W., Wilson D.W.: The chronobra-the 'electrocardiogram' of the breast? In: Proc. 2nd Ann. IEEE Symp. on Computer-Based Medical Systems, June 26-27, 1989, Minneapolis, Minnesota, IEEE Computer Society Press, Washington DC, 1989b, pp. 214-225.

Smolensky M., Halberg F., Sargent F. II: Chronobiology of the life sequence. In: Advances in Climatic Physiology, S. Itoh, K. Ogata, H. Yoshimura, eds., Igaku Shoin Ltd., Tokyo, 1972, pp. 281-318.

Syutkina E.V., Safin S.R., Grigoriev A.E., Abramian A.S., Polyakov Y.A., Taybloom M., Halberg E., Halberg F.: Intrauterine exposure to betamimetics affects adolescent circadian blood pressure (BP) and heart rate (HR) rhythms - Biochim. Clin. 15: 158-159, 1991.

Szafarczyk A., Ixart G., Malaval F., Nouguier-Soulé T., Assenmacher A.: Short-term effects of stereotaxic destruction of the suprachiasmatic nucleus on the diurnal rhythms of plasma ACTH and corticosterone and of locomotor activity in rats. Proc. Int. Union Physiol. Sci. 13: 733, 1977.

Tarquini B. (ed.): Social Diseases and Chronobiology: Proc. 3rd Int. Symp. Social Diseases and Chronobiology, Florence, Italy, Nov. 29, 1986, Esculapio, Bologna, 1987, 494 pp.

Tarquini B., Fernández J.R., Wu J., Cornélissen G., Maggioni C., Mainardi G., Panero C., Hermida R.C., Cagnoni M., Halberg F.: Infradian, notably circannual, cardiovascular variation gauging effect of intrauterine exposure to b-adrenergic agonists - In: Hayes D.K., Pauly J.E., Reiter R.J., eds.: Chronobiology: Its Role in Clinical Medicine, General Biology, and Agriculture, Part A, Wiley-Liss, New York, 1990, pp. 595-604.

Touitou Y., Haus E. (eds.): Biological Rhythms in Clinical and Laboratory Medicine, Springer-Verlag, Berlin, 1992, 709 pp.

Tubiana M.: La place de l'immunothérapie dans le traitement des cancers. Bull. Acad. Nat. de Méd. 176: 859-865, 1992.

Virey J.J.: Ephémérides de la vie humaine ou recherches sur la révolution journalière, et la périodicité de ses phénomènes dans la santé et les maladies. Thèse (Paris), 23 April 1814, 39 pp.

Walker W.Y., Russell J.E., Simmons D.J., Scheving L.E., Cornélissen G., Halberg F.: Effect of an adrenocorticotropin analogue, ACTH 1-17, on DNA synthesis in murine metaphyseal bone. Biochem. Pharmacol. 34: 1191-1196, 1985.

Young M.W. (ed.): Molecular Genetics of Biological Rhythms. Cellular Clocks Series/4. Marcel Dekker Inc., New York, 1992, 336 pp.

Zucker I.: Neuroendocrine substrates of circannual rhythms. In: Kupfer D.J., Monk T.H., Barchas J.D. eds.: Biological Rhythms and Mental Disorders, Guilford Press, New York, 1988, pp. 219-251.

Rythmes chez la cellule
et
les micro-organismes

Cellular and micro-organisms rhythms

ULTRADIAN AND CIRCADIAN DYNAMICS IN *EUGLENA*
DYNAMIQUE ULTRA- ET CIRCADIENNE CHEZ EUGLENA

I. Balzer and R. Hardeland,

I. Zoologisches Institut,
Universität Göttingen,
Göttingen, Germany

Abstract

The flagellate *Euglena gracilis* is capable of oscillating both in a circadian and in an ultradian fashion. Circadian rhythms of phototaxis, protein synthesis, and cell shape are accompanied by an ultradian periodicity of ca. 4.5 h in the activity of tyrosine aminotransferase. In darkness, the circadian rhythm of motility is expressed either alone or simultaneously with oscillations of ca. 1.5 h and 8 min; alternatively, it can be replaced by a periodicity of ca. 1 h, which shows spontaneous variations of period length. This rhythm can also be substituted by the 8-min periodicity, or develop from the 1.5-h cycle. The simultaneous manifestation of rhythms of different frequencies does not seem to be exceptional in unicellular organisms, but rather to represent a feature of a complex and more general cellular dynamics.

Résumé

Le flagellé *Euglena* est capable d'osciller d'une manière circadienne et ultradienne. Les rythmes circadiens de la phototaxie, de la synthèse protéique, et de la forme cellulaire sont accompagnés par une périodicité d'environ 4,5 h de la tyrosine aminotransférase. Dans l'obscurité le rythme circadien de la motricité s'exprime seul ou simultanément avec des oscillations d'environ 1,5 h et 8 min, ou est remplacé par une périodicité d'environ 1 h. Ce rythme montre des variations spontanées de la période, il peut être suppléé par la périodicité de 8 min ou peut renaître du cycle de 1,5 h. La manifestation simultanée des rythmes de fréquences diverses ne paraît pas être exceptionelle chez des organismes monocellulaires, mais pourrait représenter un aspect d'une dynamique cellulaire plus complexe et générale.

1 Introduction

The living cell as a functional entity represents the source of basic biological oscillations. These can be demonstrated and analysed particularly well in unicellular organisms. Circadian rhythms of unicells are widely documented (for review see: Edmunds, 1988). Especially during the last decade, our knowledge on ultradian cellular rhythms has increased considerably (review: Lloyd & Stupfel, 1991). Occasionally, both types of periodicities have even been found to occur simultaneously, such as in *Acetabularia* (v. Klitzing, 1969), *Euglena* (Balzer et al., 1989b; Adams, 1990), and *Chlamydomonas* (Jenkins et al., 1989). The dynamics of

3

concomitance, appearance and disappearance of periodicities is, however, much more complex than a simple addition or superposition of rhythms, but rather reflects the behaviour of a multioscillator system at the cellular level.

2 Materials and Methods

Euglena gracilis Klebs, strain Z (no. 1224-5/25) was kept autotrophically at 23 °C, in LD 12:12. Tyrosine aminotransferase activity was determined according to Diamondstone (1966) in stationary cultures of 6 - 8 weeks (for further details see: Balzer *et al.*, 1989b). Cell motility was measured in 8 - 10 months old cultures, by recording cell density by means of an infrared beam positioned directly above the bottom of the cuvette (further details: Balzer & Hardeland, 1991).

3 Results and Discussion

The flagellate *Euglena gracilis*, representing a model organism for studies on circadian rhythms, behaves, in fact, as a multioscillator system. Table 1 summarizes the concomitance of various period lengths, both in *E. gracilis* strain Z and in *E. gracilis* var. *bacillaris*.

Table 1. Ultradian rhythms in *Euglena* occurring simultaneously with other periodicities. *Rythmes ultradiens chez* Euglena: *apparition simultanée avec des autres périodicités.*			
Period length τ (ca.)	Function	Concomitance with τ (ca.)	References
4.5 h	tyrosine amino-transferase	24 h	Balzer *et al.*, 1989b
1.5 h	dark motility	24 h	Balzer & Hardeland, 1992
"	"	8 min	Balzer & Hardeland, 1992
1 h	dark motility	24 h	Hardeland & Balzer, 1992
1 h (*)	motility	24 h	Adams, 1990
34 min (*)	motility	24 h	Adams, 1990
20 min (*)	motility	24 h	Adams, 1990
8 min	dark motility	24 h	Balzer & Hardeland, 1992
"	"	1.5 h	Balzer & Hardeland, 1992
(*) *Euglena gracilis* var. *bacillaris*			

The ultradian rhythm of ca. 4.5 h in the activity of tyrosine aminotransferase coexists with circadian oscillations in many other functions, such as phototaxis, cell shape, and protein synthesis. This ultradian behaviour is not a common feature of enzymes involved in amino acid catabolism, since, under same experimental conditions, tryptophan 2,3-dioxygenase oscillates in a circadian fashion (Pfleging, 1992). Tyrosine aminotransferase itself shows a circadian component of usually low amplitude (Neuhaus-Steinmetz *et al.*, 1990). The ultradian cyclicity, on the other hand, appears to be comparably robust, as it is expressed with approximately same period under various experimental conditions, i.e. in different temperatures and lighting conditions (Balzer *et al.*. 1989a,b).

Various ultradian frequencies can be detected in the dark motility of this unicell. The range of period lengths is remarkably broad including oscillations of 8 min to 1.5 h, all of which can be expressed together with the circadian cycle (Table 1). This circadian periodicity persists even under conditions of extremely reduced metabolism, in cells subjected to prolongued stationarity in salt medium for long periods of time, and after several weeks of experimental darkness. Especially in this physiological situation, the ultradian components become progressively apparent.

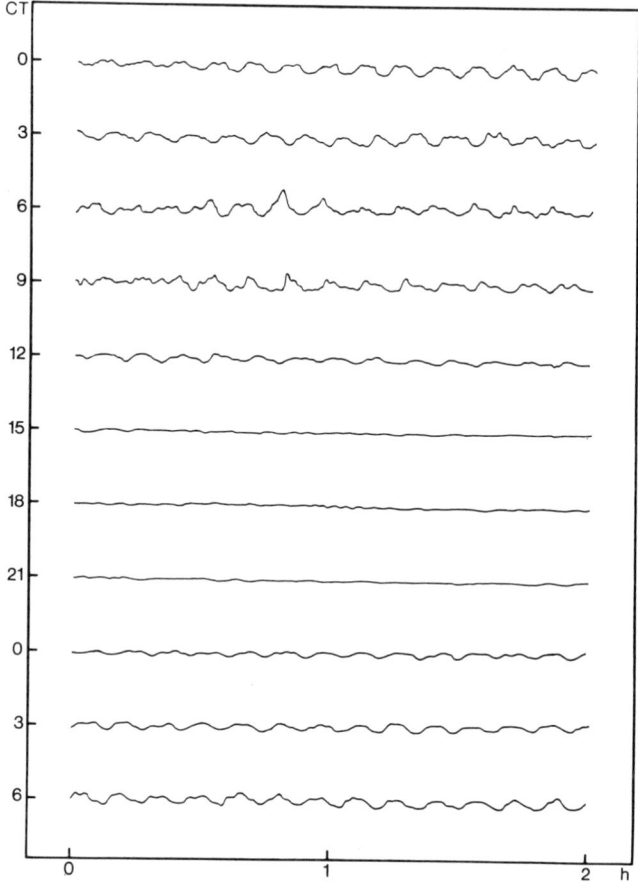

Figure 1. Circadian modulation of a ca.-8-min ultradian rhythm in dark motility.
Modulation circadienne d'un rythme ultradien d'environ 8 min de la motricité dans l'obscurité.

5

The increase of the ultradian amplitudes is usually associated with a decline in that of the circadian rhythm (Balzer & Hardeland, 1992). A circadian modulation can still be detected in the expression of the 8-min rhythm (Fig. 1): depending on the circadian phase, the ultradian amplitude increases and decreases, becoming undetectably small during the circadian minimum of cell density.

In other cases, the circadian rhythmicity can be replaced by the 1-h oscillation, which prevails for many periods, and exhibits systematical, but non-circadian variations in period length between 50 and 70 min. Subsequently, the rhythm becomes undetectable and the ultradian oscillation of 8 min emerges, which undergoes a cyclic change in amplitude, and is replaced by the 1.5-h rhythm, which finally transforms into the 1-h cycle (Balzer & Hardeland, 1992). Whether the appearance and disappearance of overt ultradian rhythms really reflects presence and absence of the respective cellular oscillations, or only variations in coupling and uncoupling of cell motility to ultradian oscillators, remains to be elucidated.

The multiplicity of frequencies observed in one cellular function in *Euglena gracilis* may be interpreted in two different ways. One of these consists in the assumption that longer periodicities are composed of quantal subcycles. The shortest oscillation measured in *Euglena* has a period length of ca. 8 min (Balzer & Hardeland, 1992), and might be presumed to represent the basic element. The 4-fold of this would result in the ca.-34-min rhythm, the periods of ca. 1, 1.5 and 4.5 h might be regarded as the 2-, 3- and 9-fold multiples of the latter. A similar proposal had been discussed earlier, before the 8-min oscillation was described, on the basis of a hypothetical 17-min rhythm (Adams, 1990). A major problem of this kind of calculation resides in the variability of all ultradian period lengths. For example, the ca.-8-min rhythm can cover a range between 7 and 9.5 min, whereas the ca.-1-h rhythm can vary between 50 and 70 min (Balzer & Hardeland, 1992).

Alternatively, the multioscillatory behaviour of *Euglena* could result from the properties of a single complex dynamic system. In this case, one could assume a multidimensional attractor which would oscillate with different frequencies in the various pairs of dimensions. Such a system would not require multiple oscillators, nor several alternative coupling mechanisms, nor harmonical relationships between frequencies, but would be able to produce various rhythms with same characteristics, such as temperature compensation, within the entity of the cell.

4 References

Adams K.J., Circadian clock control of an ultradian rhythm in *Euglena gracilis*, in: *Chronobiology & Chronomedicine* (Morgan E., ed.), Lang, Frankf./M.-Bern-N.Y.-Paris, 1990, pp.13-22.

Balzer I., Hardeland R., Differential light effects on the dark motility rhythm in *Euglena gracilis* by series of short light pulses: Induction of long-term fluctuations and holding of the circadian oscillator, *Int. J. Biometeorol.*, 1991, 34: 235-238.

Balzer I., Neuhaus-Steinmetz U., Hardeland R., Temperature compensation in an ultradian rhythm of tyrosine aminotransferase activity in *Euglena gracilis* Klebs, *Experientia*, 1989a, **45**: 476-477.

Balzer I., Neuhaus-Steinmetz U., Quentin E., van Wüllen M., Hardeland R., Concomitance of circadian and ca.-4-hour ultradian rhythms in *Euglena gracilis*, *J. Interdiscipl. Cycle Res.*, 1989b, **20**: 15-24.

Diamondstone T.I., Assay of tyrosine transaminase activity by conversion of *p*-hydroxyphenylpyruvate to *p*-hydroxybenzaldehyde, *Anal. Biochem.*, 1966, **16**: 395-401.

Edmunds L.N. Jr., *Cellular and Molecular Bases of Biological Clocks. Models and Mechanisms for Circadian Timekeeping*, Springer, N.Y.-Berl.-Heidelbg.-Lond.-Paris-Tokyo, 1988.

Hardeland R., Balzer I., Ultradian rhythms as elements of multioscillator systems in *Euglena gracilis* and *Tetrahymena thermophila*, *8th ESC Conference, Leiden*, 1992, pp. 50-51.

Jenkins H., Griffiths A.J., Lloyd D., Simultaneous operation of ultradian and circadian rhythms in *Chlamydomonas reinhardii*, *J. Interdisicpl. Cycle Res.*, 1989, **20**: 257-264.

Klitzing L. v., Oszillatorische Regulationserscheinungen in der einzelligen Grünalge *Acetabularia*, *Protoplasma*, 1969, **68**: 341-350.

Lloyd D., Stupfel M., The occurrence and functions of ultradian rhythms, *Biol. Rev.*, 1991, **66**: 275-299.

Neuhaus-Steinmetz U., Balzer I., Hardeland R., Ultradian rhythmicity of tyrosine aminotransferase activity in *Euglena gracilis*: Analysis by cosine and non-sinusoidal fitting procedures, *Int. J. Biometeorol.*, 1990, **34**: 28-34.

Pfleging P., Chronobiologische Untersuchungen am Tryptophan-Stoffwechsel von *Euglena gracilis*, *Diploma Thesis*, Göttingen, 1992.

MODELISATION DES OSCILLATIONS ET DES ONDES DE CALCIUM CYTOSOLIQUE

A MODELISATION OF CYTOSOLIC CALCIUM WAWES AND OSCILLATIONS

Geneviève Dupont et Albert Goldbeter

Faculté des Sciences, Université Libre de Bruxelles,
Campus Plaine, C.P. 231, B-1050 Bruxelles, Belgique

Résumé

Dans le domaine des rythmes biologiques, une des découvertes les plus importantes de ces dernières années est sans aucun doute la mise en évidence des oscillations de Ca^{2+} cytosolique en réponse à une stimulation externe dans de très nombreux types de cellules. Il est possible de rendre compte d'un grand nombre de caractéristiques de ce rythme ultradien (1s$\leq$ période $\leq$ 30min) à l'aide d'un modèle fondé sur une régulation autocatalytique connue sous le nom de "Ca^{2+}-induced Ca^{2+} release (CICR)". Une des propriétés importantes de ces oscillations est que leur fréquence augmente avec le taux de stimulation, suggérant ainsi que le signal extérieur est codé en termes de fréquence et non d'amplitude. Nous proposons un mécanisme moléculaire simple qui pourrait être à la base d'un tel codage par fréquence. Enfin, l'incorporation de la diffusion du Ca^{2+} cytosolique dans le modèle minimal fondé sur le CICR permet de rendre compte de l'existence des fronts d'onde de Ca^{2+} dont on observe généralement la propagation dans le cytoplasme des cellules stimulées.

Summary

In a wide variety of cells, external stimulation by a hormone or a neurotransmitter is followed by sustained intracellular Ca^{2+} oscillations. A theoretical model based on "Ca^{2+}-induced Ca^{2+} release (CICR)" is proposed. In agreement with experimental studies, the model assumes that the increase of cytosolic Ca^{2+} mediated by $InsP_3$, a phospholipid synthetised after stimulation and which induces the release of Ca^{2+} from intracellular stores (endo- or sarcoplasmic reticulum), in turn activates further release of Ca^{2+} from the latter stores. The model accounts for a variety of experimental observations, such as the increase in frequency with the level of stimulation, the correlation between period and latency, and the response to transient increases in $InsP_3$.

The observation that the frequency -and not the amplitude- of the oscillations increases with the stimulus raises the possibility that the external signal could be frequency encoded. It is proposed that such a phenomenon could be accounted for by a mechanism based on the reversible phosphorylation of a cellular substrate by a protein kinase activated by cytosolic Ca^{2+}.

Finally, we focus on the observation that oscillations are often accompanied by travelling Ca^{2+} fronts within the cell. The various propagating waves observed in different cell types can be reproduced by the model based on CICR when diffusion of cytosolic Ca^{2+} is taken into account.

1. Les oscillations de Ca^{2+} intracellulaire: un phénomène périodique de haute fréquence largement répandu

Dans le domaine des rythmes biologiques, une des découvertes les plus importantes de cette dernière décennie est sans aucun doute la mise en évidence des oscillations de Ca^{2+} cytosolique. Ces oscillations sont observées dans des cellules extrêmement nombreuses et variées (myocytes, ovocytes, fibroblastes, hépatocytes, cellules musculaires, pancréatiques, endothéliales, etc; voir réf. 1 pour une revue complète) en réponse à une stimulation externe par une hormone ou un neurotransmetteur, ou, suite à une augmentation de la concentration en Ca^{2+} extracellulaire . Dans certains cas (cellules somatotropes[1] ou chromaffines[2]), ces oscillations peuvent apparaître spontanément. Ce phénomène périodique de haute fréquence (1s ≤période ≤30min) représente donc le rythme ultradien le plus répandu, mis à part les trains de potentiels d'action observés dans les cellules électriquement excitables. Les pics de Ca^{2+} cytosolique générés en réponse à la stimulation sont abrupts et réguliers et présentent la particularité[1] d'augmenter en fréquence, mais non en amplitude, lorsque l'intensité du signal extérieur augmente.

D'un point de vue expérimental, ni le mécanisme ni le rôle de ces oscillations ne sont encore complètement élucidés. On sait[1] que la stimulation externe mène à la formation d'un messager intracellulaire, l'inositol 1,4,5-trisphosphate (InsP3) qui, en se fixant sur des récepteurs situés sur la paroi des réservoirs intracellulaires de Ca^{2+} (réticulum endo- ou sarcoplasmique), provoque la libération de Ca^{2+} dans le cytosol. La compréhension de l'origine du comportement périodique est, quant à elle, mieux abordée par une approche théorique étant donné l'impossibilité technique actuelle d'obtenir des relevés continus du taux d'InsP3 intracellulaire.

Enfin, la mise au point de techniques nouvelles a permis de mettre en évidence un niveau de complexité supplémentaire dans ce signal Ca^{2+}. En effet, en réponse à la stimulation, la concentration en Ca^{2+} dans le cytosol n'augmente pas de manière spatialement uniforme, mais se propage sous la forme d'un front d'onde[3,4]. En plus de l'organisation temporelle, cette organisation spatiale joue un rôle physiologique fondamental, notamment lors de la fertilisation[5] et dans certains processus de sécrétion[6].

2. Modèle minimal pour les oscillations de Ca^{2+} intracellulaire fondé sur une régulation autocatalytique

Etant donné que le taux d'InsP3 ne peut pas être mesuré de manière continue au sein d'une cellule, la nature périodique de l'augmentation de Ca^{2+} cytosolique peut formellement être attribuée à une production oscillante d'InsP3, messager responsable de la libération de Ca^{2+} depuis les réservoirs intracellulaires, ou à un processus cyclique au niveau de l'échange de Ca^{2+} entre le cytosol et ces derniers réservoirs. Tandis que la première hypothèse est à la base du premier modèle mathématique pour les oscillations de Ca^{2+} impliquant l'InsP3[7], nous avons proposé en collaboration avec M.J. Berridge un modèle fondé sur le second type de régulation[8,9]. Le mécanisme proposé peut être décomposé en deux étapes: le premier effet de la stimulation externe est d'augmenter le taux d'InsP3, ce qui entraîne la libération de Ca^{2+} depuis les réservoirs intracellulaires

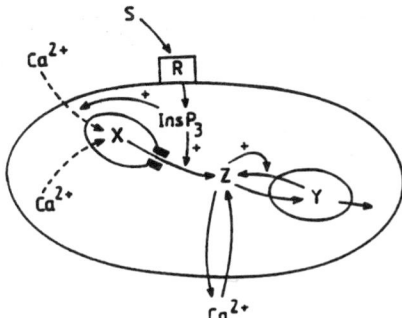

Fig. 1 Représentation schématique du modèle basé sur le CICR (Ca^{2+}-induced Ca^{2+} release). Le stimulus (S), en se fixant sur le récepteur (R) active la synthèse d'InsP3 ; ce messager intracellulaire provoque la libération de Ca^{2+} depuis un réservoir sensible à l'InsP3, dont le remplissage est supposé très rapide. Le Ca^{2+} cytosolique (Z) est également pompé dans un réservoir insensible à InsP3; le Ca^{2+} stocké dans ce dernier compartiment (Y) est libéré par un processus activé par le Ca^{2+} cytosolique. Cette régulation autocatalytique, connue sous le nom de CICR, joue un rôle primordial dans la genèse des oscillations.

Schematic representation of the model based on CICR (Ca^{2+}-induced Ca^{2+} release). The stimulus (S) acting on a cell surface receptor (R) triggers the synthesis of InsP3; the latter intracellular messenger elicits the release of Ca^{2+} from an InsP3-sensitive store (X), whose replenishment is assumed to be very fast. Cytosolic Ca^{2+} (Z) is also pumped into an InsP3-insensitive store; Ca^{2+} in the latter store (Y) is released into the cytosol in a process activated by cytosolic Ca^{2+}. This feedback, known as Ca^{2+}-induced Ca^{2+} release, plays a primary role in the origin of oscillations.

11

sensibles à l'InsP3. Le niveau élevé de Ca^{2+} cytosolique qui en résulte provoque à son tour une mobilisation plus importante de Ca^{2+} dans le cytosol. Ce type de régulation, qualifié d'*autocatalytique*, avait déjà été mis en évidence dans les cellules musculaires et cardiaques et était connu sous le nom de "Ca^{2+}-induced Ca^{2+} release (CICR)". Son existence dans d'autres types cellulaires répondant à une stimulation externe par une synthèse d'InsP3 a été corroborée par des mises en évidence directes dans les ovocytes[10], les cellules chromaffines[3] et pancréatiques acinaires[11]. D'autre part, des expériences montrant que des analogues non métabolisables de l'InsP3 peuvent également induire des oscillations[12] sont également en accord avec un mécanisme où le générateur du rythme se situe au-delà de la production d'InsP3, comme dans le modèle basé sur le CICR.

Sous sa forme originale[9,10], en accord avec des observations faites dans certains types cellulaires, le modèle fondé sur le CICR supposait l'existence de deux types de réservoirs de Ca^{2+}: un premier sensible à l'InsP3 et un second insensible à ce dernier messager mais sensible au Ca^{2+}. Cette hypothèse n'est cependant pas nécéssaire pour générer des oscillations dans un modèle basé sur le CICR[13]. Le modèle, qui se veut minimal afin d'identifier les régulations importantes pour la genèse du rythme, est schématisé dans sa forme initiale à la Fig. 1. Il ne contient que deux variables: la concentration en Ca^{2+} cytosolique (Z) et le contenu en Ca^{2+} dans les réservoirs intracellulaires (Y). L'évolution temporelle de ces deux variables est décrite par les équations différentielles suivantes:

$$\frac{dZ}{dt} = V_{in} - V_2 + V_3 + k_f Y - kZ$$

$$\frac{dY}{dt} = V_2 - V_3 - k_f Y \tag{1}$$

avec:

$$V_{in} = v_0 + v_1 \beta \tag{2a}$$

$$V_2 = V_{M2} \frac{Z^n}{K_2^n + Z^n} \tag{3}$$

$$V_3 = V_{M3} \frac{Y^m}{K_R^m + Y^m} \frac{Z^p}{K_A^p + Z^p} \tag{4a}$$

où v_0 représente l'influx de Ca^{2+} extracellulaire à travers la membrane plasmatique, et v_1 la vitesse maximale de libération de Ca^{2+} depuis un réservoir sensible à l'InsP3. Cette dernière libération est modulée par le paramètre β qui représente la fonction de saturation du récepteur à l'InsP3. V_{M2} et V_{M3} sont les vitesses maximum de transport de Ca^{2+} vers et depuis le réservoir insensible à l'InsP3; K_2, K_R, et K_A symbolisent les constantes de seuil pour le pompage, la libération et l'activation tandis que n, m et p sont les coéfficients de Hill caractérisant le degré de coopérativité de ces mêmes processus:

Enfin $k_f Y$ et kZ représentent des transports passifs de Y vers Z, et du cytosol vers le milieu extracellulaire, respectivement.

La Fig. 2 illustre le comportement du modèle lorsqu'on augmente la stimulation via le paramètre β dans les simulations numériques du modèle: des oscillations de Ca^{2+} de fréquence croissante apparaissent. D'autre part, pour des stimulations trop faibles ou trop importantes, il s'établit un état stationnaire de Ca^{2+} cytosolique, respectivement bas ou élevé. Ces résultats sont en parfait accord avec les observations expérimentales[1,3,12]. En outre, le modèle rend compte d'un grand nombre de propriétes des oscillations de Ca^{2+} cytosolique, telles que la corrélation entre latence (temps écoulé entre la stimulation et le premier pic de Ca^{2+}) et période[14], la réponse à une stimulation transitoire par l'InsP3, l'influence du taux de Ca^{2+} extracellulaire ou le déphasage des oscillations par des injections de Ca^{2+} cytosolique (voir réf. 5 et 10).

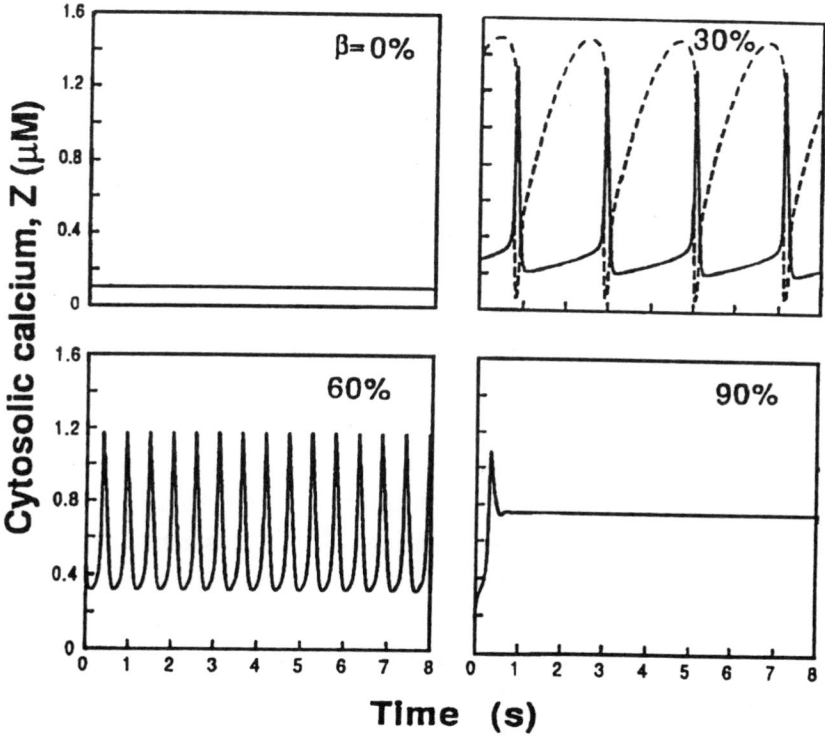

Fig. 2   Variation du Ca^{2+} cytosolique en réponse à une stimulation externe dans le modèle basé sur le CICR. En l'absence de stimulation ($\beta=0\%$), il s'établit un état stationnaire stable et peu élevé de Ca^{2+} cytosolique (Z, trait plein). Lorsqu'on augmente la stimulation, des oscillations se développent, avec une fréquence qui augmente avec le taux de stimulation. Au-delà d'un seuil critique de stimulation, un niveau stationnaire élevé de Ca^{2+} s'établit. Dans le panneau supérieur droit, la ligne en pointillés représente la variation de Ca^{2+} dans le réservoir sensible au Ca^{2+} (Y).

Dynamics of cytosolic Ca^{2+} in response to external stimulation in the minimal model for Ca^{2+} oscillations based on CICR. In the absence of stimulation (ß=0%), a stable, low steady state level of cytosolic Ca^{2+} (Z, solid line) is established. Upon increasing the stimulation, oscillations develop with a frequency that rises with the stimulus level. Above a critical level of stimulation, oscillations disappear and a stable, high steady state level of Ca^{2+} is established. In the upper, right panel, the dashed line represents the variation of Ca^{2+}(Y) in the Ca^{2+}-sensitive store.

3. Une hypothèse pour le rôle des oscillations de Ca^{2+} : le codage par fréquence

La mise en évidence de l'existence d'un rythme suscite d'emblée deux questions: la première, traitée à la section précédente, concerne l'identification du mécanisme moléculaire à la base du processus périodique. La seconde porte sur le rôle physiologique des oscillations. Dans de nombreux cas, la réponse à cette seconde interrogation est assez immédiate. Par exemple, l'intérêt physiologique des rythmes circadiens s'impose clairement comme un moyen d'adaptation des êtres vivants à leur environnement. En ce qui concerne les processus périodiques de haute fréquence, citons le cas des oscillations membranaires au niveau du noeud sino-atrial qui constituent le pacemaker du rythme cardiaque, ou celui de la sécrétion périodique d'AMP cyclique chez les amibes *Dictyostelium discoideum,* qui rend possible l'agrégation de ces amibes lors d'une carence en nourriture[15].

Que peut-on dire du rôle physiologique des oscillations de Ca^{2+}? Une première possibilité est qu'une réponse sous forme de pics répétés soit un moyen pour la cellule d'utiliser le Ca^{2+} comme second messager, sans inonder dangereusement la cellule par un taux élevé de Ca^{2+}. Cependant, certaines observations expérimentales suggèrent que les oscillations de Ca^{2+} cytosolique en réponse à une stimulation externe aient un rôle physiologique plus actif. En effet, dans la plupart des types cellulaires, la fréquence des oscillations augmente avec le taux de stimulation[1,3,12]. De plus, dans le cas de certaines cellules sécrétrices (cellules somatotropes[2], glandes salivaires de mouche[16]), on a pu montrer que la quantité de substance sécrétée augmente avec la fréquence des oscillations. Ainsi, il a été rapidement suggéré[1,9] que le Ca^{2+} puisse opérer selon un processus codé par la fréquence et non par l'amplitude.

Un mécanisme plausible rendant compte d'un tel processus est fondé sur la phosphorylation réversible de protéines. Du point de vue de la modélisation[9,17], nous considérons ainsi l'existence d'un substrat cellulaire qui peut être phosphorylé par une kinase activée par le Ca^{2+}, et déphosphorylé par une phosphatase. Désignant par W^* la fraction de protéine phosphorylée, on montre aisément[17,18] que l'évolution temporelle de cette dernière obéit à l'équation suivante:

$$\frac{dW^*}{dt} = (\frac{v_p}{W_T})\{(\frac{v_k}{v_p})\frac{1-W^*}{K_1+1-W^*} - \frac{W^*}{K_2+W^*}\} \qquad (2)$$

où v_1 et v_2 désignent les vitesses maximales de la kinase et de la phosphatase, respectivement; W_T représente la concentration totale en protéine substrat et K_1 et K_2 sont les constantes de Michaelis-Menten de la kinase et de la phosphatase divisées par W_T.

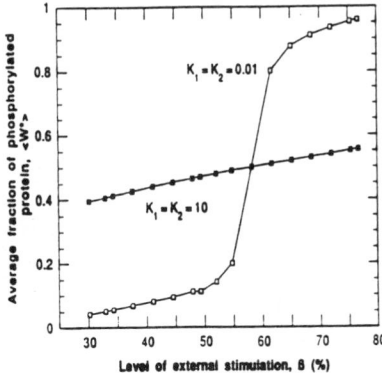

Fig. 3 Codage par fréquence des oscillations de Ca^{2+} fondé sur la phosphorylation réversible de protéines sous l'action d'une kinase activée par le Ca^{2+}. Les courbes indiquent la fraction moyenne de protéine phosphorylée en fonction du taux de stimulation, ß.

Frequency encoding of oscillations based on protein phosphorylation. Shown is the variation of the mean fraction of protein phosphorylated by a Ca^{2+}-dependent kinase as a function of the stimulus level, ß in the model for signal-induced Ca^{2+} oscillations.

Si on identifie le taux de protéine phosphorylée à l'activité cellulaire, la simulation du système global constitué des équations (1) et (2) permet d'établir que le mécanisme proposé peut être à la base d'un codage par fréquence efficace pourvu que certaines conditions cinétiques soient satisfaites[18]. Ceci est illustré à la Fig. 3 qui montre qu'un codage par fréquence efficace peut être obtenu dans le cas où la kinase et la phosphatase sont saturées par leur substrat (K_1 et K_2 <<1).

4. Un niveau de complexité supplémentaire dans le signal Ca^{2+}: la propagation de fronts de Ca^{2+} cytosolique

De récentes observations montrent que la réponse à la stimulation externe sous forme d'un signal Ca^{2+} intracellulaire possède également des caractéristiques spatiales bien déterminées. L'augmentation locale de Ca^{2+} qui suit la stimulation se propage en effet sous forme d'un front d'onde sur la surface des oeufs après fertilisation[6], dans le cytoplasme des cellules cardiaques[19], endothéliales[20], ainsi que dans celui des

15

hépatocytes[21]. D'un point de vue théorique, il est bien connu qu'un mécanisme donnant lieu à des oscillations dans un milieu homogène peut engendrer des phénomènes d'organisation spatiale lorsqu'on tient compte de la diffusion[22]. Nous avons donc incorporé dans le modèle constitué des équations (1) la diffusion du Ca^{2+} cytosolique, sous la forme du terme $D(\dfrac{\partial Z}{\partial x^2}+\dfrac{\partial Z}{\partial y^2})$ ajouté à la première des deux équations du système qui devient une équation aux dérivées partielles en fonction du temps et de l'espace, où D représente le coéfficient de diffusion du Ca^{2+}. Pour simplifier, on ne prend en compte la diffusion du Ca^{2+} que dans deux directions spatiales (x et y), ce qui revient à examiner une coupe très mince dans la cellule considérée.

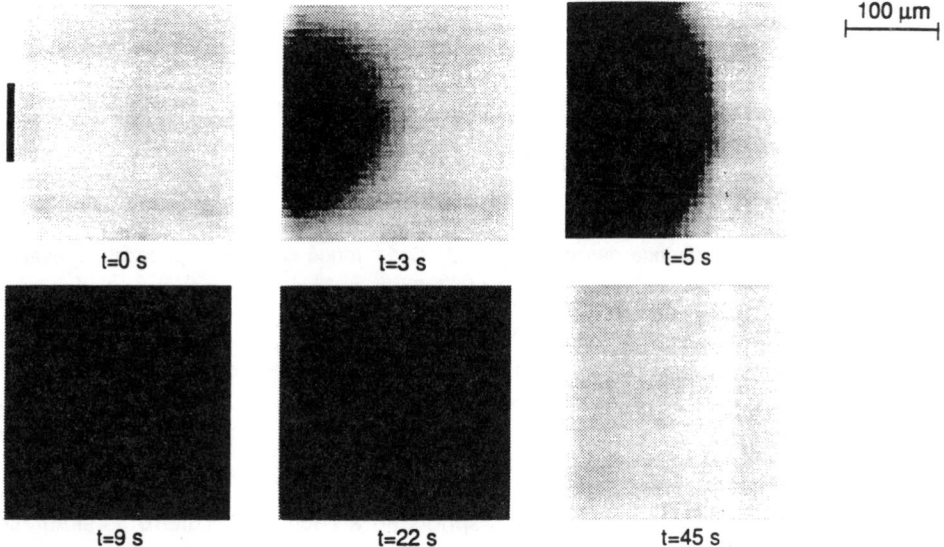

100 µm

t=0 s   t=3 s   t=5 s

t=9 s   t=22 s   t=45 s

Fig. 4   Propagation spatiale d'un front de Ca^{2+} analogue à ceux observés dans les hépatocytes, les ovocytes ou les cellules endothéliales. La cellule est stimulée de manière transitoire à gauche (barre noire) et les paramètres cinétiques sont tels que, en mileu homogène, les oscillations ont une période d'environ 1 min. L'échelle de concentration en Ca^{2+} s'étend de 0 (blanc) à 1,5 µM (noir).

Spatial propagation of a Ca^{2+} front resembling the waves seen in hepatocytes, oocytes, or endothelial cells. The cell is transiently stimulated on the left side and parameter values are such that, in homogeneous conditions, oscillations of a period of the order of 1 min occur. The scale of Ca^{2+} concentration extends from 0 (white) to 1.5 µM (black).

La Fig.4 montre les résultats des simulations de ce système pour des valeurs de paramètres donnant lieu, en l'absence de diffusion, à des oscillations d'une périodicité de l'ordre de la minute. Les fronts d'onde qui se propagent dans le système ont la même allure que dans les expériences; l'augmentation de Ca^{2+} localisée au point de stimulation se propage dans toute la cellule avant que la concentration de Ca^{2+} ne retombe à son niveau de base de manière quasi homogène. De plus, la vitesse de propagation du front (~30 μms^{-1}) est similaire à celle mesurée expérimentalement. Dans d'autres conditions, le modèle peut également rendre compte d'un type d'ondes qualitativement distinct, d'allure identique à celles qui se propagent dans les cellules cardiaques[20]. Enfin, le modèle minimal fondé sur la régulation autocatalytique du CICR fournit une explication simple aux ondes en spirales observées récemment dans les ovocytes[23].

G.D. est Aspirant du Fonds National de la Recherche Scientifique.

Références:

[1] Holl R., Thorner M., Mandell G., Sullivan J., Sinha Y. and Leong A. Spontaneous oscillations of intracellular calcium and growth hormone secretion. *J. Biol. Chem.*, 1988, **263**: 9682-9685.

[2] Malgaroli A., Fesce R. and Meldolesi J. Spontaneous $[Ca^{2+}]_i$ fluctuations in rat chromaffin cells do not require inositol 1,4,5-trisphosphate elevations but are generated by a caffeine and ryanodine-sensitive intracellular Ca^{2+} store. *J. Biol. Chem.*, 1990, **265**: 3005-3008.

[3] Berridge M.J. and Moreton R. Calcium waves and spirals. *Curr. Biol.*, 1991, **1**: 296-297.

[4] Dupont G. and Goldbeter A. Oscillations and waves of cytosolic Ca^{2+}: Insights from theoretical models. *BioEssays*, 1992, **4**: 485-493.

[5] Jaffe L.F. The path of calcium in cytosolic calcium oscillations: A unifying hypothesis. *Proc. Natl. Acad. Sci. USA*, 1991, **88**: 9883-9887.

[6] Kasai H. and Augustine G.J. Cytosolic gradients triggering unidirectional fluid secretion from exocrine pancreas. *Nature*, 1990, **348**: 735-738.

[7] Meyer T. and Stryer L. Molecular model for receptor-stimulated Ca^{2+} spiking. *Proc. Natl. Acad. Sci. USA*, 1988, **85**: 5051-5055.

[8] Goldbeter A., Dupont G. and Berridge M.J. Minimal model for signal-induced Ca^{2+} oscillations and for their frequency encoding through protein phosphorylation. *Proc. Natl. Acad. Sci. USA*, 1990, **87**: 1461-1465.

[9] Dupont G., Berridge M.J. and Goldbeter A. Signal-induced Ca^{2+} oscillations: Properties of a model based on Ca^{2+}-induced Ca^{2+} release. *Cell Calcium*, 1991, **12**: 73-85.

[10] Busa W.B., Ferguson J.E., Joseph S.K., Williamson J.R. and Nuccitelli R. Activation of frog (*Xenopus laevis*) eggs by inositol trisphosphate. I. Caracterisation of Ca^{2+} release from intracellular stores. *J. Cell Biol.*, 1985, **101**: 677-682.

[11] Wakui M., Osipchuk Y.V. and Petersen O.H. Receptor-activated cytoplasmic Ca^{2+} spiking mediated by inositol trisphosphate is due to Ca^{2+}-induced Ca^{2+} release. *Cell,* 1990, **63**: 1025-1032.

[12] Wakui M., Potter B.V.L and Petersen O.H. Pulsatile intracellular calcium release does not depend on

fluctuations in inositol trisphosphate concentration. *Nature*, 1989, **339**: 317-320.

[13]Dupont G. and Goldbeter A. One-pool model for Ca^{2+} oscillations involving Ca^{2+} and inositol 1,4,5-trisphosphate as co-agonists for Ca^{2+} release. To appear in: *Cell Calcium*, 1992.

[14]Dupont G., Berridge M.J. and Goldbeter A. Latency correlates with period in a model for signal-induced Ca^{2+} oscillations based on Ca^{2+}-induced Ca^{2+} release. *Cell Regulation*, 1990, **1**: 853-861.

[15]Goldbeter A. *Rythmes et chaos dans les systèmes biochimiques et cellulaires*. Ed: Masson, Paris, 1990.

[16]Rapp P.E. and Berridge M.J. The control of transepithelial potential oscillators in the salivary gland of *Calliphora erythrocephala*. *J. Exp. Biol.*, 1981, **93**: 119-132.

[17]Dupont G. and Goldbeter A. Protein phosphorylation driven by intracellular calcium oscillations: A kinetic analysis. *Biophysical Chem.*, 1992, **42**: 257-270.

[18]Goldbeter A. and Koshland D.E. Ultrasensitivity in biochemical systems controlled by covalent modification. *J. Biol. Chem.*, 1984, **259**: 14441-14447.

[19]Takamatsu T. and Wier W.G. Calcium waves in mammalian heart: quantification of origin, magnitude, waveform, and velocity. *FASEB J.*, 1990, **4**: 1519-1525.

[20]Jacob R. Imaging cytoplasmic free calcium in histamine stimulated endothelial cells and in fMet-Leu-Phe stimulated neutrophils. *Cell Calcium*, 1990, **11**: 241-249.

[21]Thomas A.P., Renard D.C. and Rooney T.A. Spatial and temporal organization of calcium signalling in hepatocytes. *Cell Calcium*, 1991, **12**: 111-126.

[22]Goldbeter A. and Dupont G. Wavelike propagation of cAMP and signals: Link with excitability and oscillations. In: *Oscillations and morphogenesis*, 1992. (L. Rensing, ed.) M.Dekker, New-York.

[23]Lechleiter J., Girard S., Peralta E. and Clapham D. Spiral calcium wave propagation and annihilation in *Xenopus laevis* oocytes. Science, 1991, **252**: 123-126.

INFLUENCES OF TEMPERATURE ON CIRCADIAN AND ULTRADIAN RHYTHMS
INFLUENCES DE LA TEMPERATURE SUR LES RYTHMES CIRCADIENS ET ULTRADIENS

R. Hardeland and I. Balzer,

I. Zoologisches Institut,
Universität Göttingen,
Göttingen, Germany

Abstract

The effects of temperature on circadian and ultradian rhythms are of considerable diversity. The behaviour of oscillators under the influence of varying temperatures reflects the duality of (1) utilizing the information residing in a change of temperature and (2) the effort to escape from an excessive perturbation of period length. As a consequence, rhythms can be synchronized by temperature signals, but also exhibit temperature compensation. Entrainment follows the rules of phase response curves, and, according to these, it is possible to distinguish between temperature signals with and without biological significance, such as decreases of temperature during night or at noon, respectively. Temperature cycles are able to entrain not only circadian rhythms; they also synchronize ultradian rhythms, in particular, of unicells. Temperature compensation is observed in the majority of circadian, and in a category of ultradian rhythms. Some organisms such as *Gonyaulax* and *Oedogonium* show temperature overcompensation, with Q_{10} values below 1. In intact cells of *Gonyaulax*, the phenomenon of temperature compensation is found also in protein synthesis and in membrane fluidity, i.e. in cellular functions which have been presumed to be elements of the circadian oscillator. In *Gonyaulax*, a temperature step is followed by an after-effect on period length. - Low temperature can represent a restrictive condition for the expression of circadian rhythmicity, an effect which does not necessarily concern the hand of the clock, but rather can represent a holding of the oscillator, as is the case in *Gonyaulax*. Another effect of low temperature, as observed in this dinoflagellate, consists in a desensitization of the circadian oscillator towards inhibitors of 80 S protein synthesis. However, this does not result from holding, since it is already observed at temperatures which are permissive for the oscillator.

Résumé

Les effets que la température peut exercer sur les rythmes circadiens et ultradiens montrent une diversité considérable. Le comportement des oscillateurs sur l'influence des températures variables reflète un dualisme entre (1) l'utilisation de l'information contenue dans le changement de température et (2) l'effort de s'échapper d'une perturbation excessive de la durée de la période. Par conséquent les rythmes peuvent être synchronisés par des signaux de température et, en même temps, leur période peut être thermiquement compensée. La résynchronisation suit les règles des courbes phase-réponse, et en outre on peut distinguer entre des signaux de température sans ou avec signification biologique, comme les déclins de température à midi ou le soir. Non seulement les rythmes circadiens mais aussi plusieurs rythmes ultradiens sont synchronisés par des cycles de température, particulièrement chez quelques organismes monocellulaires. La compensation thermique s'observe dans la plupart des rythmes circadiens et une catégorie des rythmes ultradiens. Quelques organismes comme *Gonyaulax* et *Oedogonium* montrent une surcompensation, à une valeur de Q_{10} inférieure à 1. Chez *Gonyaulax in vivo*, le phénomène de la compensation thermique existe aussi dans la synthèse protéique et la fluidité des membranes, deux fonctions cellulaires soupçonnées d'être des éléments de l'oscillateur circadien. Chez *Gonyaulax* un saut de température est suivi par un effet sécondaire (after-effect) sur la durée de la période. - Une température basse peut représenter une condition restrictive pour l'expression de la rythmicité circadienne. Cela ne résulte pas nécessairement d'un effet sur l'aiguille de l'horloge. Chez *Gonyaulax* un arrêt de l'oscillateur a été démontré. Une autre influence de la température basse observée chez ce dinoflagellé consiste en une désensibilisation de l'oscillateur circadien pour des inhibiteurs de la synthèse protéique 80 S. Cet effet n'est pas une conséquence de l'arrêt de l'horloge, puisqu'il est déjà observé à une température permissive pour le fonctionnement de l'oscillateur.

1 Introduction

The chronobiological role of temperature is characterized by a seemingly paradoxical dualism, which, at the first glance, might indicate almost a kind of incompatibility. The one aspect of this dualism refers to temperature as a synchronizer, reflecting primarily the effects of more regular, or foreseeable, signals, such as increases of temperature in the morning and decreases during night, which can be utilized by organisms for orienting themselves temporally. The other aspect concerns potential perturbations of the oscillator, especially with regard to period length, which might disturb the required precision of a clock and from which the oscillator intends to escape.

This dualism indicates already a certain multiplicity in the influences of temperature on biological rhythms. In this paper, we shall demonstrate that the degree of diversity in temperature effects is remarkably high, and that several additional phenomena exist which exceed the dualism mentioned.

2 Temperature Compensation *versus* Temperature Dependence

Temperature compensation, i.e. the readjustment of period length after changes in temperature, resulting in Q_{10} values for oscillation frequency close to 1, had first been detected in the time sense of bees, which utilize the circadian rhythm as a reference for sun compass orientation (Wahl, 1932; Kalmus, 1935). It seemed logical that such a mechanism should exist in all processes of time measurement, since a clock should not go fast or slow upon changes in temperature. Therefore, temperature compensation was first attributed to the circadian type of periodicity, and, in fact, this behaviour was found to be typical for most of these rhythms (cf. Sweeney & Hastings, 1960). In some cases, such as *Gonyaulax* (Hastings & Sweeney, 1957; Sweeney & Hastings, 1960) and *Oedogonium* (Bühnemann, 1955), even a temperature overcompensation was observed, i.e. a Q_{10} value of less than 1 (0.8 - 0.9). Despite the relationship of the compensation/overcompensation mechanism to the reliability of time measurement, other cases were reported, which obviously lack temperature compensation, especially tropical plants living in an environment of small temperature differences, such as *Glycine max*, *Cestrum nocturnum*, and *Phaseolus mungo* (Nanda & Hamner, 1959; Overland, 1960; Mayer, 1966; Bünning, 1974). On the other hand, temperature compensation does not only exist in periodic processes *per se*, but also in cellular functions which may, perhaps, contribute to the operation of an oscillator, but which are not necessarily and entirely part of it. In *Gonyaulax*, this holds especially for protein synthesis *in vivo* (Harnau *et al.*, 1989) and for membrane fluidity (Hardeland *et al.*, 1986), i.e. for two cellular functions which have been discussed to be involved in the circadian oscillator (Schweiger & Schweiger 1977; Njus *et al.*, 1974).

During the last decade, temperature compensation has been demonstrated also in a considerable number of ultradian rhythms, a fact which had not been originally expected, since the clock-like role of ultradian oscillations had not been obvious in the beginning, especially because of the lack of correlation to geophysical periodicities, and since another category of ultradian rhythms had been detected first, which did not exhibit temperature compensation (Balzer & Hardeland, 1988). In Table 1, temperature-compensated ultradian rhythms of unicellular organisms are summarized. It is remarkable that the compensation mechanism exists in ultradian rhythms of considerably different period lengths. This can be demonstrated in *Euglena*, an organism even showing multioscillatory behaviour (Balzer & Hardeland, 1992): temperature compensation is found not only in circadian, 4.5-h and 1.5-h rhythms (Hardeland & Balzer, 1992), but also in periodicities of ca. 1 h (Fig. 1) and ca. 8 min (Fig. 2).

Temperature compensation should not be misunderstood as temperature independence, although this term has frequently been used. In fact, both circadian and ultradian rhythms clearly show temperature *dependence* under non-steady-state conditions, i.e. directly after application of temperature steps (Table 1). This kind of dependence reflects the capability of temperature signals to act as a Zeitgeber. The dualism of temperature compensation and resetting by temperature signals *does not represent a contradiction*, since organisms are capable to distinguish, on the basis of

Table 1. Multiplicity of temperature effects on ultradian and circadian rhythms.
Multiplicité des effets de la température sur les rythmes ultradiens et circadiens.

Period (ca.)	Organism	Response	References
24 h	many eukaryotes	temperature compensation	reviews: Sweeney & Hastings, 1960 Balzer & Hardeland, 1988
5 h	*Tetrahymena*	"	Michel & Hardeland, 1985
4.5 h	*Euglena gracilis*	"	Balzer *et al.*, 1989a
1.5 h	*Euglena gr.*	"	Hardeland & Balzer, 1992
1 h	"	"	Hardeland & Balzer, 1992
1 h	*Euglena gr.* v. *bacillaris*	"	Adams, 1990
1 h	*Acanthamoeba*	"	Lloyd *et al.*, 1982
1 h	*Paramecium*	"	Kippert, 1985
42 min	*Schizosaccharomyces*	"	Kippert, 1992
34 min	*Euglena gr.* v. *bacillaris*	"	Adams, 1990
30 min	*Tetrahymena*	"	Kippert, 1985
20 min	*Euglena gr.* v. *bacillaris*	"	Adams, 1990
8 min	*Euglena gr.*	"	Hardeland & Balzer, 1992
24 h	many eukaryotes	resetting/ entrainment	Balzer & Hardeland, 1988
5 h	*Tetrahymena*	"	Michel & Hardeland, 1985 Hardeland *et al.*, 1990
4.5 h	*Euglena gr.*	"	Pulvermüller *et al.*, 1992
42 min	*Schizosaccharomyces*	"	Kippert, 1992
24 h	*Gonyaulax*	after-effect on period	Balzer *et al.*, 1989b
24 h	"	desensitization to 80 S inhibition	Hardeland *et al.*, 1987 Thorey *et al.*, 1987 Balzer *et al.*, 1989b, 1990
24 h	"	holding	Njus *et al.*, 1977 Thorey *et al.*, 1987 Balzer & Hardeland, 1988

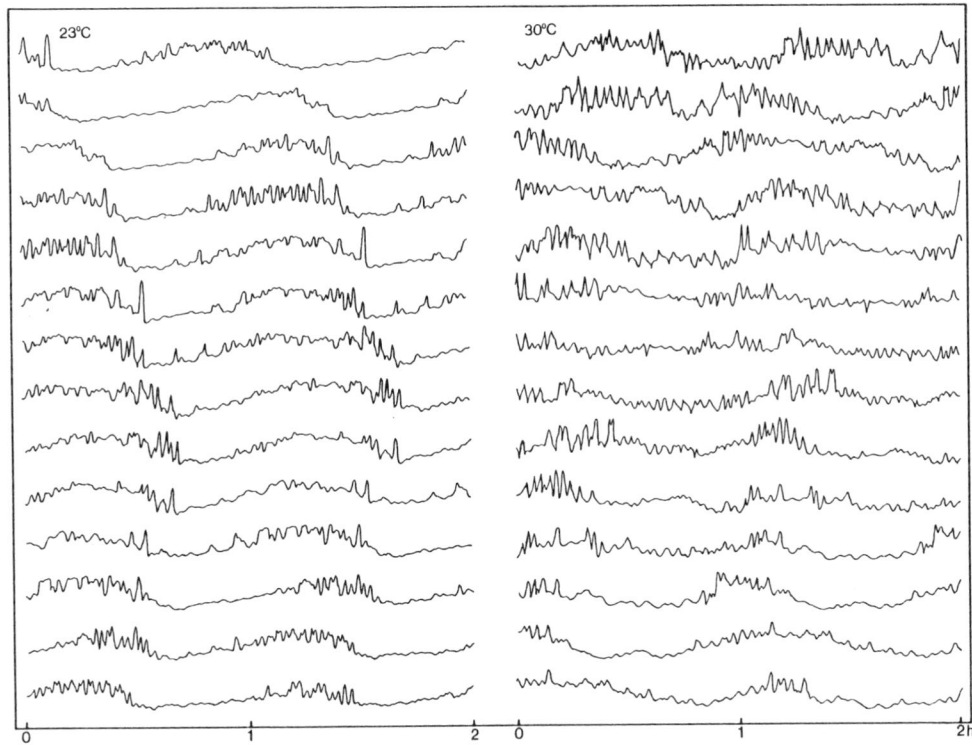

Figure 1. Temperature compensation in an ultradian rhythm of ca. 1 h in the motility of *Euglena gracilis*. Ordinate (time axis downward): cell density (measured according to Balzer & Hardeland, 1992); abscissa: hours (double plot).
Compensation thermique d'un rythme ultradien d'environ 1 h dans la motricité chez Euglena gracilis. *Ordonnée (axe temporel vers le bas): densité des cellules (mesurée par la méthode de Balzer & Hardeland, 1992); abscisse: heures (enregistrement double).*

phase response curves, between temperature signals with and without predictive value, and, therefore, can be reset in appropriate phases, but do not respond much in other phases (Balzer & Hardeland, 1988).

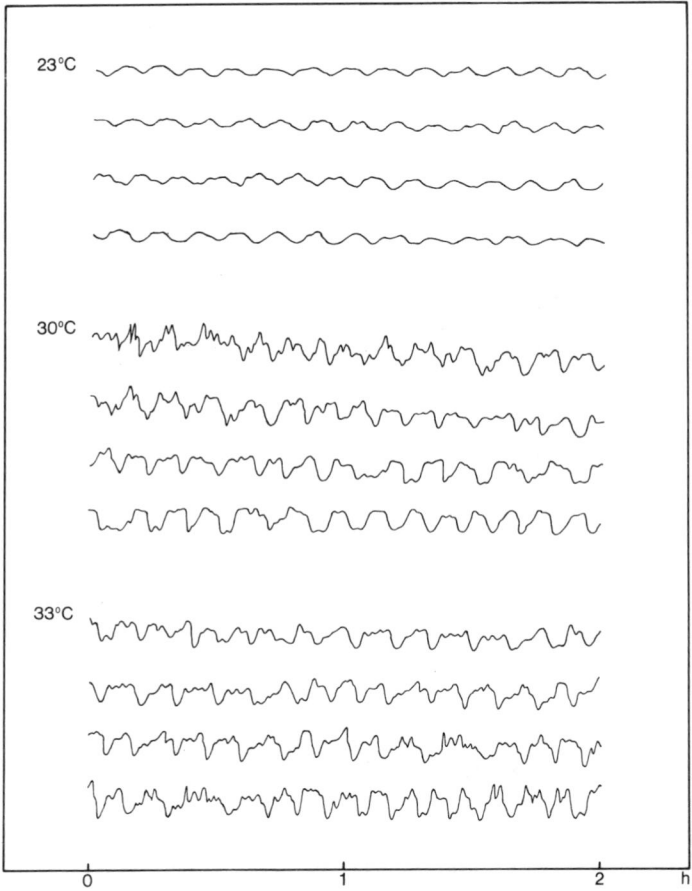

Figure 2. Temperature compensation in an ultradian rhythm of ca. 8 min in the motility of *Euglena gracilis*. Details as in Figure 1.
Compensation thermique d'un rythme ultradien d'environ 8 min de la motricité chez Euglena gracilis. *Les détails comme dans la Figure 1.*

The phase response curves for temperature signals are usually different from those for the light/dark Zeitgeber; they show considerable asymmetries, lack of break points, and large deviations from mirror images when comparing phase changes for steps-up and steps-down (cf. Balzer & Hardeland, 1988). This can be interpreted as the *superposition* of three different temperature effects. The first one is that of a resetting signal which affects the phase of the oscillation more or less directly, without the necessity of a velocity change in the oscillator. Such a kind of direct resetting is demonstrated by the fact that temperature cycles of small amplitude (sometimes 1 °C or less) can entrain a rhythm (summarized in: Balzer & Hardeland, 1988); these small differences in temperature should not change the velocity in the trajectory of an oscillator to a considerable extent. The second component refers to *indirect* resetting by changes in the oscillator's velocity. The third effect results from the readjustment of oscillation velocity by the mechanism of temperature compensation.

3 Effects of Low Temperature

At low temperatures, overt circadian rhythms can disappear. In the cases reported, it is necessary to dinstinguish between effects on the clock itself and on the hands of the clock. In practice, this is not always easy, but at least in several plant and animal species, a holding of the oscillator is very likely (summarized in: Balzer & Hardeland, 1988). The most obvious demonstration of holding has been possible in *Gonyaulax* (Table 1), in which temperatures below 12 °C lead to the disappearance of the rhythm, and in which a return to the permissive temperature determines the new phase of the oscillation rather precisely (Njus et al., 1977). This finding does not represent a kind of strong resetting, because temperature steps of comparable height from slightly *above* the restrictive temperature only lead to weak resetting (Balzer & Hardeland, 1988). In *Gonyaulax*, the holding by low temperatures has been utilized for studying experimentally the transitions between non-oscillatory and oscillatory states at the cellular level (Thorey *et al.*, 1987; Hardeland *et al.*, 1989; Balzer *et al.*, 1989b, 1990).

Another effect of low temperature was discovered when investigating these transitions (Table 1; Hardeland *et al.*, 1987; Thorey *et al.*, 1987; Balzer *et al.*, 1989b, 1990). A pretreatment with 10 °C leads to a considerable desensitization of the *Gonyaulax* circadian oscillator towards inhibition of 80 S protein synthesis by cycloheximide or anisomycin, in spite of a strong suppression of protein synthesis. Although pulses of the inhibitors were able to reset the clock efficiently in cells maintained continuously at the rearing temperature, phase responses were extremely small after cold exposure. This finding is of relevance for the discussion concerning the involvement of periodic synthesis of an essential protein in the circadian oscillator mechanism, as proposed by Schweiger & Schweiger (1977). The desensitization, along with some additional arguments referring to other organisms, has led to the conclusion that periodic protein synthesis is not an element of the oscillator (Hardeland & Balzer, 1988, 1990). Desensitization to 80 S inhibition has ultimately turned out not to be a consequence of the transient passage through a non-oscillatory state, since it was also observed after exposure to 13 °C, i.e. a low, but still permissive temperature (Balzer *et al.*, 1989b, 1990).

4 References

Adams K.J., Circadian clock control of an ultradian rhythm in *Euglena gracilis*, in: *Chronobiology & Chronomedicine* (Morgan E., ed.), Lang, Frankf./M.-Bern-N.Y.-Paris, 1990, pp. 13-22.

Balzer I., Hardeland R., Influence of temperature on biological rhythms, *Int. J. Biometeorol.*, 1988, **32**: 231-241.

Balzer I., Hardeland R., Multiple ultradian frequencies in dark motility of *Euglena*, *J. Interdiscipl. Cycle Res.*, 1992, **23**: 47-55.

Balzer I., Neuhaus-Steinmetz U., Hardeland R., Temperature compensation in an ultradian rhythm of tyrosine aminotransferase activity in *Euglena gracilis* Klebs, *Experientia*, 1989a, **45**: 476-477.

Balzer I., Possehl C., Hardeland R., Effects of low temperature on sensitivity of circadian bioluminescence rhythm in *Gonyaulax polyedra* towards pharmaca affecting membrane fluidity and 80 S protein synthesis: comparison of arrhythmicity-inducing and permissive temperatures, in: *Chronobiology & Chronomedicine* (Morgan E., ed.), Lang, Frankf./M.-Bern-N.Y.-Paris, 1990, pp. 330-337.

Balzer I., Possehl C., Rode I., Hardeland R., Novel temperature effects on circadian rhythmicity of *Gonyaulax*, in: *Proc. 11th Int. Soc. Biometeorol. Congr. West Lafayette 1987* (Driscoll D., Box E.O., eds.), SPB Academic Publishing bv, Den Haag, 1989b, pp. 273-279.

Bühnemann F., Das endodiurnale System der *Oedogonium*-Zelle. III. Über den Temperatureinfluß, *Z. Naturforsch.*, 1955, **10b**: 305-310.

Bünning E., Critical remarks concerning the Q_{10}-values in circadian rhythms, *Int. J. Chronobiol.*, 1974, **2**: 343-346.

Hardeland R., Balzer I., The cellular circadian oscillator - A fundamental biological mechanism corresponding to a geophysical periodicity, *Int. J. Biometeorol.*, 1988, **32**: 149-162.

Hardeland R., Balzer I., Is periodic protein synthesis an essential element of the cellular circadian oscillator? *Eur. J. Cell Biol.*, 1990, **51**, Suppl. **30**: 6.

Hardeland R., Balzer I., Ultradian rhythms as elements of multioscillator systems in *Euglena gracilis* and *Tetrahymena thermophila, 8th Eur. Soc. Chronobiol. Conf., Leiden,* 1992, pp. 50-51.

Hardeland R., Harnau G., Rüsenberg M., Balzer I., Multiplicity or uniformity of cellular temperature compensation mechanisms? *J. Interdiscipl. Cycle Res.,* 1986, **17**: 121-123.

Hardeland R., Harnau G., Volknandt W., Rode I., Balzer I., On the transitions between rhythmic and arrhythmic states of the *Gonyaulax* circadian oscillator, in: *Proc. 11th Int. Soc. Biometeorol. Congr. West Lafayette 1987* (Driscoll D., Box E.O., eds.), SPB Academic Publishing bv, Den Haag, 1989b, pp. 281-285.

Hardeland R., Neuhaus-Steinmetz U., Michel U., Balzer I., Ultradian rhythms of circa five and four hours in tyrosine aminotransferase of *Tetrahymena thermophila* and *Euglena gracilis,* in: *Chronobiology & Chronomedicine* (Morgan E., ed.), Lang, Frankf./M.-Bern-N.Y.-Paris, 1990, pp. 23-30.

Hardeland R., Rode I., Thorey I., Harnau G., Schachtler R., Desensitization of the *Gonyaulax* circadian oscillator to 80 S translational inhibition by cold treatment, in: *Chronobiology & Chronomedicine* (Hildebrandt G., Moog R., Raschke F,, eds.), Lang, Frankf./M.-Bern-N.Y.-Paris, 1987, pp. 49-54.

Harnau G., Balzer I., Hardeland R., Temperature compensation of protein synthesis in the dinoflagellate, *Gonyaulax polyedra,* in: *Proc. 11th Int. Soc. Biometeorol. Congr. West Lafayette 1987* (Driscoll D., Box E.O., eds.), SPB Academic Publishing bv, Den Haag, 1989b, pp. 153-157.

Hastings J.W., Sweeney, B.M., On the mechanism of temperature independence in a biological clock, *Proc. Natn. Acad. Sci. U.S.A.,* 1957, **43**: 804-811.

Kalmus H., Periodizität und Autochronie (Idiochronie) als zeitregelnde Eigenschaften der Organismen, *Biol. Gen.,* 1935, **11**: 93-114.

Kippert F., Temperature compensation of ultradian rhythms in ciliates, *J. Interdiscipl. Cycle Res.,* 1985, **16**: 272-273.

Kippert F., Ultradian and circadian clocks - two sides of one coin? *8th ESC Conf. Leiden,* 1992, pp. 59-63.

Lloyd D., Edwards S.W., Fry J.C., Temperature-compensated oscillations in respiration and cellular protein content in synchronous cultures of *Acanthamoeba castellanii, Proc. Natn. Acad. Sci. U.S.A.,* 1982, **79**: 3785-3788.

Mayer W., Besonderheiten der circadianen Rhythmik bei Pflanzen verschiedener geographischer Breiten, *Planta,* 1966, **70**: 237-256.

Michel U., Hardeland R., On the chronobiology of *Tetrahymena*. III. Temperature compensation and temperature dependence in the ultradian oscillation of tyrosine aminotransferase, *J. Interdiscipl. Cycle Res.*, 1985, **16**: 17-23.

Nanda K.K., Hamner K.C., Effects of temperature, auxins, antiauxins and some other chemicals on the endogenous rhythm effecting photoperiodic response of Biloxi soybean, *Planta*, 1959, **53**: 53-68.

Njus D., McMurry L., Hastings J.W., Conditionality of circadian rhythmicity: synergistic action of light and temperature, *J. Comp. Physiol.*, 1977, **117**: 335-344.

Njus D., Sulzman F.M., Hastings J.W., Membrane model for the circadian clock, *Nature*, 1974, **248**: 116-120.

Overland L., Endogenous rhythm in opening and odor of flowers of *Cestrum nocturnum*, *Am. J. Bot.*, 1960, **47**: 378-382.

Pulvermüller A., Morawietz G., Balzer I., Hardeland R., Ultradian oscillation of *Euglena* tyrosine aminotransferase: problems of intercellular synchrony and enzyme regulation, *Probl. Chronobiol.*, 1992, in press.

Schweiger H.G., Schweiger M., Circadian rhythms in unicellular organisms: an endeavor to explain the molecular mechanism, *Int. Rev. Cytol.*, **51**: 315-342.

Sweeney B.M., Hastings J.W., Effects of temperature upon diurnal rhythms, *Cold Spr. Harb. Symp. Quant. Biol.*, 1960, **25**: 87-104.

Thorey I., Rode I., Harnau G., Hardeland R., Conditionality of phase resetting by inhibitors of 80 S translation in *Gonyaulax polyedra*, *J. Comp. Physiol. [B]*, 1987, **157**: 85-89.

Wahl O., Neue Untersuchungen über das Zeitgedächtnis der Bienen, *Z. Vergl. Physiol.*, 1932, **16**: 529-589.

Rythmes
chez les végétaux

Plant rhythms

RYTHMES D'ELONGATION CHEZ DEUX ESPECES D'ARBRES DE GUYA-NE FRANCAISE
GROWTH RHYTHMS OF TWO SPECIES OF TREES IN FRENCH GUYANA

L. Comte

Laboratoire de Botanique
Université Montpellier II
163 rue Auguste Broussonet
34000 MONTPELLIER

Résumé - L'élongation, le synchronisme et les relations de phase entre les différents axes d'un individu ont été étudiés chez des arbres en forêt tropicale humide guyanaise. Chez *Lacistema aggregatum* (Flacourtiaceae), on observe une élongation rythmique simultanée de tous les axes de l'individu, l'élongation s'inscrivant dans un rythme de période de 120 jours environ. Le cycle d'élongation de l'individu est identique au rythme d'élongation individuel de chacun des axes. Il s'agit d'un cycle à une composante rythmique. Chez *Virola michelii* (Myristicaceae), on observe une élongation rythmique de période circannuelle pour l'axe A1 et les axes A2 anciens (plus d'un an d'existence), alors que les axes A2 récents s'allongent à trois reprises durant la même période. Le cycle d'élongation de l'individu est une intégration des différentes élongations axiales individuelles. C'est un cycle à deux composantes rythmiques. Cette différence dans le mode d'élongation s'accompagne d'autres propriétés, notamment au niveau du comportement populationnel et de l'adaptation à l'hétérogénéité environnementale. L'ensemble des résultats permet de proposer une hypothèse corrélative entre l'architecture d'une espèce et son mode d'élongation.

Summary - Growth, synchronism and difference of phase between various axes of young trees have been studied in French Guyana. In all cases, elongation has been found rhythmical, but with a lot of differences between species. Individuals of Lacistema aggregatum (Flacourtiaceae) show simultaneous growth on all axes. Growth rhythm period is about 120 days. Individual's growth cycle is identical with each axe's growth rhythm. It's a one rhythmic component cycle. Virola michelii (Myristicaceae) showes a circannual rhythmical growth for A1 and old A2 axes (more than one year old). But young A2 axes are growing three times during the same period. Individual's growth cycle is the integration of various axial elongations. It's a two rhythmic component cycle. Other properties are going with this cycle difference. All individuals of a population of Lacistema aggregatum, of whatsoever age, are synchronous and in phase. But for Virola michelii, individuals of a population are not necessary in step, nor even synchronous. More, there is a modification of the growth cycle components during the ontogenic evolution of the tree. Facing the environmental heterogeneity, Lacistema adaptability consists only in the possibility for each axis to jump over one or more elongation stage. On the other hand, Virola shows a large range of variations of the elongation curve. All these results allow us to put forward a correlative hypothesis between the architecture and the way of elongation of species.

Key words : tropical trees, French Guyana, rhythmic growth, architecture

31

1. Introduction

Parmi les rythmes biologiques végétaux, certains intéressent particulièrement les bota-
nistes morphologistes et architectes. Ce sont les rythmes d'élongation, rythmes à basse
fréquence. La majorité des études concernant ces rythmes ont été effectuées en laboratoire, avec les contraintes spatiales que cela implique. Elles concernent des plantes herba-
cées (MILLET 1970) ou des ligneux dans les premiers stades de leur développement, non
encore ramifiés (EL MORSY et MILLET 1989, HALLE et MARTIN 1968, LAVARENNE
1966, LAVARENNE et coll. 1971, MAILLARD 1987, MIALOUNDAMA 1985, PARISOT
1985). Une étude en milieu naturel équatorial a permis de travailler sur des individus plus
grands, ramifiés, tout en restant dans des conditions climatiques relativement stables. L'accent a pu être porté sur le comportement d'élongation des différents axes des individus, notamment leur synchronisme et leurs relations de phase.

2. Matériel et méthodes

2.1 Lieu et conditions d'étude

Ce travail a été effectué en Guyane Française, département d'outre-mer d'Amérique du
Sud, situé entre le 3ème et le 5ème degré de latitude nord, limité au sud par le Brésil et au
nord par le Surinam. Le site d'étude était situé près de Cayenne, à 4,5 degrés nord.

Le climat guyanais est uniformément chaud, avec une température annuelle de 26 degrés environ et une amplitude de 1 à 1,5 degré. L'année se divise en une saison sèche
d'août à décembre et une saison humide le reste du temps. Les précipitations sont importantes (2 à 4 mètres par an) et montrent de grandes variations interannuelles. Les deux années de mesure ont été particulièrement pluvieuses (Fig. 1). Aucun déficit hydrique n'a
donc été pris en compte. L'humidité de l'air est remarquablement constante, 86% en
moyenne. Elle varie de 81% au mois d'octobre en pleine saison sèche à 90% au mois de
mai pendant la saison des pluies. (Atlas des départements français d'outre-mer 1979)

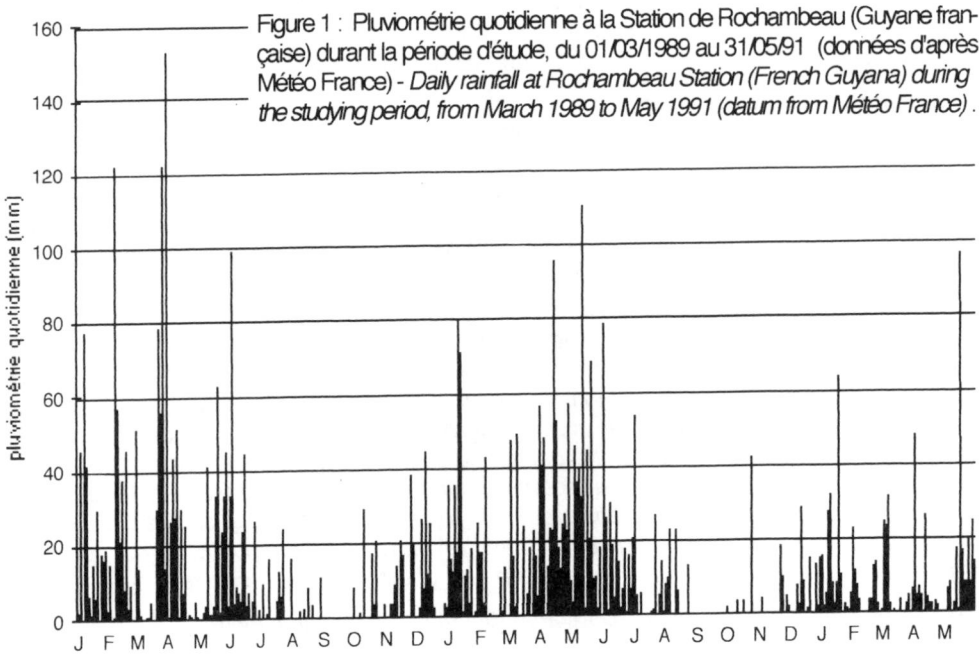

Figure 1 : Pluviométrie quotidienne à la Station de Rochambeau (Guyane française) durant la période d'étude, du 01/03/1989 au 31/05/91 (données d'après
Météo France) - *Daily rainfall at Rochambeau Station (French Guyana) during
the studying period, from March 1989 to May 1991 (datum from Météo France)* .

2.2 Matériel végétal

L'étude a été menée en forêt dense humide. Le choix des espèces s'est fait à partir d'une étude du cortège floristique de la zone, de critères d'intérêt morphologique et de leur fréquence. Le propos de cet article concerne deux d'entre-elles. La première, *Lacistema aggregatum* (Berg.) Rusby appartient à la famille des Lacistemataceae, petite famille proche des Flacourtiaceae dans l'ordre des Violales. Jeunes et adultes se rencontrent en sous-bois humide, ces derniers n'excédant pas 12 mètres.Avec un tronc orthotrope monopodial et une ramification continue, leur architecture correspond au modèle de Roux (Fig.2 a). La deuxième espèce, *Virola michelii* (Heckel), localement appelée Yayamadou-montagne, appartient à la famille des Myristicaceae. Les jeunes sont répandus en sous-bois de forêt de crête. Les adultes émergent en atteignant 20 ou 30 mètres. Caractérisés par leurs branches regroupées en étage (Fig. 2 b), ils sont conformes au modèle de Massart (HALLE et OLDEMAN 1970).

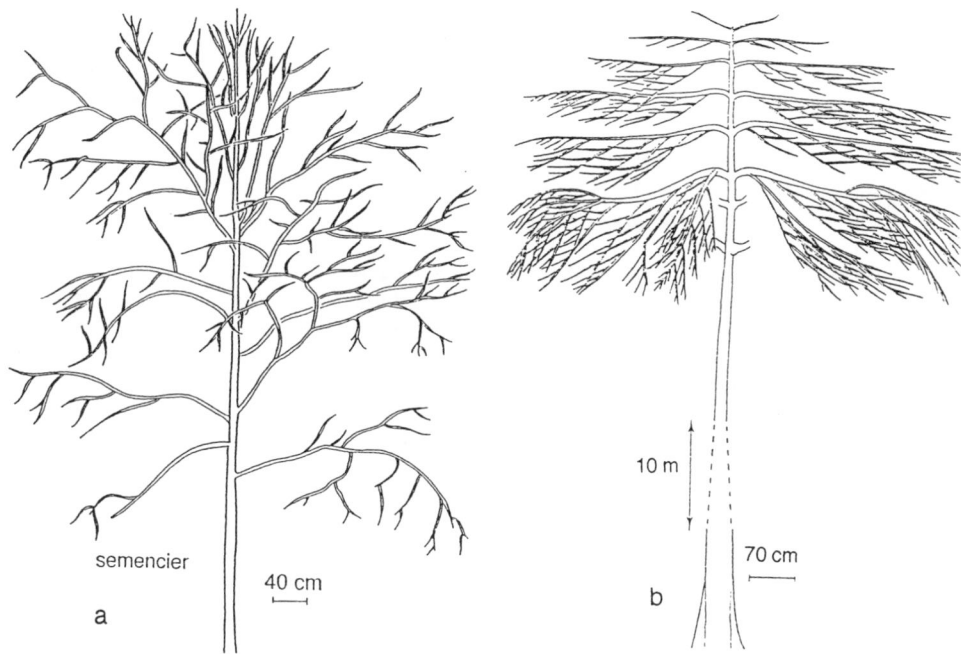

Figure 2 : Représentation semi-schématique d'individus adultes de *Lacistema aggregatum* (a) et *Virola michelii* (b) - *Half-diagrammatic drawing of adult individuals of* Lacistema aggregatum *(a) and* Virola michelii *(b)* .

2.3 Méthode de mesure

Pour chaque espèce, vingt individus ont été repérés et marqués à un cm au-dessous de l'apex. A partir de ces repères, des mesures d'accroissement étaient réalisées tous les 3 jours, sur tous les axes de chaque individu. Le suivi a duré 1 ou 2 ans selon les espèces concernées.

Par convention, dans la suite du texte, j'utiliserai la nomenclature morphologique désignant le tronc comme axe A1 et les branches comme axes A2. Ceux-ci seront numéroté A2(1), A2(2), A2(3)... par ordre d'apparition le long du tronc. J'appellerai unité de croissance, abrégé par UC, la structure formée pendant une vague d'élongation.

3. Caractéristiques des élongations axiales et individuelles

3.1 Caractéristiques de l'élongation des individus de *Lacistema aggregatum (Berg.) Rusby*

Chez cette espèce, on observe, pour chaque individu, une élongation simultanée de tous les axes (Figure 3).

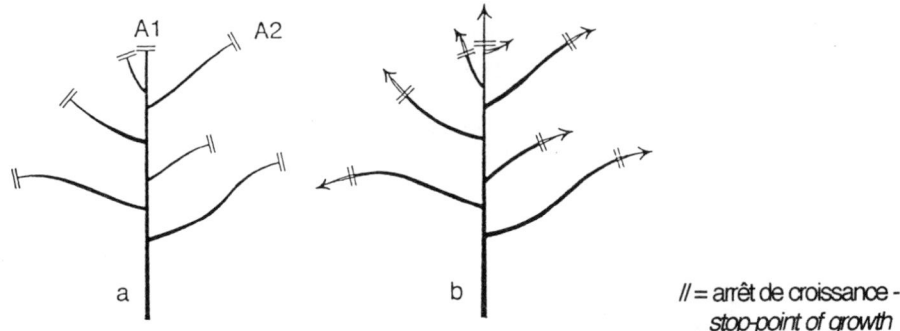

//= arrêt de croissance - *stop-point of growth*

Figure 3 : Représentation schématique d'un jeune *Lacistema aggregatum* , au repos (a) et en croissance (b) - *Diagrammatic drawing of a young Lacistema aggregatum, resting (a) and growing (b)* .

Tous les axes d'un individu montrent un rythme d'élongation de même période. Ils sont synchrones et parfaitement en phase, seules diffèrent les amplitudes. Ce rythme d'élongation a une période de 120 jours environ, dont une trentaine d'élongation active. (Figure 4).

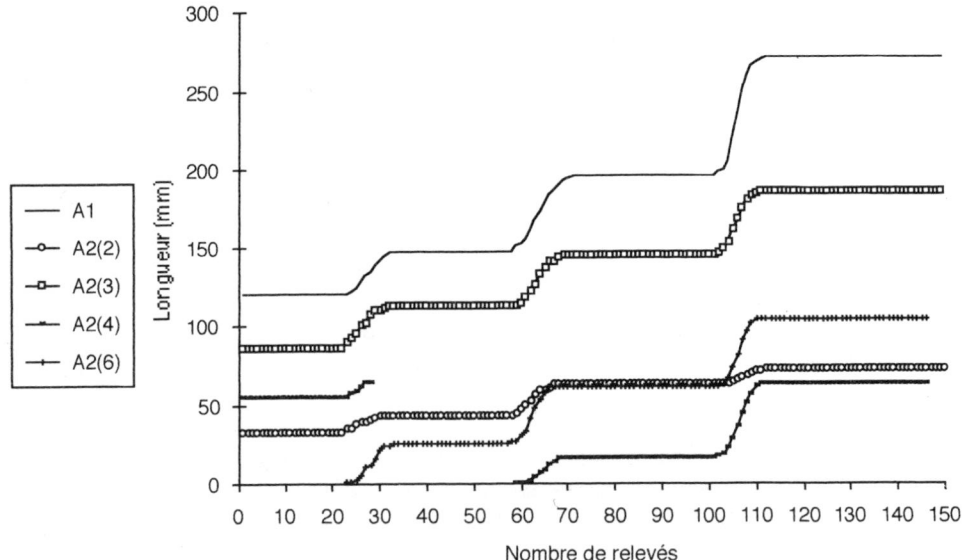

Figure 4 : Courbes d'élongation de l'axe A1 et des axes A2 d'un individu de *Lacistema aggregatum* - *Growth curves of A1 and A2 axis of an individual of Lacistema aggregatum.*

34

Chez cette espèce, le cycle d'élongation global de l'individu est identique au rythme d'élongation de chacun des axes. C'est un cycle à une composante rythmique (Figure 5).

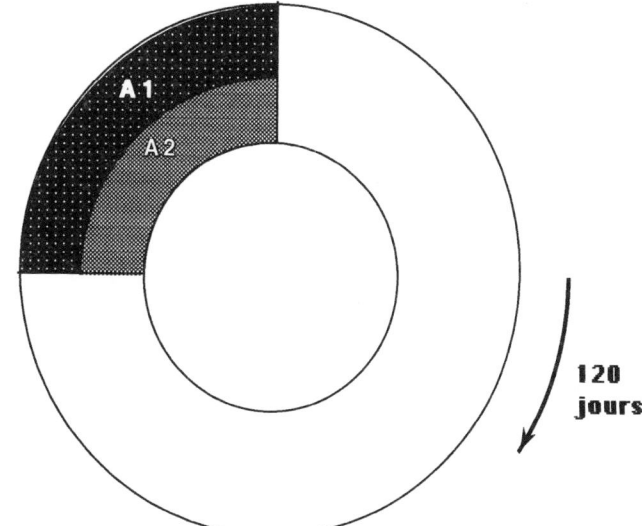

Figure 5: *Lacistema aggregatum* :
Cycle individuel d'élongation -
Individual growth cycle

120 jours

3.2 Caractéristiques de l'élongation des individus de *Virola michelii* Heckel

Bien que les courbes d'élongation soient nettement rythmiques, le comportement du Yayamadou est très différent. En effet, on observe un rythme d'élongation de période circannuelle pour l'axe A1. La phase d'élongation active dure 80 à 100 jours, le reste du temps étant un repos absolu (Figure 6).

Les axes A2 déjà présents sur l'individu quand débute l'élongation de l'axe A1 ont un comportement synchrone et en phase avec lui. Ils poussent lorsque l'axe A1 s'accroît. (Figures 5 et 6)

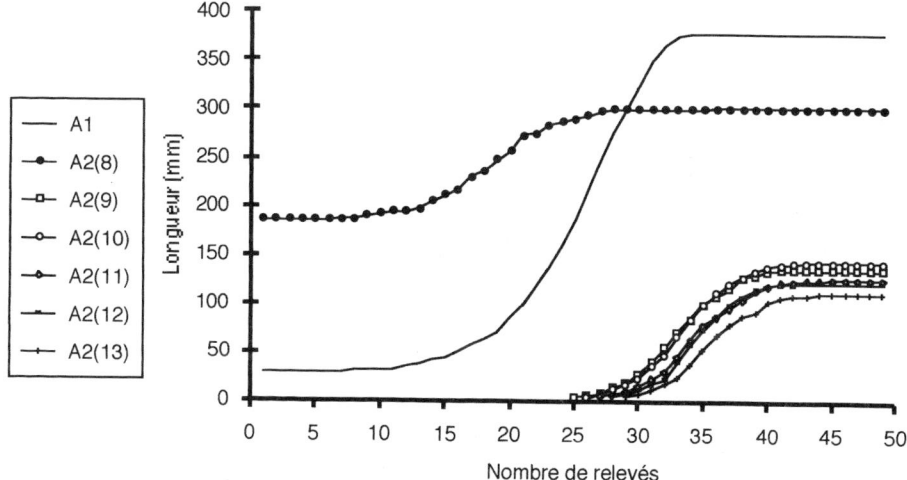

Figure 6 : *Virola michelii* : Courbes d'élongation de l'axe A1, d'un axe A2 ancien (A2(8)) et des axes A2 (A2(9), A2(10), A2(11), A2(12) et A2(13)) du sub-verticille le plus récent - *Growth curves of A1 axis, an old A2 axis (A2(8)) and the A2 axis (A2(9), A2(10), A2(11), A2(12) et A2(13)) of the new sub-verticil* .

35

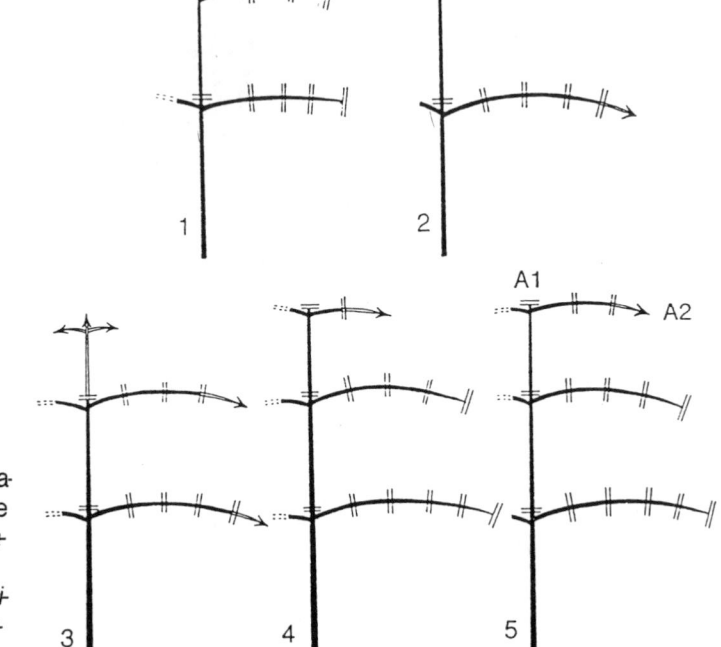

Figure 7 : Représentation schématique d'un jeune *Virola michelii* lors des étapes successives d'un cycle d'élongation - *Diagrammatic drawing of a young* <u>*Virola michelii*</u> *at successives stages of a growth cycle.*

Pendant l'élongation de l'axe A1, un nouvel étage d'axes A2 se met en place par ramification immédiate (Figure 7). Ces nouveaux axes vont s'allonger suivant une composante rythmique différente des anciens axes A2 et de l'axe A1. C'est à dire que pendant une période du rythme d'élongation de l'axe A1, ils vont s'allonger à trois reprises. La première fois débute à leur apparition dans l'individu, pendant l'élongation de l'axe A1 et se poursuit un peu après la fin de l'élongation de l'axe A1 (Figure 6 et 7).

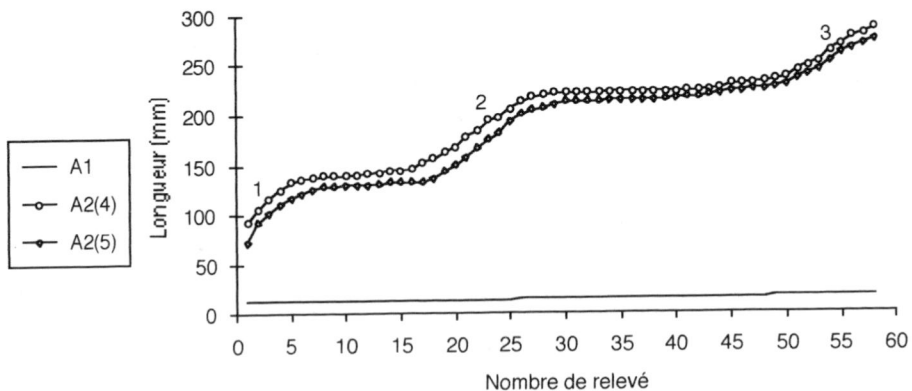

Figure 8 : Courbes de croissance de deux des nouveaux axes A2 durant la période de repos de l'axe A1 d'un individu de *Virola michelii* - *Growth curves of two of the new A2 axis during the rest period of the A1 axis of an individual of* <u>*Virola michelii*</u>.

36

Les deux autres vagues interviennent durant la période de repos de l'axe A1 (Figures 7 et 8). Chaque vague d'élongation dure une soixantaine de jours.

La période du rythme d'élongation des derniers axes A2 formés est donc du tiers de celle de l'axe A1.

La perte de ce comportement chez les axes A2 plus anciens semble liée à l'installation d'une inertie qui n'est levée que lors de l'élongation de l'axe A1.

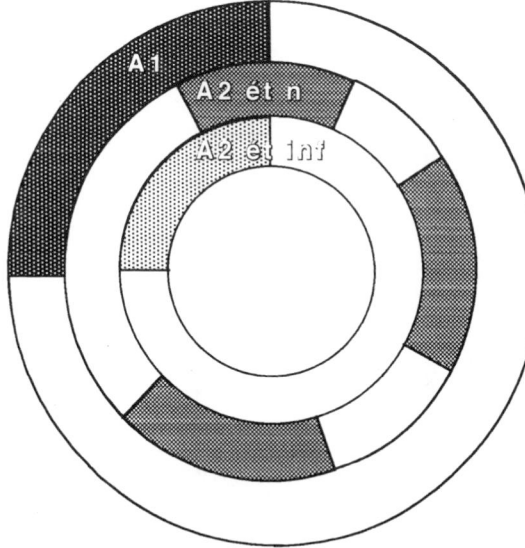

L'ensemble des élongations des différents axes s'intègre dans le cycle d'élongation global de l'individu (Figure 9). Il s'agit d'un cycle à deux composantes rythmiques, l'une concernant l'axe A1 et l'autre les axes A2 nouvellement formés. Ce cycle conduit par sa répétition à la construction de l'arbre avec son architecture caractéristique à étages.

Figure 9 : *Virola michelii* : Cycle individuel d'élongation - *Individual growth cycle*

4. Autres propriétés de l'élongation

4.1 Elongation et population

D'autres caractéristiques liées à l'élongation différencient ces deux espèces, notamment leur comportement au sein d'une population.

Chez *Lacistema aggregatum* , tous les individus d'un population sont synchrones et à peu près en phase, et ce quel que soit leur stade ontogénique. Les vagues de croissance ont lieu en même temps pour tous les individus, des plantules aux semenciers (Figure 10).

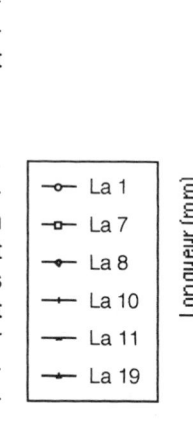

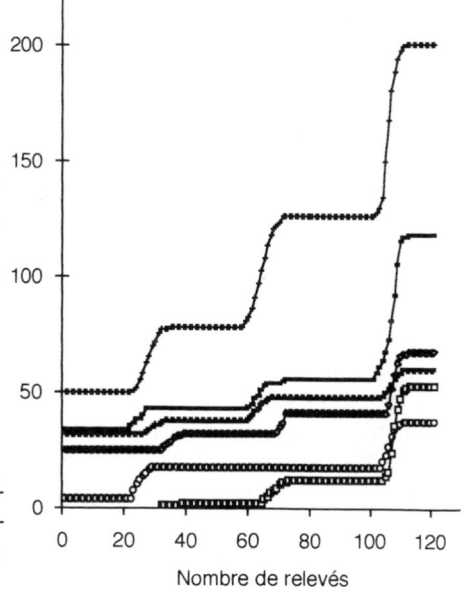

Nombre de relevés

Figure 10 : Courbes d'élongation des axes A1 de différents individus de *Lacistema aggregatum* - *Growth curves of A1 axis of some individuals of La- cistema aggregatum.*

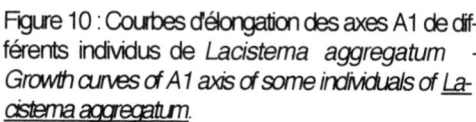

Chez *Virola michelii*, au contraire,les individus d'une même population ne sont pas en phase et ne sont même pas tous synchrones. Même au sein d'un groupe d'individus appartenant au même stade ontogénique, la durée globale du cycle d'élongation est de 300 à 400 jours, du fait de la variabilité de la longueur de la phase de repos. De plus, on rencontre toute l'année des individus en cours d'élongation (Figure 11).

D'autre part, la combinaison d'élongations axiales individuelles qui constitue le cycle global d'élongation de l'individu se modifie lors du développement. Chez le semencier, il n'y a plus installation d'une inertie sur les axes A2 anciens. Tous les axes A2 s'allongent suivant un rythme dont la période est de la moitié de celle de l'axe A1. Une unité de croissance de l'axe A1 correspond à deux unités de croissance des axes A2.

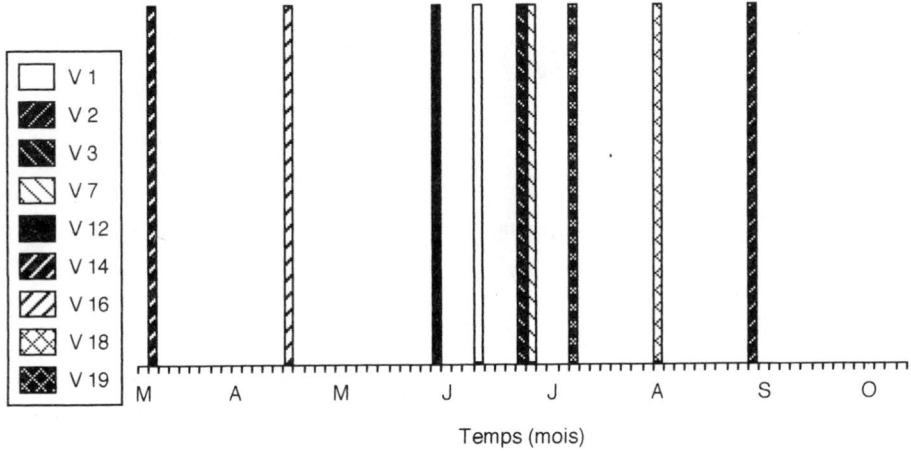

Figure 11 : Situation dans le temps du début de l'élongation de l'axe A1 de différents individus de *Virola michelii* - *Situation in course of time of the begining of A1 axis elongation of some individuals of <u>Virola michelii</u>.*

4.2 Elongation et hétérogénéité du milieu

Une autre différence entre l'élongation de ces deux espèces concerne l'adaptation à l'hétérogénéité du milieu sous-bois pour des facteurs tels que la lumière et l'environnement végétal.

Chez *Lacistema aggregatum*, la seule modalité d'adaptation consiste en la non-concrétisation par l'élongation d'une UC de la potentialité d'élongation qui lui est conférée à chaque nouvelle période du rythme (Figure 12). Un, plusieurs ou tous les axes peuvent sauter une ou plusieurs vagues d'élongation.

Par contre, chez *Virola michelii*, chaque axe possède une importante potentialité de régulation de sa cinétique d'élongation. Cela peut consister, comme chez *Lacistema aggregatum* en la non-réalisation d'une ou plusieurs vagues de croissance mais également en toute une gamme de modifications des caractéristiques de la courbe d'élongation. L'arrêt de croissance strict peut être modifié en un ralentissement plus ou moins important. La modulation de la cinétique peut être telle que le rythme devient difficilement perceptible au travers des simples mesures d'accroissement. Les différents comportements peuvent s'observer entre axes d'un même étage (Figure 13).

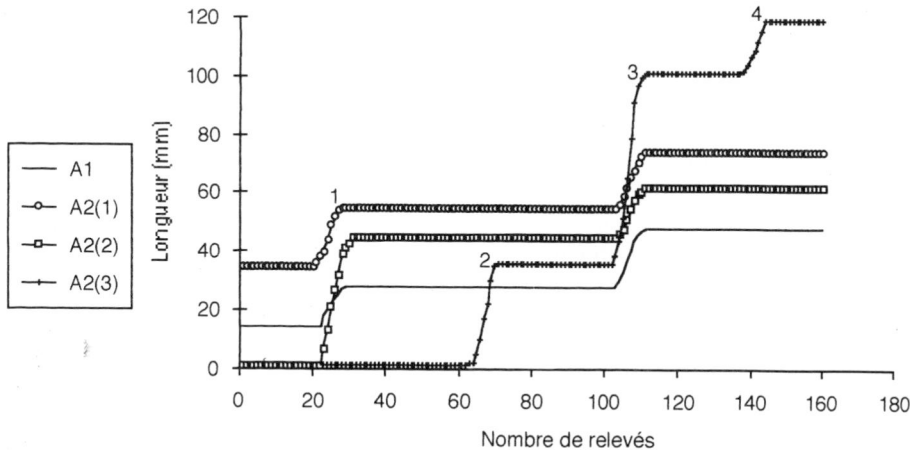

Figure 12 : Courbes d'élongation de l'axe A1 et de quelques axes A2 d'un individu de *Lacistema aggregatum* - *Growth curves of A1 axis and some A2 axis of an individual of Lacistema aggregatum*.

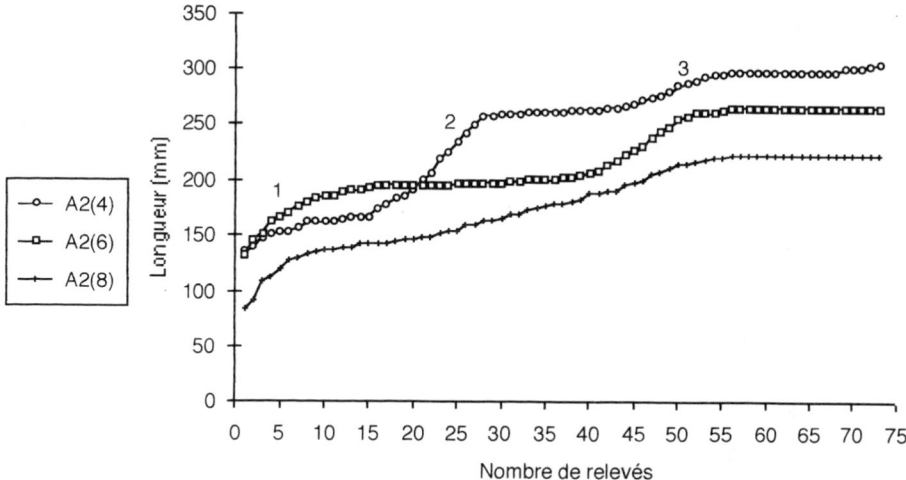

Figure 13 : Courbes d'élongation de trois axes A2 du dernier sub-verticille d'un individu de *Virola michelii* - *Growth curves of three A2 axis of the last sub-verticil of an individual of Virola michelii*.

5. Conclusion

Ces deux espèces présentent donc des comportements d'élongation très différents.

L'une se caractérise par un système d'élongation très simple, à une seule composante rythmique, remarquable par sa précision et sa constance. Les paramètres d'élongation valables pour un individu le sont également pour l'ensemble de la population.

L'élongation de l'autre espèce fonctionne selon un mécanisme plus complexe, à deux composantes rythmiques, susceptible de modulation et évoluant avec le développement

39

ontogénique. Les paramètres d'élongation - durée, phase - sont caractéristiques de l'individu et non généralisables à la population.

Ces résultats nous permettent d'émettre une hypothèse relationnelle entre l'architecture d'une espèce et son mode d'élongation.
L'existence de deux composantes rythmiques dans l'élongation d'une espèce lui confère une grande indépendance temporelle et structurale. Cela détermine une importante souplesse d'adaptation des axes face à l'hétérogénéité du milieu, bien que s'inscrivant dans le cadre d'une architecture assez stricte (Figure 2 b).

Le système d'élongation à une seule composante rythmique, type Lacistema, est beaucoup plus contraignant. L'adaptation de l'individu à l'hétérogénéité du milieu doit se faire par le biais d'autres moyens, tels une ramification erratique, et débouche sur une architecture beaucoup plus anarchique (Figure 2 a).

Bibliographie

El Morsy A.A., Millet B., Analyse de la croisance rythmique du mandarinier commun (*Citrus deliciosa* Tenore) cultivé en conditions constantes, *Fruits* , 1989, **44**(1): 21-27.

Halle F., Martin R., Etude de la croissance rythmique chez l'Hévéa (*Hevea brasiliensis* Müll.-Arg. - Euphorbiacées - Crotonoïdées), *Adansonia* , 1968, sér.2, **8**(4): 475-503.

Halle F., Oldeman R.A.A., Essai sur l'architecture et la dynamique de croissance des arbes tropicaux, *monographie 6* , Masson et Cie Eds, 1970, 178 p.

Lavarenne-Allary S., Croissance rythmique de quelques espèces de Chêne cultivés en chambre climatisées, *C.R. Acad. Sc. Paris* , 1966, **262**, sér. D: 358-361.

Lavarenne S., Champagnat P., Barnola P., Croissance rythmique de quelques végétaux ligneux de régions tempérées cultivés en chambres climatisées à température élevée et constante et sous diverses photopériodes, *Bull. Soc. bot. Fr.* ,1971, **118**: 131-162.

Maillard P., Etude du développement végétatif du *Terminalia superba* Englers et Diels en conditions controlées : mise en évidence de rythmes de croisance, *Thèse Doct* ., Université Paris VI, 1987, 205 p.

Mialoundama F., Etude de la croissance rythmique chez le *Gnetum africanum* Welw., *Thèse Doct. Etat* , Université d'Orléans, 1985, 156 p.

Millet B., Analyse des rythmes de croissance de la Fève (*Vicia faba* L.), *Thèse Doct. Sc. Nat.* , Université de Besançon, 1970, 132 p + 3 pl.h.t.

Parisot E., Etude de la croissance rythmique chez de jeunes manguiers (*Mangifera indica* L.), *Thèse Doct. 3ème cycle* , Université de Clermont-Ferrand II, 1985, 156 p.

STOCHASTIC MODELLING OF PLANT GROWTH :
Application of the renewal theory

MODELISATION STOCHASTIQUE DE LA CROISSANCE DES PLANTES :
Application de la théorie du renouvellement

E. Costes; Y. Guédon; J. Lichou*; Ph. De Reffye.

Unité de modélisation CIRAD BP 5035 34032 Montpellier Cedex France
*CTIFL Station de Balandran 30000 Bellegarde France

ABSTRACT :

The growth of vegetative axis is modelled by a renewal process. This leads to an estimation of the distribution of the time between two sucessive leaves (or plastocron) and its changes all over a growth period.
The final number of leaves per axis is modelled by a mixture taking into account both elongation and growth stop processes.

RESUME :

La croissance des axes végétatifs est modélisée par un processus de renouvellement. Ceci permet une estimation de la loi du temps entre deux feuilles successives (ou plastocrone) et de ses variations au cours d'une saison de croissance. Le nombre final de feuilles par axe est ajusté par un mélange de lois prenant en compte à la fois les processus d'élongation et d'arrêt de croissance.

41

1. INTRODUCTION

The construction of vegetative axis is the result of both organogenesis and elongation. Only the result of the elongation can be observed in a macroscopic scale. The time between the unfolding of two successive leaves is variable and, during the same period, similar meristems can set up a different number of leaves. The renewal theory enables to model this type of processes (Cox 1962).

2. METHOD

The renewal theory considers the times between successive events. Each time interval is characterized by a random variable X_i. These random variables are mutually independent and identically distributed. The common time distribution is named the "inter-arrival" distribution.

The time up to the nth event is given by : $\qquad T_n = X_1 + X_2 + ... + X_n \qquad$ (figure 1)

From the distributions of T_1, T_2, ..., T_n, we can deduce the distribution of the number of events occurred in a period τ :

$$P(N(\tau)=n) = P(N(\tau) \geq n) - P(N(\tau) \geq n+1) = P(T_n \leq \tau) - P(T_{n+1} \leq \tau) \qquad \text{(figure 2)}$$

An important result of the renewal theory is that the distribution of the number of events is assymptotically normally distributed with mean and variance given by :

$$m_N = \frac{\tau}{m_X} \qquad\qquad v_N = \frac{\tau \, v_X}{(m_X)^3}$$

Elementary renewal processes, built on the same inter-arrival distribution, can be mixed as follows :

$$P(N=n) = \sum_\tau P(T=\tau) \, P(N(\tau)=n \, / \, T=\tau) \qquad \text{(figure 3)}$$

3. MATERIAL

The 'Rouge du Roussillon' cv, grafted on Apricot G1236 was used for this study. The trees were planted in 1983 at CTIFL Balandran station (France). They were left to develop without any pruning.

125 long shoots were observed during the 1989 annual growth. At each observation date the number of new leaves and the percentage of stopped meristems were recorded.

figure 1

Distributions of the times up to the nth event (n=1,2,3,4)
Lois du temps jusqu'au n-ième événement (n=1,2,3,4)

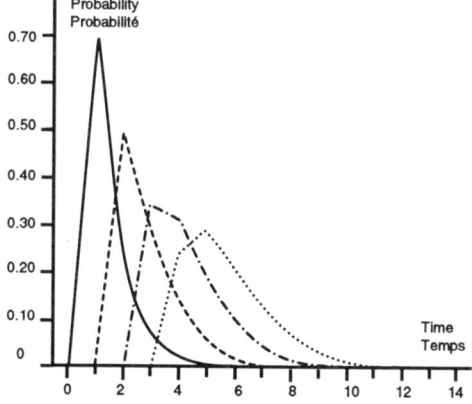

figure 2

Family of distributions of the number of events for
different observation times (4, 6, 9, 15)
Famille de lois du nombre d'événements pour différents
temps d'observation (4, 6, 9, 15)

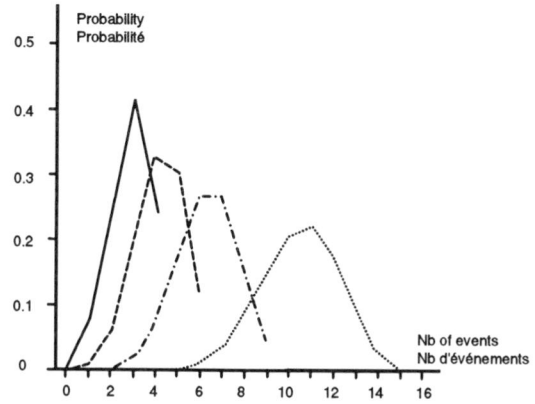

figure 3

Mixture of distributions of the number of events for different observations times
Mélange de lois de nombre d'événements pour différents temps d'observations

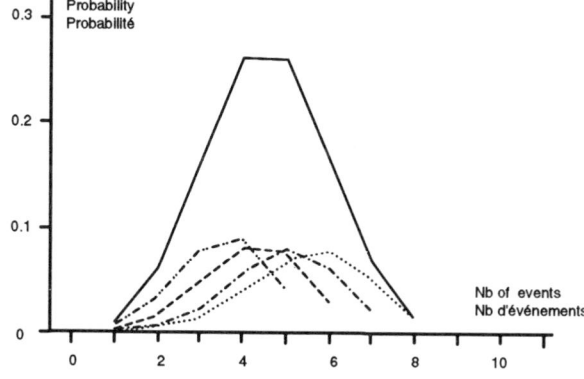

43

4. RESULTS

From the annual growth observations of Apricot trees, growth histograms were established (Costes et al. 1992). The average number of leaves set up between two successive observations suddenly decreased at the fourth observation (figure 4 and 6). At that time, the cumulated number of leaves reached the mean of 13.66, which corresponds to the number of preformed organs, i.e. organs contained in the resting bud.

The increase of the mean and the variance of the inter-arrival distribution corresponds to a scaling up of the time axis since, if the mean is scaled up by a factor x, the square deviation is also scaled up by x (figure 5 and 7).

figure 4 : Growth 1-2 (preformed part)
Accroissement 1-2 (partie préformée)

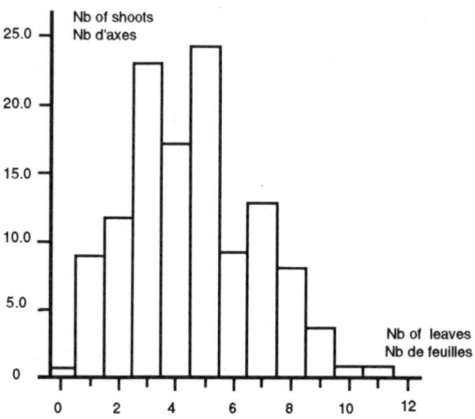

figure 5 : Inter-arrival distribution (1-2)
Loi inter-arrivée (1-2)
$\tau = 24$ time units

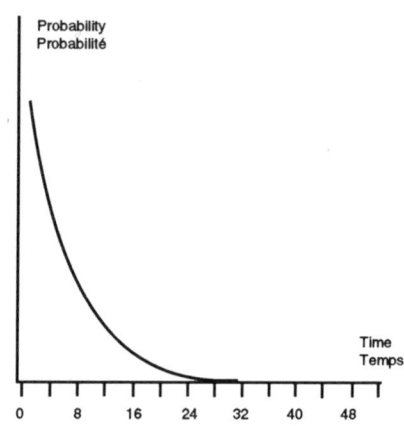

figure 6 : Growth 4-5 (neoformed part)
Accroissement 4-5 (partie néoformée)

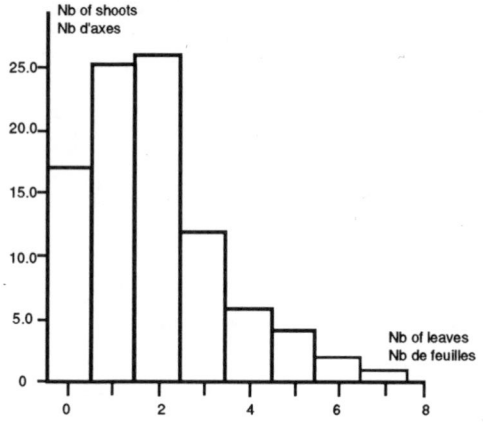

figure 7 : Inter-arrival distribution (4-5)
Loi inter-arrivée (4-5)
$\tau = 32$ time units

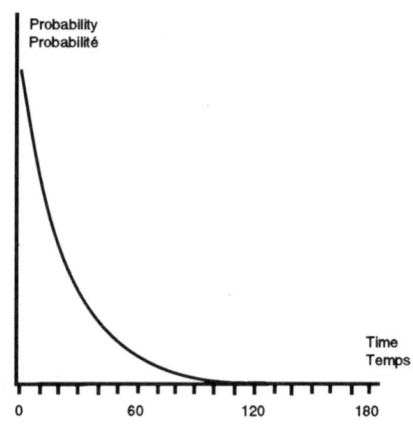

No death was noticed during the elongation of the preformed part of the growth. On the contrary, during the elongation of the neoformed parts, the distribution of the number of dead meristems was spread. Consequently, the model proposed for the total number of leaves per growth unit is a mixture of two distributions (figure 8) :

$$f(n) = a\, f1(n) + (1-a)\, f2(n),$$

where

"a" is the percentage of G.U. constituted by preformed part only,

(1-a) is the percentage of G.U. constituted by both preformed and neoformed parts,

f1(n) is the distribution of the number of preformed leaves,

f2(n) is the distribution of the number of both preformed and neoformed leaves

per G.U.

f1(n) is fitted by a binomial distribution since the elongation period of the preformed parts is constant, and corresponds to a distribution of the number of events . f2(n) is fitted by a negative binomial distribution taking into account the variability of the elongation time of the neoformed parts. It corresponds to a mixture of distributions of the number of events.

figure 8   Total number of leaves fitted by a mixture of two distributions
            Nombre final de feuilles ajusté par un mélange de deux lois

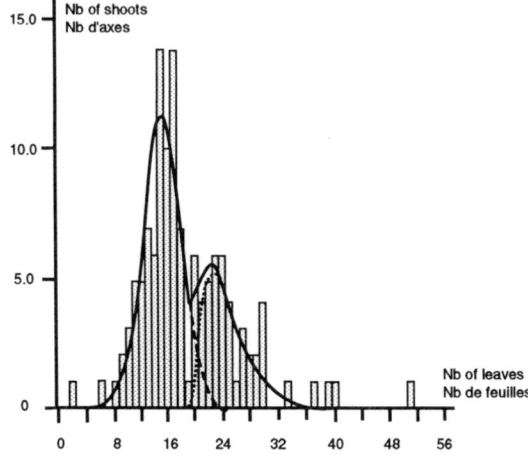

4. CONCLUSION

The main result obtained by applying Renewal theory to the growth process is an estimation of the evolution of the plastochron, its distribution and its changes during the annual growth. The final number of leaves per axis is modelled by a mixture taking into account both elongation and growth stop processes. The results obtained show that the edification speed has little influence on the aerial architecture of the Apricot tree.

REFERENCES :

Costes E., et al., Stochastic modelling of apricot growth units and branching, *3rd Int. Symp. on computer modelling in fruit research and orchard management". Palmerston North, New Zealand, Feb. 1992, Acta Horticulturae* ,1992, **313**

Cox D.R., Renewal theory, *Chapman and Halll*, 1962, 142p.

LEAF ELONGATION RATE IN TOMATO : EVIDENCE OF AN INVERSION OF THE DAY-NIGHT RHYTHM.
ELONGATION FOLIAIRE CHEZ LA TOMATE : INVERSION DU RYTHME JOUR-NUIT DU TAUX D'ELONGATION AU COURS DU DEVELOPPEMENT FOLIAIRE.

S. FERRARIO, I. AGIUS and P. ROBIN.

INRA - Station d' Agronomie et de Physiologie Végétale
45, bd du Cap - B. P. 2078
06606 ANTIBES - FRANCE

RESUME

Le taux d'élongation foliaire (LER) varie généralement au cours du nycthémère. Dans cet article, nous proposons une étude du rythme jour-nuit de l'élongation foliaire chez la tomate en relation avec le stade de développement de la feuille. Les plants de tomates sont cultivés en serre sur solution nutritive. Au stade végétatif, la longueur des feuilles est mesurée en début et en fin de photopériode (à 8h et à 20h). Les courbes d'élongation foliaire en fonction du temps sont du type sigmoïdal. L'élongation foliaire est caractérisée lors de la croissance exponentielle, en représentation semi-logarithmique, par des droites parallèles et équidistantes pour les niveaux de feuilles successifs. Le taux d'élongation foliaire (LER) présente des oscillations jour-nuit, avec un taux plus élevé le jour que la nuit au début de l'élongation, puis un taux plus élevé la nuit que le jour en fin d'élongation. Le rythme jour-nuit du taux d'élongation foliaire ainsi que l'inversion du rythme sont statistiquement significatifs. L'inversion du rythme est observée lorsque les feuilles ont une longueur de 9 à 12 cm. L'interprétation du phénomène d'inversion est discutée en relation avec l'utilisation du plastochrone index. Les phases successives du développement foliaire ont été caractérisées par d'autres auteurs, chez la tomate, en fonction de l'index plastochrone foliaire (LPI) et en particulier la transition entre les phases de division et d'élongation cellulaires pour laquelle LPI=1. Dans notre expérimentation, cette dernière phase semble correspondre à l'inversion du rythme d'élongation. Le taux d'élongation foliaire pourrait être influencé par des variations jour-nuit de température dans la serre (17/30°C J/N) avant le point d'inversion et ensuite par des variarions de potentiel hydrique.

ABSTRACT

Leaf elongation rate (LER) generally vary over a day-night cycle. In the present study, we investigate the day-night rhythm of the LER of tomato plants in relation with the leaf development stage. Tomato plants were grown in a nutrient solution in a glasshouse. At the vegetative stage, the leaf lenghts of 12 plants were measured with a ruler at the beginning and at the end of the photoperiod (8.00 a.m. and 8.00 p.m.). The leaf elongation curves showed typical sigmoïd feature. The exponential growth phase at early leaf elongation was characterized as linear, parallel and equidistant curves for each successive leaves (logarithm plot). Then, LER showed day-night oscillations, pointing out a daily rhythm. Moreover, LER appeared higher during the light period at early leaf development, and then, higher during the night period. The daily rhythm and the inversion phenomenon were statistically significant. The inversion phase occured when leaves were between 9 and 12 cm in length. The significance of this inversion phenomenon was discussed in relation with the use of the plastochron index. Different successive phases in leaf development have been characterized by the leaf plastochron index (LPI), and in particular the transition between cell division and cell expansion (LPI=1). In our experiment, this latter phase seemed to correspond to the inversion phase. The LER rhythm could be influenced by the day-night temperatures (17/30°C N/D) before the inversion point, and after then, by the daily variations of leaf water potential.

1 - INTRODUCTION

Plants exhibit growth rhythms during their development. Some plants present low frequency rhythms such as *Quercus* or *Hevea,* with alternations of growth and dormancy periods of about 25 and 42 days respectively (Payan, 1982; Hallé and Martin, 1968). Circadian fluctuations in growth of plant parts are more common, in particular for stem and leaf elongations. Oscillations have been reported for a long time in soybean leaf expansion rate during the light/dark cycle, with a maximum at the middle of the dark period (Bunning, 1956). The elongation rate of tall fescue leaf blades is higher during the night period by 60 to 65% than during the light period (Schnyder and Nelson, 1988), and stem elongation rate in *Chenopodium rubrum* exhibits circadian rhythm too (Lecharny, Schwall and Wagner, 1985).

These circadian growth rhythms are endogenous in some cases, since they persist for several cycles in continuous darkness and under constant conditions (Lecharny and Wagner, 1984; Verbelen *et al.* ,1981). In tomato plants, a circadian endogenous rhythm in stem elongation has been observed (Assaad-Ibrahim, Lecharny and Millet, 1981), and a diurnal variation in fruit growth rate (measured as a change in diameter) has been reported with a maximum during the day (Erhet and Ho, 1986).

Growth of tomato has been studied in relation to light, CO_2 concentration or nutrient conditions, indicating that leaf area ratio can be five times larger in low light than in high light conditions (Hurd and Thornley, 1974). The development of tomato leaf is quite sensitive to thermoperiodic and photoperiodic changes (Hussey, 1963, 1965; Aung and Austin, 1971). Then, a description of the growth of tomato leaf using the plastochron index has been developped (Coleman and Greyson, 1976 a, b). These studies indicate that the mean duration of one plastochron (the time between initiation of successive leaves) vary from 2 days in summer to 2.5 days in winter. Moreover, leaves can be characterized by the plastochron index (LPI), which is a description of the developmental age of all leaves, based on a common scale of plastochrons (Lamoreaux *et al.* 1978). Thus, each stage of leaf development has been associated with a precise LPI value in tomato (Coleman and Greyson, 1976).

However, none of these studies has reported a day-night analysis of the leaf growth during the entire development of the leaves, so in this paper, we tended to investigate the day-night rhythm of the leaf elongation rate in tomato in relation with the development stage.

2 - MATERIAL AND METHODS

Seeds of tomato (*Lycopersicon esculentum cv.* Prisca) were sown in 3 x 8 cm rock-wool cylinders, then placed in the darkness at 25°c in a growth chamber. Four days after sowing, they were geminated and put into a glasshouse, where they were pricked out into a nutrient solution. Each plant was in a 140 x 10 x 8 cm grey polypropylene trough with a slope of 4°, which allowed the nutrient solution to flow and to be recycled continously from a 200 l container pooled for 12 plants. The mineral composition of the nutrient solution was as follows : 13.2 mM NO_3, 1.5 mM H_2PO_4, 1.5 mM SO_4, 7 mM K, 3.85 mM Ca, 1.4 mM Mg. Micronutrients were supplied from a commercial solution, "Kanieltra", and pH was adjusted to 5.8 with HNO_3.

Leaf growth was followed on each 12 plants at the vegetative stage (from the 6 to 9 th leaf appearance). Leaf lengths were measured with a ruler, twice a day for 10 days from the base of the petiole to the tip of the limb. During the experiment, photoperiod was 14 h (the end of April) and growth measures were done at the beginning and at the end of the light period (8:00 am and 8:00 pm) in the purpose of a comparison between day and night elongation rates. Data were statistically analysed by variance analysis (Statview-Macintosh).

3 - RESULTS

3.1 - Leaf elongation

Leaf lengths plotted versus time (Fig. 1a) indicated that during the experiment period some leaves reached their maximal size (F1 and F2), while others expanded (F3 to F5) or just lengthened (F6 to F8). Although not really full plotted for all leaves, these curves showed a typical sigmoïd feature, with an exponential first phase followed by a second slowing down growth phase. When the logarithm of leaf lengths was plotted versus time, the exponential growth phase at early leaf elongation was characterized as linear, parallel and equidistant curves (Fig. 1b). This exponential phase ended when the leaves were between 10 and 20 cm in length.

Figures 1a and 1b : Elongation des feuilles de tomate en fonction du temps (de F1 pour la plus agée à F8 pour la plus jeune) (1a), et en représentation semi-logarithmique (1b). Chaque longueur de feuille est mesurée deux fois par jour, à 8 h (N-night) et à 20 h (D-day).
Elongation of tomato leaves (F1 for the oldest leaf to F8 for the youngest one) plotted versus time (1a) and its semi-logarithm representation (1b). Each leaf lenght was measured with a ruler twice a day, at 8.00 am. (N-night) and 8.00 pm. (D-day).

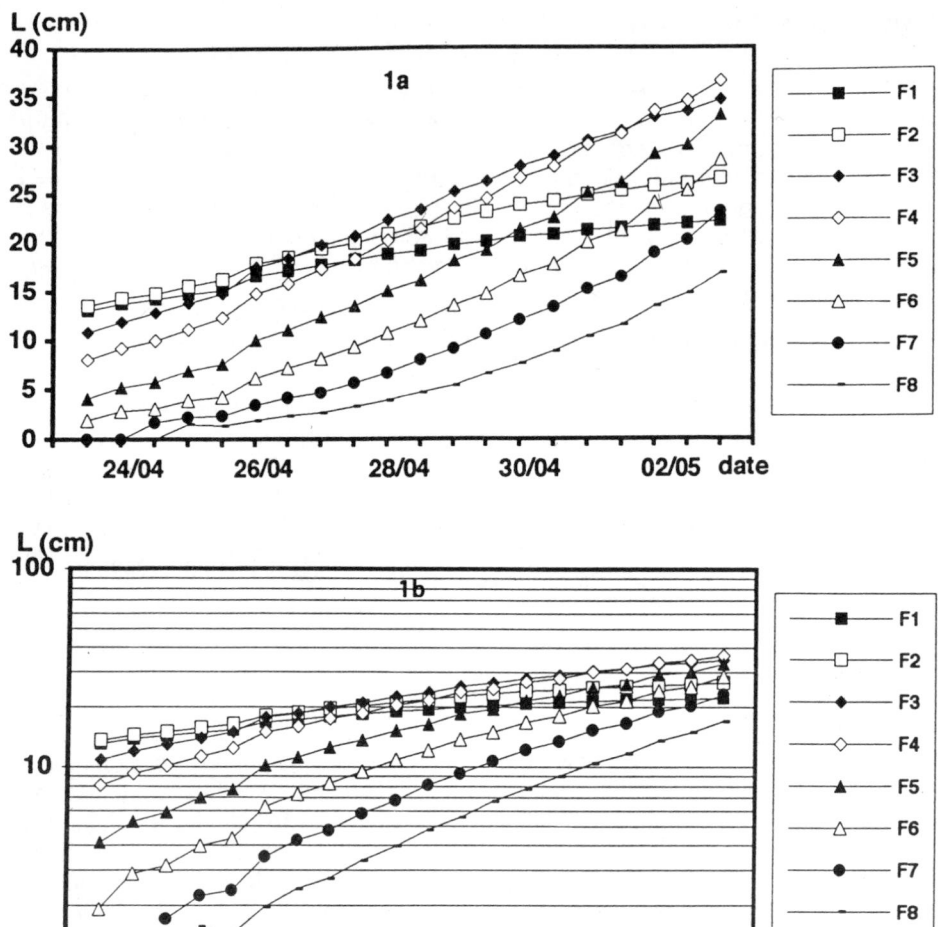

3.2 - Daily rhythm of leaf elongation rate

Relative leaf elongations were plotted versus time for each successive day and night periods and for each leaf (Fig. 2). A statistical analysis of data (by variance analysis) pointed out significant effects of the leaf level, the hour of measure (day or night)and the date (Table 1). $\Delta L/L$ increased as the leaves were youger (leaf level increased) and decreased as the leaves lengthened. Differences between day and night elongation rates were pointed out, enlightened by the oscillations of each curve. Besides, the day-night differences of elongation rates depended on the leaf level, being higher for young leaves than for old leaves (F8 and F1 for instance). Then, the day-night differences depended on the date as a lessening, and an inversion of the oscillations were observed along the time axis. This inversion was enlightened by higher elongation rates during the day period at the early leaf development, followed by higher elongation rates during the night period till the end of leaf growth. This inversion phase occured with a lag time for each leaf, and so it was observed from F6 to F8 only. Since leaf appearance was lagged too, the elongation rates was plotted versus the leaf lengths (Fig. 3). This presentation pointed out that the inversion phase occurred when leaves were between 9 and 12 cm in length.

Figure 2 : Taux d'élongation foliaire ($\Delta L/L$) en fonction du temps pour les feuilles F1, F3, F5, F6, F7, F8, F9. Le taux d'élongation foliaire pendant le jour (D) est estimé par le rapport de l'élongation entre 20 h et 8 h sur la longueur de feuille à 20 h. Le taux d'élongation foliaire pendant la nuit (N) est estimé par le rapport de l'élongation entre 8 h à 20 h sur la longueur de feuille à 8 h.
Relative leaf elongation ($\Delta L/L$) plotted versus time for leaves F1, F3, F5, F6, F7, F8, F9. Leaf elongation rate during the day (D) was calculated as the ratio of leaf length elongation (from 8.00 am. to 8.00 pm.) to leaf length at 8.00 pm. Leaf elongation rate during the night (N) was calculated as the ratio of leaf length elongation (from 8.00 pm. to 8.00 am.) to leaf length at 8.00 am.

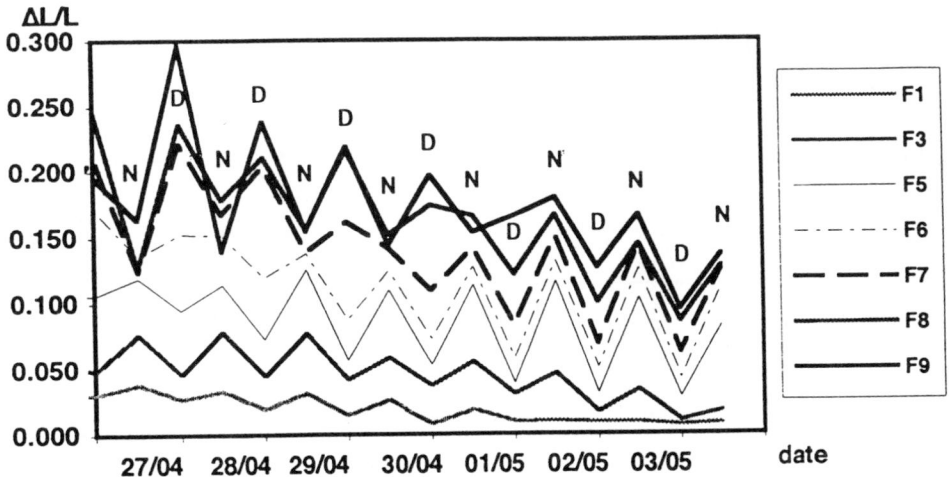

Table 1 : Tableau des moyennes ± écart-types pour les variations de $\Delta L/L$ entre le jour et la nuit pour les feuilles 6, 7, 8 et 9, pendant 8 jours consécutifs.
Means ± standard deviations of $\Delta L/L$ variations between day and night periods, for the leaves 6, 7, 8, and 9, for 8 days.

	26/04	27/04		28/04		29/04		30/04
	D	N	D	N	D	N	D	N
Leaf	mean±std dv	mean±std dv	mean±std dv	mean±std dv	mean±std dv	mean±std dv	mean±std dv	mean±std dv
6	0,171±0,034	0,136±0,012	0,153±0,041	0,152±0,024	0,120±0,039	0,138±0,020	0,087±0,020	0,125±0,019
7	0,211±0,027	0,124±0,024	0,221±0,020	0,168±0,016	0,204±0,025	0,138±0,023	0,162±0,037	0,141±0,020
8	0,246±0,057	0,126±0,035	0,236±0,039	0,179±0,040	0,211±0,040	0,156±0,041	0,216±0,030	0,152±0,029
9	0,196±0,070	0,164±0,005	0,297±0,018	0,139±0,033	0,238±0,044	0,155±0,034	0,218±0,014	0,143±0,024

	30/04	01/05		02/05		03/05		04/05
	D	N	D	N	D	N	D	N
Leaf	mean±std dv	mean±std dv	mean±std dv	mean±std dv	mean±std dv	mean±std dv	mean±std dv	mean±std dv
6	0,073±0,013	0,127±0,018	0,058±0,010	0,132±0,016	0,051±0,009	0,126±0,020	0,043±0,012	0,112±0,022
7	0,109±0,039	0,141±0,022	0,083±0,017	0,150±0,020	0,069±0,018	0,143±0,017	0,062±0,010	0,126±0,015
8	0,174±0,043	0,166±0,018	0,121±0,036	0,167±0,024	0,100±0,033	0,144±0,018	0,086±0,018	0,128±0,013
9	0,197±0,008	0,154±0,024	0,165±0,011	0,180±0,039	0,126±0,019	0,166±0,051	0,095±0,003	0,137±0,013

Figure 3 : Taux d'élongation foliaire (ΔL/L) en fonction de la longueur des feuilles pour les feuilles F6, F7, F8, F9. Le taux d'élongation foliaire pendant le jour (D) est estimé par le rapport de l'élongation entre 20 h et 8 h sur la longueur de feuille à 20 h. Le taux d'élongation foliaire pendant la nuit (N) est estimé par le rapport de l'élongation entre 8 h à 20 h sur la longueur de feuille à 8 h.
Relative leaf elongation (ΔL/L) plotted versus leaf lenght for leaves F6, F7, F8, F9. Leaf elongation rate during the day (D) was calculated as the ratio of leaf length elongation (from 8.00 am. to 8.00 pm.) to leaf length at 8.00 pm. Leaf elongation rate during the night (N) was calculated as the ratio of leaf length elongation (from 8.00 pm. to 8.00 am.) to leaf length at 8.00 am.

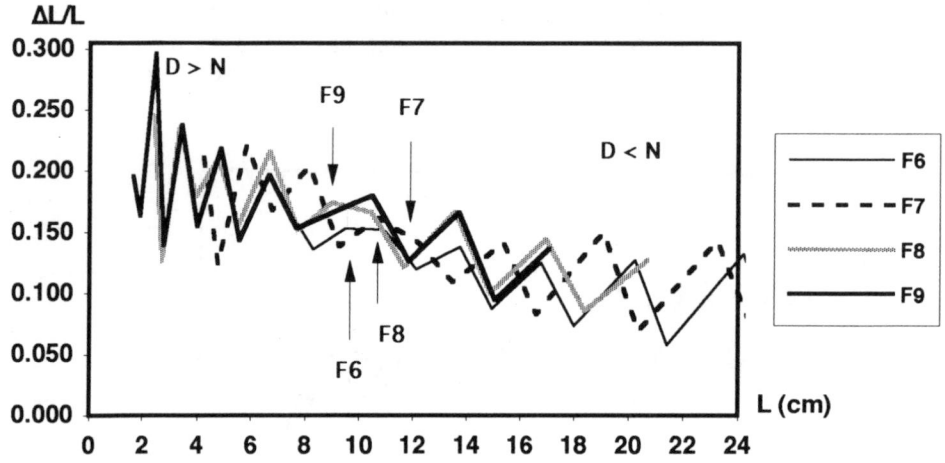

4 - DISCUSSION

Diurnal rate of leaf expansion is not constant as numerous studies have mentioned it for some decades. Most observations have shown higher rates during the night than during the day, but contrasting results have been reported too. Leaf elongation rate of young wheat seedlings has appeared lower during the dark period than the photoperiod (Christ, 1978), or even little difference between dark and light periods was observed in orchardgrass (Eagles, 1974). These contrasting results were attributed to differences in genotypes and sensitivity to plant culture conditions such as light intensity or day-night temperatures (Volenec and Nelson, 1982, Lecharny et al. 1985). However, an inversion of the day-night rhythm of leaf elongation rate has never been reported during the leaf development without modifying the external conditions. In this paper, the evidence of such a phenomenon clearly appeared, characterizing a tomato leaf between 9 and 12 cm in length. Then, we tended to find a physiological interpretation to this phenomenon.

Higher elongation rates during the night have been interpretated in relation to water status of the leaf (Boyer, 1968; Volenec and Nelson, 1982; Parrish and Wolf, 1983). High water potentials are necessary to cell enlargement and occurs during the night, when transpiration is lower than during the day.

During leaf development, different stages follow one another. Firstly, lamina tissue is in a state of rapid and continuous cell division, then growth is characterized by cell expansion, and differentiation of veins, till the end of growth, when the leaf is anatomically and physiologically mature. Besides, relationships exist between growth and the translocation of assimilates. Growth of a young leaf is dependent on the import of assimilates from older expanded leaves, before being photosynthetically active, and then exporting (Moorby, 1981). Export usually begins when the leaf is about 15 to 25 % of its final area, with a transition from importing to exporting stage, which is a quite progressive and basipetal phenomenon in tomato leaf (Coleman and Greyson, 1976). Four growth stages of tomato leaf have been characterized in terms of LPI by Coleman and Greyson (1976) according to the formulae (Lamoreaux et al. 1978) as follows :

(1) $LPI_n = PI - n$

where n is the serial number of the n th leaf and

$$(2) \qquad PI = n + \frac{\log L_n(t) - \log l}{\log L_n(t) - \log L_{n+1}(t)}$$

where $L_n(t)$ is the length of the n th leaf at time t, $L_{n+1}(t)$ the length of the n+1 th leaf at time t, and l the reference leaf length characterizing approximtively the leaf length at the middle of the exponential growth phase. Then, from (1) and (2) it results :

$$(3) \qquad LPI_n = \frac{\log L_n(t) - \log l}{\log L_n(t) - \log L_{n+1}(t)}$$

Since cell enlargement is sensitive to water status of the leaf, we hypothesized that the inversion of the leaf elongation rhythm observed in our experiment occurred at the transition stage between cell division and elongation. According to Coleman and Greyson (1976), when $LPI_n = +1$, mitotic activity ends in the lamina of the most basal leaflets, and thus, leaf growth is due to cell expansion only. From (3) we deduced that at this time $L_{n+1} = l$. That means that cell division stops in a leaf n when the leaf n+1 is equal to l, and thus, is in the exponential growth phase. From our results, leaf length was about 10 cm when the inversion phenomenon occured, while the n+1 leaf length was about 5 cm as it appeared in Fig. 1b., which corresponded to the exponential growth phase of the n+1 leaf (linear part of curves in Fig. 1b), so we assumed that l = 5 cm in our experiment. Thus, these observations seemed to confirm our latter hypothesis that the inversion phenomenon corresponds to the transition phase between cell division and expansion in the leaf.

Other authors have observed a correlation between leaf elongation rhythm and import of assimilates from the source leaves in soybean (Huber, Kerr and Kalt-Torres, 1985). Moreover, they have noted synchronized changes in sink leaf $Fru-2,6-P_2$ concentration and diurnal fluctuations in sink leaf growth. Diurnal changes in sink leaf $Fru-2,6-P_2$ would play a role in the glycolytic use of imported assimilates. It would be interesting to investigate the import of assimilates and the $Fru-2,6-P_2$ concentration in young leaf of tomato, during the day-night cycle, in our experiment. Rhythm in partitionning of exported assimilates between different sinks could explain diurnal growth rhythm in the young leaf, before the fluctuations of water potential became a predominant factor at the cell enlargement stage. Finally, tomato LER rhythm could be influenced by the day-night temperatures (17/30°C Night/Day) before the inversion point, and after then, by the daily variations of leaf water potential.

REFERENCES

Assaad-Ibrahim C., Lecharny A. and Millet B., Circadian endogenous growth rhythm in tomato, *Plant Physiol.,* 1981, 67 (suppl) : 113.

Aung L.H. and Austin M.E., Vegetative and reproductive responses of *Lycopersicon esculentum* Mill. to photoperiods, *J. Exp. Bot.,* 1971, 22: 906-914.

Boyer J.S., Relationship of water potential to growth of leaves, *Plant Physiol.,* 1968, 43: 1056-1062.

Bunning E., Leaf growth under constant conditions and as influenced by light-dark cycles. In *The growth of leaves,* ed. F.L. Milthorpe. 1956. pp. 119-126, Butterworths Sciences, London.

Christ R.A., The elongation rate of wheat leaves. I - Elongation rates during day and night, *J. Exp. Bot. ,* 1978, 29: 603-610.

Coleman W.K. and Greyson R.I., The growth and development of the leaf in tomato (*Lycopersicon esculentum*). I - The plastochron index, a suitable basis for description, *Can. J. Bot.,* 1976a, 54: 2421-2428.

Coleman W.K. and Greyson R.I., The growth and development of the leaf in tomato (*Lycopersicon esculentum*). II - Leaf ontogeny, *Can. J. Bot.,* 1976b, 54: 2704-2717.

Eagles C.F., Diurnal fluctuations in growth and CO_2 exchange in *Dactylis glomerata, Ann. Bot.,* 1974, 38: 53-62.

Erhet D.L. and Ho L.C., Effects of osmotic potential in nutrient solution on diurnal growth of tomato fruits, *J. Exp.Bot.,* 1986, 37 (182): 1294-1302.

Halle F. and Martin R., Etude de la croissance rythmique chez l'Hévéa (*Hevea brasiliensis Mûll*-Arg. Euphorbiacées- Crotonoïdées), *Adansonia* 1968, ser. 2, 8 (4): 475-503.

Huber S.C., Kerr P.S. and Kalt-Torres W., Regulation of sucrose formation and movement. In *Regulation of carbon partitioning in photosynthetic tissue.* ed. R.L. Heath and J. Preiss. 1985, pp. 199-214. Proc. 8 th Ann. Symp. Plant Physiol.

Hurd R.G. and Thornley J.H.M., An analysis of the growth of young tomato plants in water culture at different light integrals and CO_2 concentrations, *Ann. Bot.,* 1974, 38: 375-388.

Hussey G., Growth and development in the young tomato. I - The effect of temperature and light intensity on growth of the shoot apex and leaf primordia, *J.*

Exp.Bot., 1963, 14: 316-325.

Hussey G., Growth and development in the young tomato. III - The effect of night and day temperatures on vegetative growth, *J. Exp.Bot.*, 1965, 16: 373-385.

Lamoreaux R.J., Chaney W.R. and Brown K.M., The plastochron index : a review after two decades of use, *Am. J. Bot.*, 1978, 65 (5): 586-593.

Lecharny A. and Wagner E., Stem extension rate in light-grown plants. Evidence for an endogenous circadian rhythm in *Chenopodium rubrum, Plant Physiol.*, 1984, 60: 437-443.

Lecharny A., Schwall M. and Wagner E., Stem extension rate in light-grown plants. Effects of photo-and thermoperiodic treatments on the endogenous circadian rhythm in *Chenopodium rubrum, Plant Physiol.*, 1985, 79: 625-629.

Moorby J., Transport systems and growth. In *Transport systems in plants.* ed. Longman Inc., 1981, pp. 123-137. New York.

Parrish D.J. and Wolf D.D., Kinetics of tall fescue leaf elongation : responses to changes in illumination and vapor pressure, *Crop Sci.*, 1983, 23: 659-663.

Payan E., Contribution à l'étude de la croissance rythmique chez de jeunes Chênes pédonculés, *Quercus pedunculata* Ehrh - Thèse Doct. 3ème cycle, Morphogen. Ecophysiol. vég., Univ. Clermont II, 1982, 102p.

Schnyder H. and Nelson C.J., Diurnal growth of tall fescue leaf blades. I - Spatial distribution of growth, deposition of water, and assimilates import in the elongation zone, *Plant Physiol.*, 1988, 86: 1070-1076.

Verbelen J.P., Spruit E., Moreles E. and De Greef J.A., Endogenous rhythmicity in etiolated *Phaseolus* seedlings, *Biol. Jaarb.* 1981, 49: 190-199.

Volenec J.J. and Nelson C.J., Diurnal leaf elongation of contrasting tall fescue genotypes, *Crop Sci.*, 1982, 22: 531-535.

SYNCHRONISMES ENTRE PROCESSUS DE DEVELOPPEMENT AERIEN ET RACINAIRE CHEZ DE JEUNES SEMIS D'HEVEA
SYNCHRONISMS BETWEEN SHOOT AND ROOT DEVELOPMENT PROCESSES OF YOUNG HEVEA SEEDLINGS

Y. Le Roux*, L. Pagès* et A. Leconte**

*   INRA Avignon, Domaine Saint-Paul, Laboratoire d'Agronomie
    84143 Montfavet cédex, France
** IRCA Côte d'Ivoire, Station de Bimbresso
    01 B.P. 1536 Abidjan 01, République de Côte d'Ivoire

Résumé - Des jeunes semis d'*Hevea brasiliensis* sont cultivés en rhizotrons et des observations périodiques sont réalisées en parallèle sur le développement des systèmes aérien et racinaire. La mise en place de la tige feuillée des plants est caractérisée par sa nature rythmique qui se traduit par une périodicité de la croissance en longueur de la tige et par des stades morphogénétiques cycliques. Ces résultats contrastent avec l'absence de rythme de croissance du pivot d'élongation continue. La croissance des racines secondaires et l'apparition des racines tertiaires semblent par contre présenter un caractère rythmique, en très léger décalage de phase pour les premières, et en opposition de phase pour les secondes, avec la croissance aérienne. Des effets trophiques (eau, sucres) et hormonaux (auxines et cytokinines), pourraient expliquer, en partie, les synchronisations de croissance qui existent entre les appareils aérien et racinaire de ces jeunes semis.

Summary - *Young Hevea brasiliensis seedlings are grown in root observations boxes during 1 to 3 months and regular observations are made both on shoot and root development. Plants shoot installation is characterized by its rhythm which is brought about by a periodic shoot growth and cyclic morphogenetical stages. These results contrast with the lack of rhythm for taproot growth and its continuous elongation. The study of secondary roots cumulative growth curves revealed two phases in growth: (i) early installation of roots whose initial development is synchronous with the first growth unit emergence, (ii) acropetal installation of lateral roots on the taproot which begins five days before the second stem flush growth. Cumulative length increase of tertiary roots shows two important elongation flushes nearly synchronous with those of secondary roots. On the contrary, the rhythm of the estimated curve of the number of tertiary root initiation is in opposition of phase with that of stem elongation. A physiological model based on trophical (water and sugars) and hormonal (auxins and cytokinins) effects is proposed to interprate part of the synchronizations existing between shoot and root development.*

1   INTRODUCTION

La rythmicité de développement du système aérien d'*Hevea brasiliensis* est connue depuis fort longtemps (Huber, 1898). De multiples travaux reposant sur des études morphologiques et basés sur des descriptions externes du phénomène, ont permis de montrer que l'axe aérien de l'hévéa résultait d'une succession rythmique et linéaire d'unités de croissance (Dubois, 1962; Pekel, 1962). La mise en place de l'axe primaire est ainsi caractérisée par des phases de fort allongement alternant avec des périodes d'élongation faible à nulle. Plus récemment, Hallé et Martin (1968) se sont attachés à définir avec davantage de précision les caractéristiques de cette rythmicité de période courte et stable (42 jours), chez des semenceaux cultivés en conditions climatiques constantes.

La nature du contrôle de la rythmicité du développement du système aérien chez les végétaux ligneux est mal connue. Une des hypothèses est qu'il existerait un système endogène, influencé directement par la constitution génétique du matériel végétal, qui ferait intervenir des modifications dans les concentrations en facteurs de croissance au sein du végétal (Crabbé, 1987). Cette hypothèse est confortée dans le cas de l'hévéa et d'autres espèces par le fait que le rythme persiste même en conditions environnementales favorables et uniformes (Hallé et Martin, 1968; Lavarenne-Allary, 1966).

Comme le suggère Borchert (1973), le développement rythmique du système aérien du végétal pourrait être lié également à la mise en place du système racinaire. Les racines joueraient ainsi un rôle sur cette rythmicité du développement en modifiant, favorablement ou non, l'état hydrique de la plante. Hallé et Martin (1968) ont évoqué le caractère continu de la croissance du pivot de l'hévéa qui contrastait avec la périodicité d'élongation de la tige. Aucun travail, dans la littérature, ne fait cependant état d'études détaillées portant sur la mise en place des racines latérales d'ordre deux et trois de l'hévéa. De tels travaux permettraient pourtant de rendre compte d'éventuelles variations au cours du temps des relations entre le système aérien et le système racinaire, qui pourraient être à la base de cette rythmicité de développement de l'hévéa.

Les travaux présentés ici, portant sur de jeunes semis d'*Hevea brasiliensis* cultivés en rhizotrons, tentent de mettre en relation les étapes du développement rythmique de la tige avec les événements survenant dans le développement du système racinaire. La présente étude peut contribuer, par ce biais, à caractériser d'éventuelles corrélations de croissance entre organes de jeunes arbres (racines de différents ordres, tige et feuilles) qui expliqueraient, en partie, le caractère rythmique du développement de l'hévéa. La culture en rhizotron constitue, dans l'objectif d'un tel travail, une technique privilégiée car elle permet d'observer de manière non destructive, en continu et en parallèle, le développement de la tige et des racines sur un même plant. Les résultats de deux expériences sont rapportés ici. L'expérience 1 porte sur le suivi des systèmes aérien et racinaire de 12 jeunes semis âgés de 0 à 1 mois cultivés en petits rhizotrons en chambre climatisée à l'INRA d'Avignon. Dans l'expérience 2, les appareils aérien et racinaire ont été suivis sur 10 semis âgés de 0 à 3 mois cultivés en grands rhizotrons situés en plein air à la station IRCA de Bimbresso en Côte d'Ivoire.

2 MATERIEL ET METHODES

2.1 Matériel Végétal

Les plants observés (*Hevea brasiliensis* Müll- Arg. Euphorbiacées-Crotonoïdées) sont de jeunes semis issus de graines recueillies sur la plantation d'héveas d'Anguededou (Sud-Est de la Côte d'Ivoire) et qui ont pour origine maternelle la variété clonale 'GT1'.

2.2 Mise en germination

Dans l'expérience 1, les graines débarrassées de leur tégument sont trempées pendant 15 mn dans une solution de benlate à 1 g/l. Les graines sont mises à germer dans une enceinte ombragée sur un lit de vermiculite fine et sont placées en chambre climatisée (28 °C, 80 % d'hygrométrie). Au bout de 8 jours, la plantule présente un pivot de quelques centimètres à la base duquel sont insérées en un verticille 8 à 12 racines latérales secondaires, et une tigelle longue de 30 mm en moyenne. Dans l'expérience 2, menée en Côte d'Ivoire, les graines sont posées, sans ablation du tégument, en conditions ambiantes (26 °C et 85 % d'hygrométrie) sur un lit de sable. Vers 12 jours, les graines ont émis une plantule présentant les mêmes caractéristiques que celles décrites plus haut.

2.3 Culture en rhizotrons

Le rhizotron est un conteneur plat constitué de plaques de PVC dont l'une est transparente. Une feuille de toile à bluter (mailles 50 µm) est placée entre la face transparente et le substrat (Neufeld *et al.*, 1989). La plantule est placée dans la partie supérieure du rhizotron avec son système aérien qui émerge alors que son système racinaire est placé entre la plaque de PVC transparent et la toile à bluter qui empêche les racines de pénétrer dans le substrat tout en permettant le passage de l'eau et des éléments minéraux. Dans l'expérience 1 conduite à l'INRA d'Avignon, la culture des jeunes semis a été effectuée sur des "petits" rhizotrons (50 cm x 30 cm x 1 cm, substrat: vermiculite fine) placés en chambre climatisée, en conditions climatiques contrôlées (28 °C, 80 % d'hygrométrie, rayonnement global 150 W.m-2). La nutrition est assurée par arrosage quotidien avec une solution de Hoagland M/10. Dans l'expérience 2, menée à la station IRCA de Bimbresso (Côte d'Ivoire), les plantules ont été élevées en "grands" rhizotrons (100 cm x 60 cm x 2 cm, substrat: tourbe/sable 1V/1V) laissés à l'extérieur. Un arrosage à l'eau est effectué deux fois par semaine.

2.4 Suivi du développement

Le suivi du développement des jeunes plants consiste à mesurer périodiquement la longueur de la tige et à caractériser le stade morphogénétique atteint par les plants. A chaque observation sont reportés, d'une couleur donnée et sur un calque placé contre la plaque transparente, les segments racinaires nouvellement formés. Dans l'expérience 1, le suivi de 12 jeunes semis a été réalisé quotidiennement sur une période de 32 jours. Dans l'expérience 2, où seuls les résultats concernant le système aérien ont été exploités, le suivi du développement des appareils aérien et racinaire portant sur 10 plants, a été mené de manière hebdomadaire pendant 3 mois (de Juillet à Septembre 1991).

2.5 Technique de traitement des données

L'image de l'architecture du système racinaire obtenue en fin d'expérience sur les calques est encodée sur une table à digitaliser par l'intermédiaire d'un logiciel spécifique (Colin-Belgrand *et al*, 1989). Ce logiciel permet notamment, pour chaque ordre de racines, de calculer les accroissements racinaires individuels ou cumulés et de définir le nombre et la position des racines nouvellement émises à une date donnée.

Pour présenter les résultats, nous prendrons à chaque fois un seul plant en exemple, sachant que les comportements ont été remarquablement similaires au sein de la population des individus étudiés.

3 RESULTATS

3.1 Développement du système aérien

Un cycle morphogénétique, qui conduit à la mise en place d'une unité de croissance, est caractérisé par la succession de quatre phases bien distinctes, définies par Martin (1966) et Gener (1966), et auxquelles nous avons fait correspondre des indices afin de quantifier la rythmicité (période, amplitude et phase). Le stade morphogénétique de la jeune tige à un instant donné est donc caractérisé par un chiffre, qui correspond au nombre d'unités de croissance déjà mises en place, et un complément décimal précisant le stade de l'unité en cours de formation. Les différents stades sont représentés sur la figure 1: A. débourrement du bourgeon et apparition de la nouvelle unité de croissance (indice 0,25); B. croissance des entre-noeuds avec feuilles réduites à limbe dressé et anthocyanique (indice 0,45) puis renversées vers le sol et acquérant des pigments chlorophylliens

59

(indice 0,55); C. maturation foliaire avec limbes verts et flasques en pleine croissance (indice 0,75); D. dormance avec redressement des feuilles à l'horizontal (indice 0,00). L'évolution au cours du temps des stades morphogénétiques et de l'élongation de la tige sont représentées sur les figures 2 et 3 pour respectivement les expériences 1 et 2.

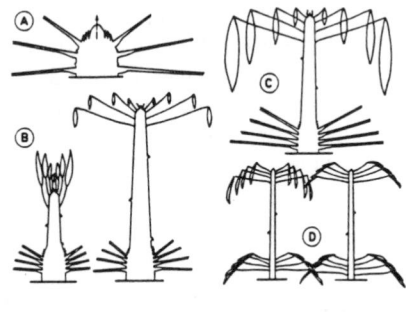

FIG. 1. - Description des stades du cycle morphogénétique d'une unité de croissance chez *Hevea brasiliensis* (d'après Hallé et Martin, 1966). Stade A (indice 0,25): débourrement; stade B (indice 0,50): croissance; stade C (indice 0,75): maturation foliaire; stade D (indice 0,00): dormance.

FIG. 1. - Description of the stages during the morphogenetical cycle of a growth unit in Hevea brasiliensis (from Hallé and Martin, 1966). Stage A (index 0,25): bud hatching; stage B (index 0,50): growth; stage C (index 0,75): leaf maturation; stage D (index 0,00): dormancy.

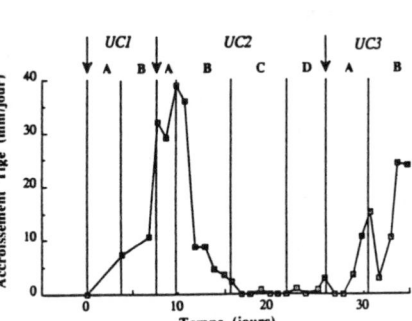

FIG. 2. - Evolution au cours du temps de l'accroissement en longueur de la tige d'un jeune semis d'hévéa. Les unités de croissance successives mises en place et leurs stades morphogénétiques sont reportés.

FIG. 2. - Time changes in shoot length increase of a young hevea seedling. The appearence of successive growth units is reported together with their morphogenetical stages .

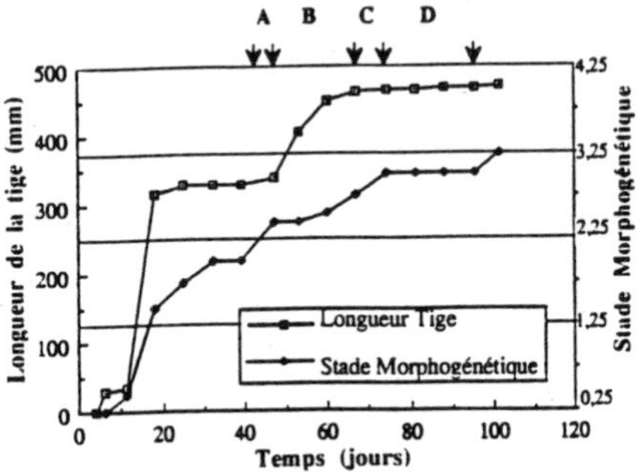

FIG. 3. - Comparaison de l'évolution au cours du temps, des stades morphogénétiques et de la longueur de la tige d'un jeune semis d'hévéa.

FIG. 3. - Comparison of morphogenetical stages and shoot length increase over time of a young hevea seedling.

Mise en place des unités de croissance 1 et 2 - La jeune plantule d'hévéa commence par mettre en place deux unités de croissance atypiques.

La première est initiée très rapidement puisque la jeune tige, rattachée à la graine par deux cordons cotylédonaires, est observable dès les cinquième et quatrième jours après la phase de germination pour, respectivement, les expériences 1 et 2. Elle met en place deux feuilles opposées en position apicale. Ce premier cycle de période brève (11,5 jours dans l'expérience 1) et où les stades morphogénétiques C et D sont très peu marqués (voire absents), est caractérisé par une élongation continue et forte de la tigelle de 20 mm/jour environ dans sa phase linéaire. La tige de la plantule possède une longueur moyenne de 150 mm en fin de ce premier cycle.

La deuxième unité de croissance s'initie sans modification importante de la vitesse d'allongement de la tige lors des phases A et B (un léger fléchissement de la vitesse d'élongation peut être constaté parfois, notamment chez les arbres de l'expérience 2) alors que les stades C et D sont caractérisés par un arrêt de croissance en longueur de la jeune tige. Ce deuxième cycle installe avec une période de 15,8 jours pour l'expérience 1 et 13,9 jours pour l'expérience 2, un segment caulinaire de 90 mm de longueur et porteur lui aussi de deux feuilles opposées en position apicale.

Lors de la mise en place de ces deux premières unités de croissance, la graine s'est progressivement flétrie par épuisement des réserves des deux cotylédons, pour finalement se détacher du jeune plant vers le 25ème jour par rupture des cordons cotylédonaires.

Mise en place de l'unité de croissance 3 (figure 3) - Le mode de mise en place de cette unité morphogénétique préfigure celui des unités ultérieures. Ce troisième cycle présente des caractéristiques typiques qui définiront, en majeure partie, les cycles à venir. La période moyenne du cycle est de 46,8 jours. La phase de débourrement, s'étalant sur 10 jours, initie le cycle. Elle est accompagnée vers son quatrième jour d'une forte élongation de l'entre-noeud qui se prolonge tout au long de la phase de croissance à une vitesse moyenne de 10 mm/j. La phase de maturation foliaire faisant suite, de durée 10 jours, coïncide avec l'arrêt de croissance de la tige qui se prolongera lors du stade de dormance de durée 14 jours. Cette unité de croissance met en place plusieurs feuilles assimilatrices en position apicale alors qu'à sa base sont présentes les cicatrices des feuilles écailles. Les jeunes arbres de l'expérience 2 ont, en fin de troisième cycle, une hauteur moyenne de 320 mm.

La tige du jeune plant non ramifié résulte d'une succession rythmique et linéaire d'unités de croissance, caractérisée de manière marquée dès le troisième cycle par des périodes de fort accroissement (stades A et B) alternant avec des phases d'accroissement faible à nul (stades C et D) (figure 3). L'évolution des stades morphogénétiques se fait ainsi par vagues successives qui peuvent être décalées très légèrement d'un arbre à l'autre. Cette croissance par "flushes" caractérise également, avec un léger retard de phase, l'élongation de la tige du jeune plant.

3.2 Relations entre le développement des systèmes aérien et racinaire

Le pivot (figure 4) - Deux phases dans le développement du pivot sont définies sur la période d'étude de l'expérience 1: (*1*) une phase initiale d'accélération de croissance avec un accroissement maximal moyen d'environ 22 mm/j atteint entre le 12ème et le 15ème jour après émergence de la radicule, suivant les arbres; ce pic d'accroissement du pivot est synchrone de celui de la tige observé lors de la mise en place de la première unité de croissance; (*2*) une seconde phase où l'accroissement présente un ralentissement progressif. L' élongation de cet organe est continue (sa vitesse d'allongement est toujours supérieure à 5 mm/j) et ne présente pas de rythme de croissance marqué, même si des variations de faible période peuvent exister.

Les racines latérales secondaires (figures 5 et 6) - Les courbes de longueur cumulée (figure 5) de ces racines présentent une allure en double sigmoïde caractérisée par:
- une phase initiale précoce de faible croissance, amorcée dès le début de l'expérience mais amortie rapidement entre le 12ème et le 15ème jour chez de nombreux arbres Cette phase caractérise l'élongation des racines mises en place rapidement, en verticille, sous le collet: "les racines secondaires précoces".
- une deuxième phase, de croissance plus forte, dont l'amorce coïncide avec le fléchissement de la première vague de croissance et qui s'amortit légèrement vers le 35ème jour. Cette deuxième phase correspond à la croissance de racines latérales secondaires mises en place sur le pivot en séquence acropète. La longueur cumulée moyenne des racines latérales secondaires en fin d'expérience est de 460 cm.

Les courbes d'accroissement de la longueur totale des racines secondaires (figure 6) précisent ces résultats en distinguant un premier pic, parfois peu marqué, de forte élongation journalière qui devance très légèrement le premier flush de croissance de la tige (12ème/13ème jour). Ce pic est à mettre en relation avec la première vague observée lors de l'étude de la longueur cumulée des racines latérales secondaires Un deuxième pic, s'amorçant vers trois semaines et d'accroissement maximal centré entre le 32ème et le 35ème jour, permet de rendre compte de la deuxième vague caractérisée lors de l'étude des longueurs cumulées. Ce pic a une amplitude trois à quatre fois plus importante que celui qui concerne les racines secondaires précoces. Il précède d'environ 5 jours le deuxième flush de croissance de la tige et est synchrone de la fin du stade D de la deuxième unité de croissance.

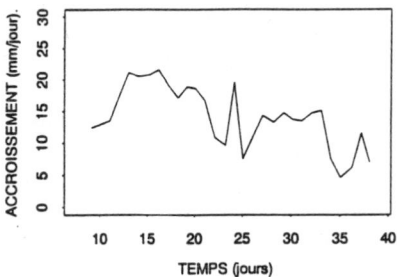

FIG. 4. - Evolution au cours du temps de l'accroissement en longueur du pivot d'un jeune semis d'hévéa.
FIG. 4. - Time changes in taproot length increase of a young hevea seedling .

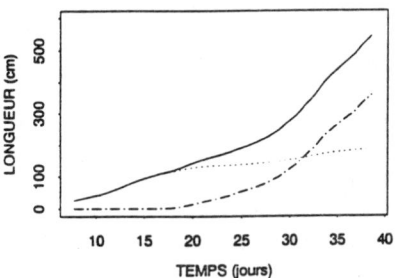

FIG. 5. - Evolution au cours du temps des longueurs cumulées de l'ensemble des racines secondaires (trait plein), des racines secondaires précoces (pointillés) et séquentielles (tiretés).
FIG. 5. - Times changes in cumulative length of secondary roots (full line), precocious (dotted line) and sequential secondary roots (dashes), accumulated length.

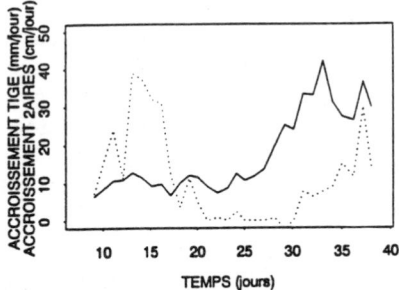

FIG. 6. - Evolution au cours du temps de l'accroissement en longueur des racines secondaires (trait plein) et de la tige (pointillés) d'un jeune semis d'hévéa.
FIG. 6. - Time changes in secondary roots (full line) and stem (dotted line) length increases of a young hevea seedling.

L'existence de racines secondaires apparaissant entre 28 et 35 jours, à la base du pivot, a été retrouvée chez sept des douze arbres de l'expérience 1. Ces racines secondaires, dites "tardives", au nombre de 3 à 5 par arbre, sont émises lors de la phase de croissance de la troisième unité de croissance du système aérien des jeunes plants.

Les racines tertiaires (figure 7) - L'accroissement en longueurs cumulées des racines d'ordre 3 est caractérisé par deux pics synchrones de ceux observés sur les racines latérales secondaires. Le premier, retrouvé entre le 12ème et le 15ème jour, simultané de la période de forte élongation de la première unité de croissance, correspond aux racines tertiaires émises sur les racines secondaires précoces; le second pic, synchrone de la fin du stade D du deuxième cycle, traduit une phase d'élongation des racines d'ordre 3 portées par les racines secondaires de la séquence acropète.

La décomposition de l'accroissement en longueurs cumulées des racines d'ordre 3, d'une part en accroissement en longueur par racine, d'autre part en accroissement en nombre de racines, permet d'interpréter la nature rythmique de l'accroissement total par une émission en deux vagues de racines tertiaires de faible élongation unitaire. La date d'initiation racinaire apparait cependant comme un critère plus judicieux que la date d'émergence pour caractériser physiologiquement la naissance des nouvelles racines. Aussi nous avons décalé la courbe d'émergence des racines tertiaires de 5,5 jours pour obtenir une estimation de la courbe du nombre de racines tertiaires nouvellement initiées au cours du temps (figure 8). Cette durée de 5,5 jours est l'intervalle de temps estimé par ailleurs entre la date d'initiation d'une racine et la date de son émergence (résultats non présentés). Cette nouvelle courbe présente deux pics en opposition de phase avec ceux de l'élongation journalière de la tige.

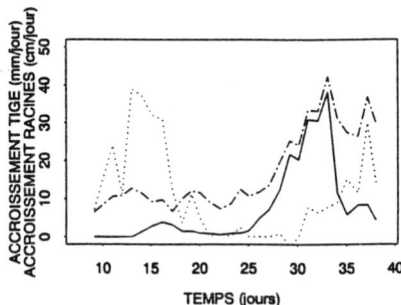

FIG. 7. - Accroissement au cours du temps en longueur cumulée des racines tertiaires (trait plein), des racines secondaires (tiretés) et de la tige (pointillés).d'un jeune semis d'hévéa.
FIG. 8. - Time changes in tertiary roots (full line), secondary roots (dashes) and stem (dotted line) cumulative length increase of a young hevea seedling.

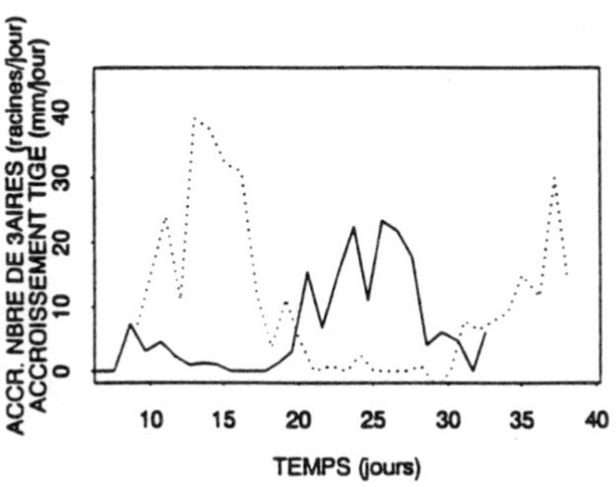

FIG. 8. - Courbe estimée de l'initiation des racines tertiaires (trait plein) et accroissement de la tige (pointillés).
FIG. 8. - Estimated curve of tertiary roots initiation (full line) and time changes in stem growth increase (dotted line) of a young hevea seedling.

L'augmentation de la complexité du système racinaire s'effectue cependant en vagues successives caractérisées principalement par des variations dans l'allongement des racines secondaires et dans le développement des racines tertiaires. Deux pics, simultané de l'élongation de l'unité de croissance initiale pour le premier, et précédant l'allongement de la troisième unité de croissance pour le second, caractérisent l'accroissement en longueur des racines d'ordre 2. Les racines d'ordre 3 sont initiées suivant deux vagues en opposition de phase avec les flushes de croissance de la tige.

4   DISCUSSION

Le développement des systèmes aérien et racinaire des jeunes semis d'hévéa est ici indépendant du mode cultural choisi puisqu'aucune différence morphologique n'a été observée entre les jeunes plants cultivés en petits rhizotrons en chambre climatisée à Avignon et ceux élevés en grands rhizotrons en extérieur en Côte d'Ivoire. L'utilisation de rhizotrons comme conteneur n'affecte aucunement la mise en place de l'appareil aérien du jeune plant car la rythmicité de développement observée chez la tige est très voisine, en période et en amplitude, de celle décrite chez de jeunes semis cultivés en sol (Hallé et Martin, 1968). Dans ces expériences, la vitesse de croissance du pivot des plantules est également similaire à celle constatée chez des arbres cultivés en sol (Hallé et Martin, 1968). Nous avons pu observer par ailleurs une grande uniformité de développement entre les différents plants, qui ont en commun la même mère (le clone 'GT1').

Une étude détaillée des stades précoces du système aérien nous a permis de montrer que l'installation de la rythmicité de développement de la jeune tige se faisait de manière progressive. Deux cycles de croissance/organogénèse particuliers, se caractérisant aussi bien par leur amplitude que par leur période, se déroulent initialement. Ce travail permet ainsi de nuancer quelque peu les résultats rendant compte d'une mise en place immédiate du rythme de croissance chez l'hévéa. La continuité dans l'élongation de la tige observée lors de la transition entre les deux premiers cycles de croissance rappelle, à un degré moindre, l'installation progressive de la périodicité chez Cussonia et Lophira (Hallé et Martin, 1968).

Le fait que la mise en place de la première unité de croissance, précoce et rapide (11 jours), soit réalisée avec une élongation permanente de la jeune tige et qu'aucune feuille-écaille et nectaire extra floral ne soit observable en position basale, atteste que cette installation ne rentre pas dans le schéma classique de morphogénèse de l'unité de croissance. L'hypothèse d'une préformation dans l'embryon de cette première unité, qui rendrait compte éventuellement de la non conformité à ce schéma de développement, pourrait être validée par des observations anatomiques réalisées sur l'embryon dans la graine. L'absence des stades C et D observée lors de la mise en place de cette première unité de croissance chez de nombreux arbres rappelle également une anomalie de la croissance rythmique observée sur des rejets de souche par Martin (1966): la brièveté du stade D. Cette particularité a été interprétée dans ce dernier cas par Hallé et Martin (1968) comme un déséquilibre entre un fort apport de métabolites par la souche, à la base du végétal, contrastant avec l'utilisation réduite qu'en fait le système aérien peu développé. Dans les présents travaux, l'apport de réserves par la graine pourrait constituer la base d'un tel déséquilibre avec la tigelle qui ne représente qu'un puits de métabolites restreint lors du premier cycle. Une expérience d'ablation totale (par section des cordons cotylédonaires, par exemple) ou partielle de la graine au moment de l'émission de la plantule devrait permettre d'évaluer le rôle de ces réserves séminales sur la rythmicité de mise en place des unités de croissance initiales. L'observation éventuelle d'une réacquisition, dans une telle expérience, des stades morphogénétiques C et D par le premier cycle pourrait venir ainsi conforter cette hypothèse.

Le flétrissement progressif de la graine, qui traduit une consommation des réserves cotylédonaires, aboutit le 25ème jour, en fin de second cycle, à un détachement de la graine du jeune plant. Cette observation pourrait rendre compte, comme l'avaient déjà suggéré Hallé et Martin (1968), de la hauteur décroissante des trois premiers entre-noeuds avec, respectivement, 150, 90 et 80 mm de longueur. Le premier entre-noeud bénéficie ainsi d'une quantité plus importante de réserves séminales que le segment caulinaire mis en place lors du deuxième cycle de développement à la fin duquel la graine se détache. La faible croissance du troisième entre-noeud pourrait alors s'expliquer par le fait que le système aérien, n'ayant installé qu'un système photosynthétique restreint (constitué uniquement de quelques feuilles assimilatrices), et ne disposant plus des réserves cotylédonaires, se trouve en état de carence nutritionnelle.

La nature endogène de la croissance rythmique de l'hévéa, évoquée pour des arbres cultivés en conditions naturelles ou partiellement contrôlées, est confortée par ce travail où des observations ont été effectuées sur des arbres élevés en chambre climatisée et donc en conditions environnementales constantes de rayonnement, température, et hygrométrie. Le déterminisme de cette rythmicité est cependant peu connu. Selon Hallé et Martin (1968), le fonctionnement périodique du bourgeon caulinaire, à la base de la périodicité du développement de l'hévéa, ne pouvait s'expliquer par la seule insuffisance de la vascularisation axiale en fin de phase d'élongation, entraînant une inactivation du méristème, comme le proposait une hypothèse soutenue par Ostendorf (1933). La base de la rythmicité reposerait, pour ces auteurs, sur une compétition hydrique évoluant au cours du cycle morphogénétique, entre les feuilles et le méristème apical. Lors des stades A et B, les jeunes feuilles ne constituant que des puits hydriques restreints, favorisent l'alimentation en eau du méristème caulinaire caractérisé alors par une activité organogénétique marquée et des synthèses auxiniques fortes. La phase de maturation foliaire est caractérisée par un fort appel d'eau au niveau des feuilles, se prolongeant pendant une partie de la phase de dormance. Le méristème de la tige, en état de carence hydrique, se trouve alors inactivé. Ce modèle, basé sur une compétition hydrique différentielle entre organes du système aérien, permet d'expliquer la rythmicité de développement de la tige et des feuilles mais ne prend aucunement en compte les relations existant avec l'appareil souterrain.

Nous proposons ici un modèle d'interprétation physiologique de la rythmicité de développement de l'hévéa, qui tente de rendre compte des corrélations mises en évidence dans cette étude, entre le système aérien et l'appareil racinaire. Lors des stades A et B du cycle morphogénétique, se mettent en place des ébauches foliaires de plus en plus nombreuses sur la tige. Comme l'ont suggéré Hallé et Martin (1968), ces feuilles de taille réduite ne vont constituer qu'un puits hydrique peu important et ne perturbent alors pas l'alimentation en eau du méristème caulinaire qui présente une activité forte. Ce fonctionnement important du méristème est notamment caractérisé par une forte synthèse d'auxines qui va favoriser l'élongation de la tigelle. En fin de ces deux premiers stades de développement, la teneur importante en auxines va inhiber l'activité organogénétique du méristème apical qui cesse alors de fonctionner. La croissance de la tige stoppe et l'initiation foliaire est arrêtée (Crabbé, 1987). Ce phénomène est d'autre part favorisé, comme l'ont évoqué Hallé et Martin (1968), par le détournement des ressources hydriques vers les feuilles en voie de maturation (stade C), au dépend du méristème apical devenant alors sous alimenté. La diminution de croissance en longueur des racines secondaires, observée en fin de stade B et lors du stade C, peut être interprétée par l'existence de compétitions trophiques entre les feuilles en cours de maturation, et les racines d'ordre deux. La distribution des assimilats se feraient ainsi préférentiellement vers le système foliaire qui constitue lors de ces stades un puits de forte attraction, au détriment des racines latérales d'ordre 2. Les auxines sont à la base de la promotion de la rhizogénèse (Wightmann et Thimann, 1980). Le fort taux en auxines retrouvé en fin de phase de débourrement, du aux synthèses foliaires, pourrait expliquer le flush d'initiation des racines tertiaires observé au tout début du stade de maturation foliaire. D'autre part, cette initiation racinaire, beaucoup plus sensible à des modifications de la balance hormonale qu'à des signaux trophiques, ne serait pas perturbée par le détournement des assimilats vers les feuilles qui s'opère simultanément. Les apex de ces racines nouvellement initiées vont constituer autant de sites de synthèse des cytokinines qui sont des hormones participant au démarrage des bourgeons. En fin de stade D, les cytokinines issues, en partie, des apex des racines d'ordre 3, permettront le débourrement du bourgeon et l'amorce d'un nouveau cycle.

L'étude du développement aérien et racinaire de jeunes semis sur une durée plus longue serait nécessaire pour confirmer les résultats et valider un tel modèle. De plus, un suivi sur un plus grand nombre de cycles morphogénétiques devrait permettre d'apporter des informations sur les rythmes éventuels d'apparition des racines secondaires particulières, ne faisant pas partie de la séquence acropète de différenciation, et qui ont pu être caractérisées vers le 30 ème jour à la base du pivot.

Remerciements

Nous tenons à remercier le CIRAD / IRCA pour son appui financier, notamment pour les expériences ayant été menées en Côte d'Ivoire, ainsi que Yves BANCHI et Jules KELI pour leur accueil à la station IRCA de Bimbresso. Nous remercions également Valérie SERRA et Philippe PETIT pour leur soutien technique lors des expérimentations menées à l'INRA d'Avignon, ainsi que toutes les personnes qui nous ont aidés lors de la conduite de ces travaux.

Bibliographie

Borchert R., Simulation of rythmic tree growth under constant conditions. *Physiol. Plant*, 1973, **29**: 173-180.

Colin-Belgrand M., Joannes H., Dreyer E., Pagès, L., A new data processing system for root growth and ramification analysis: description of methods. *Ann. Sci. For.* 46 suppl., 1989, 305-309. Forest Tree Physiology, E. Dreyer et al. (Eds). Elsevier/INRA, Paris.

Crabbé J., Aspects particuliers de la morphogénèse caulinaire des végétaux ligneux et introduction à leur étude quantitative, IRSIA, Bruxelles, 1987, 117 p.

Dubois P., Contribution à l'étude de la croissance par poussées successives chez *Hevea brasiliensis* Müll.-Arg. Agricultura, Louvain, 1962, 125-149.

Gener P., Le greffage de l'Hévéa. Influence des stades de poussée foliaire du greffon et du porte-greffe sur la réussite du greffage. Essai de mise en évidence de l'évolution de la concentration en A.I.A. dans les jeunes bourgeons d'Hévéa, 1966, Opuscule technique, Service agronomique de l'IRCA.

Hallé F., Martin R., Etude de la croissance rythmique chez l'Hévéa (*Hevea brasiliensis* Müll-Arg. Euphorbiacées-Crotonoïdées). *Adansonia*, sér. 2, 1968, **8**: 475-503.

Huber J., Beitrag zur Kenntniss der periodisch Wachsthmserscheinungen bei *Hevea brasiliensis* Müll.-Arg., *Botanisches Centralblatt,* 1898, **76**: 259-264.

Lavarenne-Allary S., Croissance rythmique de quelques espèces de chêne cultivées en chambres climatisées. *C. R. Acad. Sci.*, 1966, **262 D**: 358-361.

Martin R., Observations sur la croissance rythmique chez de jeunes plants d'Hévéa non ramifiés, 1966, Opuscule technique, Service agronomique de l'IRCA.

Neufeld H. S., Durall D. M., Rich P. M., Tingey D. T., A rootbox for quantitative observations on intact root systems. *Plant and Soil*, 1989, **117**, 295-298.

Ostendorf F. W., De groei van jonge Hevea - oculaties, 1933, Wageningen.

Pekel A., Fonctionnement du bourgeon et résistance à la sécheresse chez *Hevea brasiliensis* Müll.-Arg. *Bull. Acad. Roy. Sci. Outre-Mer*,1962, 476-501.

Wightmann F., Thimann K. V., Hormonal factors controlling the initiation and development of lateral roots. I. Sources of primordia-inducing substances in the primary root of pea seedlings. *Physiol. Plant.*, 1980, **49**: 13-20.

RELATION ENTRE LE COURS DES VALEURS CLIMATIQUES ET LES PHASES ONTOGENETIQUES DU QUERCUS ILEX L.

RELATION BETWEEN THE SEQUENCE OF THE CLIMATIC PARAMETERS AND ONTOGENETIC PHASES OF QUERCUS ILEX L.

F. Macchia et V. Cavallaro,

Istituto Ortobotanico,
Università degli studi,
Bari, Italie

Résumé

Quercus ilex L. commence son propre rythme végétatif et reproductif, de la dissémination des glands jusqu'à leur maturation, pendant la période d'hiver, lorsqu'il réalise les processus physiologiques qui préparent l'émergence suivante de la racine.

La dormance des glands, dont la durée est fonction inverse de la température, permet la synchronisation des événements ontogénétiques du cycle vital avec l'évolution des paramètres climatiques et édaphiques. La germination, la floraison et la foliation se réalisent au printemps, tandis que l'embryogénèse et la maturation des fruits se réalisent de l'été à la fin de l'automne.

L'analyse des séquences ontogénétiques du cycle vital permet d'établir que Q. ilex a acquis des caractères d'adaptation parfaitement synchronisés au cours des paramètres climatiques de l'environnement méditerranéen.

Abstract

Quercus ilex L. is a typical species of the Mediterranean area. Comparing the temporal sequences of the values of the average monthly temperatures and falls within the scattering area of the Holly Oak, it has been observed that the species sows in December because of low temperatures and heavy falls. The acorn germination takes place after a long period of dormancy which is in an opposite relationship with the temperatures of the period. The growing of plumule and bud, the anthesis and foliation occur in Springtime when the mean temperatures raise above the 15°C , with values superior to those required for germination.

It has been put in evidence how the phenophases concerning the embryogenesis and the fruit maturation go on during Summer and stop at the end of Autumn. From the relationship of the ontogenetic phases of life cycle with the sequence of the climatic parameters of the scattering area it clearly emerges that Holly Oak occupies Mediterranean zones where the average of winter monthly temperatures are higth enough and Spring falls, considerably heavy. The presence in northerner areas where Winters are colder is possible only in stations where an immediate increase of the average monthly temperatures occurs during Springtime and the falls are significant till Summer. Q. ilex, on the contrary is absent in the southernmost zones where the beginning of Summer dryness is earlier and the average of Winter temperatures keeps below the 10 °C for a long period. From the examination of the temporal sequences of climatic parameters and the ontogenetic ones of life cycle it clearly comes out that Q. ilex has acquired some adaptation characters proper of the Mediterranean environment.

1. Introduction

Le Chêne vert est une espèce dont les caractères morphologiques et phisiologiques confirment son adaptation au climat méditerranéen. A l'intérieur de cette espèce de nombreuses variétés ont été repérées et plusieurs auteurs reconnaissent actuellement deux espèces ou variétés distinctes: Quercus rotundifolia Lam., particulièrement répandu dans la zone nord-occidentale de l'Afrique, en Espagne, dans une partie de la France méridionale, et Quercus ilex L., dont la présence s'étend de la France méridionale jusqu'à la Turquie pontique à travers l'Italie, les Balkans et la Grèce (Barbero et Loisel, 1980). Dans l'impossibilité de donner une définition précise du niveau taxonomique des deux entités citées, nous préférons considérer Q. ilex comme une seule espèce à distribution circumméditerranéenne (fig. 1).

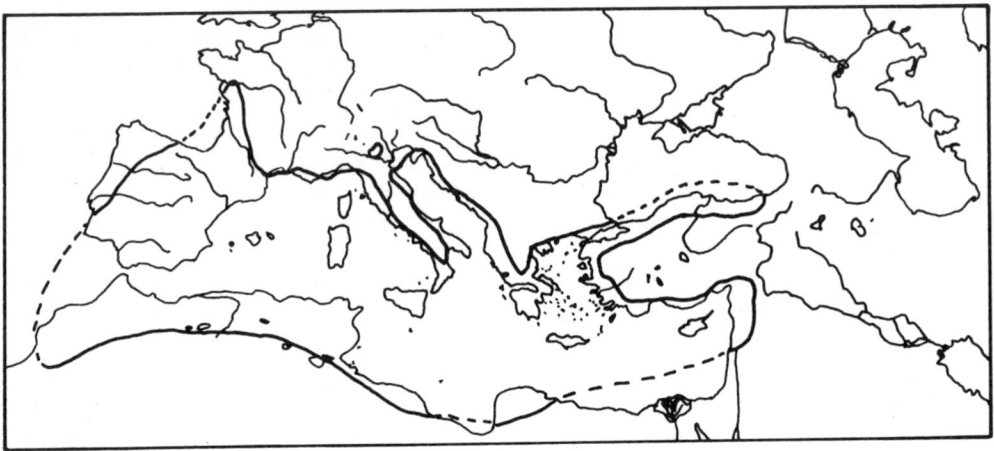

Fig. 1 - Aire de distribution de Quercus ilex L. (Metro, 1958). Le Chêne vert occupe des zones du bassin méditerranéen où les values des températures moyennes mensuelles de la périod d'hiver sont assez élevés et les précipitations printanières suffisantes et efficaces pour une période dont l'ampleur est fonction inverse des valeurs des températures d'hiver.

Fig.1 - Scattering area of Quercus ilex L. (Metro, 1958). The Holly Oak occupies areas of the Mediterranean basin where the values of the average of Winter monthly temperatures are high enough and Spring falls sufficient and considerable, for a period the lasting of which, is in an opposite relationship with the values of Winter temperatures.

Le climat méditerranéen est caractérisé d'une manière générale par les hivers doux et pluvieux et par les étés chauds et secs. Sans arriver à approfondir les problèmes de définition et de caractérisation du climat méditerranéen (Daget, 1977), nous voudrions souligner ici que dans cet espace il existe des différences importantes en fonction des coordonnées géographiques, tant au niveau de la distribution temporelle qu'au niveau des valeurs des pluies et des températures moyennes mensuelles. On remarquera en particulier une diminution progressive des pluies et une augmentation des températures au fur et à mesure que la latitude décroit. Au nord, de l'ouest vers l'est, les pluies sont distribuées de manière plus ou moins uniforme, avec une réduction léger et progressive de la période de pluviosité: les différences quantitatives des précipitations mensuelles dépendent donc de discontinuités topographiques et géographiques. Les températures, par contre, montrent des différences évidentes dans les valeurs moyennes mensuelles, particulièrement significatives du mois de décembre au mois de mars, tandis que les différences des valeurs semblent peu significatives pendant les mois d'été. Les valeurs moyennes mensuelles des températures regressent en effet pendant l'hiver en allant de l'ouest vers l'est: la diversité climatique qui incide davantage dans la détermination des effets sur les biorythmes des espèces méditerranéennes réside donc dans les valeurs thermiques de l'hiver.

L'aire méridionale de la Méditerranée ressent du même cours des valeurs des pluies et des températures, même si les différences entre la zone occidentale et orientale sont moins importantes grâce à l' influence plus homogène de la mer et à l'extension longitudinale du désert au sud. La réduction de la période de pluviosité et l'augmentation des valeurs des températures moyennes avec la décroissance de la latitude déterminent une augmentation progressive de l'amplitude et de l'intensité de la sécheresse estivale qui atteint ici son expression la plus importante. Dans la partie méridionale de la Méditerranée les températures moyennes de l'hiver ont donc moins d'importance par rapport à l'amplitude de la sécheresse de l'été qui devient le facteur déterminant de la distribution des types de végétation.

2. Le biorythme du Chêne vert

Le rythme végétatif et reproductif de l'espèce est le résultat de l'acquisition de caractères d'adaptation invariables en harmonie avec l'environnement (Messeri, 1951), les séquences ontogénétiques du cycle vital sont alors en corrélation avec le rythme climatique à l'intérieur duquel une espèce trouve son expression. Il en dérive qu'une espèce peut occuper un territoire lorsque les séquences annuelles des paramètres climatiques sont en corrélation avec les séquences ontogénétiques de son propre cycle végétatif et reproductif.

Le stade de plantule représente pour une espèce arborescente la phase ontogénétique la plus vulnérable puisque la plantule n'a pas encore de structures adaptées à réduire l'amplitude des facteurs écologiques limitants. La presque totalité des phitoécologues, dans ses évaluations d'ordre écologique, phénologique et bioclimatique a considéré les manifestations phénologiques telles que les rythmes de croissance, de foliation, d'activité du cambium, d'anthèse des individus adultes comme des caractères d'adaptation très significatifs, mais a négligé les phénophases du stade de plantule. A partir de cette orientation méthodologique ont été réalisées des classifications bioclimatiques souvent discordantes et qui ne correspondent pas toujours aux caractères d'adaptation de l'espèce à la zone effective qu'elle occupe.

Le Chêne vert fait partie du groupe des sclérophilles mèditerranéennes à cause de la consistance marquée de ses feuilles qui constitue le caractère adaptatif invariable typique des espèces du bassin méditerranéen. Surtout pour ses rythmes de croissance et de foliation il est inclus dans le bioclimat humide et sub-humide avec pénétration en climat européen et dans le plan altitudinal mésoméditerranéen (Quezel,

1979). En Espagne Quercus ilex L. occupe les régions tempérées, du littoral jusqu'à la montagne humide et les zones avec un climat à caractère océanien des Baléares; en Afrique du Nord les zones bioclimatiques du sémi-aride à l'humide et dans certains cas jusqu'au per-humide, comme le Rif, et de la Liguria jusqu'à la Turquie pontique en bioclimat humide et subhumide (Barbero et Loisel, 1980). Pour l'Italie, Gentile (1986) encadre les bois de Chêne vert de la Liguria en plusieurs types et sous-types, des bois termophiles de la cote, encadrables pour la plus grande partie dans le bioclimat subméditerranéen et mésoméditerranéen, aux bois de transition de climat moyen européen. Macchia (1986) situe les bois de Chêne vert de la partie méridionale orientale de la péninsule italienne (Salento) dans une zone où se réalisent des valeurs d'évapotranspiration potentielle, calculés selon Thornthwaite (1948), comprises entre 820 et 860 mm par an, concentrées pendant l'été c'est-à-dire dans un contexte bioclimatique compris entre le thermo- et le méso-méditerranéen.

Selon ce que nous venons de présenter, il semble plutôt difficile de situer Quercus ilex dans un contexte bioclimatique bien défini, même si la plus grande partie des auteurs souligne le caractère mésoclimatique de l'espèce.

L'analyse du rythme végètatif en relation avec le rythme climatique, de la dissémination des glands jusqu'à leur maturation, met en évidence le fait que l'espèce occupe des territoires bien définis où les événements morphophysiologiques sont parfaitement synchronisés avec les paramètres climatiques.

La dissémination des glands de Chêne vert se vérifie un ou deux mois après la dissémination des Chênes caducifoliés, donc à partir de la troisième décade de novembre jusqu'à la fin du mois de janvier, selon la latitude et l'altitude et de toute façon dans la période où les valeurs de la température moyenne mensuelle sont les plus basses et les valeurs de la pluie dans toute la Méditerranée les plus hautes.

	J	F	M	A	M	J	J	A	S	O	N	D
T (°C)	9.0	9.5	10.8	13.5	16.8	20.6	22.9	23.4	21.1	17.7	14.2	10.5
P (mm)	85.0	74.0	66.0	46.0	31.0	20.0	6.0	15.0	50.0	94.0	105.0	109.0
ER (mm)	18.4	22.6	31.3	49.9	77.6	69.4	6.0	15.0	50.0	65.0	40.0	23.0
EP (mm)	18.4	22.6	31.3	49.9	77.6	112.6	131.7	127.6	96.7	65.0	40.0	23.0
R (mm)	100.0	100.0	100.0	96.1	49.4	0	0	0	0	29.0	94.0	100.0
S (mm)	66.6	51.4	34.7	0	0	-43.2	-125.7	-112.6	-46.7	0	0	80.0

Tableau 1 - Cours de quelques paramètres bioclimatiques, climatiques et édaphiques relatifs à la station de S. Cataldo de Lecce (Italie méridionale). Les données se réfèrent au valeurs moyennes de 30 ans. T = températures; P = précipitations; ER = évapotranspiration réelle; EP = évapotranspiration potentielle; R = réserves idriques dans le sol; S = surplus idrique.

Table 1 - The sequence of some bioclimatic, climatic and edaphic parameters concerning the station of S. Cataldo of Lecce (Southern Italy). The data refer to the average values in the latest 30 years. T = temperature; P = precipitation; ER = actual evapotranspiration; EP = potential evapotranspiration; R = soil moisture storage ; S = hydric surplus.

Le tableau 1 et la figure 2 , concernant la station thermopluviométrique de S. Cataldo de Lecce (Italie méridionale), met en évidence que la chute des glands se vérifie en correspondance de précipitations abondantes et des valeurs les plus basses d'évapotranspiration potentielle (EP). Des valeurs d'évapotranspiration réduites permettent au sol de garder l'eau et donc aux glands de survivre même dans le cas d'une forte variabilité des précipitations; les glands en effet ne sont pas vitaux quand la perte d'eau est supérieure à 30% de leur poids frais.

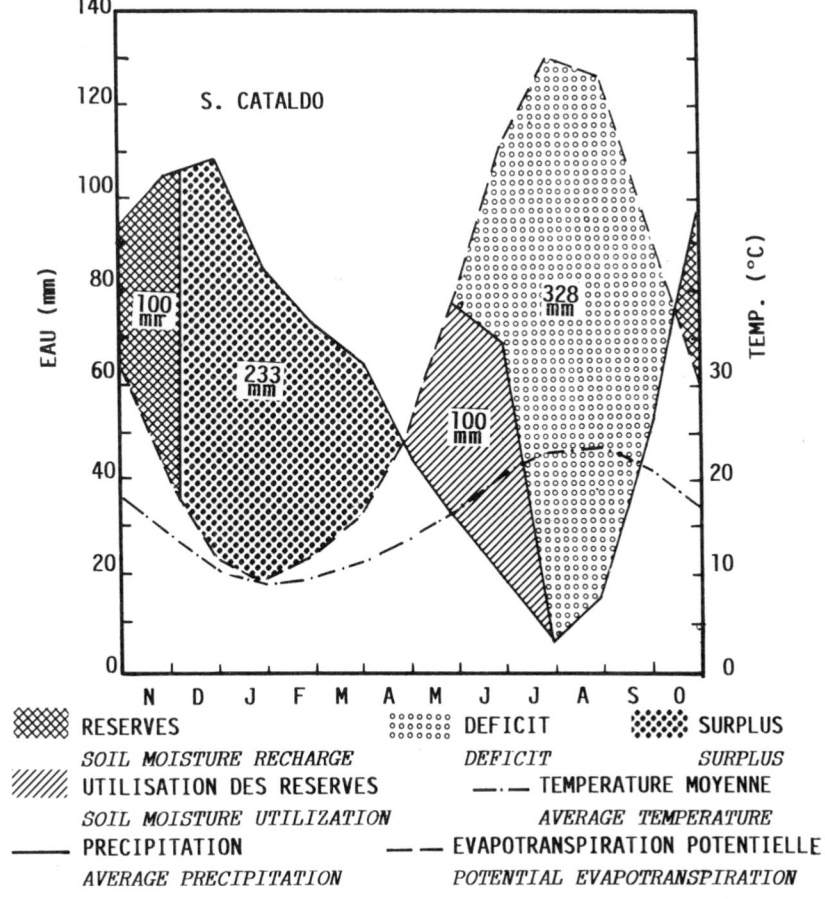

Fig. 2 - Diagramme bioclimatique de S.Cataldo de Lecce (Pouilles, Italie méridionale), calculé selon Thornthwaite (1948). Le cours des ER montre que les valeurs sont élevées depuis l'hiver et se poursuivent avec une augmentation rapide yusqu'à fin avril quand l'utilisation des réserves d'eau du sol commence. Le Chêne vert, avec ce cours des paramètres climatiques réalise une correlation efficace avec les séquences de son rythme végétatif et reproductif.

Fig. 2 - The bioclimatic diagramm of S.Cataldo of Lecce (Apulia, Southern Italy) estimated according to Thornthwaite (1948). The sequence of ER shows how the values are high enough just from the winter period and go on with an increase till the end of April when it starts the soil moisture utilization. The Holly Oak following this sequence of climatic parameters, brings about a good relationship with the sequences of its vegetative and reproductive rhythm.

71

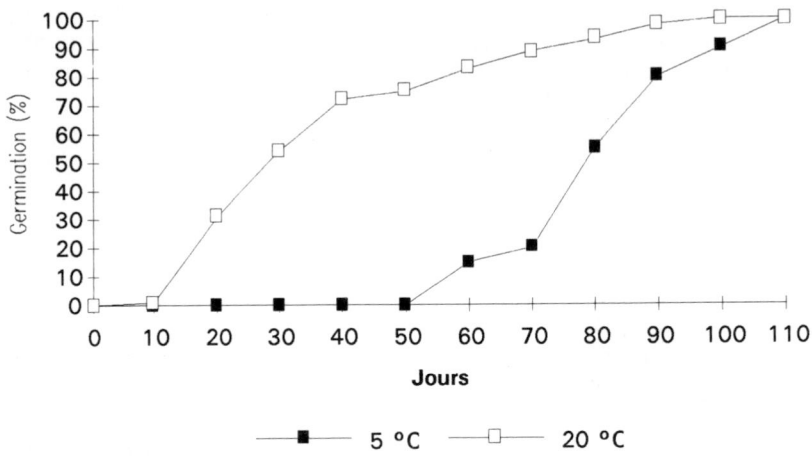

Fig. 3 - Germination des glands de Quercus ilex L. à 5°C et à 20°C et à taux d'humidité constant. Les temps de germination ont été calculés de la dissémination à l'émergence de la racine. Les temps de dormance sont fonction inverse de la température.

Fig. 3 - Acorn germination of Quercus ilex L. at 5 °C and 20 °C and at a fixed humidity degree. The germination times have been taken from the dissemination to the outgrowth of the root. The dormancy times are in opposite relationship to temperature.

La figure 3 montre que la durée de la dormance en conditions controlées est fonction inverse de la température et que les temps moyens de commencement de l'émergence de la racine augmentent de 3 jours environ pour chaque degré de diminution de la température, avec référence à 5° et à 20 °C. Ceci permet de penser que la germination de Q. ilex se vérifie en conditions naturelles 30 ou 40 jours après la dissémination sur la base de valeurs de la température moyenne dans la zone de distribution respectivement de 12° et 9°C. Le retard de la dissémination et la dormance déplacent la germination du Chêne vert à la fin du mois de février et jusqu'au mois de mars selon la latitude, mais en tout cas en correspondance des mois où se vérifie une augmentation rapide des températures. Le Chêne vert exige donc des températures moyennes élevées pendant l'hiver pour pouvoir réaliser l'émergence de la racine et le développement du bourgeon avant l'arrivée de la sécheresse estivale. D'un autre coté ceci explique la rarefaction et l'absence du Chêne vert à des latitudes majeures et sa présence à des niveaux altimétriques élevés avec exposition méridionale. A la montagne, sur les pentes exposées au sud, quand l'inclinaison permet une irradiation solaire orthogonale par rapport à la surface du sol il y a une augmentation anticipée de la température moyenne au sol qui permet à la la germination de se réaliser plus rapidement par rapport à d'autres valeurs d'inclinaison, même à une altitude inférieure ou à la même altitude mais avec une exposition différente. Du moment de l'emergence la croissance de la racine se poursuit de manière ininterrompue, jusqu'au moment où la réduction de la présence d'eau dans le sol provoque la suspension de cette croissance. Nous pensons que cela se vérifie pendant le mois où la réserve hydrique du sol, calculée pour une capacité de rétention de 100 mm, résulte épuisée.

A la station de S. Cataldo de Lecce (Italie méridionale) l'épuisement des réserves hydriques se vérifie au mois de juin et on peut donc considérer que pendant ce mois la croissance de la racine est suspendue et qu'elle reprend en octobre, quand il y a une recharge des réserves (tab.1).

La formation des premières feuilles photosynthétiques de la plantule coincide avec la fin de la dormance des bourgeons des plantes adultes qui se réalise quand les températures moyennes arrivent à des valeurs proches de 15°C, raison pour laquelle l'émission et la différenciation des feuilles, tant de la plantule de la première année que des plantes adultes, se passe entre la troisième décade d'avril et la première de mai. A cette époque dans tout le bassin méditerranéen il y a une brusque flexion des précipitations selon l'altitude et donc l'allongement des branches des feuilles se réalise quand les réserves hydriques du sol sont encore presque intactes et la température de l'air s'élève à 15°C environ en avril et à 18°C en mai. Le réveil des bourgeons se vérifie donc un mois plus tard par rapport à celui des Chênes caducifoliés, de la même manière que pour Quercus coccifera L., tant que l'on pourrait hypothiser que le retard de la foliation et de l'anthèse peut etre considéré comme un caractère adaptatif de "mediterranéité", au moins pour ce qui concerne les Chênes sclérophylles.

Il a été aussi rélevé que la formation du bourgeon estival et l'arrêt de la croissance printanière du bourgeon se vérifient quand la quantité d'eau du sol atteint environ à 20% du poids sec et dans la station de S. Cataldo de Lecce, prise comme point de référence, ceci se vérifie pendant la troisième décade de juin. Le bourgeon reste dormant pendant tout l'été quand les potentiels hydriques du sol sont en dessous de la limite de flétrissure permanente et la croissance reprend à partir de la première décade d'octobre, quand le contenu d'eau du sol atteint des valeurs supérieures à 16%. La croissance automnale continue jusqu'au moment où les températures moyennes mensuelles descendent au-dessous de 15°C, condition qui se vérifie vers la fin de novembre (fig. 4).

Pendant la période de sécheresse estivale le Chêne vert réalise les processus de fécondation et la formation des fruits. De la fin de juin jusqu'au mois de juillet se réalisent la mégasporogénèse, la somatogénèse et la fécondation, et pour conclure l'embriogénèse en septembre et la maturation des glands en novembre (Corti, 1959).

3. Conclusions

Le Chêne vert occupe des aires du bassin méditerranéen où les températures moyennes de l'hiver sont élevées et les précipitations printanières doivent etre significatives pour une période dont la durée doit etre calculée inversément à la température. Pour le fait que la dissémination des glands se vérifie en décembre, lorsque les températures sont plus basses et puisque la durée de la dormance dépend de la température, le début de la germination se réalise sur des temps différents selon les valeurs de la température moyenne, pendant la période qui va de la dissémination au terme de la dormance. Il en dérive que Q. ilex retarde l'émergence de la racine avec l'augmentation de la latitude et de l'altitude relativement à la diminution des valeurs des températures moyennes mensuelles de la période d'hiver et donc dans les zones septentrionales le Chêne vert occupe des stations où les basses températures de l'hiver s'opposent à la plus longue durée des précipitations du printemps. Le Chêne vert disparait dans ces zones où les températures moyennes de la période d'hiver continuent jusqu'au printemps avancé même s'il y a des pluies printanières et estivales. La demande élevée de chaleur pour le réveil du bourgeon déplacerait en effet l'anthèse et la foliation à l'été et donc les phases successives de l'embriogénèse et la maturation des fruits ne pourrait pas avoir lieu suite à l'arrivée de la période froide.

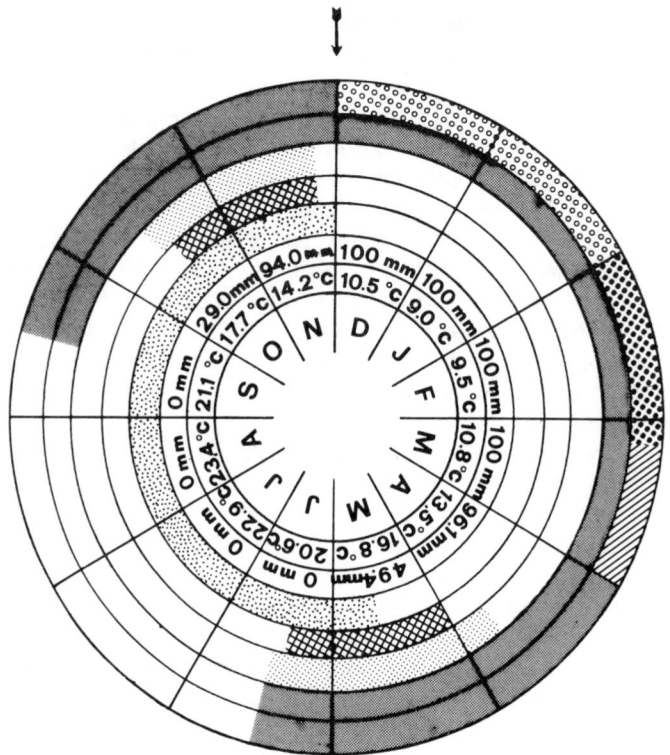

Fig. 4 - Cycle ontogénétique de Quercus ilex L. référé à la station de S. Cataldo de Lecce (Italie méridionale).

Fig. 4 - Ontogenetic cycle of Quercus ilex L. referred to S. Cataldo of Lecce station (Southern Italy).

COMMENCEMENT DU CYCLE ONTOGENETIQUE DE QUERCUS ILEX L.
START OF THE ONTOGENETIC CYCLE OF QUERCUS ILEX L.

ACCROISSEMENT DE LA RACINE   CHUTE DES GLANDS
ROOT GROWTH   *ACORN FALL*

ACCROISSEMENT DU BOURGEON DE LA PLANTULE ET DE LA PLANTE
SHOOT GROWTH

DORMANCE   GERMINATION   FOLIATION
DORMANCY   *GERMINATION*   *FOLIATION*

ANTHESE ET ONTOGENESE DES FRUITS   °C = TEMPERATURE MOYENNE
ANTHESIS AND FRUITS ONTOGENESIS   *TEMPERATURE AVERAGE*

mm = RESERVES HYDRIQUES DU SOL
    SOIL MOISTURE STORAGE

Dans les zones méridionales le Chêne vert occupe des stations où la température moyenne élevée pendant l'hiver se juxtapose à une durée et à une intensité moins fortes des précipitations printanières pourvu que la disponibilité d'eau du sol soit suffisante pour assurer l'allongement de la racine et la différenciation des feuilles de la plantule et les phases ontogénétiques estivales et automnales de la plante adulte. Lorsqu'il y a une augmentation de l'amplitude de la sécheresse estivale sous l'effet d'une suspension précoce des pluies, le Chêne vert ne peut pas compléter sa croissance et la différenciation de la racine et du bourgeon de la plantule, comme cela se passe dans les zones les plus méridionales de la région mediterranéenne.

D'après ce que l'on a exposé, il dérive que le biorythme de Q. ilex est strictement lié aux séquences des deux éléments principaux du climat, température et pluie. Le contrôle du rythme végétatif et reproductif annuel est déterminé par des caractères invariables acquis, les expressions physio-morphologiques desquels représent des adaptations péculiaires aux facteurs écologiques limitants de l'environnement méditerranéen, identifiables dans la sécheresse estivale et dans la variabilité temporelle des précipitations.

BIBLIOGRAPHIE

Barbero M., Loisel R., Le Chêne vert en région méditerranéenne, Rev. forest. franc., 1980, XXXII (6):531-543.

Corti R., Ricerche sul ciclo riproduttivo di specie del genere Quercus della flora italiana, Ac. It. Sc. For., 1959, 8: 19-42.

Daget Ph., Le bioclimat méditerranéen: caractères généraux, modes de caractéritation, Vegetatio, 1977, 34: 1-20.

Gentile S., Profilo della vegetazione della Liguria con particolare riguardo a quella della fascia litorale (Vegetazione Mediterranea Sempreverde), Boll. Mus. Ist. Biol. Univ. Genova, 1986, 52 suppl.:11-18

Macchia F., Il fitoclima del Salento, Not. Fitos., 1986, 19 (II): 29-60.

Metro A., Forêts. Rabat, 1958.

Messeri A., Ritmi climatici e ritmi vegetativi, N. Giorn. Bot. Ital., 1951: 535-549.

Quezel P., La règion méditerranèenne française et ses essences forestières. Signification écologique dans le contexte circum-méditerranéen, Forêt meditérranéenne, 1979, t. I. 1: 7-18.

Thornthwaite C. V., An approach toward a rational classification of climate, Geograf. Rev., 1948, 38: 55-94.

VARIATIONS CIRCADIENNES DE LA POLYMERISATION DES RIBOSOMES CHEZ *BIDENS PILOSA L.*

CIRCADIAN VARIATIONS OF RIBOSOMAL POLYMERIZATION IN BIDENS PILOSA L.

Alain Vian[1], Chantal Henry-Vian[1], Lucien Baillaud[2], Gérard Ledoigt[2] et Marie-Odile Desbiez[1].
(1) Unité associée INRA / Université Blaise Pascal
(2) Université Blaise Pascal

Faculté de Botanique
4 Rue Ledru
63038 CLERMONT-FERRAND Cedex

Résumé :
    Lorsque de jeunes plantules de Bidens pilosa sont cultivées en L:D 9:15, les tissus du premier centimètre de l'hypocotyle présentent une variation circadienne de la polymérisation des ribosomes. Ainsi, des teneurs relatives importantes en grands polysomes sont notées 2 heures après le début du jour et en fin de jour et des teneurs plus faibles en milieu de jour et durant la nuit. Ces variations semblent être dues à des redistributions entre petits et grands polysomes.

Summary :
    When young Bidens pilosa were cultivated under L:D 9:15 photoperiod, a circadian variation of the ribosomes polymerization takes place in the hypocotyl. High relative amount of large polysome were found 2 hours after the light on and at the end of the ligth period, and significant lower amount were found at the middle of the day and during the night. These variations seemed to be due to redistributions between small and large polysomes.

1. INTRODUCTION

    Les végétaux sont sans cesse soumis à des stimuli tels que le vent, la pluie, la grêle, les piqûres d'insectes, l'alternance du jour et de la nuit. Notre modèle expérimental, Bidens pilosa, dicotylédone d'origine tropicale, est capable de répondre à distance à de tels stimuli. Ainsi, des piqûres d'aiguille faites sur les cotylédons induisent l'inhibition de la croissance de l'hypocotyle (DESBIEZ, 1983). Cette réponse n'est observée que si les plantes, cultivées sur un milieu riche en ions, sont préalablement transférées sur de l'eau désionisée.
    L'étude du mécanisme de l'inhibition de croissance de l'hypocotyle a permis de mettre en évidence le rôle important joué par les protons et le potassium (PICHON, 1992). Ainsi, il a été mis en évidence (BONNIN, 1989) que les piqûres cotylédonaires induisent une acidification transitoire du cytoplasme des cellules de l'hypocotyle couplée à un blocage de l'activité des ATPases. De plus, l'activité peroxydasique ainsi que le dégagement d'éthylène sont augmentés (DESBIEZ, 1981, 1987).

L'analyse des profils de polysomes a permis de montrer que les piqûres provoquaient, après 60 min, une forte augmentation de la teneur relative en grands polysomes (HENRY-VIAN, 1992). Cependant, cette augmentation diffère selon l'heure à laquelle les plantes ont eu leurs cotylédons piqués. Lorsque le traitement a lieu en début de jour, l'augmentation de la teneur relative en grands polysomes est forte, tandis qu'elle est faible lorsque les plantes sont traitées deux heures après le début du jour.

Il a déjà été montré (DESBIEZ, 1976) que la réponse du Bidens aux stimuli n'était pas constante au cours du temps. Ainsi, en photopériode L:D 9:15, on observe deux pics de sensibilité en début et fin de jour, et deux périodes de non réponse 5-6 heures après le début du jour et durant la nuit. De plus, la quantité d'ATP présent dans les cotylédons évolue de manière similaire.

Nous nous sommes donc demandé si les variations d'intensité de réponse observées en terme de mobilisation de polysomes ne seraient pas dues à une variation circadienne de la polymérisation des ribosomes chez les plantes témoins. Une augmentation de la polymérisation des ribosomes serait alors mise en évidence de manière plus nette lorsque la quantité relative de monosomes et de petits polysomes est élevée.

2. MATÉRIEL ET MÉTHODES

2.1. Culture des plantes

Les Bidens pilosa sont cultivés stérilement in vitro sur milieu riche en ions (Cera III de Homès) en conditions contrôlées (température constante de 21°C ± 1, L:D 9:15, intensité lumineuse de 60 µmol s^{-1}). Les plantes âgées de 5 jours sont transférées sur eau désionisée puis récoltées 24 heures plus tard. Le premier cm de l'hypocotyle est prélevé à l'aide d'une lame de rasoir (fig 1) puis immédiatement congelé dans l'azote liquide.

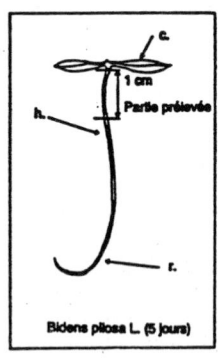

Fig 1 : Jeune plant de Bidens pilosa âgé de 5 jours. La partie retenue pour l'analyse de la teneur relative en polysomes est le premier centimètre de l'hypocotyle. c : cotylédon ; h : hypocotyle ; r : racine.
    : 5 days old Bidens pilosa. The first centimeter of the hypocotyl is the part used to analyse the relative amount of polysomes. c : cotyledon ; h : hypocotyl ; r : root.

2.2. Extraction et fractionnement des polysomes

Les polysomes sont extraits selon la technique décrite par ABE (1992), légèrement modifiée : les tampons U et B sont supplémentés avec 5 mM de DTT. Les plantes sont finement broyées dans l'azote liquide. Le broyat est suspendu dans 10 volumes de tampon U (0.2 M saccharose RNase free, 0.2 M Tris/HCl pH 8.5, 60 mM KCl, 25 mM MgCl^2, 5 mM DTT, 1 % DOC, 2 % PTE, 100 µg/ml heparin). L'homogénat est alors filtré puis centrifugé à 1000 x g pendant 5 min, puis à 15000 x g pendant 15 min. Le surnageant est ensuite déposé sur un coussin de 2.5 ml de saccharose 50 % dans le tampon B (40 mM Tris/HCl pH 8.5, 10 mM MgCl^2, 40 mM KCl, 5 mM DTT), puis centrifugé 4 heures à 200 000 x g. Le culot, enrichi en polysomes, est rincé à l'eau UP stérile puis repris par 200 µl de tampon B/0.5 % DOC, déposé sur un gradient continu de saccharose de 15 à 60 % et centrifugé 1h10 à 200 000 x g. Le gradient est alors analysé en continu à 254 nm à l'aide d'un spectrodensitomètre LKB Bromma modèle 2138 Uvicord D, le profil correspondant étant enregistré sur papier (fig 2).

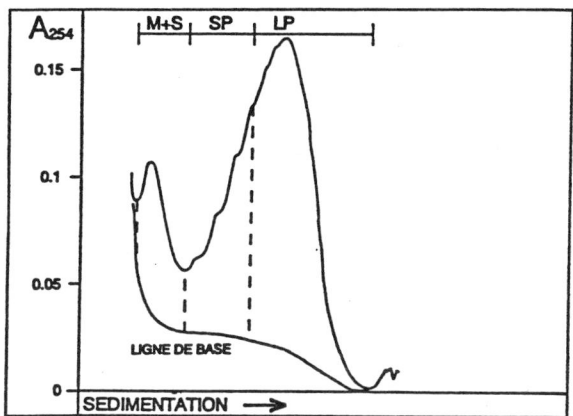

Fig 2 : Exemple de profil de sédimentation de polysomes obtenus à partir d'hypocotyle de <u>Bidens pilosa</u> par lecture d'un gradient continu de saccharose à 254 nm. La part relative de chaque classe (M+S : monosomes + sous-unités ; SP : petits polysomes ; LP : grands polysomes) est déterminée par mesure de l'aire située entre le profil polysomique et la ligne de base fournie par un échantillon blanc centrifugé.

    : Polysome profile obtained from <u>Bidens pilosa</u> hypocotyl by scanning sucrose gradient at 254 nm. The relative amount of each polysome class (M+S : monosomes + subunits ; SP : small polysomes ; LP : large polysomes) was estimated by measurement of the area between the curve and the baseline obtained from a centrifuged blank sucrose gradient.

L'aire correspondant à chaque classe de polysomes (M+S : monosomes et sous-unités, SP : petits polysomes (2 à 5 ribosomes), LP : grands polysomes (6 ribosomes et plus)) est déterminée par rapport à une ligne de base fournie par un échantillon blanc centrifugé dans les mêmes conditions (fig 2). Les teneurs relatives sont exprimées selon les relations :

$\%(M+S)=(M+S)/T$

$\%(SP)=(SP)/T$

$\%(LP)=(LP)/T$ avec $T=(M+S)+(SP)+(LP)$

3. RESULTATS

Malgré la faible teneur en acides nucléiques de l'hypocotyle de Bidens, la technique d'extraction utilisée nous permet d'extraire des polysomes non dégradés à partir de 0.8 à 1 g de matériel frais.

La fig 3 montre les profils de polysomes obtenus pour des plantes récoltées à différentes heures de la photopériode. Les profils dénotent une forte proportion de grands polysomes caractéristiques de tissus en croissance. Les polysomes apparaissent intacts (rapport LP/SP > 2.1).

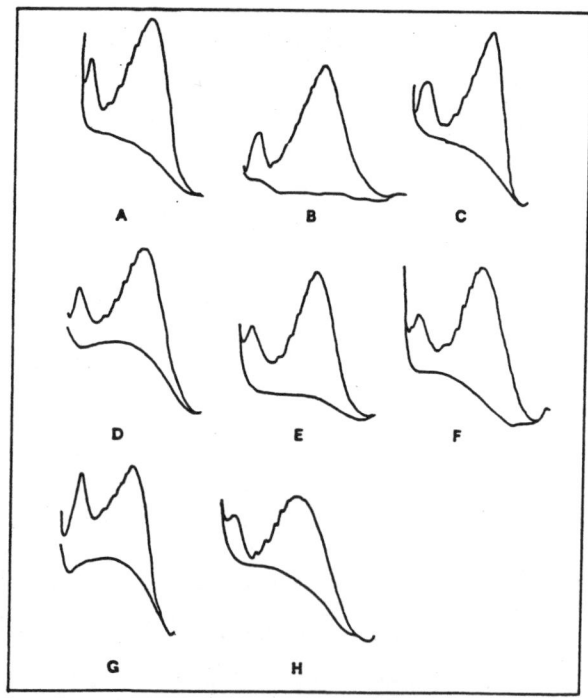

Fig 3 : Profils obtenus pour les plantes récoltées à différentes heures de la photopériode : A : 30 min après le début du jour ; B, C, D, E : respectivement 2, 4, 6, 8 heures après le début du jour ; F : 1 heure après le début de la nuit, G : milieu de nuit, H : fin de nuit.

: Polysome profiles obtained from plants harvested at different hours after the light-on : A : 30 min after the onset of the day ; B,C,D,E : respectively 2,4,6, and 8 hours after the light-on ; F : 1 hour after the light off, G : middle of the night , H : end of the night.

La fig 4 met en évidence l'évolution des teneurs relatives en LP (grands polysomes), SP (petits polysomes) et M (monosomes et sous-unités). La teneur relative en LP augmente de manière significative (+20 %), 2 heures après le début du jour par rapport à sa valeur relevée une demi-heure après le début du jour. Deux heures après le début du jour, la part des grands polysomes atteint 68 % alors qu'elle n'est que de 57 % en début de jour.

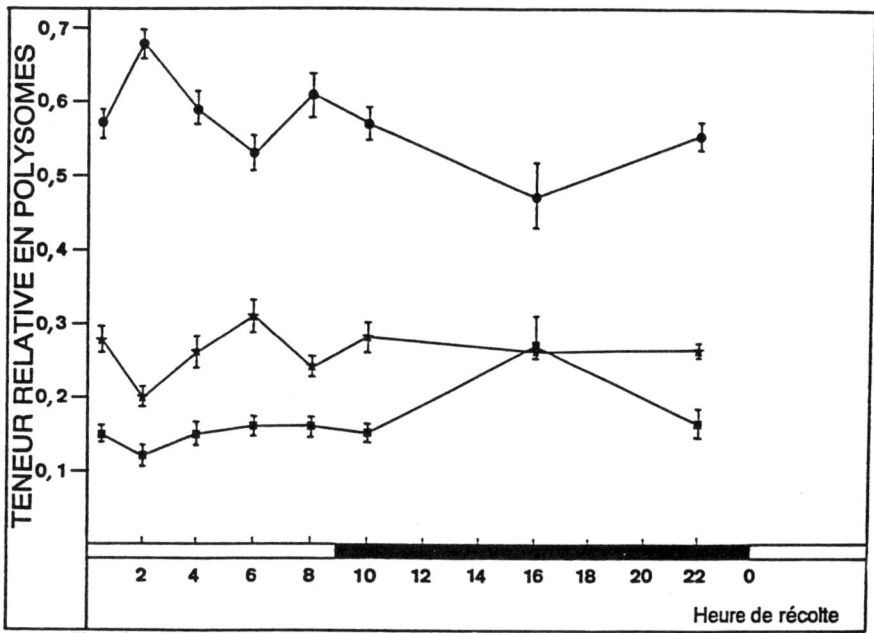

Fig 4 : Teneurs relatives en monosomes et sous-unités(■), petits polysomes (⋆), et grands polysomes (●) au cours de la photopériode. Valeurs moyennes de 3 expérimentations ± l'erreur standard.
        : Relative amounts of monosome and sub-units (■), small polysomes (⋆), and large polysomes (●) during the photoperiod. Mean of 3 experimentations ± the standard error.

Elle diminue ensuite pour atteindre une valeur minimale 6 heures après le début du jour (53 % : valeur voisine de celle observée en début de jour). Elle augmente à nouveau en fin de jour (61 %) pour diminuer ensuite fortement au cours de la nuit. En fin de nuit, la valeur de la teneur relative en grands polysomes retrouve une valeur similaire à celle notée en début de jour.

La teneur relative en petits polysomes évolue de manière inverse de celle des grands polysomes : elle baisse pendant 2 h après le début du jour, passant de 28 % à 20 % puis augmente de manière importante jusque 6 heures après le début du jour (31%). Durant la nuit, la teneur relative en SP reste voisine de la valeur relevée en début de jour (26-28 %).

Le taux de monosomes reste relativement stable durant toute la photophase sauf en milieu de nuit, où leur quantité double, passant de 12-15 % à 27 %.

Afin de vérifier si les variations de la teneur relative en polysomes étaient due à des variations de la quantité d'ARN total, nous avons extrait les ARN en utilisant la méthode au PCA qui permet leur extraction totale. la fig 5 montre que cette quantité évolue peu dans l'hypocotyle au cours de la photopériode, même si une baisse est notée en milieu de nuit.

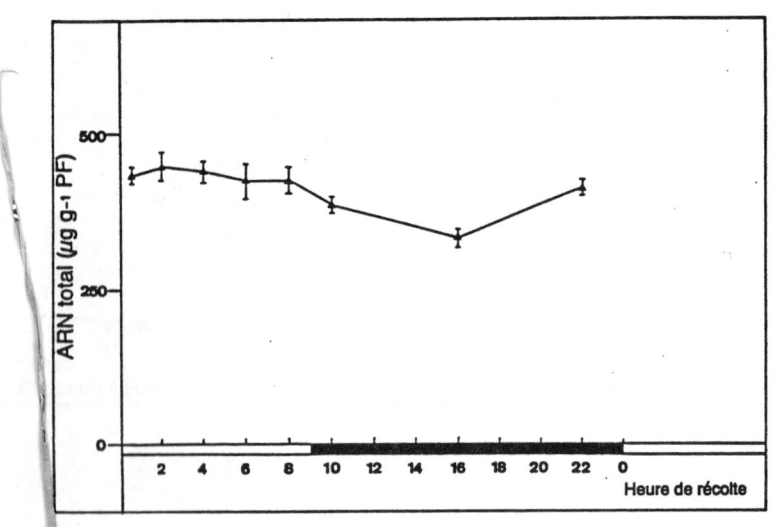

Fig 5 : Teneurs relatives en ARN totaux (µg/g poids frais) au cours de la photopériode. Moyenne de 3 expérimentations ± l'erreur standard.

: Relative amounts of total RNA (µg/g fresh weight) during the photoperiod. Mean of 3 experimentations ± the standard error.

82

4. DISCUSSION

La présente étude nous a permis de montrer que la quantité de ribosomes polymérisés n'est pas constante au cours de la photopériode. Ce résultat montre combien il est important de prendre en considération la composante temps dans toute étude relative à du matériel vivant. En effet, une part de variabilité non négligeable dans les résultats peut être due au fait que les plantes sont récoltées à des heures différentes au cours de la photopériode.

Ces variations ne semblent pas être dues à des changements du pool d'ARN total présent dans l'hypocotyle : tout au long de la photopériode, on assisterait à des redistributions entre unités polysomiques de tailles différentes pouvant correspondre à des ARNm de nature différente. Ces redistributions se feraient tantôt dans le sens d'une plus grande proportion de grands polysomes (en début et fin de jour), tantôt dans le sens d'une plus grande proportion de petits polysomes (en milieu de jour et en début de nuit).

De nombreux auteurs ont établi que le début d'éclairement provoquait l'activation de gènes : ainsi, MEYER (1989) montre que la concentration de l'ARNm cab augmente rapidement et atteint un maximum après 4-5 heures d'éclairement. De plus, SMITH (1976) a mis en évidence que la lumière était capable de stimuler fortement la formation de polysomes quand de jeunes pousses étiolées sont éclairées. Nos résultats semblent indiquer que cette formation de polysomes en réponse au light-on existe même chez les plantes cultivées en alternance jour/nuit.

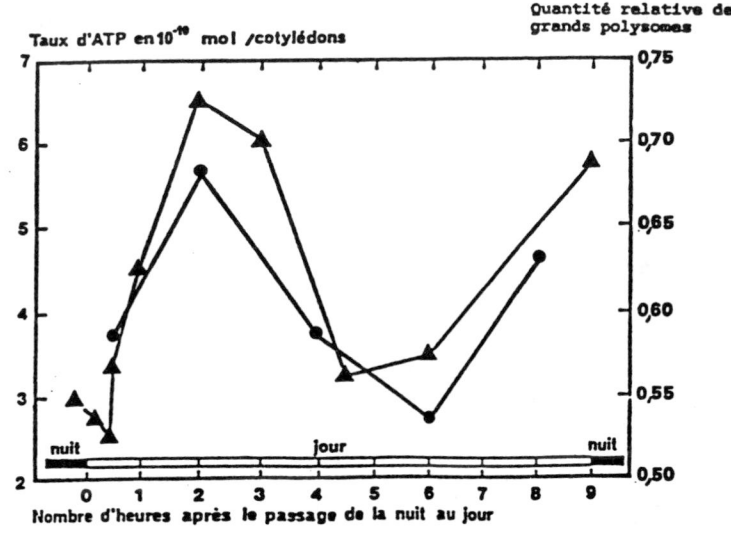

Fig 6 : Quantité d'ATP (▲) dans les cotylédons au cours de la photophase (Desbiez 1976) et teneur relative en grands polysomes (●).
 : ATP amount (▲) in the cotyledons during the photophase (Desbiez, 1976) and relative amount of large polysomes(●).

83

En milieu de nuit, on note une teneur en monosomes plus élevée que durant tout le reste de la photopériode. Ceci pourrait être dû à un appauvrissement de la teneur des tissus en ATP. En effet, des dosages de la quantité d'ATP présent dans les cotylédons (fig 6), réalisés précédemment (DESBIEZ 1976), ont montré des teneurs élevées en début et fin d'éclairement et des teneurs faibles en milieu de photophase et durant la nuit.

Ces changements dans la teneur en composés riches en énergie se superposent aux variations du degré de polymérisation des grands polysomes. Cependant, alors que la quantité d'ATP n'augmente qu'après le début du jour, la quantité relative de LP augmente avant même le début de l'éclairement pour atteindre une valeur similaire à celle relevée chez les plantes en début de jour.

5. BIBLIOGRAPHIE

ABE S., ITO Y., DAVIES E., The presence of latent RNase activity in, and release of undegraded polysomes from, a cytoskeletal fraction from pea. Mem. Coll. Agr., Ehime Univ., 1992, 37(1), 1-15.

BONNIN P., GENDRAUD M. ET DESBIEZ M.O., Etude cinétique de l'évolution des pH cytoplasmique et vacuolaire après administration de piqûres cotylédonaires chez Bidens pilosa L. C.R. Acad. Sci. PARIS, 1989, 309, 459-464.

DESBIEZ M.O., Variations nycthémérales de l'intensité des corrélations entre les cotylédons et leur bourgeon axillaire induites par des traumatismes faits unilatéralement sur l'un des deux cotylédons de Bidens pilosus. Physiol. Plant., 1976, 36, 11-15.

DESBIEZ M.O., BOYER N. and GASPAR Th., Hypocotyl growth and peroxidases of Bidens pilosus. Effect of cotyledonary prickings and lithium pretreatment. Plant Physiol., 1981, 68, 41-43.

DESBIEZ M.O., CHAMPAGNAT P., BOYER N., FRACHISSE J.M., GASPAR Th. and THELLIER M., Inhibition corrélative de la croissance de l'hypocotyle de Bidens pilosus L. par des traumatismes cotylédonaires légers. Bull. Soc. Bot. Fr., 1983, 130, 67-77.

DESBIEZ M.O., GASPAR T., CROUZILLAT D., FRACHISSE J.M., THELLIER M., Effect of cotyledonary prickings on growth, ethylene metabolism and peroxidase activity in Bidens pilosus. Plant Physiol. Biochem., 1987, 25, 137-143.

HENRY-VIAN C., VIAN A., DESBIEZ M.O. et LEDOIGT G., Modification de la teneur relative en polysomes dans l'hypocotyle de Bidens pilosa après piqûres cotylédonaires. C.R. Soc. Biol., 1992, 186, 242-251.

MEYER H., THIENEL U., PIECHULLA B., Molecular characterization of the diurnal/circadian expression of the chlorophyll a/b-binding proteins in leaves of tomato and other dicotyledonous and monocotyledonous plant species, Planta, 1989, 180, 5-15.

PICHON O., BONNIN P., GENDRAUD M., DESBIEZ M.O., Ionic and cellular responses to traumatisms in _Bidens pilosa_ : effect of light quality. Plant Physiol. Biochem., in press.

SMITH H., Phytochrome-mediated assembly of polyribosomes in etiolated bean leaves. Europ. J. Biochem., 1976, 65, 161-170.

Rythmes
chez les invertébrés

Invertebrate rhythms

RYTHMICITES ULTRADIENNE ET CIRCADIENNE CHEZ LE JEUNE ESCARGOT *HELIX ASPERSA MAXIMA* (MOLLUSQUE). ULTRADIAN AND CIRCADIAN RHYTHMICITIES IN THE YOUNG SNAIL *HELIX ASPERSA MAXIMA* (MOLLUSCA).

A. Blanc

Laboratoire de Biologie Animale
Faculté des Sciences et Techniques. Saint-Etienne, France

Résumé

Le rythme d'activités comportementales est étudié chez de jeunes escargots de la naissance jusqu'à l'âge de trois mois et comparé à celui des adultes. Les jeunes sont élevés sous cycles LD et en lumière faible constante, les autres paramètres de l'environnement étant fixés.Les animaux sont filmés en continu. Pour chaque expérience, l'activité ou le repos sont notés toutes les 5 minutes pendant 14 jours. Les données sont étudiées par analyse spectrale et par la technique du périodogramme L'activité locomotrice constitue la majeure partie de l'activité totale. La distribution temporelle des prises alimentaires est voisine tandis que les mouvements sur place apparaissent sporadiques.Soumis à des cycles lumineux LD 18 : 6, les jeunes escargots montrent un rythme d'activité de 24 heures très marqué dès les premiers jours après l'éclosion. En conditions constantes ils présentent, en plus d'une activité circadienne, un rythme ultradien avec des périodes comprises entre 3h et 5h30. L'application de cycles lumineux affaiblit cette composante ultradienne qui par contre persiste au moins jusqu'à 3 mois chez les animaux élevés en conditions constantes.

Mots-clés : Rythmes ultradiens et circadiens, escargot.

Abstract

The rhythm of behavioral activities is studied with young snails from birth to three months old and compared to that of adults.The youngs are raised under LD cycles and permanent dim light, the other environmental factors are being controlled. The animals are continuously filmed. For each experiment, the activity or the rest are recorded every 5 minutes during 14 days. The recorded observations for each individual are studied by spectral analysis and by periodogram technic. The search for periodicity is investigated from 1 to 34 hours. Locomotor activity makes up for the main part of the total activity. Temporal distribution of food intake closely matches that of locomotion, while movements without displacement appear sporadic. When submitted to LD 18 : 6 light cycles, young snails show a very clear 24 hour rhythm of activity beginning whith the first days after hatching. In constant conditions, youngs act like adults for circadian activity but the endogenous component is less pronounced. In addition, they manifest short-term rhythms with periods between 3h and 5h30. This ultradian component is weak when animals are submitted to 24h LD cycles. On the contrary it persists beyond 3 months with animals raised under constant conditions.

Key Words : Ultradian and Circadian Rhythms, Snail.

Les rythmes ultradiens se distinguent des rythmes circadiens entre autres par leurs périodicités différentes de celles de l'environnement naturel (Daan et Aschoff, 1981). Leur période est en effet définie comme inférieure à 20 h (Halberg *et al.*, 1977). D'autres auteurs, notamment Daan et Aschoff (1981) les caractérisent plus précisément en excluant les rythmes de hautes fréquences de période inférieure à 20 minutes. Cette limitation élimine en particulier des activités physiologiques comme l'activité nerveuse ou le métabolisme.

Malgré cette exclusion les études comportementales restent minoritaires dans le domaine ultradien. La dernière revue de Lloyd et Stupfel (1981) sur les rythmes de 5 minutes à 20 h en témoigne.

Chez les Gastéropodes terrestres, les études comportementales ne concernent que les activités journalières ou saisonnières. Citons pour exemple les travaux de Lewis (1969), Sokolove *et al.* (1977), Ford et Cook (1987) sur les limaces et ceux de Bailey (1975, 1981, 1989), Blanc et Buisson (1983), Blanc *et al.* (1989) et Lorvelec *et al.* (1991) sur les escargots.

Cette étude réalisée chez de jeunes animaux permet de suivre l'évolution des rythmes ultradiens et circadiens au cours des premiers mois de la croissance. Les résultats sont comparés avec ceux des adultes.

1- Matériel et méthodes

Toutes les expériences sont conduites à température et humidité relative constantes (respectivement 20° C et 95 %). Seules changent les conditions lumineuses; éclairement constant ou cycles LD 18:6 (L : tubes fluorescents, type lumière du jour, i = 3 w/m^2), D : lumière infrarouge (λ > 830 nm , i = 0,5 w/m^2). Cette photopériode longue est conservée pour les jeunes, elle est appliquée aux adultes pour optimiser le taux de reproduction comme le mentionnent Enée *et al.* (1982).

L'éclairement constant correspond à une lumière rouge de faible intensité (dim light, i = 0,1 w/m^2). Ce choix tient compte de plusieurs paramètres :

- un éclairement minimum est nécessaire à la distribution manuelle de la nourriture délivrée *ad libitum* tous les 2-3 jours (aliment pour escargot en farine). Comme des expériences précédentes (Lorvelec *et al.*, 1991) ont montré un effet inhibiteur de la lumière constante, augmentant avec l'intensité lumineuse, sur l'activité des escargots, l'intensité choisie est compatible avec un fort taux d'activité.

- le choix d'une grande longueur d'onde (600 nm < λ < 700 nm) présente un double avantage : la grande sensibilité de la caméra vidéo à la lumière rouge et au contraire une moindre sensibilité des Mollusques à cette partie du spectre (revue de Fretter and

Peakes, 1975).

Les animaux sont élevés au laboratoire ce qui permet un contrôle efficace de leur passé. Ainsi les jeunes étudiés en conditions constantes sont placés dans ces conditions dès la ponte. On évite donc toute information temporelle pouvant passer à travers l'enveloppe translucide de l'oeuf durant l'incubation. Pendant l'expérience, les jeunes escargots sont filmés dans des enceintes individuelles en Plexiglass (5x5x5 cm) grâce à un ensemble vidéo (caméra Panasonic CCD WV 200 et magnétoscope Panasonic 6720 A). Les adultes sont observés dans les mêmes conditions mais dans des enceintes plus grandes (15x15x15 cm).

Chaque expérience dure 15 jours et concerne 8 escargots comparables par l'âge et l'origine. Les activités des animaux sont enregistrées en continu et la lecture est visuelle. Trois comportements sont pris en compte : locomotion, prise alimentaire et mouvements de la tête ou de la coquille sans déplacement de l'animal. En l'absence de ces comportements, l'escargot est considéré au repos, il est alors rétracté dans sa coquille et immobile. Les informations sont notées toutes les cinq minutes, l'observation d'un comportement se traduit par 1, le repos par 0. Lorsque deux comportements apparaissent dans un même intervalle de 5 minutes, seul le plus long est pris en compte. Ainsi pour le calcul de l'activité totale, chaque intervalle de 5 minutes est noté 1 si l'un des trois comportements est observé, et 0 si l'animal est au repos.

Les périodicités sont analysées dans les domaines ultradiens (de 1 à 20 heures) et circadiens (de 20 à 28 heures). Deux méthodes sont utilisées, une analyse spectrale et le périodogramme chi-2 de Sokolove et Bushell (1978) tiré d'une technique préconisée par Enright (1965) et déjà modifiée par Dörrscheidt et Beck (1975).

La technique du périodogramme donne des valeurs de périodicité précises et teste leur niveau de signification. En contre partie elle ne distingue pas une valeur fondamentale de ses multiples. Au contraire, l'analyse spectrale indique la force des différentes composantes mais elle est moins précise sur la valeur de la période. En effet les fréquences détectées sont des multiples de la fréquence fondamentale 1/N, où N est la longueur de la série. Leur valeur est donc approximative. Les deux méthodes sont complémentaires (cf. Wollnik et Döhler, 1986).

Les analyses par périodogrammes sont successivement centrées sur 2 h, 4h, 8 h, 12 h et 24 h. L'ensemble réalise une couverture continue de 1 heure à 34 heures et l'analyse spectrale couvre la même zone. Enfin, la longueur des séquences d'analyse est volontairement réduite en raison de la non stationnarité des séries chronologiques étudiées. Toutefois leur taille est suffisante pour la validation des méthodes, soit au moins 10 cycles pour le périodogramme et 1024 données pour l'analyse spectrale.

2- Résultats

2-1- Evolution avec l'âge

Les jeunes, élevés en conditions constantes, manifestent dès les premiers jours de leur vie un rythme circadien d'activité. Mais cette composante est complexe car plusieurs périodes apparaissent significatives lors d'une analyse par le périodogramme (fig. 1).

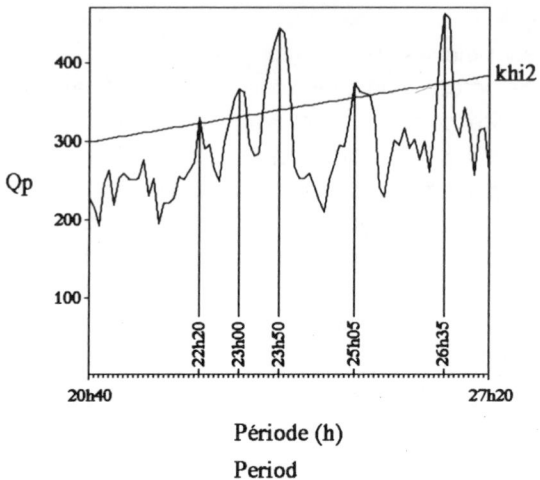

Figure 1 Analyse des composantes circadiennes de l'activité totale par la méthode du périodogramme pour un animal âgé de 8 jours et élevé en conditions constantes.

Circadian components of total activity computed by the periodogram technic for a snail 8 days old raised under constant conditions.

Parallèlement la recherche de périodicités ultradiennes ne révèle que peu de valeurs significatives. Au contraire, de nombreuses périodes apparaissent, en particulier entre 3 h et 5 h 30, chez des individus plus âgés et élevés dans les mêmes conditions. La figure 2 illustre cette opposition pour des escargots âgés de 8 jours et 1 mois.

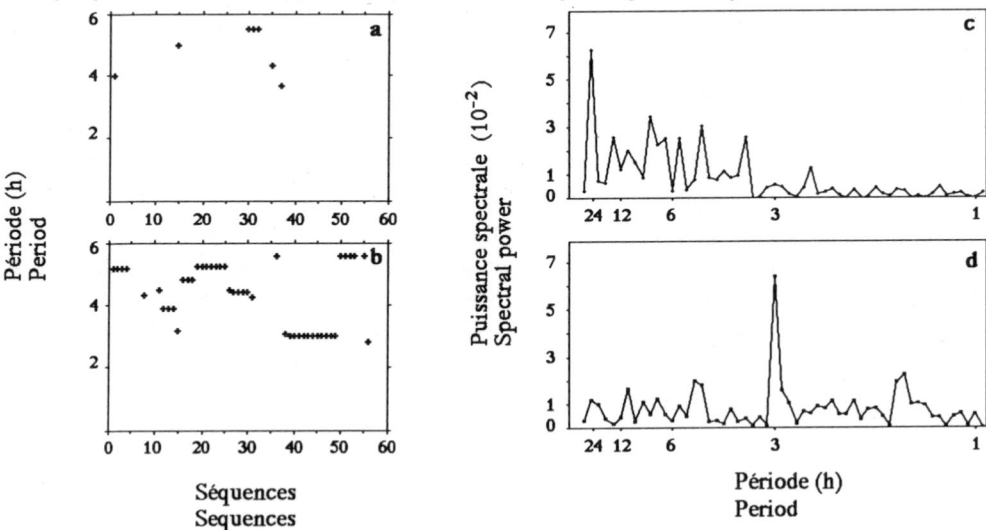

Figure 2 Recherche de périodicités par périodogramme et analyse spectrale pour des animaux âgés de 8 jours (a et c) et 1 mois (b et d).

Search for periodicities by the periodogram and spectral analysis for a 8 days old animal (a and c) and a 1 month old one (b and d).

Ces graphiques représentent 60 séquences d'analyse par la technique de périodogramme : la présence d'une période significative est traduite par une croix. Il n'est pas rare que plusieurs valeurs apparaissent dans une même séquence (cf. fig. 1), un programme basé sur le niveau descriptif du chi-2 correspondant permet alors de sélectionner la plus significative.

Les résultats révèlent une activité ultradienne (entre 2 h et 6 h) beaucoup plus marquée chez l'animal âgé d'1 mois avec un mélange de périodes qui paraît suivre une évolution un peu aléatoire. En fait, une période apparaît comme la plus significative pendant 5 ou 6 séquences, puis une autre prend sa place. Mais on constate que l'amorce des périodes non principales commence avant qu'elles ne deviennent significatives et se poursuit après qu'elles ne le soient plus. Les rythmes ultradiens que nous observons sont sans doute pseudopériodiques, i.e., l'activité s'exprime selon une somme de fonctions périodiques dont les périodes respectives ne sont pas des multiples.

L'analyse spectrale effectuée pour ces deux individus (fig. 2c et d) confirme la présence plus marquée de composantes ultradiennes chez l'individu âgé d'un mois. De plus, elle révèle un certain affaiblissement de la composante circadienne avec l'âge. Ce caractère est cependant moins répandu que l'augmentation de l'activité ultradienne observée chez les trois quarts des individus.

2-2- Application de cycles LD

Le rythme d'activité des jeunes élevés sous cycle LD 18:6 est caractérisé par une période de 24 h très significative (fig. 3).

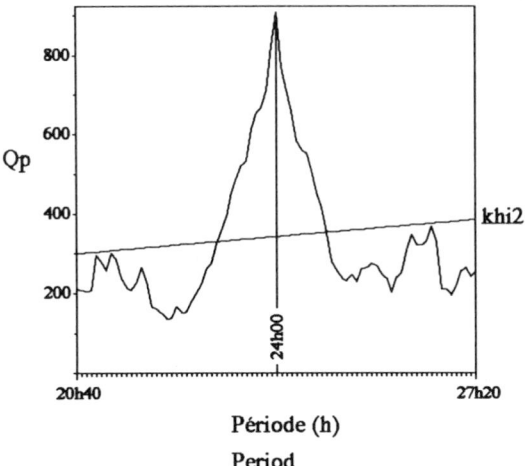

Figure 3 Entrainement du rythme d'activité pour un escargot âgé de 8 jours et élevé sous cycles LD 18 : 6

Entrainment of total activity rhythm of a 8 days old snail raised under LD 18 : 6

Une composante ultradienne est mesurée à 12 h, elle est sans doute liée au caractère bimodal du profil d'activité (fig. 4). Les autres rythmes ultradiens, en particulier autour de 4 heures, sont peu présents.

2-3-Différents comportements

Les trois comportements considérés ne participent pas au même degré à l'activité totale (fig. 4). La locomotion constitue la majeure partie de l'activité, complétée par les prises alimentaires qui surviennent aux mêmes moments. Les mouvements sur place se distinguent des autres comportements par une faible représentation et une répartition sporadique.

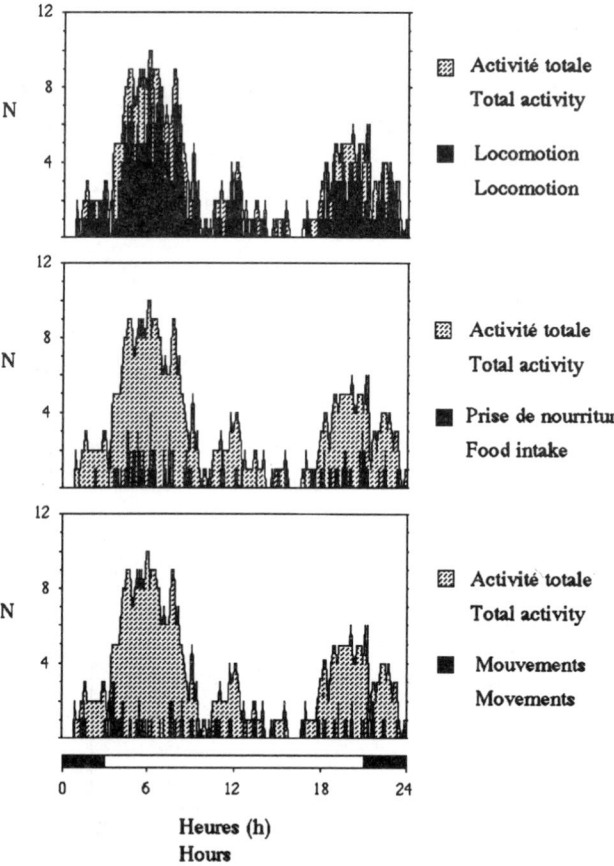

Figure 4 Histogrammes des activités cumulées sur 12 jours pour un escargot âgé de 8 jours et élevé sous cycles LD 18 : 6 (N : nombre d'observations).

Histograms of cumulated activities over 12 days for a 8 days old snail raised under LD 18 : 6 cycles (N : nomber of observations).

La recherche de périodicité pour chaque comportement confirme les liens entre les activités locomotrice et alimentaire et la place à part des mouvements.

3- Discussion

L'étude du rythme de jeunes animaux élevés en conditions constantes révèle une distribution circadienne des comportements locomoteur et alimentaire. Cette composante varie d'un individu à l'autre, et dans le temps pour un même individu. Cependant une tendance se dessine pour des périodes supérieures à 24 h. De même, les adultes placés en conditions constantes manifestent généralement une période circadienne supérieure à 24 heures (Lorvelec *et al.*, 1991). Puisque les jeunes escargots n'ont jamais été exposés à un environnement rythmique, le rythme observé reflète l'existence d'un oscillateur interne (Davis, 1981). On note parallèlement la présence d'une rythmicité ultradienne qui évolue avec l'âge. Les rythmes ultradiens deviennent plus marqués au cours du développement, peut-être au détriment des rythmes circadiens mais cela devra être confirmé.

Plusieurs exemples de coexistence entre composantes circadiennes et ultradiennes ont été décrits, notamment chez un Cnidaire (Buisson, 1974) et plus récemment chez des organismes unicellulaires. Les différents cas de figure vont de la simultanéité en conditions constantes (Balzer *et al.*, 1989) chez *Euglena*, ou sous cycle LD (Jenkins *et al.*, 1989) chez *Chlamydomonas* à une sorte de compétition qui aboutit à la prédominance d'une des deux composantes. Ainsi Adams (1988) décrit chez l'Euglène l'amortissement du rythme circadien de mobilité après 18 jours en DD et le développement parallèle d'une rythmicité d'environ une demi-heure qui devient la seule présente. Au contraire Bennett (1983) constate la mise en place d'un rythme circadien de sensibilité visuelle à partir d'un rythme ultradien d'environ 6 h. Cette émergence qui survient au cours du développement larvaire est aussi bien observée en LL qu'en DD.

Kavaliers (1981) signale la présence d'une composante endogène ultradienne chez un Gastéropode aquatique, cette périodicité d'environ 1h30 coexiste avec le rythme circadien. L'activité de prise de nourriture présente cette période chez de nombreux organismes (Lehmann, 1976a) et il est souvent suggéré que les rythmes ultradiens pourraient résulter de comportements associés à l'alimentation, séparés par des pauses digestives (Lehmann, 1976b ; Daan and Aschoff, 1981). De la même façon, les prises de nourriture sont considérées comme un synchroniseur plus puissant que les cycles LD durant les premières phases de la vie d'un enfant (Rietveld, 1990). Nos observations révèlent un lien temporel étroit entre les comportements locomoteur et alimentaire. Des expériences complémentaires réalisées en absence de nourriture sont en cours d'analyse. La persistance des rythmes ultradiens a déjà été signalée chez des Mammifères privés de nourriture (Daan et Slopsema, 1978; Sanford et Peacock, 1991).

Remerciements : je remercie les Professeurs B. BUISSON (Directeur du Laboratoire) et R. PUPIER pour leurs conseils.

95

Références bibliographiques

Adams K.-J., Circadian clock control of an ultradian rhythm in *Euglena gracilis*, *J. interdiscipl. cycle Res.*, 1988, **19**: 153-222.

Bailey S.-E.-R., The seasonal and daily patterns of locomotor activity in the snail *Helix aspersa* Müller, and their relation to environmental variables, *Proc. Malacol. Soc. London*, 1975, **41** (15): 415-428.

Bailey S.-E.-R., Circannual and circadian rhythms in the snail *Helix aspersa* and the photoperiodic control of annual activity and reproduction, *J. Comp. Physiol.*, 1981, **142** (1): 89-94.

Bailey S.-E.-R., Daily cycles of feeding and locomotion in *Helix aspersa*, *Haliotis*, 1989, **19**: 23-31.

Balzer I., Neuhaus-Steinmetz U., Quentin E., Van Wullen M., Hardeland R., Concomitance of circadian and circa-4. hour ultradian rhythms in *Euglena gracilis*, *J. interdiscipl. cycle Res.*, 1989, **20**: 15-24.

Bennet R.-R., Circadian rhythm of visual sensitivity in *Manduca sexta* and its development from ultradian rhythm, *J. Comp. Physiol*, 1983, **150**: 165-174.

Blanc A., Buisson B., Sur la composante endogène de la locomotion circadienne de l' Escargot de Bourgogne (*Helix pomatia* L.), *C.R. Soc. Biol.*, 1983, **177** (2): 190-196.

Blanc A., Pupier R., Buisson B., Evolution en laboratoire du rythme spécifique d'activité de deux mollusques gastéropodes (*Helix pomatia* L. et *Helix aspersa Müller*) en situation de cohabitation sous différentes photopériodes, *Haliotis*, 1989, **19**: 11-21.

Buisson B., The behaviour and the nervous system of *Veretillum cynomorium* Pall (Cnidaria Pennatularia), *Zool. Anz. Jena.*, 1974, **314**: 165-174

Daan S., Aschoff J., Short-term rhythms in activity. In Handbook of Behavioral Neurobiology. Vol. **4**. Biological rhythms, *Edited by J. Aschoff, Plenum Press, New-York and London*, 1981: 491-498.

Daan S., Slopsema S., Short-term rhythms in foraging behavior of the common vole, *Microtus arvalis. J. Comp. Physiol.*, 1978, **127**: 215-227.

Davis F.-C., Ontogeny of circadian rhythms. In Handbook of Behavioral Neurobiology. Vol. **4** Biological rhythms, *Edited.by J. Aschoff, Plenum Press, New-York and London*, 1981: 257-274.

Dörscheidt G.-J., Beck L., Advanced methods for evaluating characteristic parameters of circadian rhythms, *Journal of mathematical biology*, 1975: 107-121.

Enee J., Bonnefoy-Claudet R., Gomot L., Effets de la photopériode artificielle sur la reproduction de l'escargot *Helix aspersa* Müller, *C. r. Acad. Sci. Paris*, 1982, **294**: 357-360.

Enright J. T., The search for rhythmicity in biological time-series, *J. Theor. Biol.*,1965, **8** : 426-468

Ford D.-J.-G., Cook A., The effects of temperature and light on the circadian activity of the pulmonate slug, *Limax pseudoflavus*, Evans. *Anim. Behav*, 1987, **35**: 1754-1765.

Fretter V., Peake J., Pulmonates. Vol. **1**. Functional anatomy and physiology, *Academic Press London*, 1975.

Halberg F., Carandente F., Cornelissen G., Katinas G. S., Glossary of chronobiology *Chronobiologia*, 1977, **4**:1-189.

Jenkins H.-A., Griffiths A.-J., Lloyd D;, Simultaneous operation of ultradian and circadian rhythms in *Chlamydomonas reinhardii, J. interdiscipl. cycle Res.*, 1989, **20**: 257-264.

Kavaliers M., Circadian and Ultradian Activity Rhythm of a Freshwater Gastropod, *Helisoma trivolvis :* The Effect of Social Factors and Eye Removal, *Behavioral and Neural Biol.,* 1981, **32** : 350-363.

Lehmann U., Stochastic principles in temporal control of activity behaviour, *Int. J. Chronobiol.,*1976a, **4** : 223-236

Lehmann U., Short Term and Circadian Rhythms in the behaviour of the vole *Microtus agrestis* L. *Oecologia* (Berl.), 1976b, **23**: 185-199.

Lewis R.-D., Studies on the locomotor activity of the slug *Arion ater :* locomotor activity rhythms, *Malacologia*, 1969, **7**: 307-312.

Lloyd D., Stupfel M., The occurence and functions of ultradian rhythms, *Biol. Rev.*, 1991, **66**: 275-299.

Lorvelec O., Blanc A., Daguzan J., Pupier R., Buisson B., Etude des activités rythmiques circadiennes (locomotion et alimentation) d'une population bretonne d'escargots (*Helix aspersa* Müller) en laboratoire, *Bull. Soc. Zool. Fr.*, 1991, **116** (1): 15-25.

Rietveld W.-J., The central control and ontogeny of circadian rhythmicity, *Eur. J. Morphol.*, 1990, **28** (24): 301-307.

Sanford L.-D., Peacock L.-J., Circadian and ultradian activity rhythms in male long-evans rats : relationship to feeding, *J. interdiscipl. cycle Res.*, 1991, **22**: 311-324.

Sokolove P.-E., Beiswanger C.-M., Prior D.-J., Gelperin A., A circadian rhythm in the locomotor behaviour of the giant garden slug, *Limax maximus*, *J. exp. Biol.*, 1977, **66**: 47-64.

Sokolove P.-E., Bushell W.-N., The chi-square periodogram : its utility for analysis of circadian rhythms, *J. Theor. Biol.*, 1978, **72**: 131-160.

Wollnick F., Döhler K.D., Effects of adult or perinatal hormonal environment on ultradian rhythms in locomotor activity of laboratory lew / ztm rats, *Physiology behaviour*, Pergamon Press Ltd, 1986, **38**: 229-240.

DIVERSITE ET DETERMINISME GENETIQUE DES RYTHMES CIRCADIENS D'ACTIVITE CHEZ LES INSECTES PARASITOÏDES
THE DIVERSITY AND GENETIC APPROACH OF CIRCADIAN RHYTHMS OF LOCOMOTOR ACTIVITY IN PARASITOID INSECTS

F. Fleury, F. Pompanon et R. Allemand,

Laboratoire de Génétique des Populations, UA CNRS 243,
Université C. Bernard-Lyon I,
F 69622 Villeurbanne (France)

Résumé.- La dimension temporelle des relations hôtes-parasitoïdes est un facteur important pour le bon fonctionnement de ces systèmes biologiques. A l'échelle circadienne, les rythmes d'activité déterminent les rencontres entre espèces et contribuent au succès parasitaire. Le rythme circadien d'activité locomotrice de diverses espèces d'Hyménoptères parasitoïdes a été mis en évidence par un système d'analyse d'images vidéo. Selon le sexe et l'espèce, les rythmes présentent des différences de phase dont l'origine semble être liée au mode de vie de l'insecte, suivant qu'il parasite des hôtes mobiles ou immobiles. Chez *Leptopilina heterotoma*, espèce parasite de larves de drosophiles, le déterminisme génétique du profil circadien a été analysé par des croisements entre souches présentant des différences de phase d'activité. Le mode de transmission est biparental et de type polygénique.

Abstract.- Temporal aspects particularly circadian ones, play an important role in parasite-host relationships, because circadian rhythms determine the encounters between the interacting species and contribute to the parasite's efficiency and, more generally, to the infestation strategies. Circadian patterns of the locomotor activity of several species of hymenopteran parasitoids were analysed using a computerized video analysis system. Differences among the rhythms depended upon whether the parasitoid species attacked a mobile or stationary host. Larval parasitoids demonstrated one or two peaks of activity, depending upon the sex and species under consideration, while pupal or egg parasitoids showed continous levels of activity throughout the photophase with no pronounced peak. In *Leptopilina heterotoma*, a parasitoid of *Drosophila* larvae, a genetic determination of the circadian patterns were analysed through crosses between strains which demonstrated a phase shift. This trait appears to be both biparental and polygenic.

1.- INTRODUCTION

Chez les Insectes, les systèmes hôtes-parasitoïdes constituent des associations biologiques qui présentent un certain nombre de points communs avec les systèmes proies-prédateurs. La rencontre des espèces est le résultat d'une recherche active du prédateur ou du parasitoïde (signaux directs ou indirects) limitée par des mécanismes de défense de l'espèce consommée (Vinson, 1984 ; van Alphen & Vet, 1986).

La principale différence entre ces deux systèmes est d'ordre temporel car on considère habituellement un insecte prédateur comme un organisme qui se nourrit de proies qu'il tue rapidement et un insecte parasitoïde comme un organisme qui vit à l'état larvaire en parasite typique, c'est-à-dire aux dépens d'un seul autre organisme (insecte) qu'il tue avant de vivre la phase adulte sous une forme libre.

La phase parasitaire impose un certain nombre de contraintes liées à l'exploitation du milieu vivant que constitue l'hôte. La réussite et le maintien de l'association hôte-parasitoïde implique donc que l'attaque parasitaire ait lieu à un stade précis du développement de l'hôte, et que ce dernier, malgré des réactions de défense (réponse immunitaire) poursuive un développement compatible avec celui du parasitoïde.

Ces quelques considérations générales soulignent l'importance d'une bonne organisation temporelle entre les deux espèces impliquées dans un système hôte-parasitoïde, tant à l'échelle circadienne qu'à une échelle de temps plus longue correspondant aux différentes étapes du développement et au cycle saisonnier. Nous nous intéresserons dans ce travail à l'échelle de temps circadienne et plus particulièrement à l'activité locomotrice, préalable à la rencontre entre les espèces et par conséquent à l'infestation.

Dans le cas où l'espèce hôte est mobile, le phénomène est complexe mais, par des études expérimentales, il est possible de dissocier les rythmes des deux espèces ; par exemple en étudiant le rythme du prédateur en l'absence de proies ou en fournissant des proies de façon régulière (Swift, 1964). Une autre approche est la comparaison de populations qui montrent des rythmes différents. Un exemple particulièrement démonstratif est fourni par les travaux sur la variation intraspécifique du rythme circadien d'émergence de parasites, les cercaires de *Schistosoma* en Guadeloupe (Théron *et al.*, 1986). Selon les milieux, les cercaires infestent des hôtes différents et leur phase d'activité est en relation avec celle de leurs hôtes. L'émission des cercaires se produit majoritairement au milieu de la photophase dans les zones urbanisées où l'espèce hôte est l'homme, alors que dans les forêts, où l'espèce-hôte est le rat, l'émission a lieu en fin de photophase et en début de scotophase

Un cas plus simple est fourni par les systèmes biologiques où l'espèce hôte est abondante, immobile, constamment accessible et où sa qualité ne varie pas de façon significative au cours du nycthémère. Dans ce cas, l'espèce hôte n'interfère pas avec le rythme propre du parasite. Cependant, dans le cas de parasitoïdes oophages où l'œuf-hôte évolue rapidement, le rythme des attaques peut être lié à une phase d'adéquation entre la ponte du parasitoïde et le développement de l'embryon dans l'œuf (Walter, 1988 ; Idoine & Ferro, 1990).

Les travaux présentés vont illustrer les rythmes circadiens d'activité chez diverses espèces de parasitoïdes qui parasitent des hôtes mobiles ou non. La variabilité entre populations et la transmission génétique du profil moyen d'activité seront abordées chez une espèce parasite de larves de Diptère.

2.- MATERIEL ET METHODES

2.1.- Souches d'insectes
Plusieurs espèces d'Hyménoptères parasitoïdes ont été étudiées :
- des parasites de larves de drosophiles (*D. melanogaster*), *Asobara tabida* (Braconidae) et deux espèces de *Leptopilina* (Cynipidae), *L. heterotoma* et *L. boulardi* Les souches d'*A. tabida* et de *L. heterotoma* (France) ont été capturées près de Lyon et étudiées pendant les premières générations suivant leur capture. Les souches tunisiennes des deux espèces de *Leptopilina* proviennent du même site et ont été conservées pendant plusieurs générations avant leur étude.
- un parasite de pupes de drosophiles (*D. melanogaster*), *Pachycrepoideus vindemmiae* (Pteromalidae), dont la souche provenant de la région lyonnaise a été fondée une génération avant les expériences.
- des trichogrammes (Trichogrammatidae), parasitoïdes d'œufs d'insectes, élevés au laboratoire sur des œufs de Lépidoptères (*Ephestia kuehniella*) : *Trichogramma brassicae* utilisé en France comme auxiliaire en lutte biologique dont la souche utilisée est celle développée par l'INRA et commercialisée pour lutter contre la pyrale du maïs ; *T. evanescens* dont la souche est d'origine française et a été conservée en laboratoire pendant de nombreuses générations avant l'étude.

2.2.- Méthodes d'élevage

Les élevages ont eu lieu sur les hôtes précédemment cités à 22 °C, sous une photopériode LD 12:12. Les adultes ont été isolés immédiatement après l'émergence, nourris avec du miel et étudiés sous les mêmes conditions à partir du 2e jour.

2.3.- Mesure de l'activité locomotrice

L'activité locomotrice a été mesurée en l'absence d'hôtes, sur des individus isolés placés dans des enceintes cylindriques dont la taille est adaptée à celle de l'insecte (diamètre de 1 à 3 cm, hauteur de 1 à 2 mm) et dans lesquelles sont disposées des gouttes de miel en quantité non limitante. Les expériences se sont déroulées à 22 °C, sous une photopériode LD 12:12 (photophase de 8 à 20 heures, éclairement de 1400 lux) avec une humidité relative d'environ 75 %. Les expériences de libre cours se sont déroulées à l'obscurité permanente.

La prise de données a été réalisée de façon automatique grâce à un dispositif comprenant une caméra vidéo mobile couplée à un microordinateur qui contrôle le déplacement de la caméra, analyse les images enregistrées (détection de l'activité locomotrice) et garde en mémoire les données. De jour comme de nuit, les prises de vues sont effectuées sous lumière infrarouge (de longueur d'onde supérieure à 730 nm) à laquelle les insectes ne sont pas sensibles (Saunders, 1982).

La mobilité de la caméra permet l'étude simultanée de plus de 60 individus, chacun étant observé pendant deux secondes toutes les cinq minutes. Selon le but poursuivi, les expériences ont duré entre trois et dix jours.

2.4.- Expression et analyse des données

Les données sont exprimées en pour cent d'activité horaire qui représente le nombre de phases actives par rapport aux phases d'observation. De façon à faciliter les comparaisons des profils journaliers d'activité entre espèces ou entre souches et à éliminer les différences éventuelles de la quantité globale d'activité, les courbes moyennes sont exprimées en valeur relative, l'ensemble de l'activité journalière représentant 100 %. Les comparaisons multiples de profils d'activité ont été réalisées par analyse multivariée (analyse factorielle des correspondances, AFC) portant sur l'ensemble des données individuelles (voir Allemand et al., 1984).

Les périodes circadiennes significatives ont été recherchées par analyse des séries chronologiques avec la méthode du périodogramme χ^2 (Sokolove & Buschell,1978).

3.- RESULTATS

3.1.- Mise en évidence des rythmes circadiens d'activité

Les rythmes circadiens ont été mis en évidence en mesurant l'activité pendant trois jours sous une photopériode LD 12:12, puis en laissant les insectes à l'obscurité permanente pendant 7 jours.

3.1.1.- *Asobara tabida* : La figure 1 représente l'activité locomotrice de trois femelles pendant dix jours d'expérience. Sous photopériode LD 12:12, l'activité montre un rythme marqué avec un pic qui débute en fin de scotophase et se maintient, selon les individus, plus ou moins longtemps pendant la photophase.

Après passage à l'obscurité permanente, le rythme persiste avec une période variable, inférieure ou supérieure à 24 heures selon les individus. En moyenne, elle est de 22,2 ± 1,2 heures (n = 8), elle s'exprime de façon significative dans les conditions d'étude chez 53 % des individus.

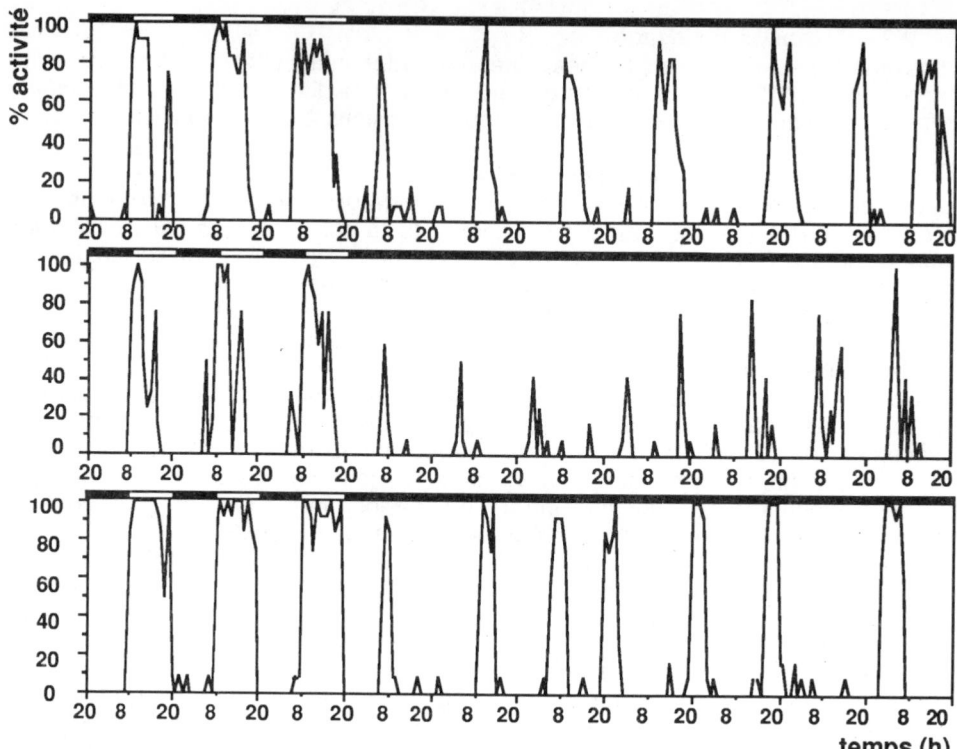

Figure 1.- *Variations de l'activité locomotrice sous photopériode LD 12:12 puis en libre cours (DD) chez trois femelles de* Trichogramma brassicae. *Le rythme d'activité est exprimé en taux horaire d'activité (%) qui est calculé par le nombre d'observations par heure où l'insecte est actif. Le rythme d'activité persiste en libre cours avec une période significative (respectivement 26,2, 19,9 et 19,1 heures).*

Figure 1.- *Variations of locomotor activity under photoperiod LD 12:12 then under free running conditions (DD) for three* Asobara tabida *females. The activity is expressed in hourly activity rates calculated by the percentage of measurements during which an insect moved each hour. In continuous darkness, the activity rhythm persisted with a significant period of 26.2, 19.9 and 19.1 hours, respectively.*

3.1.2.- *Trichogramma brassicae* : La figure 2 présente l'activité de trois femelles étudiées selon le même protocole que pour *Asobara*. Sous entraînement photopériodique, l'activité est essentiellement diurne et le rythme persiste à l'obscurité avec une période nettement inférieure à 24 heures, en moyenne de 20,0 ± 0,2 heures (n = 21). Elle s'exprime de façon significative chez 72 % des individus.

Ces résultats démontrent l'existence d'un rythme circadien d'activité chez les deux espèces présentées. Ce phénomène est général chez les espèces étudiées et, à partir des courbes individuelles moyennes de rythmes, il est possible de dresser un profil moyen de l'activité sous photopériode LD 12:12.

3.2. Comparaison des rythmes d'activité

Pour la commodité de la présentation, nous distinguerons deux grands types de parasitoïdes selon leur biologie et nous étudierons séparément mâles et femelles.

3.2.1.- Parasites d'hôtes mobiles

Il s'agit des parasites de larves de drosophiles, dont trois espèces ont été étudiées (figure 3). Elles présentent des profils moyens d'activité assez différents. Chez les femelles, *L. boulardi* montre une activité bimodale avec un pic en début de photophase et un pic majeur au moment de l'extinction. Chez l'espèce voisine *L. heterotoma*, l'activité est unimodale avec un maximum pendant la deuxième moitié de la photophase. Enfin, *Asobara* est active essentiellement pendant la photophase avec un pic en début d'éclairement mais qui débute à la fin de la scotophase.

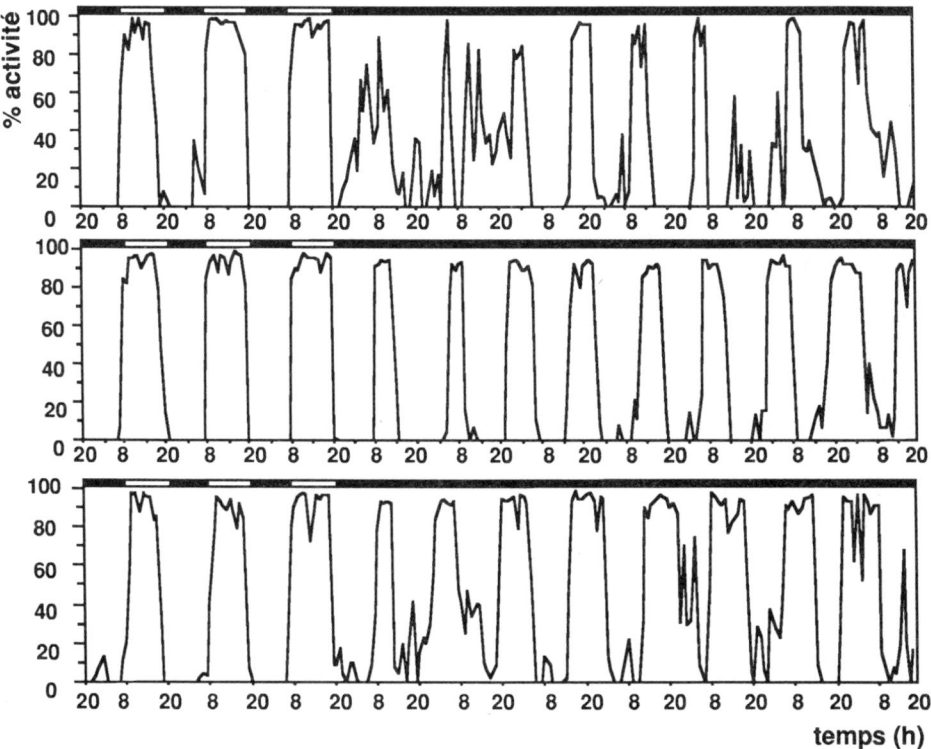

Figure 2.- *Variations de l'activité locomotrice sous photopériode LD 12:12 puis en libre cours (DD) chez trois femelles d'*Asobara tabida*. Le rythme d'activité persiste en libre cours avec une période significative (respectivement 19,8, 19,0 et 19,8 heures).*
Figure 2.- *Variations of locomotor activity under photoperiod LD 12:12 then under free running conditions (DD) for three* Trichogramma brassicae *females. In continuous darkness, the activity rhythm persisted with a significant period of 19.8, 19.0 and 19.8 hours, respectively.*

3.2.2.- Parasites d'hôtes immobiles

Les parasites d'œufs d'insectes (*Trichogramma*) et de pupes de drosophiles (*Pachycrepoideus*) appartiennent à des familles assez proches et pondent leurs œufs dans des hôtes immobiles qui sont disponibles tout au long du nycthémère. Chez ces espèces, l'activité locomotrice est essentiellement diurne et se présente sous la forme d'un plateau d'activité avec des maximums peu marqués (figure 4). Les différences entre espèces et entre sexes portent sur ces légères variations dans la durée et l'intensité de cette phase plateau. La différence entre sexes n'est pas significative sauf chez *T. brassicae*.

Chez les mâles, les différences entre espèces sont moins apparentes car le maximum d'activité a lieu en début de photophase. Ces rythmes sont nettement différents de ceux des femelles, les maximums d'activité étant plus précoces chez les trois espèces.

103

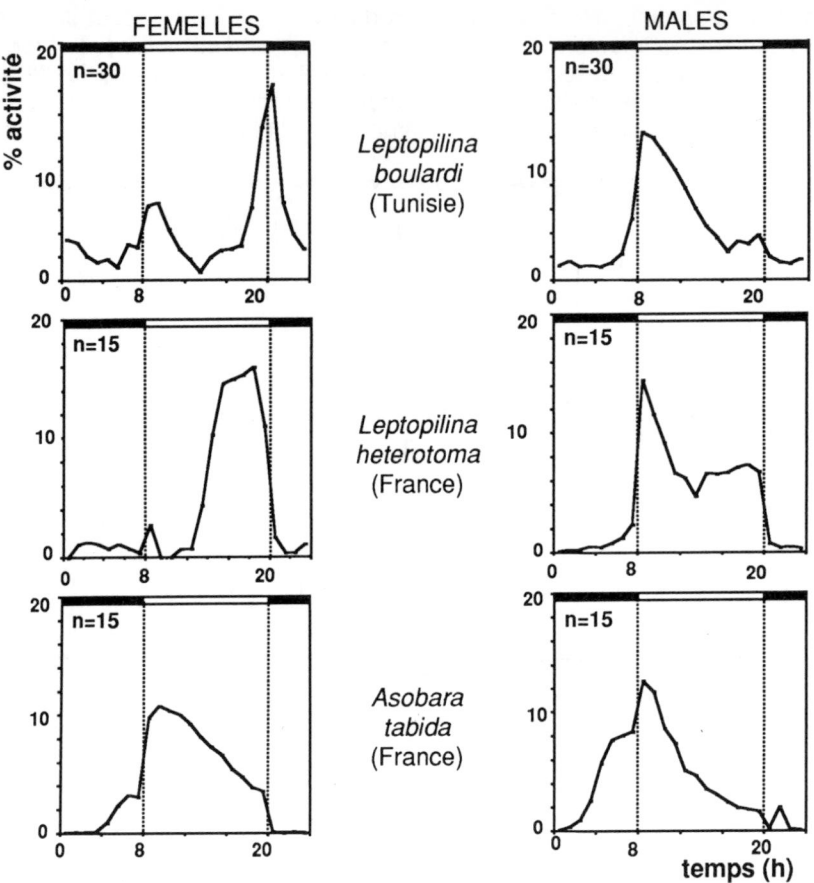

Figure 3.- *Profils moyens d'activité chez trois espèces de parasitoïdes d'hôtes mobiles, (larves de drosophiles).* Les différences sont significatives entre espèces et entre sexes au sein d'une même espèce.
Figure 3.- *Mean activity patterns for three parasitoid species of mobile hosts (*Drosophila *larvae). Differences between species and between sexes in the same species are significant.*

3.3.- Variation et analyse génétique du rythme d'activité chez *L. heterotoma*

La comparaison d'espèces implique de connaître la variation du critère mesuré entre populations. Chez la plupart d'entre elles il n'y a pas de grandes différences entre populations cependant dans le cas de *L. heterotoma* dont la distribution géographique est vaste, des différences peuvent apparaître. Celles-ci sont indépendantes de la durée de conservation de l'espèce au laboratoire mais traduisent une différenciation locale.

La figure 5 montre les profils moyens de femelles appartenant à deux souches différentes, l'une de la région lyonnaise, l'autre de Tunisie. La différence essentielle porte sur la présence du pic en début de photophase ce qui conduit à des rythmes uni ou bimodaux. Chez les mâles, les profils sont semblables (résultats non figurés).

L'analyse du déterminisme génétique de ces variations a été réalisée par des croisements de 1ere génération (F1) et des croisements en retour avec l'un des parents (back-cross). A la F1, les profils des descendants femelles sont intermédiaires entre ceux de leurs parents (figure 5). Une analyse globale des différents croisements (figure 6) confirme ce mode de transmission biparentale du rythme d'activité. Les descendants issus des back-cross (BC) sont variables et intermédiaires entre les individus F1 et le parent impliqué, suggérant ainsi un déterminisme polygénique.

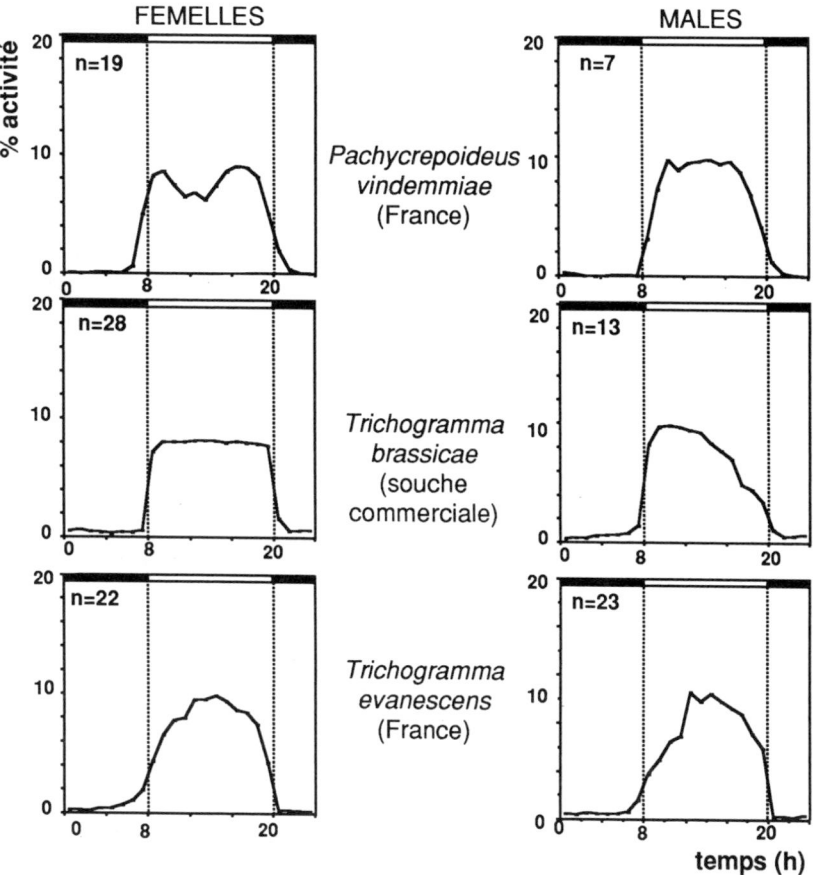

Figure 4.- *Profils moyens d'activité chez trois espèces de parasitoïdes d'hôtes immobiles (des œufs de Lépidoptères pour* Trichogramma, *des pupes de drosophiles pour* Pachycrepoideus*)* Les différences sont significatives entre espèces et entre sexes pour *T. brassicae.*
Figure 4.- *Mean activity patterns for three parasitoid species of stationary hosts (lepidopteran eggs for* Trichogramma, Drosophila *pupae for* Pachycrepoideus*)*. Differences between all species, and between the sexes in *Trichogramma brassicae*, are significant.

4.- DISCUSSION

Cette étude met en évidence chez des Hyménoptères parasitoïdes l'existence de rythmes d'activité caractéristiques de l'espèce avec le plus souvent une différence entre sexes. Ces résultats complètent la connaissance des rythmes d'insectes étudiés sur d'autres groupes (Saunders, 1982). Ces rythmes peuvent être considérés comme circadiens car ils persistent en libre cours avec une période différente de 24 heures. Dans les conditions d'expérience, cette période est le plus souvent inférieure à 24 heures et, chez *L. heterotoma,* sa valeur est plus faible sous lumière permanente, résultat en accord avec la règle d'Aschoff (espèce diurne ; résultats non figurés).

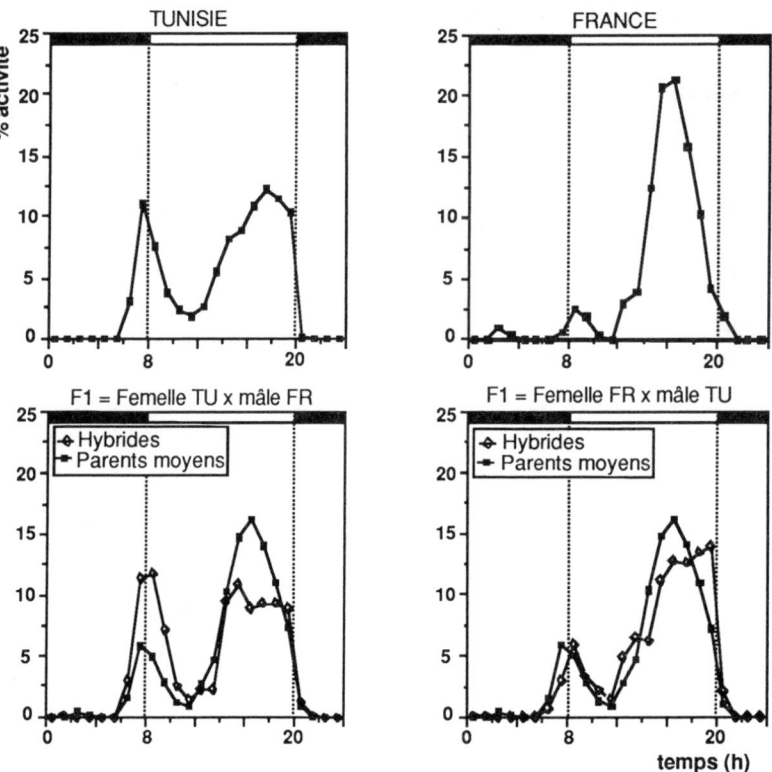

Figure 5.- *Variabilité et déterminisme génétique du rythme d'activité de* Leptopilina heterotoma, *insecte parasitoïde de larves de drosophiles.* Le rythme d'activité diffère selon l'origine géographique. Les femelles originaires de Tunisie se distinguent par leur rythme bimodal. Les hybrides F1 issus des deux croisements réciproques sont peu différents et semblables à la courbe moyenne calculée, preuve d'un déterminisme génétique d'origine biparentale.
Figure 5.- *Variability and genetic determinism of the activity rhythm of* Leptopilina heterotoma, *a parasitoid of* Drosophila *larvae.* The activity rhythm is different according to the geographical origin. Females from Tunisia can be distinguished by their bimodal pattern of activity, while the strain from France exhibited an unimodal pattern. F1 hybrids from the two reciprocal crosses are similar to the mean parental curve. This suggests a biparental transmission of the trait.

Les analyses de ces rythmes ont été réalisées en l'absence d'hôtes de façon à éviter les interactions entre les deux espèces. Il apparaît que selon le type d'hôtes potentiels, hôtes mobiles présentant eux-mêmes un rythme d'activité ou hôtes immobiles (œufs ou pupes), la phase d'activité du parasitoïde semble plus restreinte lorsque son hôte est capable de manifester lui-même un rythme d'activité.

La corrélation entre les rythmes d'activité locomotrice et d'infestation a pu être montrée chez les deux espèces de *Leptopilina* (résultats non publiés). La différence entre profils selon le sexe confirme cette relation car chez ces Hyménoptères, les mâles ne sont pas attirés par les hôtes mais uniquement par les sites d'émergence où ils recherchent les femelles pour les féconder (Hirose & Vinson, 1988). Chez les parasites d'hôtes immobiles, l'activité est forte pendant toute la photophase, sans qu'il y ait de pic marqué. L'explication la plus probable est que la disponibilité des hôtes n'a pas constitué un facteur sélectif sur le maximum d'activité comme cela a dû être le cas chez des espèces parasitant des hôtes dont la disponibilité est elle-même cyclique.

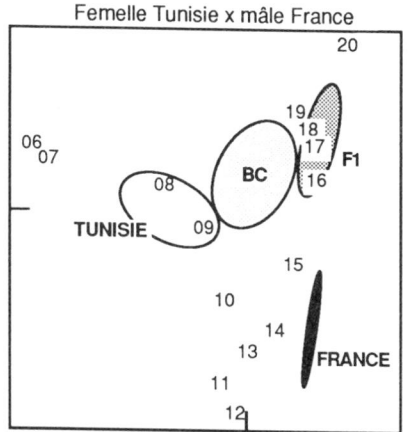 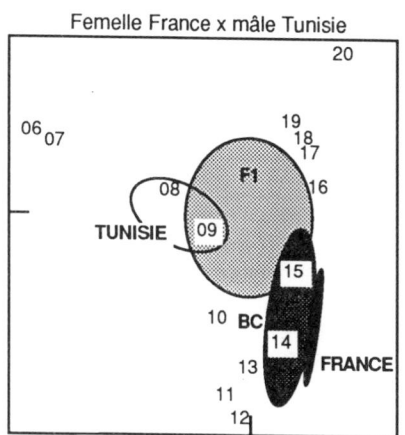

Figure 6.- *Croisements entre les souches française et tunisienne de L. heterotoma. Etude des profils par une analyse multivariée (analyse factorielle des correspondances).* L'analyse des correspondances permet de quantifier les rythmes d'activité en tenant compte de la forme du profil. Chaque individu est mesuré par deux variables qui définissent sa position dans un plan factoriel où les heures du nycthémère sont aussi représentées. Plus les individus ont un profil différent, plus ils seront éloignés sur la carte factorielle. Chaque groupe d'individus peut être représenté par une ellipse dont la taille est représentative de sa variabilité (intervalle de confiance de la distribution des moyennes).

Appliquée aux croisements réalisés sur *L. heterotoma,* cette analyse montre la différence significative qui existe entre les souches française et tunisienne de cette espèce ainsi que la position intermédiaire des deux hybrides significativement différents des deux souches parentales. Croisés avec un mâle de même origine que leur père (back-cross: BC), les hybrides F1 produisent des descendants dont le profil d'activité confirme le déterminisme génétique et la transmission biparentale de ce caractère. Le niveau de gris de chaque ellipse représente la part de génome d'origine française contenu dans chaque individu.

Figure 6.- *The evaluation of activity patterns by multivariate analysis (reciprocal averaging) in crosses between French and Tunisian strains of* Leptopilina heterotoma. This analysis quantifies activity rhythms according to the shape of the pattern. Each individual is characterized by two variables defining its position in a factorial chart where hours of the day are indicated. In this representation, the greater the difference in activity pattern between individuals, the further they are separated on the chart. Each group is represented as an ellipse where size represents variability (95% confidence interval of the distribution of the means).

When this analysis is applied to the crosses performed on *L. heterotoma,* significant differences are evident between the French and the Tunisian strains. The intermediate position of the two hybrids is significantly different from the two parental strains. F1 hybrid females back-crossed with males of the same origin as its father, produce offspring (BC) with an intermediate activity pattern suggesting a biparental transmission of this trait. The grey level of each ellipse shows the French genome proportion in each individual.

La différence de profils entre les deux populations de *L. heterotoma* étudiées semble être liée à l'origine géographique car elle a été confirmée sur plusieurs autres popu-lations provenant des mêmes régions. Ces différences ne paraissent pas dépendre de la spécificité parasitaire car ces deux populations se développent dans les mêmes espèces de drosophiles. Il paraît plus probable qu'elles soient la conséquence de phénomènes de compétition pour le partage des hôtes. En effet, chacune de ces populations est en contact avec des espèces compétitrices différentes : *A. tabida* en France (Lyon) et *L. boulardi* en Tunisie. Cette hypothèse est renforcée par l'absence de différence entre les mâles, lesquels ne participent pas à l'infestation. L'intérêt des rythmes circadiens pour le partage temporel des ressources et pour limiter les compétitions a déjà été souligné par Daan (1984).

Cette différence entre populations a permis d'aborder le déterminisme génétique du rythme d'activité et de montrer une transmission de type biparental avec sans doute un déterminisme polygénique, compte tenu de l'assez forte variabilité chez les différents types de descendants. Ce type de déterminisme pour un phénomène aussi complexe qu'un profil circadien sélectionné pour sa phase a été observé chez la drosophile (Allemand, 1991).

L'ensemble de ces résultats montre que les rythmes circadiens présentent une grande diversité et constituent un aspect important des relations hôtes-parasitoïdes. Cette dimension temporelle fait partie intégrante des stratégies d'infestation et peut favoriser le partage des ressources entre espèces infestant des hôtes ayant des exigences écologiques semblables, par la création de refuges temporels (Rosenheim, 1989 ; Fleury et al., 1991). Ces rythmes méritent également d'être considérés dans le cas de l'utilisation de certains de ces Hyménoptères comme auxiliaires des cultures.

REFERENCES

Allemand R., Chromosomal analysis of the circadian oviposition behavior in selected lines of Drosophila melanogaster, Dros. Inf. Serv., 1991, **70** : 23-24.

Allemand R., Fouillet P. & David J.R., Variabilité génétique du rythme circadien de ponte dans les populations naturelles de Drosophila melanogaster, Genet., Sel., Evol., 1984, **16** : 27-44.

Alphen J.J. van & Vet L.E.M., An evolutionary approach to host finding and selection. Insect parasitoids, 1986, J. Waage & D. Greathead eds, Academic Press, London, 23-61.

Daan S., Adaptative daily strategies in behavior. Handbook of neurobiology. 4. Biological rhythms, 1984, J. Aschoff ed., Plenum Press, New York, 275-298.

Fleury F., Pompanon F., Mimouni F., Chassain C., Fouillet P., Allemand R. & Boulétreau M., Daily rhythmicity of locomotor activity in adult Hymenopteran parasitoids, Redia, 1991, **74** : 287-293.

Hirose Y. & Vinson S.B., Protandry in the parasitoid Cardiochiles nigriceps, as related to its mating system, Ecol. Res., 1988, **3** : 217-226.

Idoine K. & Ferro D.N., Diurnal timing of ovipositional activities of Edovum puttleri (Hym. Eulophidae), an egg parasitoid of Leptinotarsa decemlineata (Col. Chrysomelidae). Environ. Entomol., 1990, **19** : 104-107.

Rosenheim J.A., Behaviorally mediated spatial and temporal refuges from a cleptoparasite Argochrysis armilla (Hym. Chrysididae) attacking a ground-nesting wasp Ammophila dysmica (Hym. Sphecidae), Behav. Ecol. Sociobiol., 1989, **25** : 335-348.

Saunders D.S., Insect clocks, 1982, Pergamon Press, Oxford, 409 p.

Swift D.R., Activity cycles in the brown trout (Salmo trutta). II. Fish artificially fed, J. Fish Res. Board Canada, 1964, **21** : 133-138.

Sokolowe P.G. & Buschell B., The chi square periodogram : its utility for analysis of circadian rhythm, J. theor. Biol., 1978, **72** : 131-160.

Théron A., Combes C., Imbert-Establet D., Jourdane J., Fournier A. & Mone H., Connaissances actuelles en biologie des populations de schistosomes. 1986, Coll. nation. C.N.R.S. "Biologie des Populations", Lyon, 34-39.

Vinson S.B., Parasitoid-host relationship. Chemical ecology of insects, 1984, W.J. Bell & R.T. Cardé eds, Chapman & Hall, 205-233.

Walter G.H., Activity pattern and egg production in Coccophagus bartletti, an Aphelinid parasitoid of scale insects. Ecol. Entomol., 1988, **13** : 95-105.

PHOTOTAXIE ET RYTHMES D'ACTIVITE AU COURS DU DEVELOPPEMENT POSTEMBRYONNAIRE D'*ISCHNOTHELE GUYANENSIS* (ARANEAE, MYGALOMORPHAE, DIPLURIDAE).

PHOTOTAXIS AND ACTIVITY RHYTHMS DURING POSTEMBRYONIC DEVELOPMENT OF *ISCHNOTHELE GUYANENSIS* (ARANEAE, MYGALOMORPHAE, DIPLURIDAE).

P. MARECHAL

Museum National d'Histoire Naturelle
Laboratoire de Zoologie (Arthropodes)
61, rue de Buffon
75231 PARIS CEDEX 05

Résumé.

L'évolution des rythmes circadiens d'activité au cours du développement postembryonnaire d'*Ischnothele guyanensis* est étudié par deux approches différentes et complémentaires:

-L'observation de la phototaxie qui est positive durant les premiers stades, et s'inverse au cours des St7 et 8 pour devenir strictement négative à partir du St9.

-L'étude de l'activité nycthémérale au laboratoire et sur le terrain qui semble arythmique dans les premiers stades pour évoluer progressivement vers un rythme circadien d'activité nocturne chez l'adulte.

Summary.

Only a few studies have been carried out on activity rhythms of Arachnids during their development. The present work provides new data on this subject through a study of phototaxis and circadian activity during the postembryonic development of *Ischnothele guyanensis,* a neotropical diplurid spider.

From emergence (at the 3rd instar = first autonomous instar) until the 6th instar, *I.g.* spiderlings show a positive phototaxis increasing between 50 and 1500 Lux. This phototactic behaviour is disturbed at the 7th and 8th instars. The still positive phototaxis of 7th instar animals is reversed for St8, and decreases regularly between 50 and 300 Lux for St9. The phototactic behaviour of adult females (11th instar) is strictly negative at 50 Lux and beyond.

Mygalomorphs are often considered to be nocturnal spiders which avoid light at all times during their life . A brief positive phototactic period may exist for some species when juveniles disperse. But *I.g.* is the only mygalomorph spider known at present for which a positive phototactic behaviour lasts for at least 4 complete instars. This might suggest a diurnal activity during this period and a late rhythm reversal. But the observations of *I.g.* behaviour show a more complex phenomenon : during the early instars the activity seems arhythmic (or the activity rhythm is most probably ultradian) and a circadian night activity pattern progressively takes place in adults. These results might explain the wide distribution of *Ischnothele guyanensis* which is found in most parts of the Amazonian basin, from Peru to French Guyana, as well as in Panama where it occupies open areas generally avoided by other mygalomorph spiders.

1. Introduction.

Depuis quelques années, les rythmes d'activité des Araignées ont suscité de nombreux travaux traitant essentiellement des adultes (BÜCHLI 1961, 1965, 1969; CLOUDSLEY-THOMPSON 1967; CLOUDSLEY-THOMPSON et CONSTANTINOU 1985; CAPOCASALE 1972; MINCH 1978). Parmi les quelques études chronobiologiques réalisées au cours du développement postembryonnaire (BÜCHLI 1970; LIVECCHI 1978; RAMOUSSE 1988), seul BÜCHLI (1970) donne quelques indications fragmentaires sur l'activité circadienne de jeunes Mygales.

Le présent travail sur *Ischnothele guyanensis* apporte de nouvelles données dans ce domaine à travers l'étude de la phototaxie et de l'activité circadienne de cette dipluride néotropicale. L'étude, entreprise au laboratoire et sur le terrain, porte sur l'ensemble de la vie postembryonnaire de l'espèce, de la sortie du cocon jusqu'à l'âge adulte.

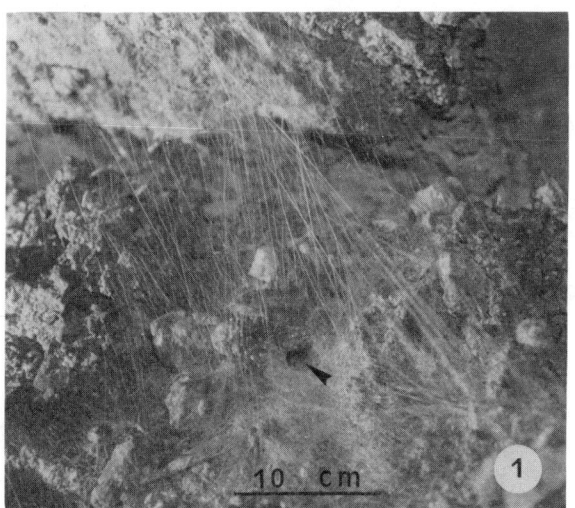 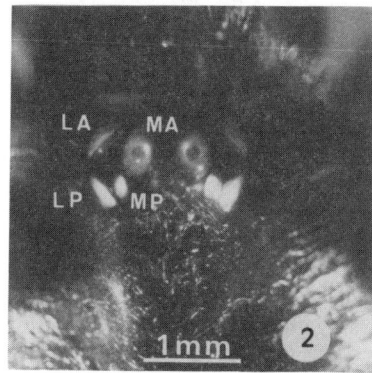

Fig. 1 : Toile d'*Ischnothele guyanensis.* Cette toile étendue, composée d'une ou plusieurs nappes stratifiées, est munie d'un tube simple ou ramifié (➤).
The web of Ischnothele guyanensis is a classical "funnel-sheet" web. Sheet and funnel can be simple or multiple.

Fig. 2 : L'aire oculaire d'*Ischnothele guyanensis* est constituée d'un promontoire portant 4 paires d'yeux : yeux médians antérieurs à rétine directe (MA), et yeux médians postérieurs (MP), yeux latéraux antérieurs (LA), yeux latéraux postérieurs (LP), à rétine indirecte.
Ischnothele guyanensis has 4 pairs of eyes located on a small tubercle. The anterior median eyes (MA) possess a direct retina, other eyes (posterior median, MP; anterior lateral, LA; posterior lateral, LP) have indirect retinas.

2. Matériel et méthode.

2.1. Elevage.

Ischnothele guyanensis est une petite mygale sédentaire, de la famille des Dipluridae, courante dans le bassin amazonien où elle construit, dans les couches inférieures de la végétation, une toile étendue composée d'une ou plusieurs nappes stratifiées (fig.1), et munie d'un tube simple ou ramifié. Cette espèce semble affectionner tout particulièrement les endroits dégagés et ensoleillés tels que rives de lacs, bords de rivières ou de routes (Obs. pers.). Comme la plupart des Araignées, *I.g.* possède 4 paires d'yeux simples situés sur un promontoire dans la partie antéro-médiane du céphalothorax (fig.2). La souche étudiée provient des abords de Roura, en Guyane française (Route de Kaw, pk 30, 4°33'50" N, 52°11'10" O).

Les individus sont isolés dans des boîtes Lab1 (H=47mm, L=60mm, l=45mm), Lab2 (H=47mm, L=90mm, l=60mm) ou Lab3 (H=47mm, L=120mm, l=90mm) suivant leur stade de développement, et maintenus en élevage dans une étuve à 26°C (±1°C) et en cycle LD 12:12 (L=800 Lux). Ils sont nourris une fois par semaine à l'aide de jeunes grillons ou de drosophiles pour les plus jeunes d'entre eux.

2.2. Etude de la phototaxie.

Le dispositif expérimental est directement inspiré du tube, en partie masqué, dispositif utilisé par SCHLOTT (1931) pour ses travaux sur *Agelena labyrinthica*. Ici, le tube a été remplacé par une boîte Lab5 (H=100m, L=235mm, l=178mm) à fond de plâtre humide et obscurcie par du papier noir. Une languette de ce même papier permet de diviser l'intérieur de la boîte en laissant un espace de 1,5cm de hauteur au sol pour la libre circulation des animaux. Les éclairements sont réalisés en chambre noire à l'aide de fibres optiques. Les intensités lumineuses sont mesurées à l'aide d'un luxmètre CdA équipé d'une cellule CdA 814C. L'un des compartiments est toujours éclairé à 10 Lux, l'autre reçoit successivement des intensités d'éclairement variant de 15 à 1500 Lux.

Les individus sont déposés, isolément ou par groupe de 10 (suivant leur stade de développement), au centre de l'enceinte expérimentale et à la limite des deux compartiments. Au bout d'une heure, le côté choisi pour l'installation de la toile est noté avant de remplacer chaque animal, ou chaque groupe.

Pour les stades 3 à 5, 4 lots de 10 individus ont été utilisés pour chaque intensité lumineuse. A partir du 6e stade, chaque point de la courbe représente 15 observations réalisées à l'aide de 5 individus testés chacun à 3 reprises.

Des essais préliminaires n'ont pu mettre en évidence de différences significatives dans le comportement phototaxique d'*I.g.* au cours du nycthémère. La phototaxie a donc été testée de jour, entre 9h00 et 19h00, sans adaptation préalable à la lumière ou à l'obscurité. Pour chaque intensité lumineuse, les données collectées sont traduites en pourcentages d'individus ayant choisi le côté le plus éclairé. Au-delà de 50%, la phototaxie est considérée comme positive, en deçà comme négative.

2.3. Rythmes d'activité.

I.g. étant une Araignée sédentaire à faible activité locomotrice, les enregistrements automatisés n'ont pu aboutir à des résultats exploitables. Chaque individu est donc étudié directement dans sa boîte d'élevage, placée en chambre noire en cycle LD 12:12 (L=800 Lux) durant 24h. L'observation continue ou à intervalles réguliers d'un quart d'heure ou d'une demi-heure ne donne pas de résultats significativement différents. Les observations ont donc été réalisées toutes les demi-heures en notant la position de chaque Araignée dans sa toile : dans son tube (repos

111

supposé), à l'affût à l'entrée de son tube, sur la nappe (à l'affût ou tissant). Cette méthode a été utilisée tant au laboratoire que sur le terrain.

3. RESULTATS.

3.1. Phototaxie.

Au stade 3, qui correspond au premier stade hors du cocon chez cette espèce, et jusqu'au 6e stade de développement, les jeunes *I.g.* montrent une phototaxie positive croissante entre 50 et 1500 Lux (fig.3a et 3b). Bien que présentant quelques irrégularités entre 50 et 400 Lux, la lumière exerce un effet attractif très net et régulièrement croissant en fonction de l'intensité lumineuse durant les premiers stades de la vie postembryonnaire d'*I.g.*

Aux 7e et 8e stades, le comportement phototaxique est perturbé avec apparition d'irrégularités importantes en fonction de l'éclairement (fig.3c). Encore positive au St7, la phototaxie tend à s'inverser au St8 pour redevenir régulière, mais décroissante entre 50 et 300 Lux au St9.

A l'âge adulte (10e ou 11e stade suivant les individus), le comportement phototaxique est strictement négatif dès 50 Lux pour les femelles, et 80 Lux pour les mâles (fig.3d).

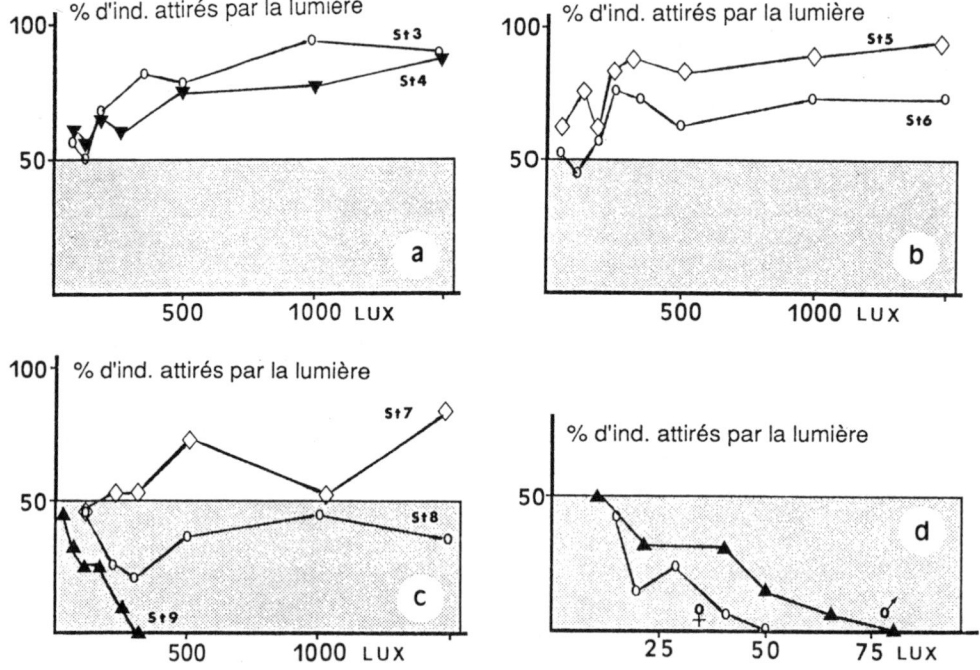

Fig. 3 : Evolution de la phototaxie d'*Ischnothele guyanensis* au cours du développement postembryonnaire. Le comportement phototaxique des 4 premiers stades est très nettement positif chez cette espèce (a,b). Au cours des stades suivants, la phototaxie s'inverse pour devenir strictement négative au St9 (c) et à l'âge adulte (d).
Phototaxis evolution during postembryonic development of Ischnothele guyanensis. For the first 4 instars, the phototaxis of I.g. is positive (a,b). The phototactic behaviour is then reversed during St7 and 8 and is strictly negative from St9 (c) to adult (d).

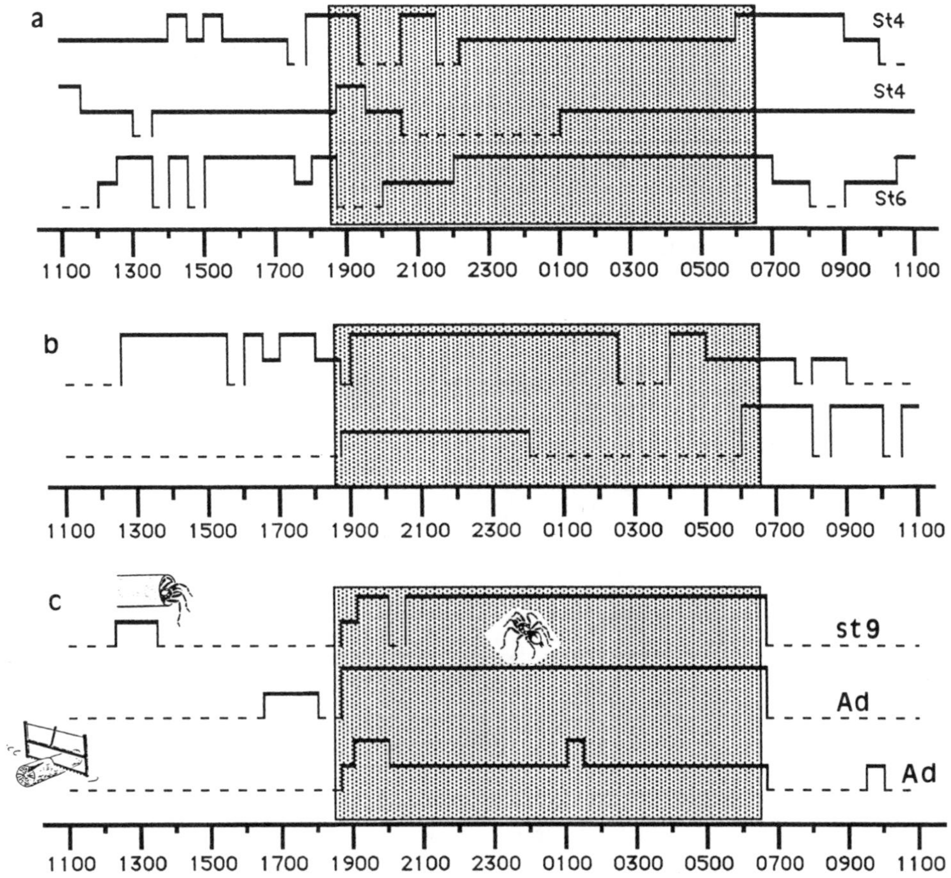

Fig. 4 : Rythmes d'activité au laboratoire. Au cours des premiers stades, l'activité d'*Ischnothele guyanensis* est échelonnée sans rythme apparent tout au long du nycthémère (a) sans préférence particulière pour le jour ou la nuit. Au 8e stade, les jeunes *I.g.* tendent à devenir plutôt nocturnes (b). La rythmicité circadienne de l'activité n'apparaît qu'au St9 et se maintient ensuite jusqu'à l'âge adulte (c).

Activity rhythms in the laboratory. The activity of Ischnothele guyanensis seems arhythmic for the early instars (a) without any preference for night- or daytime. At the 8th instar, the spiderlings become slightly nocturnal (b). From St9 until adult, the activity becomes almost exclusively nocturnal with a circadian rhythmicity (c).

L'Araignée est dans son tube retraite. Repos supposé.
The Spider is in the funnel. Supposed resting behaviour.

L'Araignée est à l'affût à l'entrée du tube.
The Spider is in hunting post at the funnel entrance.

L'Araignée est hors du tube, sur la nappe de toile (affût tissage).
The Spider is on the sheet, hunting or spinning.

113

3.2. Rythmes d'activité au laboratoire.

L'observation de l'activité circadienne d'*I.g.* au laboratoire montre également des changements importants au cours du développement postembryonnaire.

Aux St 4 et 6 (stades à phototaxie positive, fig.3a et 3b), l'activité est échelonnée sans rythme apparent tout au long du nycthémère (fig.4a). Les Araignées sortent aussi bien de jour que de nuit sans préférence particulière pour l'une ou l'autre partie de la journée.

Au 8e stade, alors que la phototaxie est en cours d'inversion (fig.3c), les jeunes *I.g.* tendent à devenir plutôt nocturnes (fig.4b). Cette tendance n'est cependant pas statistiquement significative et la part d'activité diurne reste importante.

Ce n'est qu'à partir du St9 qu'apparaît une rythmicité circadienne nettement décelable chez ces Araignées dont l'activité devient presque exclusivement nocturne (fig.4c). Aucun changement n'intervient par la suite, et les adultes et les individus de St9 ont des comportements similaires (fig.4c).

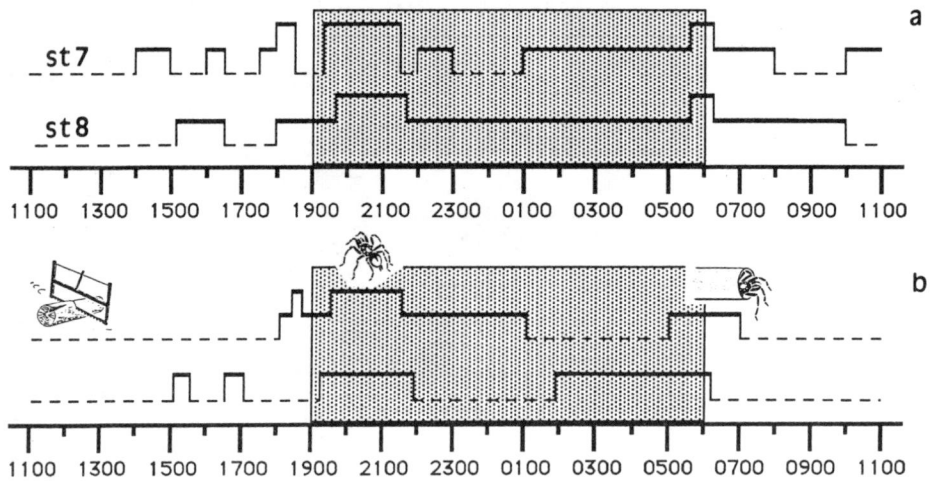

Fig. 5 : Rythmes d'activité sur le terrain. L'activité nycthémérale d'*Ischnothele guyanensis* est semblable à celle enregistrée au laboratoire. Apparemment arythmique aux St7 et 8 (a), l'activité présente une rythmicité circadienne chez l'adulte (b).
Activity rhythms in the field. No differences are seen between laboratory and field activities. St7 and 8 seem arhythmic (a), while adults show circadian rhythmicity in their activity (b).

3.3. Rythmes d'activité sur le terrain.

Au vu de ces premiers résultats, il apparaissait nécessaire de vérifier le comportement d'*I.g.* sur le terrain aux divers stades de sa vie postembryonnaire, et plus particulièrement chez les jeunes. Mais si l'observation d'animaux d'âge déterminé ne pose que peu de problèmes en laboratoire, il n'en va pas de même sur le terrain. Le choix des individus ne pouvait se faire que suivant leur taille, ou l'étendue de leur toile, critères qui se sont révélés peu fiables a posteriori. De fait, seuls un individu de stade 7 et un de stade 8 ont pu être observés, tous les autres s'étant avéré par la suite être des adultes, ou des sub-adultes. Ceci s'explique par la compétition intraspécifique pour la nourriture: la densité de population sur le site étudié dépasse la taille optimale du modèle de BROWN (1982). Ces variations importantes de la taille des adultes en fonction de la disponibilité des proies est déjà connu chez d'autres Araignées (SMITH 1982, 1983; JAKOB et DINGLE 1990).

En dépit de cet aléa, les données collectées sur le terrain sont en tout point comparables à celles obtenues au laboratoire (Fig. 5a et b). Les deux individus de St7 et 8 notamment, présentent des activités circadiennes semblables à celles observées en élevage (fig.5a). L'inversion de la phototaxie, ainsi que les changements dans les rythmes d'activité d'*I.g.* au cours de son développement sont donc bien des phénomènes naturels propres à cette espèce, et non pas des artéfacts de laboratoire.

4. DISCUSSION.

Parmi les Araignées, les Mygalomorphes sont souvent considérés comme nocturnes et fuyant la lumière dès leur plus jeune âge (BÜCHLI 1969; CLOUDSLEY-THOMPSON 1967; MEYER 1928; MINCH 1978), même si une brève période à phototaxie positive peut exister, liée à la dispersion des jeunes chez certaines espèces (MEYER 1928). Les travaux de BÜCHLI (1961, 1965, 1969, 1970), CAPOCASALE (1972), MINCH (1978), CLOUDSLEY-THOMPSON (1967) CLOUDSLEY-THOMPSON et CONSTANTINOU (1985) sur les rythmes d'activité des Mygales confirment cette idée; tout comme les observations de PETRUNKEVITCH (1911) et LEVITT (1961) qui soulignent la difficulté d'observer les accouplements de *Dugesiella hentzi* et d'*Atrax robustus,* perturbés par toute présence de lumière.

I.g. apparaît donc comme une exception, étant la seule Araignée mygalomorphe connue actuellement qui présente un comportement phototaxique positif aussi prolongé au cours du développement. Ceci pourrait suggérer une activité essentiellement diurne durant toute cette période, avec inversion tardive du rythme. Cependant, l'observation du comportement chez *I.g.* montre un phénomène plus complexe, avec une activité semblant arythmique tout au long du nycthémère (ou plus probablement à cycles ultradiens) dans les premiers stades, pour évoluer progressivement vers un rythme circadien d'activité nocturne chez l'adulte. Contrairement au grillon *Grillus bimaculatus,* dont l'activité locomotrice devient brutalement nocturne après la mue imaginale (TOMIOKA et CHIBA, 1982), l'ontogénèse des rythmes chez *I.g.* suivrait plutôt une évolution analogue à celle des écrevisses (FANJUL-MOLES et al., 1987), dont l'amplitude des électrorétinogrammes varie suivant un rythme ultradien chez les jeunes stades, avant d'évoluer vers un rythme circadien à l'âge adulte.

Ces résultats chez *I.g.* pourraient partiellement expliquer la large distribution de cette espèce présente dans une grande partie du bassin amazonien, du Pérou (Obs. pers.) à la Guyane et jusqu'au Panama (WALCKENAER 1837; SIMON 1889; PETRUNKEVITCH 1929) où elle colonise les milieux ouverts et éclairés généralement délaissés par les Mygales. Lors de la dispersion des jeunes au St3, les *I.g.* vont, de par leur phototaxie positive, coloniser les biotopes les plus éclairés et pouvoir remonter le long des larges cours d'eau, ainsi que les pistes et routes construites par l'homme, sans rencontrer d'espèces concurrentes. Cette hypothèse semble bien étayée par la distribution de cette espèce le long de la route de Kaw. Partant du fleuve Mahury, habitat naturel d'*I.g.*, cette Dipluridae a pu être trouvée jusqu'au pk 42, à 12 km du marais de Kaw d'où elle semble absente. Ce pouvoir colonisateur semble facilité par la durée du comportement phototaxique positif qui perdure jusqu'au stade 7. De plus, les stades suivants ne sont pas toujours strictement lucifuges, les adultes pouvant être vus à l'affût de jour avec une intensité lumineuse de 15000 Lux au niveau de la toile. Un accouplement a même été observé à 16h00, avec une luminosité de 13000 Lux.

Ceci ne semble d'ailleurs pas exceptionnel dans le genre *Ischnothele*. PETRUNKEVITCH (1911) a également pu observer *I. digitata* à l'affût dans la journée et précise que cette espèce ne craint pas le soleil tropical à midi. De même *I. campestris* peut être vu à l'entrée de sa toile de jour comme de nuit (VELLARD 1945). Et un certain nombre d'autres *Ischnothele* affectionnent également les milieux ouverts (PICKARD-CAMBRIDGE F. 1896; GERSCHMAN et SCHIAPELLI 1948; COYLE et MEIGS 1990).

D'autres Dipluridae, tel que le genre *Euagrus,* ne sont pas non plus aussi strictes dans leur comportement obscuricole, et capturent des proies aussi bien de jour que de nuit (COYLE, 1986). Il semblerait également que l'activité locomotrice de certaines Theraphosidae soit plus importante durant le jour que la nuit (CLOUDSLEY-THOMPSON, 1981). Le sous-ordre des Mygalomorphes, loin d'être homogène, est donc riche d'une grande variété de comportements et de modes de vie.

Des études comparatives sur l'ontogenèse du système nerveux, et plus particulièrement du système visuel, permettront sans doute d'apporter des précisions sur le mode de fonctionnement de ces Arachnides. Et dans le cas particulier d'*I.g.* les études histophysiologiques en cours apporteront une meilleure compréhension des mécanismes cellulaires impliqués dans l'inversion de la phototaxie et l'établissement des rythmes circadiens d'activité chez cette espèce.

Remerciements.

Je tiens à remercier le Dr J.P. GASC, responsable de l'action spécifique "Guyane" du MNHN, qui m'a permis d'effectuer deux séjours en Guyane. Mes remerciements vont également à ma femme Isabelle dont l'assistance sur le terrain fut précieuse, ainsi qu'au Dr et à Mme C. MARTY pour leur hospitalité chaleureuse en Guyane et l'envoi fréquent de matériel vivant.

Bibliographie

BROWN J.L., Optimal group size in territorial animals. *J. Theor. Biol.,* 1982, 95 : 793-810.

BÜCHLI H.R., Observations préliminaires sur le rythme d'activité et la biologie de *Nemesia caementaria* . *Vie et Milieu,* 1961, 12(2) : 297-304.

BÜCHLI H.R., Notes préliminaires concernant le comportement de chasse et le rythme d'activité de la Mygale maçonne *Nemesia caementaria* . *Rev. Ecol. Biol. Sol*, 1965, 2 : 403-438.

BÜCHLI H.R., Hunting behaviour in the Ctenizidae. *Amer. Zool.,* 1969, 9 : 175-193.

BÜCHLI H.R., Notes sur le cycle de reproduction, la ponte et le développement de *Nemesia caementaria* Latr. (Ctenizidae, Mygalomorphae). *Rev. Ecol. Biol. Sol*, 1970, 7 : 95-143.

CAPOCASALE R., Observaciones Eco-Etologicas sobre *Idiops clarus* (Mello-Leitão) (Araneae, Ctenizidae). *Comunicaciones Zool. Mus. Hist. Nat. Montevideo,* 1972, 10 : 1-9.

CLOUDSLEY-THOMPSON J.L., The water-relations of Scorpions and Tarantulas from the Sonoran Desert. *Entomologist's Mon. Mag.,* 1967, 103 : 217-220.

CLOUDSLEY-THOMPSON J.L., A comparison of rhythmic locomotory activity in tropical forest Arthropoda with that in desert species. *J. Arid Environ.,* 1981, 4 : 327-334.

CLOUDSLEY-THOMPSON J.L., CONSTANTINOU C., Diurnal rhythm of activity in the arboreal Tarantula *Avicularia avicularia* (L.) (Mygalomorphae : Theraphosidae). *J. Interdiscipl. Cycle Res.,* 1985, 16(2) : 113-116.

COYLE F.A., The role of silk in prey capture by Nonaraneomorph Spiders. In "*Spiders, Webs, Behavior, and Evolution,* W.A. SHEAR Ed., Stanford University Press, Stanford, California, 1986, pp. 267-305.

COYLE F.A., MEIGS T.E., Two new species of *Ischnothele* Funnelweb Spiders (Araneae, Mygalomorphae, Dipluridae) from Jamaïca. *J. Arachnol.,* 1990, 18 : 95-111.

FANJUL-MOLES M.L., MORENO-SAENZ E., VILLALOBOS-HIRIART N., FUENTES-PARDO B., ERG circadian rhythm in the course of ontogeny in crayfish. *Comp. Biochem. Physiol. A,* 1987, 88(4) : 213-219.

GERSCHMAN de PIKELIN B.S., SCHIAPELLI R.D., Arañas argentinas. II. *Comun. Mus. Argent. Cienc. Nat. Bernardino Rivadavia (Zool.),* 1948, 4 : 1-20.

JAKOB E.M., DINGLE H., Food level and life history characteristics in a pholcid spider (*Holocnemus pluchei*). *Psyche,* 1990, 97 : 95-110.

LEVITT V., The funnel-web spider in captivity. *Proc. R. Zool. Soc. N. S. W.,* 1961, 1958-59 : 80-84.

LIVECCHI G., Ontogenèse du rythme du comportement constructeur chez deux espèces d'Araignées (*Araneus diadematus; Zygiella x-notata*). *Thèse 3e cycle,* 1978, Université Claude Bernard, Lyon, pp. 1-56.

MEYER E., Neue sinnesbiologisch Beobachtungen an Spinnen. *Zeit. Morphol. Ökol. Tiere,* 1928, 12 : 1-69.

MINCH E.W., Daily activity patterns in the Tarantula *Aphonopelma chalcodes* Chamberlin. *Bull. Br. Arachnol. Soc.,* 1978, 4 : 231-237.

PETRUNKEVITCH A., Sense of sight, courtship and mating in *Dugesiella hentzi* (Girard), a Theraphosid Spider from Texas. *Zool. Jahrb., Syst.,* 1911, 31 : 355-371.

PETRUNKEVITCH A., The Spider fauna of Panama and its central american affiliation. *Am. Zool.,* 1929, 63 : 455-469.

PICKARD-CAMBRIDGE F.O., On the Theraphosidae of the lower Amazons : Being an account of the new Genera and species of this group of Spiders discovered during the expedition of the steamship "Faraday" up the river Amazon. *Proc. Zool. Soc. Lond.,* 1896, pp. 716-766.

RAMOUSSE R., Genèse et régulation du comportement constructeur chez quelques Araignées orbitèles : de la vie de groupe à la toile individuelle. *Thèse d'état,* 1988, Université Claude Bernard, Lyon, pp. 1-228.

SCHLOTT M., Biologische Studien an *Agelena labyrinthica* Cl. *Zeit. Morphol. Ôkol. Tiere,* 1931, 24(1) : 1-77.

SIMON E., Arachnides. in "Voyages de Mr. E. Simon au Venezuela (Décembre 1887-avril 1888). 4e mémoire. *Ann. Soc. Ent. Fr.,* 1889, 9(6) : 169-220.

SMITH D.R., Reproductive success of solitary and communal *Philoponella oweni* (Araneae : Uloboridae). *Behav. Ecol. Sociobiol.,* 1982, 11 : 149-154.

SMITH D.R., Ecological costs and benefits of communal behavior in a presocial Spider. *Behav. Ecol. Sociobiol.,* 1983, 13 : 107-114.

TOMIOKA K., CHIBA Y., Post-embryonic development of circadian rhythm in the crickett, *Gryllus bimaculatus* : a rhythm reversal. *J. Comp. Physiol. A,* 1982, 147 : 299-304.

VELLARD J., Arañas sudamericanas coleccionadas por el Doctor J. Vellard. II. Observaciones biologicas. *Acta Zool. Lilloana,* 1945, III : 195-213.

WALCKENAER C.A., Histoire naturelle des Insectes. Aptères. Tome I. Paris, 1837, pp. 1-682.

ETUDES PRELIMINAIRES DE FACTEURS SUSCEPTIBLES D'ETRE IMPLIQUES DANS L'INDUCTION DE LA DIAPAUSE PROLONGEE CHEZ *MEGASTIGMUS SPERMOTROPHUS* WACHTL (HYMENOPTERE TORYMIDAE) CHALCIDIEN SEMINIPHAGE SPECIFIQUE DU DOUGLAS.

PRELIMINARY STUDIES OF SOME FACTORS POSSIBLY INVOLVED IN PROLONGED DIAPAUSE INDUCTION IN THE DOUGLAS-FIR SEED CHALCID, *MEGASTIGMUS SPERMOTROPHUS* WACHTL (HYMENOPTERE TORYMIDAE).

G. Roux et A. Roques

INRA-CRF
Zoologie Forestière
Ardon 45160 Olivet

RESUME :

La diapause prolongée (capacité de prolonger la diapause hivernale pendant plusieurs années - jusqu'à cinq ans pour *Megastigmus spermotrophus* -) est une caractéristique temporelle originale des insectes des cônes et graines, soumis aux fluctuations annuelles acycliques des populations de leurs hôtes. L'origine de ce phénomène adaptatif a été clairement démontrée. Le pourcentage d'entrée en diapause prolongée est inversement relié aux variations annuelles de la production de cônes (graines). Les expériences préliminaires nous conduisent à supposer un effet de l'arbre sur l'induction de la diapause prolongée au travers de la nutrition larvaire, le contenu nutritif des graines étant susceptible de varier suivant l'importance de la production de cônes. Cependant, un certain nombre d'individus émergent tous les ans, et ceci quelle que soit l'abondance des cônes. Des expérimentations en laboratoire et en verger ont été réalisées afin d'évaluer une influence possible du génotype de l'insecte et/ou de l'histoire des individus parents vis-à-vis de la diapause. L'aptitude à prolonger la diapause hivernale semble reliée à la fécondation. En effet, les femelles vierges produisent seulement des mâles tous non diapausants (parthénogénèse arrhénotoque). Par contre, la descendance d'une femelle fécondée est composée conjointement d'individus (mâles et/ou femelles) diapausants et/ou non diapausants. Ces résultats démontrent l'existence d'un effet parental, un mode endogène de régulation tendant à inhiber la diapause prolongée chez les descendants de couples diapausants et inversement. Des analyses électrophorétiques ont été réalisées à partir de larves et d'adultes. Aucune différence n'a été relevée entre les insectes diapausants et non diapausants pour les deux systèmes enzymatiques étudiés (estérases et malate déshydrogénase). Ces résultats ne sont que préliminaires, mais ils démontrent la complexité et la diversité des facteurs impliqués : variation d'abondance des hôtes et histoire de l'insecte.

Mots Clés : *Megastigmus spermotrophus*, *Pseudotsuga menziesii*, graine, insecte ravageur, diapause prolongée, influence parentale, polymorphisme génétique.

ABSTRACT :

Prolonged diapause is a characteristic pattern of population dynamics in most cone-specific insects, a negative relationship being established in several species between the annual rate of change in cone/seed crop of the host tree population and the percent of insects entering prolonged diapause. Laboratory and field experiments have been performed on the Douglas-fir seed chalcid to test some factors susceptible to be involved in the induction of prolonged diapause. The history of insect parents with regard to prolonged diapause appeared to influence that of the offspring. Non-fecundated females (arrhenotokous parthenogenesis) only produced non-diapausing males independantly of the prolonged diapause history of the mother. By contrast, fecundated females produced a mixture of diapausing and non-diapausing insects, the ratio varying with individual females. In this case, we showed a parental effect, parents exiting from prolonged diapause tending to produce a significantly higher proportion of non-diapausing insects and conversely. Electrophoretic analyses have been also conducted on mature larvaeand adults for a limited number of isozym systems to examine possible differences in genotype of diapausing and non-diapausing insects. No difference were noticed in both larvae and adults. These preliminary results show that many factors related to insect history as well as to host tree crop are interactingin the global complexity of the phenomenon of prolonged diapause.

Key Words : *Megastigmus spermotrophus*, *Pseudotsuga menziesii*, seed, insect pest, prolonged diapause, parental effect, genetic polymorphism.

1 - INTRODUCTION

Un des caractères originaux des insectes inféodés aux cônes et graines de Conifères réside dans leur soumission aux fluctuations annuelles acycliques des populations de leurs hôtes. Ces essences alternent le plus souvent des années de bonne fructification avec des années où la production de cônes est très faible, voir nulle. Ces variations de fructification ont un impact d'autant plus important que le degré de spécialisation des insectes est élevé. Un mécanisme physiologique particulier a été découvert chez la majorité des espèces phytophages se développant obligatoirement dans les cônes. Au minimum 23 des 40 espèces européennes (ROQUES 1988) présentent la capacité de prolonger leur diapause hivernale, pendant une durée pouvant atteindre sept ans chez certaines espèces (ANNILA 1982). Ce phénomène original est appelé "diapause prolongée" par opposition à la diapause classique estivale ou hivernale.

Le modèle choisi pour cette étude, *Megastigmus spermotrophus*, présente plusieurs intérêts : son inféodation stricte aux cônes de Douglas, le déroulement exclusif de son développement dans une seule et même graine et l'absence quasi totale d'auxiliaires naturels. Ces caractéristiques, alliées aux destructions massives de graines génétiquement améliorées que cet insecte provoque dans les vergers à graines, en font un modèle d'étude intéressant sur un plan théorique et pratique.

Des travaux préalables ont démontré une relation statistique négative entre les variations d'abondance de l'hôte d'une année sur l'autre et le pourcentage de larves entrant en diapause prolongée une année donnée chez plusieurs espèces (*Megastigmus spermotrophus* Wachtl ; *Strobilomyia melania* Ackland, la mouche du Mélèze ; ROQUES 1988) (Figure 1).

Figure 1 : DYNAMIQUE COMPAREE DES TAUX ANNUELS DE DIAPAUSE PROLONGEE DES LARVES DE *MEGASTIGMUS SPERMOTROPHUS* **ET DU RAPPORT DE PRODUCTION DE CONES D'UNE ANNEE SUR L'AUTRE, DANS LE VERGER A GRAINE DE DOUGLAS A LAVERCANTIERE, DE 1985 A 1990.**

Figure 1 : YEARLY RATE OF PROLONGED DIAPAUSE IN *MEGASTIGMUS SPERMOTROPHUS* **LARVAE COMPARED TO THE ANNUAL RATE OF CHANGE OF CONE CROP FROM THE CURRENT YEAR TO THE NEXT AT LAVERCANTIERE DOUGLAS FIR SEED ORCHARD FROM 1985 TO 1990.**

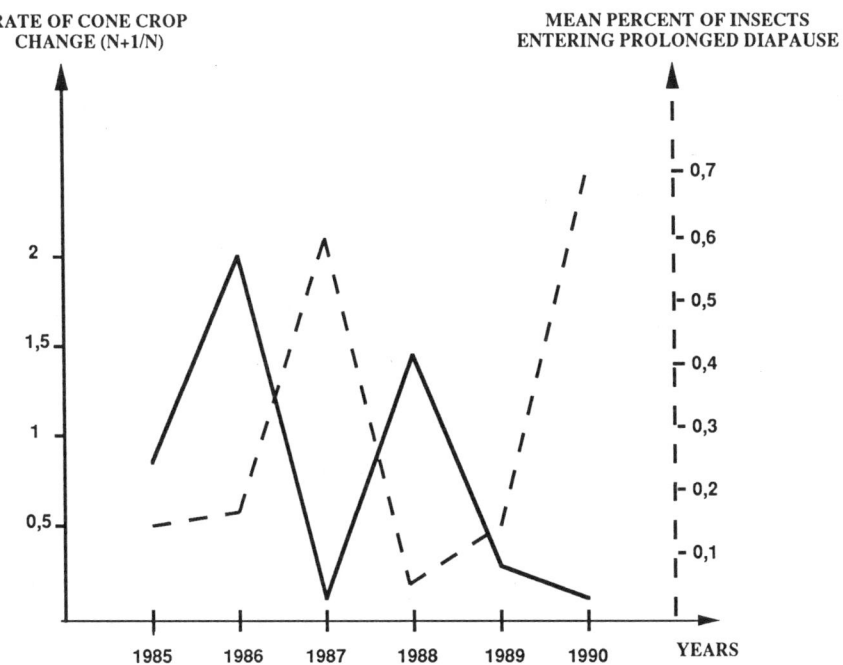

La diapause prolongée permettrait donc un ajustement entre le rythme d'apparition de l'insecte et le rythme d'apparition de l'hôte, qui dans la plupart des cas est un hôte unique. Cependant, chaque année, une fraction de la population se comporte indépendament des variations de production de cônes. De même, il existe une hétérogénéité importante intra-arbre et intra-cône, les deux types de larves, avec et sans diapause, pouvant y être observées.

ROQUES (1988) a avancé certaines hypothèses afin d'expliquer ces observations. Une action coïncidente de facteurs climatiques susceptibles d'induire des effets inverses sur l'induction de la diapause prolongée et l'initiation de la future fructification, a été envisagée chez *S. melania*, mais exclue chez *M. spermotrophus*. En effet, la différenciation des bourgeons floraux femelles est achevée avant le développement de la larve de cette dernière espèce dans la graine. Une combinaison possible des trois facteurs suivants a été envisagée : 1/ un effet de l'arbre via certains composés ingérés par la larve lors de son développement dans la graine, composés susceptibles de varier quantitativement et/ou qualitativement selon l'importance de la fructification de l'année en cours ; 2/ un effet parental, l'histoire des parents vis-à vis de la DP étant susceptible d'influencer celle de la descendance ; 3/ un effet du génotype, qui impliquerait deux lignées différentes avec et sans diapause prolongée. Dans cette étude, nous présenterons les résultats d'analyses préliminaires concernant les deux dernières hypothèses.

2 - MATERIELS ET METHODES

Afin de garantir une certaine homogénéité du matériel animal, environ 2000 graines parasitées par des larves de *Megastigmus spermotrophus* ont été collectées chaque année, de 1986 à 1989, dans un même verger à graines de Douglas. Ce verger de clones, situé à Lavercantière (46), est isolé dans une zone où ne poussent que 500 Douglas (dont environ 100 fructifères au maximum par an) sur un rayon de 50 km. Les populations d'insectes sont donc plus ou moins autarciques. Les graines collectées sont radiographiées afin de différencier les graines pleines, vides et parasitées (ROQUES 1981). Les graines infestées sont placées à hiverner en conditions extérieures sous abri. Depuis 1988 nous avons pu ainsi obtenir des insectes adultes mâles et femelles émergeant l'année suivant la ponte (DP=0), 2 ans après la ponte (DP=1), et 3 ans après la ponte (DP=2).

2.1 - ETUDE PARENTALE :
Deux expériences ont été mises en place dans le verger d'expérimentation de l'INRA d'Orléans, l'une préliminaire en 1988, l'autre en 1990, aucune fructification n'ayant été observée en 1989. La même procédure a été utilisée dans les deux expériences. Les cônes de Douglas ont été ensachés dans des bonnettes de gaze dés le début de leur développement, afin d'éviter toute attaque parasite de *Megastigmus* antérieure à l'expérience. Les insectes émergents ont été nourris avec de l'eau miellée, puis ensuite introduits dans les bonnettes. Le tableau 1 présente les différentes combinaisons de croisements testées. *Megastigmus spermotrophus* étant capable de parthénogénèse arrhénotoque (HUSSEY 1955), des femelles fécondées et non fécondées ont été testées séparément.

PARENTS	GENERATIONS	ARBRES	BONNETTES PAR ARBRE
1ère expérience (1988-1989)			
DIAPAUSANT	1986	1	18
NON-DIAPAUSANT	1987	1	8
2ème expérience (1990-1991)			
DIAPAUSANT	1987	9	2
DIAPAUSANT	1988	9	2
NON-DIAPAUSANT	1989	9	2
DIAPAUSANT X DIAPAUSANT	1988 x 1988	9	2
NON-DIAPAUSANT X NON DIAPAUSANT	1989 x 1989	9	2
NON-DIAPAUSANT X DIAPAUSANT	1989 x 1988	9	2
DIAPAUSANT X NON-DIAPAUSANT	1988 x 1989	9	2

Tableau 1 : Expériences de croisements réalisées en 1988-89 et 1990-91 pour tester le comportement vis-à-vis de la DP de la descendance de *M. spermotrophus*, en regard de l'histoire des parents. Les insectes sont de même origine géographique.

Table 1 : Crossing experiences performed in 1988-89 and 1990-91 to test the PD behavior of the offspring of *M. spermotrophus* with respect to the PD habits of parents. Insects originating from the same stand.

L'expérience effectuée en 1988 ne comparait que des femelles non fécondées émergeant avec (DP=1) ou sans DP. En 1990, tous les croisements possibles ont été envisagés, combinant le sexe, la fécondation et la DP. Chaque combinaison a été répétée deux fois sur chacun des arbres (2x7=14 bonnettes) afin de minimiser une influence possible de l'arbre. Les cônes ont été récoltés dés leur maturité, fin août, puis les graines ont été extraites et radiographiées cône par cône, et conservées en conditions extérieures. Au printemps suivant, l'émergence des adultes a été notée, ainsi que leur sexe. Les graines attaquées n'ayant pas donné d'adultes ont été ouvertes afin d'examiner si elles recélaient des larves réellement diapausantes, ou bien des individus, larves ou adultes, morts dans la graine. On a ainsi pu calculer le taux réalisé de DP (au sens de MENU 1992), ainsi que la sex-ratio, en regard de l'histoire des parents.

2.2 - ETUDE GENETIQUE :

L'influence de la variabilité génétique entre individus a été étudiée à partir de techniques électrophorétiques sur gels d'acrylamide. Deux systèmes enzymatiques (Malate DésHydrogénase et Estérases) ont été retenus du fait de leur révélation aisée et des études antérieures dont elles ont été l'objet sur *Megastigmus suspectus* (PINTUREAU et al. 1990).

POPULATION	ESTERASES	M.D.H
LARVES	223	251
ADULTES	143	143

Tableau 2 : Nombre de larves et d'adultes de *M. spermotrophus* analysés par système enzymatique (Estérases et Malate DésHydrogénase - M.D.H).

Table 2 : Number of larva and adults of *M. spermotrophus* tested for isozyms (Esterases and Malate DesHydrogenase - M.D.H).

Les insectes (larves et adultes), tous de même origine géographique (verger à graines d'Ingrannes -45-), ont été analysés individuellement. La distinction entre d'une part les larves mâles et femelles, et d'autre part les larves à émergence immédiate et différée (DP) étant impossible à ce stade, nous avons divisé chaque échantillon de graines parasitées en deux lots égaux. Le développement des insectes appartenant au premier lot a été accéléré en chambre climatisée à 20°C durant le mois de février dans le but d'obtenir des adultes et des larves restant en DP. Leurs zymogrammes ont été comparés à ceux provenant du second lot, comprenant des larves avec ou sans DP. Les adultes ont été congelés dés leur émergence à -35°C. La même procédure d'analyse a ensuite été suivie pour les adultes et les larves. Les individus ont été broyés "in toto" dans un tampon Phosphate (Tris HCL 0.1M; pH=7.4), contenant du saccharose (10%) et du Mercaptoéthanol, puis centrifugés pendant 20 min. à 12000g. 30 µl du surnageant a été déposé dans chacun des puits du gel. L'électrophorèse a été menée sur gel de polyacrylamide 8.5%. Le tampon de migration est du Tris Borate EDTA (ph8.3). Les mêmes conditions ont été appliquées pour les deux systèmes enzymatiques: tension de 250 V pendant 20 mn, puis 450 V pendant 4 H. Chaque gel a été révélé séparément:
- révélation de la Malate Déshydrogénase (incubation 5 heure à 40°C à l'obscurité) dans 8 ml de tampon Tris HCL (0.5 M, pH=7.1), 5 ml d'acide L-Malique, 25 mg de NAD, 15 mg de NBT, 1 mg de PMS et 88 ml H2Od.
- révélation des Estérases dans 100 ml de tampon Tris HCL (0.1 M, pH=7.4), 200 mg de a-naphthyl acétate et 150 mg de b-naphthyl acétate (incubation 4 mn), rinçage des gels, incubation pendant 30 à 40 mn à l'obscurité dans 100 ml de tampon Tris HCL (0.1 M, pH=7.4), puis fixation dans de l'acide acétique dilué à 10%.

3 - RESULTATS ET DISCUSSION

3.1 - ETUDE PARENTALE :

La figure 2 présente le comportement vis-à-vis de la DP de larves issues de femelles non fécondées de 1988 et 1990. La descendance est exclusivement composée de mâles, ne présentant pas de DP, quelle que soit l'histoire de la mère. La population de mâles observée une année donnée parait ainsi constituée de plusieurs cohortes, dont une correspondrait aux mâles obligatoirement non diapausants.

En revanche, une femelle peut, après accouplement, engendrer une descendance mixte, composée d'individus à développement immédiat et/ou différé, quelle que soit l'expérience préalable de la femelle vis-à-vis de la diapause prolongée. Bien que la sex-ratio et le type d'émergence (DP/nonDP) observés dans la descendance varie largement suivant l'individu femelle, le taux de larves entrant en DP est significativement relié à l'histoire de la mère en regard de la DP ($\chi^2=23,6$; $p\leq0.01$). Les larves issues de femelles non diapausantes auraient tendance à entrer en diapause prolongée, avec une proportion plus importantes que celles issues de femelles émergeant après plusieurs année de DP (figure 3). Cependant, le faible nombre d'observations en rapport avec ces résultats ne nous permet pas de conclure véritablement. D'autre part, une expérience complémentaire combinant des mâles et des femelles à émergence immédiate (DP=0) et/ou différée (DP=1,2...) est nécessaire.

Figure 2 - ETUDE PARENTALE : COMPORTEMENT VIS A VIS DE LA DP DE LA DESCENDANCE DE *M. SPERMOTROPHUS* EN REGARD DE L'HISTOIRE DES PARENTS (FEMELLE ; MALE X FEMELLE).
Figure 2 - PARENTAL STUDIE : PD BEHAVIOUR OF THE OFFSPRING OF *M. SPERMOTROPHUS* WITH RESPECT TO THE PD HABITS OF PARENTS (FEMALE ; MALE X FEMALE).

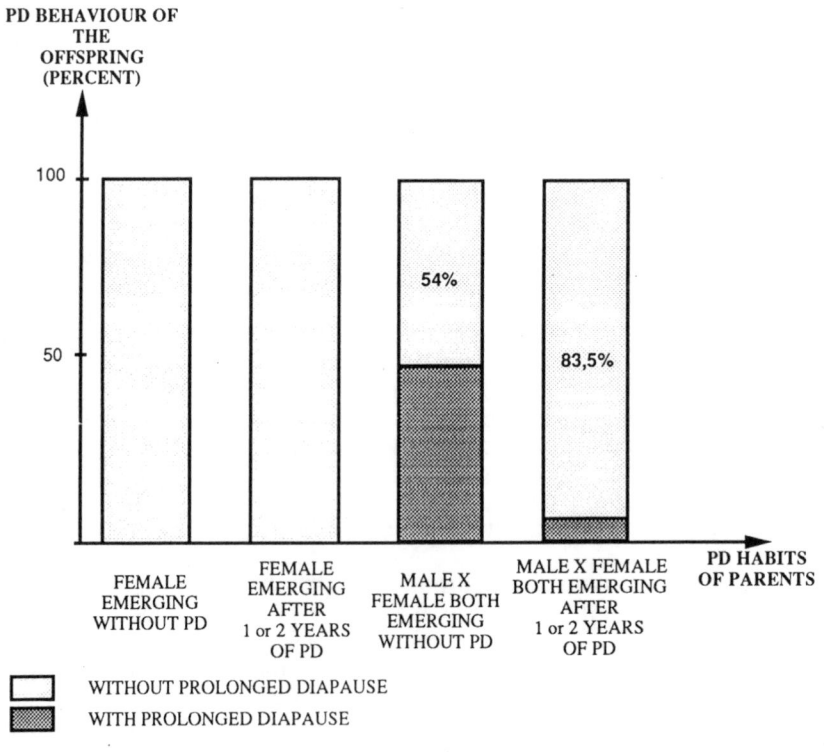

Cette tendance peut être comparée aux fluctuations annuelles de la production de cônes de Douglas, une forte production étant généralement suivie d'une faible production ("feed-back' négatif de MATTSON, 1972). Lorsqu'une forte fructification s'annonce, la tendance générale au niveau du verger est un taux faible de diapause, donc un effectif élevé de la population d'insectes. Celui-ci sera constitué majoritairement d'individus non diapausants qui, si la tendance est vérifiée, produiraient l'année suivante des individus en majorité diapausants, en relation avec la fructification plus faible.

Cependant, et à l'inverse des nombreux travaux portant sur cet aspect dans la diapause classique (RYAN 1965; RING 1968; LANGSTON 1975;SAUNDERS 1987;ROCKEY 1989,...), nous ne disposons que de peu de points de comparaison concernant l'influence parentale sur la DP. GERI et GOUSSARD (1988) ont observé que la diapause prolongée de *Diprion pini* (Hyménoptère Diprionidae) pouvait être en partie liée au passé parental, l'entrée en diapause prolongée devenant un phénomène obligatoire après plusieurs cycles de développement continu. Par contre, aucune influence parentale n'a pu être décelée chez *Barbara colfaxiana* ((Lépidoptère Olethreutidae), insecte Nord-Américain également spécialisé dans les cônes de Douglas et présentant aussi une DP (HEDLIN et al. 1982).

Le mode de transmission du caractère "diapause prolongée" au cours des générations est d'autant plus complexe à préciser que le modèle étudié est un insecte haplo-diploïde. Des études menées sur la diapause classique des Hyménoptères ont montré que le caractère "diapause" pouvait être transmis par la mère, au travers des oeufs en développement dans les ovaires ("cytoplasmic pattern"; SAUNDERS 1964,1966; RYAN 1965), et/ou sous contrôle génétique (PARKER et TEPEDINO 1982). La production des deux types d'individus à DP et à développement immédiat par une même femelle a déjà été observé, chez un Hyménoptère parasitoïde (JACKSON 1961-63). Les larves de *Caraphractus cuictus* (Mymaride) provenant d'oeufs pondus au même moment, par la même femelle et sur un même hôte, montrent une hétérogénéité dans les réponses à la diapause classique.

Toutefois, l'accouplement par le mâle semble jouer un rôle important dans le processus de DP, bien que son intervention ne puisse être clairement définie. Peu d'influences paternelles ont été notées jusqu'à présent. Une étude sur deux génération successives de *Pionea forficalis* (Lepidoptère Pyralidae) a permis de conclure à une transmission de la tendance à la diapause classique par le mâle (KING 1974). Il semble que ce caractère soit de nature polygénique et lié au sexe. De même, KHOO (1968) a montré qu'un facteur porté par le mâle de *Diura bicaudata* (Plécoptère) devait être présent pour permettre la poursuite du développement. Mais ce type d'influence a été notée seulement chez des espèces diploïdes, le mâle contribuant pour moitié au matériel génétique de la descendance. Cependant, la copulation stimule par voie nerveuse ou neuro-endocrine l'ovogénèse de nombreuses espèces et participerait ainsi à la chaine d'évènements qui module les effets maternels (LABEYRIE 1988). Plusieurs voies de recherche pourraient être envisagées sur le rôle d'une stimulation mécanique ou nerveuse liée au processus d'accouplement, sur la transmission d'une substance d'origine mâle lors de l'accouplement, substance de masquage ou de démasquage du caractère DP.

3.2 - ETUDE GENETIQUE :

Les Estérases aussi bien que la MDH sont polymorphes chez cet insecte. Les zymogrammes des deux systèmes enzymatiques n'ont révélé aucune différence entre les larves diapausantes et non-diapausantes, ainsi qu'entre les adultes émergeant après une ou deux années de DP et les adultes émergeant l'année suivant la ponte (DP=0). Dans le système des estérases, les adultes mâles et femelles ne diffèrent pas, montrant les trois mêmes loci (C, D, E, figure 3). Inversement, il existe des différences entre les larves et les adultes: deux loci supplémentaires (A et B) ont pu être observés chez les larves. La variabilité constatée au sein de la population larvaire n'est sans aucun doute pas due à l'incidence de la DP, mais procède vraisemblablement de différences de sexe et de maturité des insectes. La MDH qui est un dimère (3 bandes pour les hétérozygotes) est contrôlée par un seul locus constitué de deux allèles (A1 et A2, figure 3). Les mâles (haploïdes) sont hémizygotes (A1 ou A2), et les femelles (diploïdes) sont homozygotes (A1A1 ou A2A2) ou hétérozygotes (A1A2).

Figure 3 : ZYMOGRAMMES DES DEUX SYSTEMES ENZYMATIQUES COMPARANT LES POPULATIONS D'ADULTES ET DE LARVES DE *MEGASTIGMUS SPERMOTROPHUS* (DIAPAUSANTS ET NON DIAPAUSANTS)

Figure 3 : ZYMOGRAMS OF TWO ENZYMATIC SYSTEMS COMPARED ADULT AND LARVAE POPULATIONS OF *MEGASTIGMUS SPERMOTROPHUS* (DIAPAUSING AND NON DIAPAUSING)

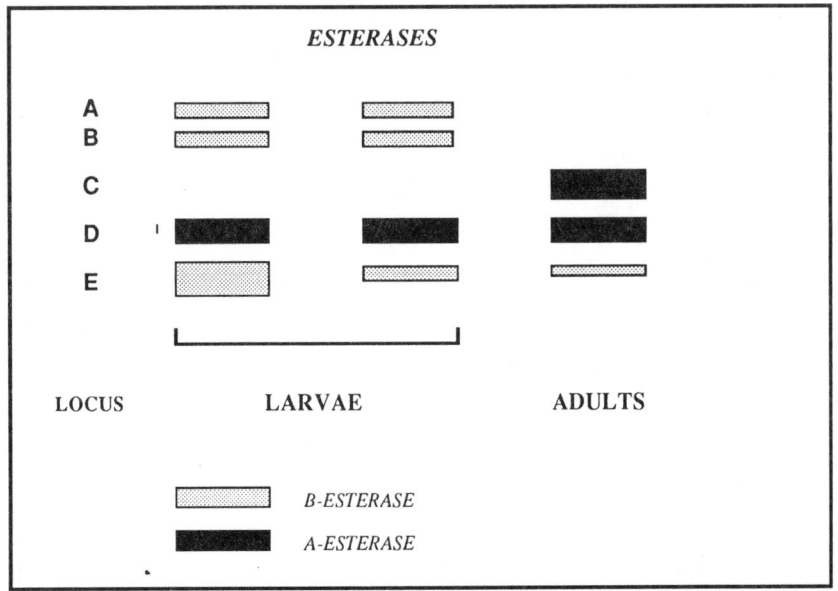

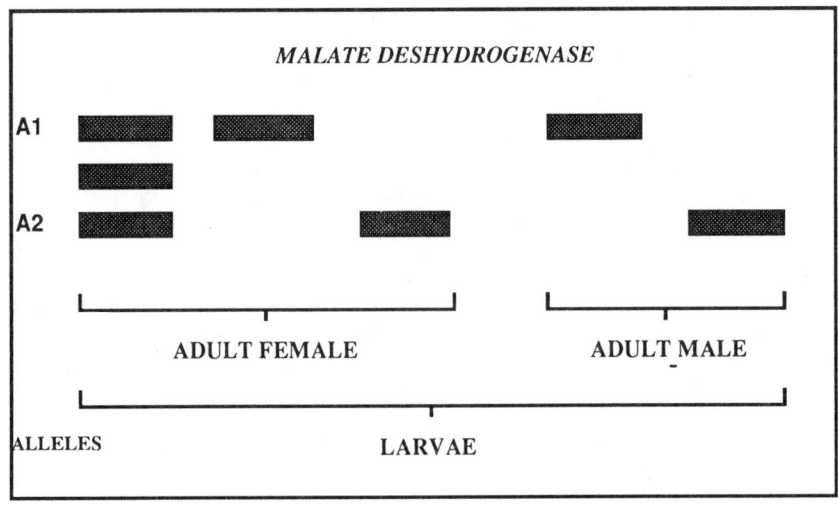

L'absence de variabilité pour les deux systèmes enzymatiques étudiés n'est pas surprenante. PINTUREAU et al. (1991) ont abouti aux mêmes conclusions pour la DP de *Megastigmus pinsapinis*, après une étude électrophorétique similaire. Certaines différences ont cependant pu être décelées dans le cas de diapause classique (*Pectinophora gossypiella* - SLUSS & al. 1975 ; *Panonychus citri* - OSAKABE 1987...). D'autre part, le faible taux de polymorphisme pour les enzymes étudiées n'est pas un fait rare chez les Hyménoptères (PINTUREAU & al. 1987 ; METCALF & al. 1975 ; CROZIER 1970...). Une deuxième constatation importante est l'absence de mâle hétérozygote dans la population étudiée, existence qui a été décelée chez les mâles de *Diprion pini* (BEAUDOIN 1990). Ce fait serait d'une grande importance dans l'étude du passé parental.

4 - CONCLUSION

Ces résultats préliminaires montrent que l'induction de la diapause prolongée ne semble pas consister en un modèle unique, mais pourrait résulter de la combinaison de différents facteurs aussi bien endogènes qu'exogènes. L'influence du passé parental et celle de la fécondation semblent bien établies, bien que leurs effets précis et leurs mécanismes physiologiques restent à démontrer. La question subsiste cependant de savoir si le caractère DP est réellement sous contrôle génétique. Seule une analyse approfondie d'autres systèmes enzymatiques permettra d'y répondre. Le rôle des facteurs exogènes liés à la fructification de l'arbre-hôte est également nécessaire à préciser dans l'avenir. De premiers résultats concernant l'influence de substances inductrices de la floraison (gibbérélines - PHARIS 1975, PURITCH & al. 1979, ROSS & PHARIS 1976) sur la DP apparaissent prometteurs. Ce volet ne pourra cependant être pleinement compris qu'en rapport avec une étude aujourd'hui inexistente des mécanismes endocrines vraisemblablement impliqués dans la DP.

BIBLIOGRAPHIE :

ANNILA E., *Ann. Ent. Fenn.*, 1982, **48** : 33-36
BEAUDOIN L., *Thèse, Université Orleans*, 1990, 46 pp.
CROZIER R.H., *Genetica*1970, **41** : 551-556
GERI C. & GOUSSARD F., *J. Appl. Ent.*, 1988, **106** : 150-172
HEDLIN A.F., MILLER G.E. & RUTH D.S., *Can. Ent.*, 1982, **114** : 465-471
HUSSEY N.W., *Trans. R. Entomol. Soc. London*, 1955, **106** : 133-151
JACKSON D.J., *Parasitology*, 1963, **53** (1-2) : 225-251
KING A.B.S., *Ent. exp. & appl.*, 1974, **17** : 397-409
KHOO S.G., *Proc. R. ent. Soc. Lond.*, 1968, (A) **43** (4-6) : 49-56
LABEYRIE V., *Mem. ent. Soc. Can.*, 1988, **146** : 153-169
LANGSTON D.T. & WATSON T.F., *Ann. Entomol. Soc. Am.*, 1975, **68**, 6,
MATTSON W.J., *Thèse, Univ. Minnesota*, 1972, 158 pp.
MENU F., *Thèse, Université Claude Bernard, Lyon 1*, 1992, 174 pp.
METCALF R.A., MARLIN J.C. & WHITT G.S., *Nature*, 1975, **257** : 792-794
OSAKABE M., *Appl. Ent. Zool.*, 1987, **22** (4) : 577-584
PARKER F.D. & TEPEDINO V.J., *Ann. Entomol. Soc. Am.*, 1982, **75** : 407-410
PINTUREAU B. & BABAULT M., *Arch. Zool. exp. Gén.*, 1980, **121** : 249-260
PINTUREAU B., FABRE J.P. & OLIVEIRA M.L., 1990
PURITCH G.S., McMULLAN E.E., MEAGHER M.D. & SIMMONS C.S., *Can. J. For. Res.*, 1979, **9** : 193-200
RING R.A., *J. Exp. Biol.*, 1967, **46** : 123-136
ROCKEY S.J., MILLER B.B. & DENLINGER D.L., *J. Insect. Physiol.*, 1989, **35**: 553-558

ROQUES A., *Franco. Acta. Oecol. Aplic.*, **2** (2) : 131-138
ROQUES A., *Proceeding of the 18th IUFRO World Congress, Ljubijana*, Sept. 7-21 1986. Division 2, **1**, 685-694
ROQUES A., *Thèse d'état. Univ. Pau*, 1988, 242 pp.
ROQUES A., *Proceedings of the 3rd cone and seed insects IUFRO Working Party Conference*, June 26-30, 1988, Victoria, Canada, Forestry Canada, 64-81
ROSS D.S. & PHARIS R.P., *Physiol. Plant.*, 1976, **36** : 182-186
RYAN R.B., *J. Insect. Physiol.*, 1965, **11** : 1331-1336
SAUNDERS D.S., *J. Exp. Biol.*, 1965, **42** : 495-508
SAUNDERS D.S., *J. Insect Physiol.*, 1966, **12** : 899-908
SAUNDERS D.S., *Physiol. Ent.*, 1987, **12** : 331-338
SLUSS T.P., SLUSS E.S., CROWDER L.A. & WATSON T.F., *Insect Biochem.*, 1975, **5** : 183-193

ACTION RESPECTIVE DE LA LUMIERE ET DE LA TEMPERATURE DE L'EAU DE MER SUR LE DEROULEMENT DU CYCLE ANNUEL DE REPRODUCTION DE *Lineus ruber* (Hétéronémertes).

THE RESPECTIVE INFLUENCE OF LIGHT AND SEA WATER TEMPERATURE ON THE REPRODUCTIVE CYCLE PATTERN OF *Lineus ruber* (Heteronemertea).

G. VERNET[1] ET J. BIERNE[2]

[1]Laboratoire de Zoologie et des Sciences de l'Environnement et [2]Laboratoire de Biologie Cellulaire, UR4R, Faculté des Sciences, Université de Reims Champagne Ardenne, BP 347, 51062 REIMS cedex, FRANCE.

Résumé

Les ganglions cérébroïdes de *Lineus ruber* libèrent une hormone qui contrôle la reproduction (gonad-inhibiting hormone : GIH). Puisque cette espèce de ver marin est soumise à plusieurs cycles annuels de reproduction au cours de sa vie, les facteurs externes qui régissent l'activité endocrine du ver ont une évidente importance écophysiologique. En d'autres termes, la question se pose de savoir quels sont le/les facteurs de l'environnement qui imposent une périodicité saisonnière variable selon le lieu au rythme annuel de reproduction de ce némertien cosmopolite ?
Dans le présent travail nous montrons que la lumière n'est pas le "timer" qui règle le déroulement du cycle annuel de reproduction. Par contre, nos résultats suggèrent que la thermopériode est une bonne candidate à cette fonction. D'autres travaux tenteront de préciser le mécanisme de la transduction des stimuli thermiques en décharge de GIH.

Summary

The reproductive cycle of *Lineus ruber* is annual. In the area of the French Marine Biological Station of Roscoff the development of gonads takes place from October to December. Reproduction of *L. ruber* in the field is largely restricted to the period from late December to mid-March with a peak in January. From mid-march to October worms are in a resting period of reproduction. Experimental studies have shown that the cerebral ganglia of *L. ruber* secrete a reproduction-controlling factor named gonad-inhibiting hormone (GIH). As male and female *L. ruber* worms undergoes repeated cycles of reproduction during their life, the method by which the neuroendocrine activity of the worm is seasonally regulated is an ecophysiological question that immediately springs to mind. Nothing is known about the ecological conditions which make the winter period of the year more appropriate for reproduction than others in *L. ruber*. To identify the environmental factors which determine the limits of the extended breeding season, the effects of environmental "key-factors", such as light and sea water temperature on reproductive activity were studied in the laboratory.
From mid-March 1990, just after reproduction, to early May 1991, three sets of 10 males and 10 females worms were maintained in the dark (LD 0:24) in three separate isothermal rooms under the contrasting influences of a winter temperature ($5° \pm 0.5°$), a summer temperature ($18° \pm 0.5°$) and a medium temperature ($12° \pm 0.5°$). (Winter and summer temperatures were obtained as a personal communication from Lasserre, the

head of the Marine Biological Station of Roscoff). At 12°, 2 other groups of 20 worms (10 ♂ and 10 ♀) were exposed to light, the former continually (LD 24:0), the latter for 12 hours a day (LD 12:12). Examinations for sexual development were performed monthly. The worms were regularly fed once a week for the 14 months duration of the experiment. The light sources used were fluorescent tubes day light of 40 W, giving 300 Lux to the worms.

The experimental results obtained show that only 50 percent of the worms developed mature ovaries or testes at the end of a year, under 12° and continuous darkness.

The presence of a photosensitive structure in the brain of *L. ruber* added to the results observed under 12° and continuous darkness as well as DL 12:12 or continuous light at first suggested that in a natural environment, light or more likely photoperiod could be the regulating factor of GIH release by cerebral ganglia. However the effects of continuous light, as well as intermittent light, are always negative for reproduction. So positive effects have to be derived from other regulative factors such as sea water temperature which also acts on GIH release, as shown by results obtained at 18° and 5° and continuous darkness.

Now we have to consider that *L. ruber* is a lucifugous species which lives permanently in darkness in gravel and/or beneath the littoral cobbles and boulders (though *L. ruber* lives in the dark, it is not insensitive to light). In such conditions, within the context of the two putative timers here studied, the zeitgeber which controls the annual reproductive cycle progress of the worm cannot be photoperiod but sea water temperature. In other words, the rhythm of the *L. ruber* reproduction neurohormonal cycle would depend upon sea water thermoperiod.

Of course, further work is still necessary to clarify the series of events that occur over the transduction of external stimuli, particularly of thermoperiod, in internal neurohormone release. As in the vertebrates, studies of transduction of thermal signals in GIH discharge by the brain of *L. ruber* would be a preliminary step to understanding the effects of external stimuli on release of neurohormones for reproduction.

1. Introduction

Le cycle annuel de reproduction des invertébrés marins est le résultat de l'action combinée de rythmes endogènes et de "timers" exogènes (Giese et Kanatani, 1987). Là où les conditions climatiques restent les mêmes tout au long de l'année, comme c'est le cas sous les tropiques et dans les mers profondes, on peut s'attendre à ce que la reproduction et la ponte aient lieu pendant toute l'année. Là où les conditions climatiques varient considérablement, la reproduction est le plus souvent saisonnière. La plupart des organismes des eaux tempérées pondent à une période bien précise de l'année.

Le cycle de reproduction de *L. ruber* est annuel. Dans la région de la Station biologique de Roscoff le développement des gonades survient d'octobre à décembre. La reproduction de *L. ruber* dans la nature est comprise entre la fin décembre et la mi-mars avec un pic en janvier. De la mi-mars jusqu'en octobre, les vers sont en période de repos sexuel. Des études expérimentales ont établi que les ganglions cérébroïdes de *L. ruber* libèrent une neurohormone, nommée hormone gonado-inhibitrice (GIH) qui contrôle la reproduction (Bierne, 1964, 1966, 1970a, b, c, 1973, 1983 ; Rué et Bierne, 1978 ; Bierne et Rué, 1979). Comme le mâle et la femelle de *L. ruber* connaissent des cycles annuels répétés de reproduction au cours de leur vie, le mécanisme par lequel l'activité neuroendocrine des vers est saisonnièrement réglée est une question écophysiologique qui vient immédiatement à l'esprit. On ne sait rien des conditions écologiques qui font de la période hivernale le moment de l'année le plus propice à la reproduction de *L. ruber*. Afin d'identifier les paramètres de l'environnement qui délimitent la saison de reproduction, les effets de "facteurs-clés" tels que la lumière et la température de l'eau de mer ont été étudiés au laboratoire. De ce point de vue, de nombreux travaux scientifiques, tels que ceux de Spears et Clarke, 1987 ; Giese et Kanatani, 1987 ; Beacham et Murray, 1988 ; Awaji et Hanyu, 1988 ; Aiken et Waddy, 1989 ; Chu et Levin, 1989 ; Paulet et Boucher, 1991 ont établi que la photo- et la thermopériode sont les deux principaux facteurs exogènes qui maîtrisent le déroulement du cycle sexuel dans le règne animal. Cependant à notre connaissance, peu de résultats concernent les espèces lucifuges (Francke, 1986) et en particulier aucun travail n'a été consacré aux némertes.

2. Matériel et Méthodes

A la fin du mois de novembre 1991, des échantillons de *L. ruber* sexuellement identifiables ont été récoltés sur le littoral de la Manche dans la région de Roscoff. Les vers ont été élevés au laboratoire selon les conditions requises pour les némertes : température constante (12°), obscurité continue, alimentation une fois par semaine.
En vue de déterminer l'influence de deux des facteurs majeurs de l'environnement que sont la lumière et la température sur l'activité neuroendocrine de *L. ruber,* nous avons choisi une méthode expérimentale à la fois simple et significative pour les travaux à venir. De la mi-mars 1990, juste après la reproduction, au début mai 1991, trois séries de vers (10 mâles et 10 femelles) ont été mis au noir (LD 0:24) dans trois chambres isothermes séparées, à des températures différentes : l'une hivernale (5°± 0,5°), l'autre estivale (18° ± 0,5) la troisième moyenne (12° ± 0,5). Les valeurs des températures hivernale et estivale nous ont été communiquées par LASSERRE, Directeur de la Station Biologique de Roscoff. A 12°, deux autres groupes de 20 vers (10 mâles et 10 femelles) ont été exposés à la lumière, le premier en permanence (LD 24:0), le second 12 heures par jour (LD 12:12). L'état sexuel des sujets en expérience a été identifié mensuellement. Les vers ont été considérés comme : 1- sexuellement indifférenciés quand la gamétogenèse n'était pas décelable, 2- sexuellement différenciés lorsque la gamétogenèse était entamée de telle sorte que le sexe était identifiable, 3- submatures quand la spermiogenèse ou la vitellogenèse selon le sexe se terminait, 4- matures quand les testicules étaient exclusivement remplis de spermatozoïdes et les ovaires bourrés d'oeufs, 5- post-matures et s'étant reproduits quand les ovocytes des femelles et le sperme des mâles avaient été soit émis soit subissaient une progressive résorption. Les vers furent régulièrement nourris une fois par semaine au cours des 14 mois que dura l'expérience. Les sources lumineuses utilisées consistaient en des tubes fluorescents lumière du jour de 40W délivrant 300 lux aux animaux.

3. Résultats

C'est aussitôt la reproduction, au début de la période de repos sexuel qui s'étend de la mi-mars au mois d'octobre, que nous avons effectué nos observations en fonction du protocole que nous venons de décrire. L'ensemble des résultats que nous avons obtenu est résumé dans le tableau 1.
Les sujets en expérience restèrent sexuellement indifférenciés pendant plusieurs mois, jusqu'en octobre. La gonadogenèse débuta alors chez plusieurs vers. Au bout d' un an, 50% des animaux placés à 12°C et à l'obscurité permanente, parcoururent un cycle sexuel normal. A la même température et LD 12:12 seulement 20% et à 12°C et lumière continuelle 0%. Ces résultats suggèrent que la lumière pourrait être un facteur qui perturbe la libération de GIH. On remarquera à cet égard que la lumière permanente fait disparaître la gonadogenèse ainsi que le cycle annuel de reproduction en permettant la libération incessante de GIH à un haut niveau.

131

Table 1 : Rôle de la lumière et de la température de l'eau de mer sur le développement sexuel de *Lineus ruber*.
Influence of light and sea-water temperature on sexual development of *Lineus ruber*.

Temps (mois)	Photoperiode				
	LD 0:24			LD 12 : 12	LD 24:0
temperature 5°	12°	18°	12°	12°
8	-(20)	++(4)-(16)	-(20)	-(20)	-(20)
10	-(20)	++(8)-(12)	++(2)-(18)	++(4)-(16)	-(20)
12	+++(7)-(13)	+++(10)-(10)	+++(8)-(12)	+++(4)-(16)	-(20)
14	0(7)-(13)	0(10)-(10)	0(8)-(12)	0(4)-(16)	-(20)

- = sexuellement indifférencié ; + = sexuellement différencié ; ++ = submature ; +++ = mature ; 0 = après la reproduction (postspawning).

On notera qu'à 18°, température estivale de l'eau de mer à Roscoff, comme à 5° température hivernale, la mise à l'obscurité totale des vers en continu n'est pas suffisante pour obtenir un développement sexuel meilleur qu'à 12° et noir absolu. En fait 60% des animaux dans le premier cas et 65% dans le second ont leur maturation et leur reproduction inhibées vraisemblablement par une secrétion permanente de GIH.

4. Discussion

Les stimuli de l'environnement qui agissent sur les processus biologiques des invertébrés marins sont nombreux. Parmi les plus connus citons : la longueur du jour, le changement de la température, l'alimentation, les phases de la lune et le rythme des marées. "Daylength is perhaps the most invariant factor in the environment repeatable from year to year. It may serve to regulate breeding... Moreover since the sea is so vast and has a high heat capacity, temperature variations are muted and the temperature changes are rather similar year after year. Therefore temperature changes could serve as cue for breeding..." (Giese & Kanatani, 1987).
La présente étude tente de clarifier l'influence des deux facteurs majeurs de l'environnement que sont la photopériode et la thermopériode de l'eau de mer sur le déroulement du cycle annuel de reproduction de *L. ruber*.
Les résultats expérimentaux obtenus établissent que 50% des vers seulement , s'ils sont soumis aux conditions optimales - température de 12°, obscurité ininterrompue - sont aptes à se reproduire après un an d'expérience.
En fait, les conditions expérimentales du laboratoire paraissent plus perturber l'horloge interne qui contrôle le cycle de reproduction de *L. ruber*, espèce septentrionale, que celle de *L. lacteus*, espèce méridionale. Cette dernière en effet, soumise aux mêmes conditions, 12° et LD 0:24, développe 100% de gonades mûres (Vernet et Bierne, 1988, Vernet, 1989 ; Vernet, 1990 ; Vernet et Anadón, 1992) c'est à dire le maximum et deux fois plus que *L. ruber*.

La présence d'une structure photosensible dans le cerveau de *L. ruber* (Vernet, 1974) assortie des résultats observés à 12° à l'obscurité permanente aussi bien qu'à DL 12:12 ou à la lumière continue suggère dans un premier temps que dans les conditions naturelles, la lumière ou mieux la photopériode pourrait être le facteur régulateur de la libération de GIH par les ganglions cérébroïdes. Par ailleurs les effets de la lumière aussi bien continue qu' intermittente sont toujours négatifs sur la reproduction. Donc les effets positifs doivent nécessairement procéder d'autres paramètres régulateurs tels que la température de l'eau de mer dont l'action sur la libération de GIH ressort de nos résultats obtenus à 18° et à 5° à l'obscurité constante.

Rappelons que *L. ruber* est une espèce luciphobe qui vit sans interruption au noir à l'interface sable, gravier, cailloux, grosses pierres (rappelons qu'il n'est cependant pas insensible à la lumière. Nos résultats l'attestent). Dans de telles conditions, dans le cadre des deux "donneurs de temps" présomptifs étudiés ici, le "zeitgeiber" qui controle le déroulement du cycle annuel de reproduction du ver ne saurait être la photopériode mais la température de l'eau de mer. En d'autres termes, le rythme du cycle neurohormonal de reproduction de *L. ruber* dependrait de la thermopériode.

L. ruber est connu comme étant une espèce cosmopolite, sa période de reproduction annuelle est en relation avec la latitude. Cette espèce se reproduit en mars et avril dans le Golfe du Maine (Coe, 1989 ; Riser, 1974) quand l'eau de mer atteint 9° (Riser, communication personnnelle), en juillet et août dans la mer de Barentz (Schmidt et Jankovskaia, 1938) quand la température de l'eau est de 9° (Kulikova, communication personnelle), fin décembre et janvier dans la Manche (Oxner, 1911 ; Gontcharoff, 1951 ; Bierne, 1970a) quand à nouveau l'eau de mer atteint une température de 9°.

La stricte reproduction saisonnière des échantillons de *L. ruber* dans la nature, disparaît dans les conditions du laboratoire : température constante, obscurité continue. De plus les larves élevées dans de telles conditions sont incapables de voir s'instaurer un cycle normal de reproduction (absence de ponte ou d'émission de sperme).

Bien entendu des travaux supplémentaires seront nécessaires pour clarifier la série des évènements qui surviennent lors de la transduction des stimuli externes, en particulier comment la thermopériode maîtrise la libération interne de neurohormone. Comme chez les Vertébrés (Collin et coll. 1988 et communication personnelle) les études de la transduction des signaux thermiques en décharge de GIH par le cerveau de *L. ruber* constituent une des étapes obligatoires à la compréhension des effets des stimuli extérieurs sur la libération de neurohormone(s) pour la reproduction.

5. Remerciements

Nous adressons nos remerciements à Mesdames G. BOULEAU et Y. VIROT pour leur aide dans l'élevage de *Lineus ruber* au laboratoire et assuront Mademoiselle C. DAUPHIN de notre gratitude pour la préparation du texte du manuscrit.

6. Références bibliographiques

Aiken D.E., Waddy S.L., Interaction of temperature and photoperiod in the regulation of spawning by American lobster *Homarus americanus. Can. J. Fish. Aquat. Sci.,* 1989, **46** : 145-148.

Awaji M., Hanyu I., Effects of water temperature and photoperiod on the beginning of spawning season in the orange-red type *Medaka. Zool. Sci.,* 1988, **5** : 1059-1064.

Beacham T.D., Murray C.B., Influence of photoperiod and temperature on timing of sexual maturity of pink salmon *Oncorhynchus gorbuscha*. *Can. J. Zool.*, 1988, **66** : 1729-1732.

Bierne J., Maturation sexuelle anticipée par décapitation de la femelle chez l'Hétéronémerte *Lineus ruber* Müller. *C.r. Acad. Sci. Paris*, 1964, **259** : 4841-4843.

Bierne J., Localisation dans les ganglions cérébroïdes du centre régulateur de la maturation sexuelle chez la femelle de *Lineus ruber* (Hétéronémertes) Müller. *C.r. Acad. Sci. Paris*, 1966, **262** : 1572-1575.

Bierne J., Recherches sur la différenciation sexuelle au cours de l'ontogenèse et de la régénération chez le Némertien *Lineus ruber* Müller. *Ann. Sci. Nat. Zool.*, 1970a, **12** : 181-298.

Bierne J., Aspects expérimentaux de la différenciation sexuelle chez *Lineus ruber* (Hétéronémertes). *Bull. Soc. Zool. Fr.*, 1970b, **95** : 529-543.

Bierne J., Influence des facteurs hormonaux gonado-inhibiteur et androgène sur la différenciation sexuelle des parabiontes hétérosexués chez un Némertien. *Ann. Biol.*, 1970c, **11** : 155-160.

Bierne J., Contrôle neuroendocrinien de la puberté chez le mâle de *Lineus ruber* (Hétéronémertes) *C.r. Acad. Sci. Paris*, 1973, **276** : 363-366.

Bierne J., Nemertina. In K.G. & R.G. Adiyodi (eds), Reproductive biology of Invertebrates, I : Oogenesis, oviposition, and oosorption. John Wiley, New-York, 1983, 147-167.

Bierne J., Rué G., Endocrine control of reproduction in two rhynchocoelan worms. *Int. J. Invert. Reprod.*, 1979, **1** : 109-120.

Chu J.W., Levin L.A., Photoperiod and temperature regulation of growth and reproduction in *Streblospio benedicti* (Polychaeta : Spionidae). *Invert. Reprod. Dev.*, 1989, **15** : 131-142.

Coe W.R., Notes on the times of breeding of some common New England Nemerteans. *Science*, 1889, **9** : 167-169.

Collin J.P., Arendt J., Gern W.A., Le "troisième oeil". *La Recherche*, 1988, **203** : 1154-1165.

Franke H.D., The role of light and endogenous factors in the timing of the reproductive cycle of *Typosyllis prolifera* and some other polychaetes. *Am. Zool.* , 1986, **26** : 433-446.

Giese A.C., Kanatani H., In Reproduction of marine Invertebrates, Vol IX. A.C. Giese, J.S., Pearse & V.B. Pearse (eds). Maturation and spawning, Blackwell Scientific Publications, Palo Alto, California and The Boxwood Press, Pacific Grove, California, USA, 1987, 251-329.

Gontcharoff M., Biologie de la régénération et de la reproduction chez quelques Lineïdae de France. *Ann. Sci. Nat. Zool.*, 1951, **13** : 149-235.

Oxner M., Analyse biologique d'une série d'expériences concernant l'avènement de la maturité sexuelle, la régénération et l'inanition chez les Némertiens, *Lineus ruber* (Müller) et *Lineus lacteus* (Rathke). *C.r. Acad. Sci. Paris,* 1911, **153** : 1168-1171.

Paulet Y.M., Boucher J., Is reproduction mainly regulated by temperature or photoperiod in *Pecten maximus* ? *Invert. Reprod. Dev.,* 1991, **19** : 61-70.

Riser N.W., In Reproduction in marine Invertebrates, Vol. I. A.C., Giese & J.S., Pearse (eds). Nemertinea, Academic Press, New-York & London, 1974, 359-389.

Rué G, Bierne J., Effet du facteur cérébral gonado-inhibiteur sur le métabolisme des cellules sexualisées germinales et somatiques du Nemertien *Lineus ruber* Müller. *C.r. Acad. Sci. Paris,* 1978, **286** : 293-296.

Schmidt G.A., Jankovskaia L.A., Biologie de la reproduction de *Lineus gesserensis-ruber* de Roscoff et du golfe de Kola. *Arch. Zool. exp. Gén.,* 1938, **79** : 487-513.

Spears N., Clarke J.R., Effect of nutrition, temperature and photoperiod on the rate of sexual maturation of the field vole *Microtus agrestis. J. Reprod. Fert.,* 1987, **80** : 175-181.

Vernet G., Etude ultrastructurale de cellules présumées photoréceptrices dans les ganglions cérébroïdes de Lineidae (Hétéronémertes). *Ann. Sci. Nat. Zool.,* 1974, **16** : 27-36.

Vernet G., Influence de la photopériode et de la température sur le cycle de reproduction de *Lineus lacteus* (Hétéronémertes). *Bull. Soc. Zool. Fr.,* 1989, **114** : 63-68.

Vernet G., Le rôle de la lumière et de la température sur le déroulement du cycle annuel de reproduction de *Lineus lacteus* (Hétéronémertes, Lineidae). Dans "Régulation des cycles saisonniers chez les Invertébrés". Les colloques de l'INRA 52 , 1990, 199-202.

Vernet G., Bierne J., Neuroendocrine control of gonadogenesis in regenerating *Lineus lacteus* (Heteronemertea). *Hydrobiologia,* 1988, **156** : 53-60.

Vernet G., Anadón N., Effets de la température de l'eau de mer et de la photopériode sur le déroulement du cycle annuel de reproduction de *Lineus lacteus* (Hétéronémertes) de la ría de Vigo. (Espagne). *Bull. Soc. Zool. Fr.,* 1992, **117** : 272-273.

Rythmes
chez les vertébrés

Vertebrate rhythms

LA PRISE ALIMENTAIRE CHEZ LE BROCHET (*ESOX LUCIUS* L.) SOUS DIFFERENTES CONDITIONS D'ECLAIREMENT
THE PIKE (*ESOX LUCIUS* L) FOOD INTAKE HABITS UNDER DIFFERENT LIGHT CONDITIONS

M.BEAUCHAUD, R.PUPIER, B.BUISSON

Laboratoire de Biologie Animale et Appliquée,
Faculté des Sciences, Université Jean Monnet,
23 rue du Dr. P. Michelon, 42023 SAINT-ETIENNE Cedex 2.

RESUME

Au cours de nos travaux précédents les rythmes de locomotion du brochet ont été observés en fonction de l'éclairement (LL, LD : 12.12, DD). Il en résulte un rythme locomoteur complexe. Afin de compléter cette étude comportementale, l'observation de la prise alimentaire était nécessaire. Ces expérimentations ont pour objectif la recherche d'un éventuel rythme de prise alimentaire sous différentes conditions lumineuses en relation ou non avec le rythme locomoteur.

Les animaux utilisés dans ces expérimentations sont des brochetons de 5 mois élevés (depuis l'âge de 4 semaines) en LD : 12.12 (12 heures de jours et 12 heures d'obscurité). Au cours des expérimentations les animaux sont placés individuellement dans un aquarium (120 x 60 x 40 cm), à température constante (19°C±1°C), et sont alors soumis à différentes conditions d'éclairement. Chaque animal est nourri "ad libitum" avec des gardons vivants dont le nombre est ramené à 10 lorsque ce nombre passe en dessous de 5.

L'observation se fait en continu sur la durée des expériences (45 jours) à l'aide d'un ensemble vidéo équipé d'une caméra infra-rouge.

Pour chaque heure le nombre de gardons restant est noté, puis est calculé le temps observé entre deux prises de nourriture.

En parallèle, le rythme locomoteur est étudié. Les données chronobiologiques sont traitées par la méthode du périodogramme et les périodes sont testées par le χ^2 de Sokolove-Bushell

Tant en alternance jour / nuit qu'en conditions constantes d'éclairement, la prise de nourriture semble se faire de manière aleatoire au cours du nycthémère et le le temps entre deux captures est très variable (de quelques heures à plusieurs jours). Alors qu'un rythme de locomotion est observé avec une période de 24h00 en LD : 12.12 et une période voisine de 25h00 en conditions constantes.

Ces expériences suggèrent que, pour cette espèce, la lumière n'est pas le synchroniseur de la prise alimentaire. De plus,il n'y a pas de relation entre la prise alimentaire et le rythme de déplacement. Cependant le temps entre deux captures augmente en conditions constantes.

ABSTRACT

In previous studies, rhythms of locomotion of the pike were observed under different light conditions. It resulted that there was a complex locomotor rhythm. In order to complete such a study, the monitoring of the food intake appears to be a necessary task. In a first time, these experiments should allow us to see if there is a food intake rhythm in relation with the locomotor rhythm

The animals used in these experiments are five months old pikes raised (since the age of four weeks) under LD : 12.12 conditions (12 hours of day and 12 hours of night). For the experiments, animals are placed individually in an aquarium (120 x 60 x 40 cm), at constant temperature (19°C±1°C) and are submitted to different light conditions : LD : 12.12, LL (permanent light), DD (permanent dark). Each animal is fed with alive roaches whose number is completed to 10 whenever it comes under 5.

The monitoring is done continuously throughout the time length of the experiments (20 days and 45 days) using a video system with an infra-red camera.

At each measuring time the number of remaining roaches is recorded, then, the time laps between two food intakes is measured.

Parallelly, the locomotor rhythm is studied. The chronobiological data are analyzed by the Enright (1965) periodogramm method ; and the periods are tested using Sokolove-Bushell χ^2 method (1978).

Under LD : 12.12 cycles or under constant light conditions (LL or DD) food intake seems to be random all through the experiments and the time lapses between two successive food intakes are variable (they range from few hours to several days). While the locomotor rhythm of this fish shows a period about 24 hours in LD : 12.12, and a period about 25h00 under constant conditions.

These experiments suggest that in this species, light is not the synchronizer for the feeding activity . Moreover, there is no relationship between feeding activity and locomotor rhythm but the time between two food intakes is higher under constant conditions.

I. INTRODUCTION

Le rôle synchroniseur de la lumière sur l'activité locomotrice quotidienne des poissons a également été reconnu par divers auteurs tels que Ali (1964) chez *Salmo salar*, Burdeyron et Buisson (1982a) chez *Noemacheilus barbatulus*, Perez (1986) et Molina Borja *et al.* (1990) chez l'alevin de *Salmo trutta*. Une composante endogène de ce rythme locomoteur a été mise en évidence chez quelques espèces de poissons telles que *Oncorhynchus gorbuscha* par Godin (1981), ou même chez *Eptatetrus burgeri* (Ooka-Souda *et al.*, 1985). Cependant, chez beaucoup d'autres poissons, le rythme locomoteur est sujet à de fortes variations, notamment en conditions constantes d'éclairement (Richardson et Mc Leave, 1974). Chez ces animaux, le problème est encore plus complexe pour la recherche d'un rythme de prise alimentaire, dans la mesure où pour certaines espèces il est difficile de mettre en évidence un rythme, même en alternance jour / nuit (Rozin et Mayer, 1961), alors que pour d'autres un pattern alimentaire rythmique est nettement observé (Eriksson et Van Veen, 1980; Burdeyron et Buisson, 1982b, Boujard et Leatherland, 1992b).

Le brochet (*Esox lucius*. L) est un poisson d'intérêt économique dont l'élevage a fait l'objet de plusieurs travaux regroupés dans l'ouvrage de Billard (1983). Toutefois, ses rythmes d'activité ou de prise alimentaire ont été très peu étudiés. Les rares travaux traitant de ce sujet ont été réalisés dans le milieu naturel (Diana 1979, 1980). Ainsi les différents patterns rythmiques de son comportement ont retenu notre attention. Dans ce travail nous avons principalement étudié la prise de nourriture de ce poisson carnivore. Quelques rappels sur son rythme locomoteur seront tout d'abord présentés.

II. MATERIEL ET METHODES

* Matériel expérimental :

Les brochetons, issus d'une même ponte et âgés de 4 semaines, proviennent d'une écloserie du département du Doubs. A leur arrivée au laboratoire les animaux sont pesés et mesurés, puis répartis, en fonction de leur taille (comprise entre 6,5 et 9,5 cm), dans des bassins de 300 litres. Ce calibrage est nécessaire pour limiter le cannibalisme très fréquent chez ce poisson (Souchon, 1980). Les alevins sont alors soumis, pendant une durée de 4 mois, à une photopériode en lumière artificielle comprenant 12 heures de jour et 12 heures d'obscurité (LD : 12.12). Les brochetons sont nourris *ad libitum* avec des gardons (*Rutilus rutilus*) vivants dont la taille est comprise entre 3 et 6 cm.

A l'âge de 5 mois, les brochetons, mesurant 12 cm, sont placés individuellement dans un aquarium de 120x60x40 cm, à l'intérieur d'une salle d'expérimentation étanche à la lumière extérieure et thermiquement isolée. Toutes les expériences se déroulent donc à température constante (19°C +/- 1). Les animaux sont alors soumis à différentes conditions photopériodiques.

Certains sont placés en LD : 12.12 pendant 20 jours. Pour ce type de cycle, grâce à une horloge électrique à programmateur, l'éclairage de la salle d'expérimentation est allumé à 6h00 (heure solaire) et est éteint à 18h00 (heure solaire) automatiquement. Cette condition lumineuse a été choisie afin qu'il y ait concordance entre la photopériode artificielle et naturelle. D'autres animaux sont soumis à un cycle en obscurité permanente (DD[1]) durant 20 jours également. Enfin, des brochetons sont également placés en condition de lumière permanente (LL).

La phase éclairée des cycles est réalisée au moyen d'un tube fluorescent de lumière blanche. L'intensité lumineuse est constante et égale à 0,26w/m^2 (96 lux).

L'observation des animaux s'effectue au moyen d'un ensemble vidéo qui comprend:

* une caméra infra-rouge CCD Panasonic WV BL 200 munie d'un objectif à diaphragme asservi;

* un magnétoscope de surveillance Panasonic AG 60 10, autonome 3 jours. En effet, un ralentissement à 1 image par seconde permet de filmer pendant 72 heures avec une cassette de type 180 minutes. Ainsi, l'accélération des enregistrements lors de la lecture des bandes vidéo est de l'ordre de 24 fois.

* un moniteur (National WV 5400) permettant le contrôle "en direct" de l'expérimentation en cours et le dépouillement des cassettes.

---

[1]En fait, un projecteur infra-rouge (PHILIPS LDN 0829/00), permettant les enregistrements pendant la scotophase (ou phase obscure), émet ses radiations en continu pendant toute la durée de l'expérience.

un lecteur de cassettes (Daewoo) utilisé pour la lecture des bandes enregistrées. Ceci nous permet de visionner les enregistrements et de dépouiller les résultats sans arrêter le magnétoscope.

* Acquisition des données :

Pour l'étude du rythme locomoteur l'état d'activité de l'animal est comptabilisé minute par minute, à partir des bandes vidéo de 180 minutes obtenues. Ces données sont ensuite groupées par unité de 15 minutes et représentent la durée (en minutes) de la séquence comportementale considérée (déplacement ou repos). Elles constituent pour toute l'expérience un tableau à K lignes (nombre de jours) et 96 colonnes (96 quarts d'heure dans un jour), et sont alors exploitées par séquences de 10 jours à l'aide de la méthode du périodogramme d'Enright (1965), version Sokolove et Bushell (1978). Dans cette méthode un test du χ^2 permet de confronter l'hypothèse nulle (absence de période) à l'hypothèse alternative (présence de période). L'acceptation d'une période significative, par refus de l'hypothèse nulle, se fait au risque de 1%. Les séquences successives sont obtenues par des décalages de un jour (une expérience de 20 jours comporte donc 11 séquences), permettant de mettre en évidence des variations éventuelles dans la durée moyenne du cycle d'activité (période).

Les données concernant la prise de nourriture, sont recueillies au laboratoire, à partir des bandes vidéo (précédemment citées), en même temps que les données sur les rythmes de déplacement. Toutefois, dans le cas de l'étude de la prise alimentaire, l'observateur note uniquement l'heure de la capture d'une proie. A partir de ces observations nous représentons graphiquement la succession des heures de prise alimentaire sur un nycthémère, et ce, sur toute la durée de l'expérience. De plus le temps de jeûne entre deux captures est également calculé, ce qui permet de faire une analyse de variance à un facteur, afin de voir s'il existe des différences significatives entre les temps de jeûnes observés chez des animaux soumis à des conditions d'éclairement différentes (LD : 12.12, LL, DD).

III. RESULTATS

3.1. Rappels sur le rythme locomoteur du brochet au laboratoire

Au cours d'un prédédent travail nous avons décrit le rythme locomoteur circadien du brochet en fonction de l'éclairement (Beauchaud *et al.*, sous presse). Nous ne ferons donc ici que des rappels sur les principales caractéristiques de ce rythme.

* En LD : 12.12:

Lorsque les animaux sont soumis à une photopériode correspondant à 12 heures de jour et 12 heures d'obscurité, on observe un rythme d'activité locomotrice d'une période de 24h00 (Fig.1). Nous remarquons également que le brochet est un poisson principalement actif la journée, avec en moyenne 10 minutes de nage par quart d'heure, soit environ 60% de son temps (Fig.2). Néanmoins il faut souligner le fait que, l'activité nocturne du brochet n'est pas nulle. Nous observons en effet 1 minute de nage en moyenne par quart d'heure au cours de la phase obscure (Fig.2).

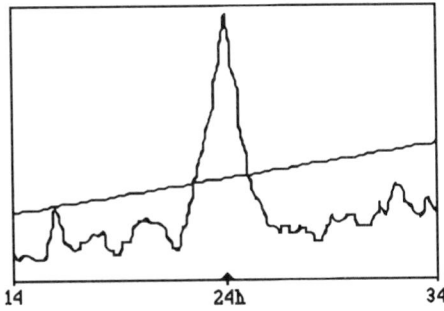 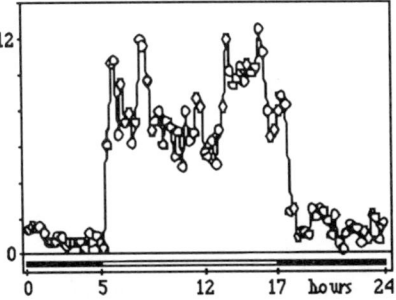

Fig.1 : Périodogramme de l'activité de nage en LD : 12.12. Dans ce cas la période du rythme est de 24h00.
Periodogram of swimming activity in LD : 12.12 conditions. In this case the period of the rhythm is about 24h00.

Fig.2 : Profil de l'activité de nage quart d'heure par quart d'heure, en LD : 12.12. Profil of swimming activity in LD : 12.12, per quarter of an hour.

* En conditions constantes :

Que ce soit en LL ou en DD, le rythme de nage est perturbé en ce sens que, au cours des premiers jours d'expérimentation, le déplacement du brochet apparaît arythmique. Puis une période significative autour de 25h00 est décelée (Fig.3).

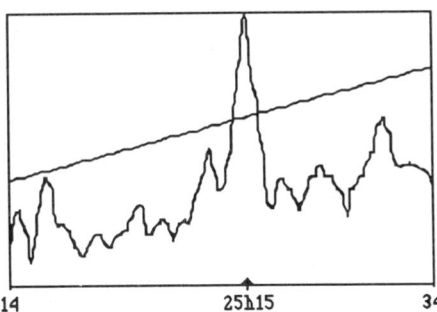

Fig.3 : Périodogramme de l'activité de nage en LL. Dans ce cas la période du rythme est de 25h15.
Periodogram of swimming activity in LL conditions. In this case the period of the rhythm is about 25h15.

143

3.2.La prise alimentaire du brochet

D'après les figures 4a, 4b et 4c, représentant les heures de capture d'une proie pour un animal donné, nous remarquons qu'aucun rythme de prise de nourriture n'apparaît quel que soit l'éclairement étudié, à savoir LD : 12.12, LL et DD, et que celle-ci semble s'effectuer au hasard au cours du nycthémère.

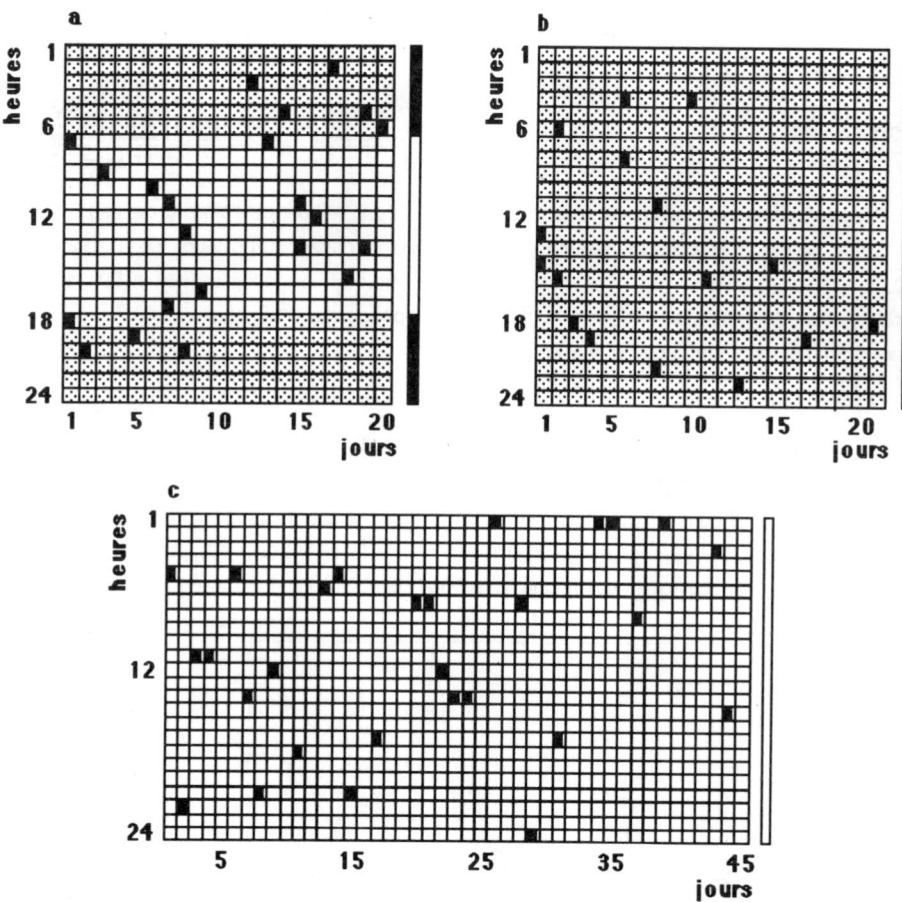

<u>Fig.4</u> : Heures de prise alimentaire pendant toute la durée des expériences; **a** : en LD : 12.12 (pendant 20 jours), **b** : en DD (Pendant 21 jours), **c** : en LL (pendant 45 jours). L'heure de la capture d'une proie est représentée par une case noire. Les cases en grisé représente les phases obscures du nycthémère.

Hours of food intake during allthrough the experiments ; **a** : in LD : 12.12 (on 20 days), **b** : in DD (on 21 days), **c** : in LL (on 45 days). The catch hour of one prey is represented by a black square. The gray squares represent the scotophase of the day.

144

Néanmoins, une analyse de variance montre des différences significatives (tableau 1) entre la durée du jeûne d'un animal placé en LD : 12.12 et celle d'un brochet soumis à des conditions constantes telles que lumière permanente (LL) ou obscurité permanente (DD) (nous n'avons trouvé aucune différence significative entre les valeurs observées en LL et celles obtenues en DD). En alternance jour / nuit, la moyenne des temps de jeûne est de 21h00 environ, alors qu'en DD elle se situe autour de 31h00 et qu'elle atteint 36h00 en LL.

Source :	DF :	Sum Squares :	Mean Square :	F-test :		Comparison :	
Between groups	2	7206.821	3603.411	8.763		LL vs. LD	**
Within groups	89	36597.048	411.203	p = .0003		LL vs. DD	
Total	91	43803.87				LD vs. DD	**

Tableau 1 : Table d'analyse de variance.   ** significatif à 99%

Analysis of variance table   ** Significant at 99%

De plus, il est intéressant de noter qu'un même animal, dans une condition donnée, peut jeûner très longtemps entre deux captures (plus de 24h00), comme il peut ingérer deux proies dans un délai assez court (3h00 par exemple). En effet, si on observe les durées extrêmes entre deux captures pour un animal dans chaque condition photopériodique on trouve les valeurs suivantes:

ECLAIREMENT LIGHT CONDITION	DUREE DE JEUNE (Tj) DURATION OF FAST
LD : 12.12	3h00 < Tj < 58h00
LL	13h00 < Tj < 98h00
DD	2h00 < Tj < 95h00

IV. DISCUSSION

Comme de nombreux poissons, le brochet montre un rythme de déplacement circadien et diurne, synchronisé par la lumière lorsqu'il est placé en LD : 12.12. En conditions constantes d'éclairement, ce poisson montre un pattern rythmique assez perturbé, ce qui est assez fréquent chez les poissons (Varanelli et Mc Cleave, 1974).

Pour la prise alimentaire, nos résultats suggèrent qu'elle s'effectue au hasard au cours du nycthémère. Autrement dit, la capture d'une proie peut survenir pendant la journée ou en pleine nuit, et ce, même en LD : 12.12. Diana (1979), après une étude sur des brochets provenant du lac Sainte-Anne en Alberta, obtient des résultats similaires. En effet, cet auteur n'observe pas un nombre différent de proies dans l'estomac des animaux au cours des divers moments de la journée. De la même façon, chez *Carassius auratus* Rozin et Mayer (1961) n'ont pas trouvé de rythme de prise alimentaire. Ces résultats tendraient à prouver que, chez le brochet :

- d'une part que le facteur éclairement ne peut pas être considéré comme un Zeitgeber dans le comportement de prise alimentaire.

- d'autre part, que ce comportement alimentaire doit être indépendant du comportement locomoteur. Cette hypothèse a déjà été émise chez d'autres poissons. En effet, si certains auteurs tels qu'Adamson et Wissing (1977), Burdeyron et Buisson (1982b) ou Boujard *et al.* (1990) admettent une synchronisation entre les rythmes locomoteurs et la prise de nourriture, pour d'autres la relation entre le déplacement et la prise alimentaire n'est pas toujours vérifiée. Ainsi, Chez *Alosa pseudoharengus* le comportement de nage est diurne (Richkus et Winn, 1979), alors que la prise alimentaire est nocturne (Kohler et Ney, 1980). De même chez *Pleuronectes platessa*, l'activité alimentaire est diurne alors que ces poissons nagent la nuit pour changer de territoire (Hempel, 1964).

D'après les résultats concernant les écarts de durée de jeûne, nous obtenons plusieurs types d'informations. Tout d'abord nous remarquons que le temps entre deux captures est très variable pour un même individu. Les différents apports énergétiques sont relativement constants. En effet, les proies sont uniquement des gardons dont les tailles et les poids sont homogènes au cours des diverses expérimentations. Les observations de Diana (1979) montrent également que les estomacs de ces poissons peuvent être complètement vides, comme ils peuvent révéler la présence de 5 proies, et ce, quelle que soit l'heure du jour ou de la nuit. Compte tenu d'un temps de digestion égal à 48h00 lorsque la température avoisine 19°C (Diana, 1979), ces résultats tendraient à prouver que le brochet peut ingérer une proie avant ou après la fin de la digestion.

De plus, ces résultats suggèrent que les conditions photopériodiques constantes à savoir lumière permanente et obscurité permanente, au regard des temps de jeûne, semblent augmenter la durée moyenne entre deux captures.

En conclusion, ce travail apporte notamment des précisions intéressantes sur la distribution temporelle de la prise alimentaire du brochet au laboratoire. Ce qui pourrait permettre une meilleure compréhension de ce qui se passe réellement dans le milieu naturel, ainsi que sur les effets de l'éclairement artificiel sur ce comportement. Ce dernier point pourrait être utilisé par les pisciculteurs devant maintenir en stabulation des alevins de brochet à un stade ichtyophage, pendant quelques jours avant le relargage des poissons dans les étangs. De plus, afin de compléter ce travail, de nouvelles investigations sont en cours, dans notre laboratoire, au sujet de la croissance du brochet sous différentes conditions lumineuses. Le brochet n'appartient ni aux animaux dont la prise alimentaire est liée au déplacement circadien (Blanc, 1992, Boujard et Leatherland, 1992a), ni à ceux dont la prise alimentaire est plus ou moins en rapport avec des rythmes ultradiens (Lehmann, 1976).

REFERENCES BIBIOGRAPHIQUES

Adamson S.-W., Wissing T.-E., Food habits and feeding periodicity of the rainbow fantail and banded clarters in four mile creek, *Ohio J. sci.*, 1977, **2** : 164-169.

Ali M.-A., Diurnal rhythm in the rates of oxygen consumption locomotor and feeding activity of yearling atlantic salmon *Salmo salar* under various light conditions, *Proc. Ind. Acad. Sci. B.*, 1964, **60** : 249-263.

Beauchaud M., Pupier R., Buisson B., Introduction to the study of circadian rhythm of activity and pause in terms of light conditions for the northern pike *Esox lucius* L., *Biol. Zentralblatt.*, (in press).

Billard R., Le brochet gestion dans le milieu naturel et élevage, R. Billard ed. INRA Paris 1983, pp 8-371.

Blanc A., Rythmicités ultradienne et circadienne chez le jeune escargot *Helix aspersa maxima* (Mollusque, Gastéropode). *Ib idem Les rythmes biologiques de la mollécule à l'homme*, 1992.

Boujard T., Keith P., Luquet P., Diel cycle in *Hoplosternum* littorale teleostei evidence for synchronization of locomotor air breathing and feeding activity by circadian alternation of light and dark, *J. Fish biol.*, 1990, **36** : 133-140.

Boujard T., Leatherland J.F., Circadian rhythm and feeding time in fishes, *Env. Biology of Fishes*, 1992a, **35** : 109-131.

Boujard T., Leatherland J.F., Demand-feeding behaviour and diel patterns of feeding activity in *Oncorhynchus mykiss* held differnt photoperiod regimes, *J. Fish Biol.*, 1992b.

Burdeyron H., Buisson B., On a circadian endogenous locomotor rhythm of loaches *Noemacheilus barbatulus* L., *Pisces cobitidae*, *Zool. Jb. Physiol.*, 1982a, **86** : 82-89.

Burdeyron H., Buisson B., Etude du rythme alimentaire circadien d'un poisson benthique dulçaquicole carnivore la loche *Noemacheilus barbatulus* dans son milieu naturel, *An. de la station biologique de Besse en Chamdesse*, 1982b, **16** : 171-181.

Diana S. J., The feeding pattern and daily ration of a top carnivore the northern pike *Esox lucius*, *Can. J. Zool.*, 1979, **57** : 2121-2127.

Diana S J., Diel activity pattern and swimming speed of northern pike (*Esox lucius*) in lac Ste Anne, Alberta, *Can. Fish. Aquat. Sci.*, 1980, **37** : 1454-1458.
Enright, J.T., Accurate geophysical rhythms and frequency analysis circadian clocks, *North Holland Publishing Co. Amsterdam,* 1965, 31 - 41.

Eriksson L.-O., Van Veen T., Circadian rhythms in the brown bullhead *Ictalurus nebulosus teleostei* evidence for an endogenous rhythm in feeding locomotor and reaction time behaviour, *Can. J. Zool.*, 1980, **58** : 1899-1907.

Godin J., Circadian rhythm of swimming activity in juvenile pink salmon *Oncorhynchus gorbuscha*, *Marine Biology*, 1981, **64**: 341-349.

Hempel G., Diurnal variations in catch, feeding and swimming activity of plaice (*Pleuronectes platessa* L.), *Cons. perm. int. explor. mer.*, 1964, **155**: 58-64.

Kohler C.-C., Ney J.-J., Piscivory in a land-locked alewife *Alosa pseudoharengus* population, *Can. J. Fish aquat. sci.*, 1980, **37** : 1314-1317.

Lehmann U., Stochastic principles in temporal control of activity behaviour. Int. J. Chronobiol., 1976, 4 : 223-236.

Molina-Borja M., Perez E., Pupier R., Buisson B., Entrainment of the circadian activity rhythm in the juvenile trout *Salmo trutta* L. by red light, *J. interdisc. cycle Res.*, 1990, **21** : 81-89.

Ooka-Souda S., Kabasawa M., Kinoshita S., Circadian rhythms in locomotor activity in the hagfish *Eptatretus burgeri* and the effect of reversal of light-dark cycle, *Zool. sci.*, 1985, **2**: 749-754.

Perez E., Rôle de facteurs externes et internes dans la mise en place du rythme circadien d'activité au cours de l'ontogénèse de la truite (*Salmo trutta* L.), *Thèse*, 1986, pp 295

Richardson N.-E., Mc Leave J.-D., Locomotor activity rhythms of juvenile atlantic salmon *Salmo salar* in various light conditions, *Biol. Bull.*, 1974, **147** : 422-432.

Richkus W.-A., Winn H.-E., Activity cycles of adult and juvenile alewives *Alosa pseudoharengus* recorded by two methods, *Trans. Nat. Acad. Sci.* USA, 1979, **75** : 6276-6280.

Rozin P., Mayer J., Regulation of food intake in the goldfish, *Amer. J. Physiol.*, 1961, **201** : 968-974.

Sokolove P.-H., Bushell G.-W.-N., The chi square periodogram its utility for analysis of circadian rhythms, *J. theor. Biol.*, 1978, **72** : 131-160.

Souchon Y., Effet de la densité initiale de peuplement sur la survie et la croissance du brochet *Esox lucius* L. élevé jusqu'au stade de brocheton, *In R. Billard la pisciculture en étang INRA Publ.* Paris, 1980.

Varanelli C.C. et McCleave, Locomotor activity of Atlantic salmon parr (*Salmo salar* L.) in various light conditions and in weak magnetic fields. Anim. Behav. , 1974, **22** : 178-186.

ÉTUDE IN VITRO DU GÉNÉRATEUR DE RYTHME RESPIRATOIRE CHEZ LE FOETUS DE RAT.
IN VITRO STUDY OF THE FOETAL RESPIRATORY RHYTHM GENERATOR.

E. Di Pasquale, D. Morin, R. Monteau et G. Hilaire

Biologie des Rythmes et du Développement,
URA CNRS 0205,
Faculté des Sciences et Techniques St Jérôme, BP 332,
13397 Marseille Cedex 13, France

1, Résumé

Une préparation système nerveux central isolé in vitro de foetus de rat a été mise au point pour étudier le développement du réseau respiratoire central. L'activité respiratoire apparaît au 16ème jour de gestation (E16) avec une fréquence très variable, le rythme se stabilise jusqu'au 20-21ème jour (E20-E21). Il présente alors des caractéristiques comparables à celles classiquement décrites chez le nouveau-né dans les mêmes conditions in vitro. Des enregistrements extracellulaires de l'activité des neurones respiratoires dans la formation réticulée bulbaire rostrale ventro-latérale (E18 à E21, et nouveau-né 0-3 jours), ont montré que des neurones présentant les mêmes types de décharges étaient présents chez les foetus et les nouveau-nés. L'utilisation de milieux de survie appauvri en Ca^{2+} et enrichi en Mg^{2+} a permis de mettre en évidence l'existence de neurones qui continuent à présenter une activité rythmique en l'absence de relation synaptique ; ces neurones autorythmiques ont été enregistrés principalement chez le nouveau-né et chez les foetus à terme (E20-E21) ; ils n'ont jamais été trouvés chez les foetus à E18. Ces résultats suggèrent que le rythme respiratoire dépend des propriétés de câblage du réseau nerveux pendant la période E18-E20, alors que chez les foetus à terme et les nouveau-nés la participation de neurones possédant des propriétés autorythmiques peut être envisagée. Il est possible que ces neurones confèrent au réseau respiratoire une plus grande sécurité de fonctionnement pendant la période périnatale.

2, Summary

Respiratory movements are critical for survival at birth and appear early during foetal life. Despite noticeable efforts, due to the relative inaccessibility of the foetus, there is little work dealing with foetal respiratory neurones and the knowledge of the foetal central respiratory activity is very limited. Thus, we have adapted to the foetus the in vitro brain stem spinal cord preparation of the newborn rat . This foetal preparation represents a major advance since it possesses a functioning motor program spontaneously active in vitro and allows the recording of foetal respiratory neurones during a critical period of the network development.

Respiratory activities consist of brief bursts of potentials occurring at a frequency ranging 3-4 min^{-1}. This motor activity is considered as respiratory-like since it : i) resembles the respiratory activity of the newborn rat in the same experimental conditions, ii) is recorded on respiratory nerves, iii) is sensitive to respiratory stimuli such as changes in P_{CO_2} or pH, iv) gives rise to spontaneous contractions and electromyographic discharges in preparations retaining the rib cage and the diaphragm.

In no instance was the respiratory activity recorded at E15. It occurred at E16 with fluctuating frequencies (mean : 3,3 ± 1,2 min⁻¹) and at E17-E18 (mean : 2,8 ± 0,8 min⁻¹). The rhythm stabilised at E20 (mean : 3,3 ± 0,6 min⁻¹) where it resembled the newborn one. Nevertheless, obvious significant age-related differences were encountered in regard with the stability of the rhythm which increased with age.

This reduced preparation authorises a direct approach of the foetal respiratory centres with electrophysiological tools. Extracellular recording of respiratory neurones located in the Rostro-Ventro-Lateral Medulla (RVLM) were obtained from E18-E21 foetal rats and 0-3 days newborn rats. Firing properties of inspiratory neurones were studied before and after chemical blockade of synaptic transmission by using a low Ca^{2+}-high Mg^{2+} medium. Some of the inspiratory neurones retained a phasic bursting activity after blokade of synaptic transmission and total silencing of the respiratory motor output. This suggests that these neurones possess endogenous pacemaker properties. Such neurones were never recorded at E18, only one of them (1/32 tested neurones) was found at E20, whereas they were recorded either at E21 (3/12) or in newborn rats (3/24).

Thus until E20, the unstable foetal respiratory rhythm seems to be mainly dependant on network properties, whereas on pre-term foetuses and newborn rats, "pacemaker" neurones seems to be involved in the genesis of a more stable respiratory rhythm. A possible role for these neurones would be to secure the functioning of the network during the critical perinatal period.

3, Introduction

Les études in vivo concernant les centres respiratoires du mammifère adulte ont apporté de nombreuses informations sur les neurones constituant le réseau respiratoire central mais n'ont pas permis de comprendre, jusqu'à présent, quels sont les mécanismes intrinsèques de la rythmogenèse respiratoire (Dekin & Haddad, 1990). La mise au point d'un modèle de système nerveux central isolé de rat nouveau-né, capable d'élaborer in vitro une activité respiratoire (Suzue, 1984) a ouvert un nouveau champ de recherches. En particulier, l'utilisation de cette préparation a mis l'accent sur le rôle que le bulbe rostral ventro-latéral (BRVL) et des neurones de type "pacemaker" localisés dans cette région pourraient éventuellement jouer dans l'élaboration de l'activité respiratoire. En effet , i) la suppression des inhibitions liées aux ions chlore ou aux ions potassium ne modifie pas le rythme (Feldman et Smith, 1989), ii) une stimulation électrique par simple choc, appliquée au niveau du BRVL en milieu d'expiration, permet de déclencher une inspiration prématurée (Onimaru et Homma, 1987) et des lésions électrolytiques réalisées dans le BRVL suppriment de façon momentanée ou définitive le rythme respiratoire (Onimaru et al., 1987 ; Errchidi et al., 1991), iii) des applications locales de bioamines dans le BRVL, produisent sur le rythme respiratoire le même effet qu'une application générale par le milieu de survie (noradrénaline, Errchidi et al., 1991 ; sérotonine, Di Pasquale et al., 1992), iv) des enregistrements unitaires réalisés dans le BRVL ont montré que certains neurones pouvaient présenter des propriétés de type pacemaker (Onimaru et al., 1989 ; Smith et al., 1991). En effet, ces neurones préservent leur activité rythmique spontanée après la suppression des influences synaptiques par l'utilisation d'un milieu "sans calcium" (Onimaru et al.,1989), ou augmentent leur fréquence de décharge par injection intracellulaire de courant dépolarisant (Smith et al., 1991).

Les centres respiratoires (comme l'ensemble de l'appareil respiratoire) doivent être immédiatement fonctionnels à la naissance. Des mouvements respiratoires rythmiques sont enregistrés très tôt pendant la vie intra-utérine (Dawes, 1984 ; Jansen & Chernick, 1983, 1991) et cette activité est indispensable au développement normal de l'appareil thoraco-pulmonaire (Harding, 1991). Les problèmes liés au maintien en survie des foetus et aux difficultés d'accès aux centres respiratoires lors d'expériences aiguës in vivo ont limité les recherches concernant l'activité respiratoire centrale (Bystrzycka et al., 1975 ; Ioffe et al., 1983). Une préparation in vitro de système nerveux central de foetus, pouvant offrir une alternative intéressante, a donc été développée pour étudier la mise en place du réseau nerveux respiratoire. Cette préparation foetale in vitro (Di Pasquale et al., 1992 ; Greer et al., 1992), présente une activité respiratoire centrale spontanée qui peut être enregistrée à partir du 16ème jour de gestation (le terme étant de 21 jours).

Nous avons étudié le développement prénatal du générateur de rythme respiratoire, et comparé les résultats avec ceux obtenus dans les mêmes conditions expérimentales chez le rat nouveau-né. Les données obtenues suggèrent que le rythme respiratoire dépend des propriétés du réseau avant le 20ème jour de gestation, mais que des neurones de type pacemaker sont présents au 20-21ème jour de gestation ainsi que chez le nouveau-né.

4, Matériel et méthodes

L'expérimentation a été réalisée sur des foetus de rat (E15-E21), prélevés sur des femelles dont la date de fécondation est connue avec une erreur maximale de 12 heures. La figure 1 résume le protocole expérimental : une rate gestante est anesthésiée par injection intrapéritonéale de pentobarbital sodique (40 mg/kg), et subit une laparotomie médiane qui permet d'accéder aux cornes utérines. Après incision

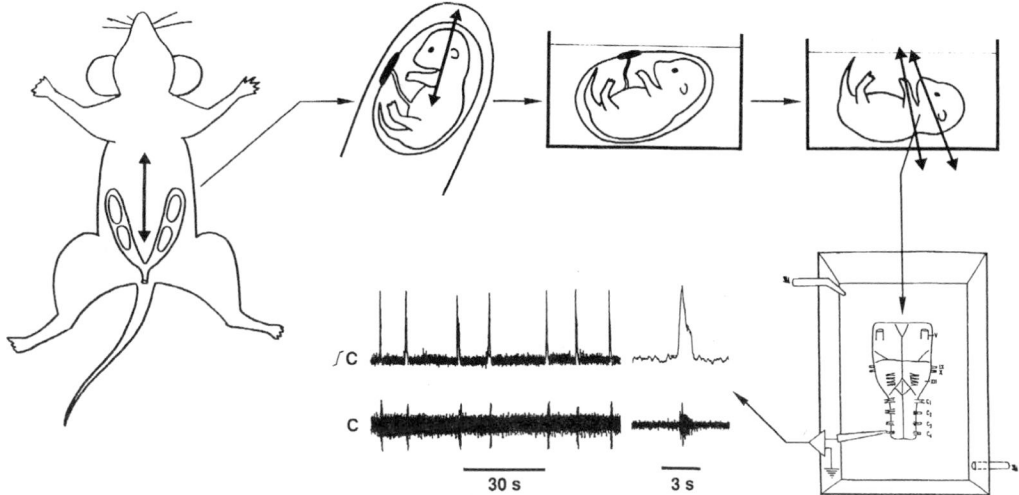

Fig. 1 : **Prélèvement et dissection des foetus de rat, type d'activité respiratoire.** Les techniques de prélèvement sont détaillées dans la section "matériel et méthodes". Les tracés correspondent aux activités respiratoires brutes et intégrées, enregistrées sur un foetus à E20.

Schematic drawing of the experimental procedure and type of respiratory activity recorded on the foetal brain stem-spinal cord preparation. After anaesthesia of a pregnant rat, a laparotomy is performed and a uterine horn is incised without injuring the amnion. The foetus and appending tissues are slipped out of the uterus and the placenta is detached. Foetus and tissues are placed in a dissection chamber filled with oxygenated artificial cerebrospinal medium. The subsequent stages of the dissection were then identical to those already published for the in vitro newborn preparation. The central nervous system is then freed from surrounding tissues, and the respiratory activity is recorded on cervical ventral roots with suction electrodes. One example of respiratory activity at E20 is illustrated with raw and integrated discharge displayed at different time scales.

longitudinale de l'utérus, un foetus est prélevé avec l'ensemble de ses tissus annexes sans jamais être en contact avec l'air. Deux sections frontales, l'une passant par l'axe des pattes antérieures l'autre par l'axe des oreilles, sont réalisées de façon à isoler le tronc cérébral (pont, bulbe et moelle cervicale). Une dissection fine, effectuée sous contrôle binoculaire, permet d'éliminer la peau, les muscles et les os. La préparation système nerveux isolé in vitro est placée, face ventrale vers le haut, dans une chambre d'enregistrement remplie de liquide céphalo-rachidien artificiel (Hilaire et al., 1989) maintenu à $28 \pm 0,5°C$, équilibré avec 95% d'O_2 et 5% de CO_2 et renouvelé en permanence (3 ml/mn). De fines électrodes à succion (diamètre interne de 30 à 50 µm) sont utilisées pour enregistrer les activités électriques apparaissant spontanément sur les racines ventrales cervicales. Cette activité est filtrée (5-3000 Hz), amplifiée, et envoyée vers un intégrateur à fuite (constante de temps 50 ms), des oscilloscopes et un enregistreur papier (Gould TA 2000). Les neurones respiratoires et non respiratoires (n = 400) ont été étudiés par enregistrement extracellulaire à l'aide de microélectrodes de verre (impédance 20-50 Mohms), fixées sur un micromanipulateur motorisé (pas de 1µm). Un milieu de perfusion appauvri en calcium (0,125 au lieu de 1,26 mM) et enrichi en magnésium (5 au lieu de 1,15 mM) a été utilisé pour étudier l'activité des neurones après blocage des relations synaptiques.

5, Résultats

L'activité respiratoire foetale a été enregistrée sur les racines C3-C4 ; elle se caractérise par des décharges de courte durée (environ 1 sec) apparaissant avec une fréquence de l'ordre de 3-4 cycles min^{-1} (Fig. 1). Cette activité est bien d'origine bulbaire puisqu'elle est supprimée par une section bulbo-spinale et conservée après une section ponto-bulbaire. Sur une préparation modifiée, conservant le diaphragme et la cage thoracique en connexion avec le système nerveux central, des contractions rythmiques sont présentes et une activité électromyographique peut être enregistrée.

L'existence et les caractéristiques de cette activité respiratoire foetale sont dépendantes de l'âge. Aucune activité n'a jamais été enregistrée à E15 (0/11 foetus), elle apparaît à E16 (11/37,) (Fig. 2), et elle est présente sur des foetus plus âgés (E17-E21). Les fréquences respiratoires moyennes à E16, E18 et E20 sont de $3,3 \pm 1,2$, $2,8 \pm 0,8$ et $3,3 \pm 0,6$ min$^{-1,}$ respectivement. Même si les fréquences moyennes ne sont pas significativement différentes de E16 à E21, les caractéristiques de l'activité respiratoire évoluent de E16 à E21, et la durée des cycles successifs devient plus constante (Fig. 2).

L'activité de neurones, respiratoires ou non respiratoires, a été enregistrée à l'aide d'électrodes extracellulaires. Ces neurones étaient localisés dans le bulbe rostral ventro-latéral (BRVL). Les différents types d'activité respiratoire unitaire déjà décrits chez le nouveau-né in vitro (Smith et al., 1990) ont été enregistrés au cours de cette étude aussi bien chez le foetus que chez le nouveau-né. (Fig. 3A). Les enregistrements de neurones inspiratoires, réalisés aux stades E18, E20 et E21, ont concerné 63, 32 et 16 neurones, respectivement.

Des applications du milieu de survie "sans calcium" ont été réalisées sur des préparations de E18 à E21 et sur des nouveau-nés. Dans tous les cas, l'activité inspiratoire motrice, enregistrée sur les racines ventrales cervicales, a disparu en quelques minutes et a été rétablie par le retour à un milieu de survie normal. Durant la période pendant laquelle l'activité motrice tend à disparaître sous l'effet du milieu "sans calcium", on observe des changements de fréquence respiratoire qui varient avec l'âge, à E18, la fréquence respiratoire diminue, à E20-21, elle n'est pas modifiée, chez les nouveau-nés, elle augmente.

L'activité de neurones inspiratoires a été étudiée durant l'application de milieux "sans calcium". Aucune des cellules testées (n=31) à E18 n'a conservé d'activité rythmique après que l'activité motrice sur la racine C4 ait disparu. Une seule cellule à

E20 (n=32), 3 à E21 (n=12) et 3 chez des nouveau-nés (n=24) ont maintenu leur activité phasique après disparition de l'activité motrice cervicale. Le traitement de ces résultats, (nombre de cellules conservant une activité phasique par rapport au nombre de cellules testées) par le test du Chi-2 indique que la fréquence d'apparition de ces neurones autorythmiques respiratoires est significativement différente entre E18 et E20-21-nouveau-né, alors que la fréquence d'apparition des autres types de neurones respiratoires ne l'est pas. Ces neurones étaient tous localisés entre 400 et 800 µm sous la surface ventrale du bulbe et à 1-1,2 mm de la ligne médiane.

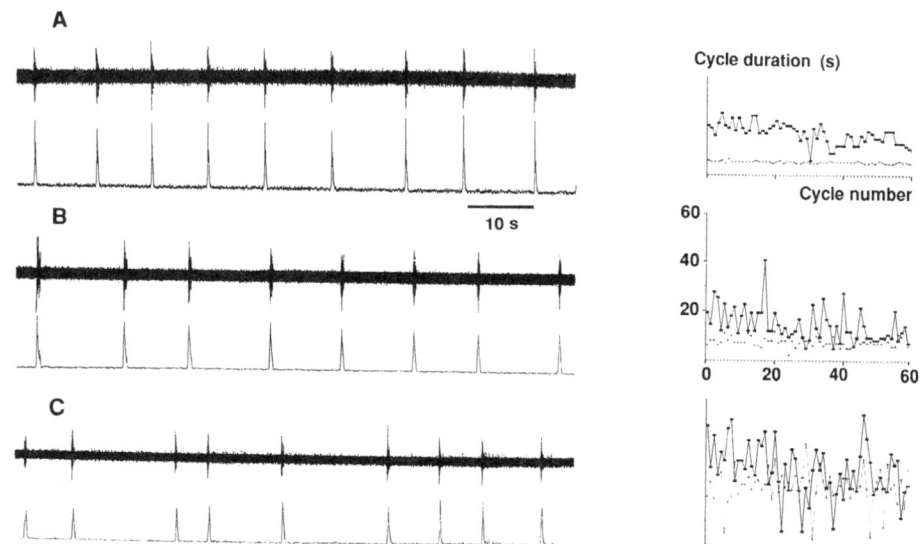

Fig. 2 : **Variabilité du rythme respiratoire à différents stades du développement**. A gauche, du haut vers le bas : activité inspiratoire brute et intégrée enregistrée sur un nouveau-né, et deux foetus E21 et E18. A droite les diagrammes représentent en abscisse la durée des cycles respiratoires successifs et en ordonnée la position des cycles pour des préparations d'âge correspondant aux tracés de gauche. Pour les deux diagrammes du haut, les deux courbes correspondent à la fréquence la plus stable (traits pointillés) et la plus variable (traits épais). Sur le diagramme du bas les deux courbes sont représentatives des foetus à E18.

Differences in respiratory rhythm variability between foetal and newborn rats. On the left, raw and integrated inspiratory discharges from C4 ventral roots in newborn, E21 and E18 foetal preparations in A, B and C, respectivelly ; note the variations in cycle duration in C. On the right, cycle duration (in second, abscissa) and cycle number (ordinate) plotted from 60 successive respiratory cycles from the corresponding preparations on the left. On top and middle diagrams, the two curves correspond to the most stable (dotted line) and the most variable (heavy line) preparations observed in newborn and E21 preparations, respectivelly. On bottom diagram, the two curves are representative for E18 foetuses.

6, Discussion

Les résultats, obtenus sur une préparation "système nerveux central isolé" de foetus de rat, constituent les premières données relatives au développement des centres respiratoires foetaux et mettent en évidence des modifications des mécanismes d'élaboration du rythme respiratoire qui sont liées à l'âge.

6.1, Variations de l'activité rythmique respiratoire liées à l'âge.

Bien que la fréquence respiratoire ne soit pas significativement différente chez les foetus et les nouveau-nés, la durée des cycles présente une variabilité différente en fonction de l'âge. Cette variabilité tend à diminuer avec le développement du système, elle est plus grande à E18 qu'à E20 ou chez le nouveau-né. Des études in vivo

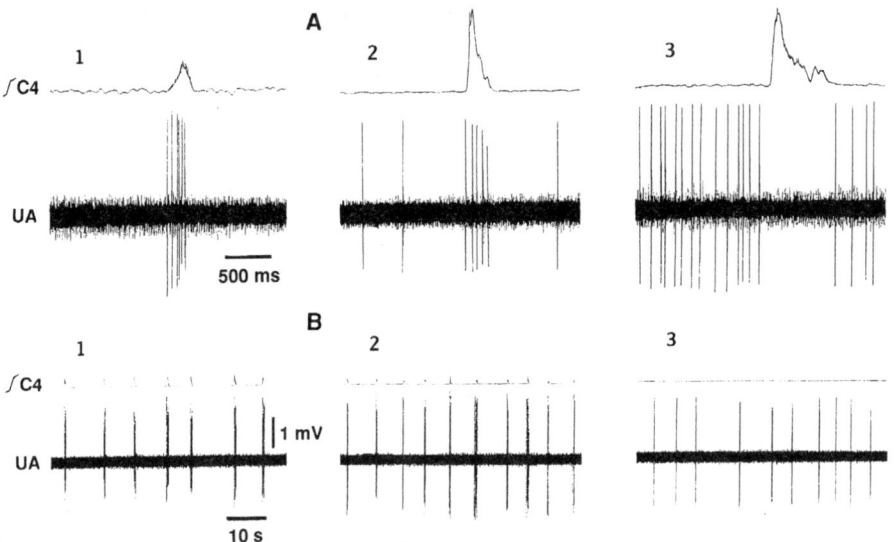

Fig. 3 : **Décharges des neurones respiratoires du bulbe rostral ventro-latéral.** U.A. : décharge unitaire, ∫C4 : activité nerveuse intégrée de la racine ventrale cervicale C4. A : différents types de décharges, inspiratoire phasique (A1), inspiratoire tonique (A2), expiratoire (A3). B : effet d'un milieu de survie appauvri en Ca^{2+} et enrichi en Mg^{2+} sur l'activité d'un neurone inspiratoire. B1, situation de contrôle avec un milieu de perfusion normal ; B2, 5 min après le début de l'application du milieu "sans calcium", noter la réduction de l'activité inspiratoire cervicale ; B3, 12 min.après le changement de milieu, l'activité cervicale a disparu mais le neurone inspiratoire continue à émettre des salves de potentiels rythmiques.

Pattern of discharges of respiratory neurones of the rostral ventro-lateral medulla. U.A. : unitary activity of a respiratory neurone ; ∫C4 : integrated inspiratory activity recorded on the C4 ventral root. A : different types of respiratory activities, phasic inspiratory (A1), tonic inspiratory (A2) Expiratory (A3). B : effect of low $[Ca^{2+}]$-high $[Mg^{2+}]$ medium on firing of an inspiratory neurone. This neurone is active at the very beginning of inspiration under normal medium (B1), in B2, (5 min. after changing the medium) note the decreased amplitude of the integrated activity, in B3, (12 min. after changing the medium) the C4 root is no longer active but the neurone retains its bursting firing.

réalisées sur des foetus humains ou de mouton (Jansen & Chernick, 1983) avaient déjà mis en évidence une variabilité de la durée du cycle respiratoire qui ne peut donc être liée aux conditions expérimentales in vitro. De plus, la préparation in vitro étant totalement déafférentée, ces variations ne peuvent être attribuées qu'à des phénomènes centraux liés à l'activité du générateur de rythme lui-même. La variabilité semble être une caractéristique des générateurs de rythme immatures, comme en témoignent les travaux réalisés sur le générateur de rythme locomoteur chez le rat (Cazalet et al., 1990) ou la lamproie (Cohen et al., 1990).

6.2, Mécanismes d'élaboration du rythme respiratoire

Le milieu de survie appauvri en Ca^{2+} et enrichi en Mg^{2+} bloque les transmissions synaptiques excitatrices et inhibitrices (Haas et Jefferys, 1984). L'utilisation de ce milieu de survie fait disparaître l'activité motrice respiratoire en quelques minutes mais, pendant cette phase de transition, le rythme respiratoire peut être modifié de différentes façons. Chez le rat nouveau-né, la fréquence respiratoire est significativement augmentée avant que le rythme ne disparaisse. Cela pourrait être du à l'élimination de diverses inhibitions, internes au générateur de rythme ou s'exerçant sur lui (l'aire pontique A5, Errchidi et al., 1991). Chez le foetus à E18, l'interruption des relations synaptiques diminue de façon nette la fréquence respiratoire. Les influences excitatrices semblent donc avoir une importance primordiale dans le maintien de la rythmicité respiratoire. Chez les foetus à E20-E21, le rythme respiratoire n'est pas modifié par le blocage des relations synaptiques et la fréquence reste la même jusqu'au moment où l'activité motrice n'est plus décelable. L'importance fonctionnelle des excitations et des inhibitions n'est donc pas constante au cours du développement. Ces différents résultats suggèrent qu'il existe une maturation progressive des processus d'élaboration du rythme respiratoire.

Différents auteurs, utilisant la préparation système nerveux isolé de rat nouveau-né, ont émis l'hypothèse d'une participation de neurones pacemaker à l'élaboration de l'activité respiratoire (Feldman et Smith, 1989 ; Onimaru et al., 1989 ; Smith et al., 1991). L'existence de neurones inspiratoires qui continuent à présenter une activité rythmique en l'absence de transmission synaptique tend à valider cette hypothèse. Toutefois, de tels neurones ont été mis en évidence sur des foetus à terme ou des nouveau-nés, dans un seul cas à E20 et jamais à E18. Bien qu'il soit délicat de conclure à partir de résultats négatifs, on peut suggérer que l'activité respiratoire relativement instable des foetus de E16 à E20 dépend des propriétés d'un réseau. A ce stade les neurones ne semblent pas encore avoir développé de propriétés de type pacemaker. A partir de E20 puis chez le nouveau-né, des neurones de type pacemaker sont mis en évidence et le rythme respiratoire présente une stabilité bien plus importante. Il faut noter que des résultats récents, obtenus sur des systèmes nerveux perfusés de rats adultes (Hayashi et Lipski, 1992) démontrent que, contrairement aux résultats obtenus chez le nouveau-né, la suppression des inhibitions liées aux ions chlore, bloque complètement l'activité respiratoire ; cela tend à démontrer que le rythme respiratoire, chez l'adulte, est élaboré par un réseau. Pris dans leur ensemble, ces différents résultats permettent de penser que les mécanismes d'élaboration du rythme respiratoire, évoluent au cours du développement pré et postnatal, et font successivement appel à des propriétés de réseau dans les stades les plus précoces, puis à des neurones de type pacemaker en période périnatale, et enfin à des propriétés de réseau chez l'adulte. On peut suggérer que la participation de neurones pacemaker à l'élaboration du rythme respiratoire en période périnatale puisse conférer une plus grande sécurité de fonctionnement au système durant cette période particulièrement critique.

Acknowledgements : This work was supported by the CNRS (URA 205). the authors thanks Mrs A.M. Lajard and Mr M. Manneville for the technical assistance.

7, Bibliographie

Bystrzycka E., Nails S.,Purves M., Central and peripheral neural respiratory activity in the mature sheep and newborn lamb, Resp. Physiol., 1975, 25: 199-215.

Cazalet J.R., Menard I., Cremieux J., Clarac F., Variability as a characteristic of immature motor systems : an electromyographic study of swimming in the newborn rat, Behav. Brain Res., 1990, 40: 215-225.

Cohen A.H., Dobrov T.A., Li G., Kiemel T., Baker M.T., The development of the lamprey pattern generator for locomotion, J. Neurobiol., 1990, 21: 958-969.

Dawes G., The central control of fetal breathing and skeletal movements, J. Physiol. (Lond.), 1984, 346: 1-18.

Dekin M.S., Haddad G.G., Membrane and cellular properties in oscillating networks : implications for respiration, J. Applied Physiol., 1990, 69: 809-821.

Di Pasquale E., Monteau R., Hilaire G., In vitro study of central respiratory-like activity of the fetal rat, Exp. Brain Res., 1992, 89: 459-464.

Di Pasquale E., Morin D., Monteau R., Hilaire G., Serotonergic modulation of the respiratory rhythm generator at birth : an in vitro study in the rat, Neurosci. Lett., 1992, 143: 91-95.

Errchidi S., Monteau R., Hilaire G., Noradrenergic modulation of the medullary respiratory rhythm generator in the newborn rat : an in vitro study, J. Physiol. (Lond.), 1991, 443: 477-498.

Feldman J.L., Smith J., Cellular mechanisms underlying modulation of breathing pattern in Mammals, An. N. Y. Acad. Sci., 1989, 563: 114-130.

Greer J., Smith J., Feldman J.L., Respiratory and locomotor patterns generated in the fetal rat brain stem-spinal cord in vitro, J. Neurophysiol., 1992, 67: 996-999.

Haas H., Jefferys J., Low-calcium field burst discharges of CA1 pyramidal neurones in rat hippocampal slices, J. Physiol. (Lond.), 1984, 354: 185-201.
Harding R., Fetal breathing movements. In : The lung, Ed. R.G. Crystal, J.B. West, Raven Press Ltd, New York, 1991, 1655-1663.

Hayashi F., Lipski J., The role of inhibitory amino acids in control of respiratory motor output in an arterially perfused rat, Resp. Physiol., 1992, 89: 47-63.

Hilaire G., Monteau R., Errchidi S., Possible modulation of the medullary rhythm generator by the noradrenergic A5 area : an in vitro study in the newborn rat, Brain Res., 1989, 485, 325-332.

Ioffe S., Jansen A., Chernick V., Chronic extracelluler recording of fetal medullary neuronal activity, J. Applied Physiol., 1983, 55: 1361-1364.

Jansen A., Chernick V., Development of respiratory control, Physiol. Rev., 1983, 63: 437-483.

Jansen A., Chernick V., Fetal breathing and development of control of breathing, J. Applied Physiol., 1991, 70: 1431-1446.

Onimaru H., Homma I., Respiratory rhythm generator in medulla of brainstem-spinal cord preparation from newborn rat, Brain Res., 1987, 403: 380-384.

Onimaru H., Arata A., Homma I., Localization of respiratory rhythm-generating neurons in the medulla of brainstem-spinal cord preparation from newborn rats, Neurosci. Lett., 1987, 78: 151-155.

Onimaru H., Arata A., Homma I., Firing properties of respiratory rhythm generating neurons in the absence of synaptic transmission in rat medulla in vitro, Exp. Brain Res., 1989, 76: 530-536.

Smith J., Ellenberger H., Ballanyi K., Richter D., Feldman J.L., Pre-Bötzinger Complex: a brainstem region that may generate respiratory rhythm in Mammals, Science, 1991, 254: 726-729.

Smith J., Greer J., Liu G., Feldman J.L., Neural mechanisms generating respiratory rhythm pattern in mammalian brain stem-spinal cord in vitro. I. Spatiotemporal patterns of motor and medullary neurons activity, J. Neurophysiol., 1990, 64: 1149-1169.

Suzue T., Respiratory rhythm generation in the in vitro brain stem-spinal cord preparation of the neonatal rat, J. Physiol. (Lond.), 1984, 354: 173-183.

ETUDE DES RYTHMES CIRCANNUELS CHEZ LA CAILLE DES BLES *Coturnix coturnix coturnix.* *CIRCANNUAL RHYTHMS IN EUROPEAN QUAIL.*

C. GUYOMARC'H et J-C. GUYOMARC'H

Laboratoire d'Ethologie
Campus de Rennes Beaulieu
35 042 RENNES Cedex. France.

Résumé :

La mue des cailles des blés (Coturnix c. coturnix) se réalise dans la nature en plusieurs épisodes calés entre la fin du mois d'août (début de mue post-nuptiale) et la fin février (fin de mue pré-nuptiale; SAINT-JALME, 1990). Nous avons cherché à connaître le cycle biologique de l'oiseau quand il est soustrait aux variations naturelles saisonnières de photopériode et de température. Nous avons donc suivi régulièrement les modifications de l'état physiologique de 12 mâles et 12 femelles de cailles des blés, maintenues en LD : 12/12 et à 20 (+/-1)°C, pendant quatre années à partir de leur naissance.

Dans ces conditions, les oiseaux vont réaliser au cours de la vie une alternance de phases semestrielles organisée de la manière suivante: la mue post-juvénile et/ou les mues post-nuptiales successives, s'effectuent pendant six mois en 2, ou 3, séquences partielles séparées par des épisodes de reproduction. Suit une période de reproduction importante et durable au cours de six autres mois sans épisode de mue intercalé.

Les cailles maintenues en conditions photopériodiques constantes LD: 12/12 ne présentent donc pas de véritable phase hivernale de repos sexuel. Les oiseaux sont capables, dans leur grande majorité, de se reproduire à tous moments à l'exclusion des périodes de mue. La séquence de mue post nuptiale débute chaque année au même mois que pour les populations naturelles françaises. Mais l'intervalle entre les mues partielles est allongé et la fin de cette mue post nuptiale coïncide de fait avec la saison naturelle de la mue hivernale ou mue pré nuptiale.

Il semble donc que la périodicité et l'organisation même des phénomènes de mue soient sous tendus chez la caille des blés par un rythme circannuel endogène proche de 12 mois. Par contre, l'expression cyclique naturelle de la sexualité serait plus largement dépendante des facteurs environnementaux abiotiques (photopériode, température...) et sociaux.

Summary :

In order to investigate the organisation of the biological cycles in European quail (*Coturnix coturnix coturnix*) when no seasonal references were available, we observed 12 males and 12 females kept in LD: 12/12 for four years from the day they hatched. Under these photoperiodic conditions the birds, after the end of their growth (7 weeks) showed the following successive phases : end of the first part of the post juvenile moult (8 th week), fattening, then important restlessness (10 th week); sexual development leading to complete maturation (for 50% of the females and 90% of the males) at the age of 3.5 to 4 months; then the second phase of the post juvenile moult at approximately 5-6 months. During the next six months we observed an important reproductive period which coincided with the natural phase of reproduction during the first spring and summer after hatching. The same schedule reoccured during the subsequent years : during the first six months post nuptial moults occurred in two (or three) phases separated by a reproductive phase; and during the next six months only reproductive behaviour was recorded. Therefore, under LD: 12/12 conditions, European quail were able to reproduce at any time of the year except during the moulting phases. The post nuptial moults under LD: 12/12 conditions began at the same time as in feral French populations, but the rest period between two moulting phases lasted much longer so that the later part of the post nuptial moult under LD: 12/12 conditions coincided with the winter (prenuptial) moult of wild birds. Therefore, in European quail, there seems to be an underlying endogenous circannual rhythm related to moulting whereas reproduction appears to be controlled more by abiotic and social environmental factors.

1 Introduction :

La caille des blés (*Coturnix coturnix coturnix*) passe l'hiver en Afrique et migre pour se reproduire à des latitudes plus élevées, par exemple en France. Comme chez la caille japonaise et la majorité des oiseaux venant se reproduire dans les zones tempérées, les changements de sa physiologie sont largement déterminés par les changements saisonniers de la longueur du jour (Wilson et al, 1962; Wada, 1881; Saint Jalme, 1990) et/ou de la température (Tsuyoshi et al.,1992).

Mais ces facteurs pourraient aussi venir se greffer sur un (ou des) rythme(s) endogène(s) assurant une trame d'expression des différentes phases du cycle biologique de l'espèce. C'est pourquoi, après avoir controlé l'importance du facteur photopériodique chez la caille des blés (Guyomarc'h et al., 1990), nous avons voulu connaître celle de sa rythmicité endogène. Nous avons donc élevé des individus en dehors des variations saisonnières de longueur de jour et de température, et controlé régulièrement leur état physiologique pendant toute leur vie.

2 Materiel et Méthodes :

Les oiseaux sont issus de parents sauvages capturés au filet dans les zones traditionnelles de reproduction dans le sud-ouest de la France. Tous sont nés le même jour, au mois d'aout, les oeufs ayant été couvés en incubateur. 12 mâles et 12 femelles sont ainsi élevés dans deux chambres "sourdes" différentes, et donc sans information sociale hétéroséxuée. De plus un bruit rose de 55 dB est diffusé dans les chambres sourdes afin que les cailles ne se synchronisent pas sur les vocalisations et/ou les bruits venant des autres oiseaux de l'élevage.

La photopériode est de LD: 12/12 et restera constante pendant toute la durée de l'expérience. Pendant la phase obscure une petite veilleuse produit une luminosité inférieure à 2 Lux. La température est maintenue constante (20+/-1°C). Chaque oiseau est maintenu dans un compartiment de batterie avec mangeoire et abreuvoir individuels. Les critères de développement suivants ont été contrôlés environ tous les 10 jours par rapport à l'évolution de référence connue dans les populations naturelles:
- **la mue**: le nombre et la place des plumes renouvelées sont notés, spécialement les rémiges primaires (Rp), les plumes du dos , de la tête, de la bavette et du ventre. Le cycle de mue des oiseaux en situation naturelle est le suivant (Saint-Jalme, 1990):
- La mue commence par le remplacement de la Rp la plus interne(N°10). Chez les jeunes tardifs de l'année (nés en août, comme ici), la durée de la première phase de la mue post juvénile est de 4,1 semaines. Puis la mue est bloquée pour tous à l'àge de 8 ou 9 semaines avec la croissance des Rp 6 ou 7 pour 95% des oiseaux.
Après une pause moyenne de 4 à 5 semaines pendant laquelle les jeunes traversent une période d'agitation migratoire, la mue post juvénile se poursuit pendant 4 à 5 semaines encore (mue automnale, en novembre) avec notamment le remplacement terminal des Rp 6, 5, et 4. La durée totale moyenne atteint tout juste 3 mois. On observe ensuite quelques semaines plus tard le début de la mue dite hivernale (ou pré nuptiale) qui se situe dans la même période pour les cailles des différentes classes d'age: fin décembre, début janvier. Elle va durer en moyenne 8 +/- 4 semaines, en fonction de la précocité du développement sexuel des oiseaux concernés, développement qui la chevauche très largement dans le temps.
- Chez les adultes entrant dans leur deuxième année, le début de la mue post nuptiale (RPp n°10) se positionne très diversement dans la saison: entre le 15 juillet et le 15 octobre. Pour une minorité d'oiseaux très tardifs(12%), elle intervient en effet après la migration automnale. La règle est de la voir s'articuler à la régression

161

après la migration automnale. La règle est de la voir s'articuler à la régression sexuelle (fin juillet, début août: 88%). La majorité (60%) effectue cette mue post nuptiale en deux étapes. Le blocage intervient en moyenne 5 à 6 semaines après son déclenchement, avec le remplacement de la Rp 5,6,7, ou 8.

La deuxième phase durera 6 à 7 semaines, jusqu'au remplacement de la Rp1, et après une pause très variable (1 à 13 semaines; moyenne: 7-8 sem.) pendant laquelle se situera une importante phase d'accumulation lipidique et de migration.

La mue totale, y compris la pause, dure donc en moyenne 18 semaines, soit 4,3 mois.

Au total les différentes phases de la mue des cailles s'échelonnent sur six mois de l'année (un peu plus pour les oiseaux de plus d'un an; un peu moins pour les oiseaux de première année), avec un retard d'un mois environ sur les solstices d'été (début) et d'hiver (fin de la mue).

- **développement sexuel** : chez les mâles nous contrôlons le développement de la glande cloacale (dimension; présence de mousse). Chez les femelles la largeur de la fente cloacale est mesurée; les oeufs sont répertoriés tous les deux jours.

- **engraissement :** la largeur de la bande lipidique pectorale est mesurée. Ce critère est un bon indicateur des masses lipidiques corporelles totales (Guyomarc'h 1990) et de migration (Saint Jalme et al., 1988).

- **activité nocturne** : les tentatives d'envol sont comptabilisées par tranches de 12 minutes suivant le procédé déjà décrit (Guyomarc'h et al, 1992) avec des capteurs infra-rouges disposés sur la partie supérieure de la cage : l'oiseau coupe le faisceau lorsqu'il se dresse hors de la cage et vers le haut, dans ses tentatives d'envol.

3 Résultats :

La durée de vie maximum observée fut de 4 ans et 10 mois. L'espérance de vie est bien inférieure chez les femelles que chez les mâles et ceci d'autant plus que la femelle a pondu plus d'oeufs. Ainsi 7 femelles sur 12, et seulement un mâle sont morts au cours de leur troisième année (Fisher test $p = 0.026$). Dix mâles, et seulement deux femelles, ont vécu plus de quatre ans révolus. Les cailles ayant pondu plus de 200 oeufs sont mortes plus tôt que les autres femelles (Fisher test $p = 0.04$).

3.1 :**la mue**: La mue post juvénile s'arrête au cours de la 9° semaine de vie avec le changement de la Rp n°6 (Fig.1). Elle reprend ensuite avec le renouvellement des rémiges 5 et 4. L'intervalle moyen entre ces deux séquences de mue est de 2.7 +/- 1.3 mois chez les mâles; 3.5 +/-1 mois chez les femelles (différence NS). Chez quelques individus pour lesquels la pause est courte - entre 5 et 7 semaines - une troisième séquence de mue peut intervenir à partir du début: Rp 10 à 4. Ce fut le cas pour 4 mâles et 1 femelle qui avaient tous entre sept et neuf mois.

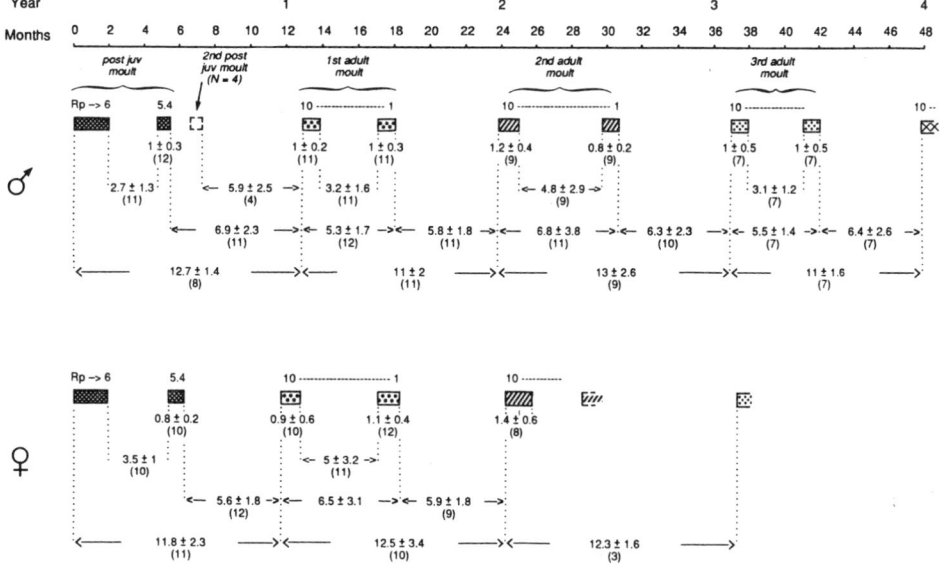

Fig.1: Chez les mâles et les femelles en LD:12/12, position et intervalle- moyen, en mois, entre les épisodes de mue pendant quatre ans. Les séquences de mue sont déterminées par les n° des rémiges renouvelées (Rp 6 puis 5,4 etc..) et en comparaison avec les références naturelles.

Fig.1: Mean time, in months, of the different moulting phases during the four year experiment in males and females under LD:12/12.

Au cours des mois suivants nous observons différents épisodes de mue successifs. Toutes les rémiges, l'allula, les plumes du corps sont renouvelées dans l'intervalle d'un an mais au cours de deux ou trois phases distinctes. Ce renouvellement annuel peut être comparé à la mue post-nuptiale, qui peut être bloquée en son milieu chez beaucoup d'oiseaux (Mead et Watmouth, 1976). Ainsi 92% de nos cailles en LD: 12/12 (N=24) ont réalisé leur première mue postnuptiale adulte en au moins deux étapes (54% en deux, 38% en trois, parmi lesquels une majorité de femelles). Pour la seconde et la troisième mue postnuptiale les pourcentages sont de 78% (N =18) et 80% (N =10, après la mort de 14 cailles).

La durée totale moyenne de la mue complète, incluant la pause médiane, est de six mois. La durée moyenne entre la fin d'une mue complète et le début de la mue complète suivante est aussi d'environ six mois (fig 1). La variabilité interindividuelle de ces deux mesures est importante. Mais il existe une corrélation négative entre les durées des mues complètes successives (Spearman test p<0.05; N =10 chez les mâles) . Lorsque, chez un individu, l'intervalle entre la première et la deuxième mue adulte complète est supérieur à la moyenne, l'intervalle entre la deuxième et la troisième sera inférieur à la moyenne. La variabilité interindividuelle annuelle ne produit donc pas un décalage qui irait en s'accentuant, et les oiseaux sont restés relativement synchrones jusqu'à la fin de leur vie.

3.2: développement sexuel

Chez tous les mâles , le développement sexuel se manifeste par l'apparition d'une glande cloacale turgescente au cours du quatrième mois, soit entre les deux phases de la mue post juvénile (fig 2). Les premiers chants sont émis alors que les oiseaux sont âgés de trois mois.

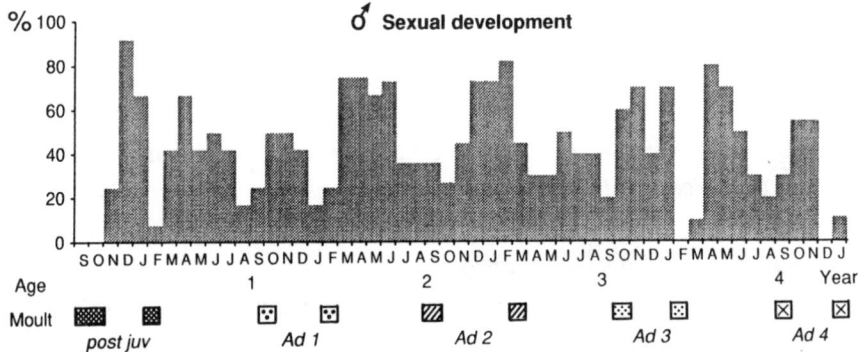

Fig.2: En LD:12/12, variations mensuelles du pourcentage de mâles sexuellement matures (glande cloacale turgescente + mousse).

Fig.2: Monthly variations of the percentage of sexually mature male quails (well developed cloacal gland with foam) under LD: 12/12.

Chez les femelles, 50% vont commencer à pondre lorsqu'elles auront quatre mois (17 semaines pour la plus précoce), soit avant la deuxième phase de la mue post juvénile. Pour d'autres, un début de développement s'est manifesté au même moment. Mais elles régressent et ne pondront qu'après la fin de la mue post juvénile. Au total 83% des femelles pondront au cours de leur première année d'existence.

Au cours des mois suivants, des phases de développement sexuel se manifestent avec des involutions coïncidant avec les périodes de mue (Fig2). Mais il n'y a pas de repos sexuel net au niveau de la population expérimentale. L'involution génitale doit être souvent faible au niveau individuel, puisque la ponte peut reprendre pendant la croissance des dernières plumes remplacées.

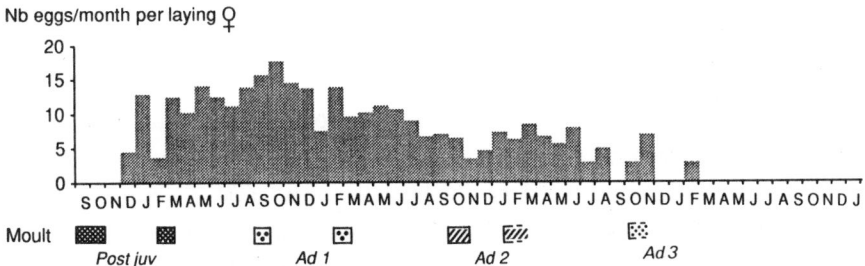

Fig.3: Variations mensuelles du taux de ponte par femelle et par mois en LD:12/12.

Fig.3: Monthly variations of the mean number of eggs laid in a month by a laying female under LD: 12/12

C'est au cours de leur première année d'existence que les femelles pondent le plus d'oeufs et particulièrement entre la fin de la mue post juvénile et le début de la première mue post nuptiale adulte, c'est à dire entre 6 et 13 mois d'age. Le taux de ponte décroît ensuite régulièrement (Fig.3).

3.3: engraissement et activité nocturne

Une phase d'accumulation lipidique très importante se manifeste chez tous les oiseaux au cours du second mois de vie. Elle représente un engraissement pré-migratoire qui peut être relié à la période marquée d'agitation nocturne qui suit. Celle-ci se déclenche chez les mâles et les femelles entre 62 et 68 jours d'âge. Elle peut être assimilée à la phase de migration nocturne qui accompagne le développement sexuel chez les cailles des blés (Saint-Jalme et al.,1988).

Une activité nocturne peut être remarquée au cours des années suivantes chez de nombreux individus mais, comme chez les fauvettes, il est difficile d'associer ces différents épisodes aux migrations de printemps ou d'automne (Gwinner et al 1978) ou à de possibles mouvements de déplacement liés à la recherche de partenaires sexuels. Par contre, aucune activité nocturne n'a été enregistrée chez une caille en mue ou une femelle pondeuse.

165

4 Conclusions et Discusssion :

Elevées sans références saisonnières depuis leur naissance de jeunes cailles des blés vont vivre la succession de phases suivante : à la fin de la première partie de la mue post juvénile (8°-9° semaine) une phase d'accumulation lipidique importante marque le début de l'agitation nocturne (10° semaine). Le développement sexuel commencé aboutit à la reproduction pour 50% des oiseaux avant quatre mois. La deuxième partie de la mue post juvénile intervient alors, quand les oiseaux ont cinq mois et s'accompagne d'une chute des réserves lipidiques, d'un arrêt de l'agitation nocturne et d'une involution sexuelle.

Une autre période de reproduction s'étend entre la fin de la mue post-juvénile et le début de la mue post nuptiale adulte sur une durée d'environ six mois. Les cycles suivants s'effectueront suivant le même schéma semesmestriel: six mois où les mues partielles encadrent de brèves périodes de reproduction; six mois de reproduction sans mue. Les débuts de chaque mue complète (Rp n°10) se retrouvent donc, tous les ans, à la même "saison" que pour les populations naturelles françaises (aout-septembre).

Elevées en photopériode LD : 12/12, et à 20°, les cailles présentent des phases de reproduction entre tous les épisodes de mue. Ceci peut se produire entre la fin d'une mue complète et le début d'une autre mue complète: intervalle qui correspond aux phases de migration et de reproduction vernales et estivales des populations naturelles. Mais ceci se produit aussi entre les séquences partielles d'une même mue complète: durée qui couvre normalement la migration automnale et le repos hivernal en Afrique. Il n'y a pas de phase photoréfractaire stricte qui s'installe après une phase de reproduction. On observe donc au moins deux phases sexuelles par an comme cela se produit chez le canard en obscurité constante(Benoit,1978).

L'arrêt de la reproduction à la fin de l'été dans les populations naturelles pourrait être le résultat de facteurs liés à la couvaison, l'élevage des jeunes. Ceci est peu probable, car les mâles ne participent pas à ces activités. Il dépend plutôt de facteurs abiotiques tels que la photopériode décroissante et/ou les températures automnales basses comme chez la caille japonaise (Oishi, 1978; Tsuyoshi et Wada, 1992).

Chez les cailles en LD:12/12, la mue post-nuptiale de l'adulte commence chaque année (premier épisode) dans les mêmes mois que chez les populations naturelles et se termine (deuxième épisode) dans le temps où s'effectue normalement la mue prénuptiale. Il semble donc que les épisodes de mue soient déterminés, chez la caille des blés, d'une façon assez stricte au niveau temporel. La période du cycle complet est proche de 12 mois dans les conditions photopériodiques imposées; et la durée de vie des oiseaux ne permet pas de préciser davantage sa valeur. Une rythmicité circannuelle des phénomènes de mue a aussi été mise en évidence chez les Fauvettes (Berthold,1978) et le Pinson des arbres (Dolnik et Gavrilov, 1980).

Une des fonctions adaptatives dévolues aux rythmes endogènes circannuels est d'assurer une trame rythmique de base permettant à l'espèce de réaliser aux bons moments les différentes phases de leur cycle biologique, même en l'abscence des facteurs de l'environnement qui les déterminent normalement (Canguilhem,1985). Cette rythmicité endogène est alors d'autant plus prégnante que l'espèce réalise sa reproduction dans une fourchette de temps réduite dans l'année, ou sous des contraintes environementales importantes comme pour les oiseaux migrateurs transéquatoriaux (Gwinner, 1986). Chez la caille des blés, le cycle de mue qui sépare les reproductions annuelles successives semblent donc déterminé par un rythme endogène assez strict. Sa fragmentation en épisodes partiels ressemble à ce qui est connu chez beaucoup d'oiseaux migrateurs (Mead et al., 1976). Elle est adaptée à la nécessité de reconstituer les réserves lipidiques en cours de migraton. Tout ceci permet aux oiseaux de rallier à temps les aires d'hivernage et/ou de reproduction.

Ces résultats mettent par ailleurs en évidence l'importante précocité sexuelle des cailles des blés, physiologiquement aptes à se reproduire dès l'age de quatre mois, ce qui va dans le sens des observations précédemment réalisées sur les populations naturelles (Hémon et al 1987). Ils font aussi ressortir pour les femelles une période optimum de reproduction centrée sur la premiére année. Les causes sont les mêmes que celles qui ont été montrées chez la caille japonaise (Woodard et al, 1971) puisque le taux de productivité en oeufs décroît avec l'âge et que l'espérance de vie est plus faible chez les cailles très productives.

Remerciements : Cette étude à été en partie réalisée grâce au soutien financier de l'Office National de la Chasse.

Bibliographie :

Benoit J., Chronobiologic study in the domestic duck, *Chronobiologia*, 1978, **5:** 147-168.

Berthold P., Circannuale Rhythmik : Freilaufende selbsterregte Periodik mit lebenslanger Wirksambeit bei Vögeln. *Naturwissenschaften*, 1978, **65**: 546.

Canguilhem B., Rythmes circannuels chez les mammifères hibernants sauvages, *J. Can. Zoo.*, 1985, **63**: 453-463.

Dolnik V.R., Gavrilov V.M., Photoperiodic control of the molt cycle in chaffinch (Fringilla coebebs). *Auk,* 1980, **97**: 50-62.

Guyomarc'h C., Guyomarc'h J-C., Sexual development and free running period in quail kept in constant darkness. *Gen. Comp. Endo.*, 1992, **86**: 103-110.

Guyomarc'h C., Guyomarc'h J-C., Saint-Jalme M., Potentialités reproductrices   chez les jeunes cailles des blés. *Cah. Etho. Appli.*, 1990, **10**: 125-142.

Guyomarc'h J-C., Cycle saisonnier et microévolution des populations paléarctiques de caille des blés. *Gibier Faune Sauvage*, sous presse.

Hémon Y.A., Saint-Jalme M., Guyomarc'h J.-C., Structure et fonctionnement des populations reproductrices "françaises" de cailles des blés. *B.M. ONC,* 1987, **114**: 29-32.

Gwinner E., Circannual rhythms, 1986, Springer Verlag. Berlin.

Gwinner E., Czeschlik D., On the significance of spring migratory restlessness in caged birds. *Oïkos.* 1978, **30**: 364-372.

Mead C.J., Watmouth B.R., Suspended moult of trans-saharan migrants in Iberia. *Bird Study*, 1976, **23**: 187-196.

Oishi T., Effect of short days in the photoperiodic testicular response of japanese quail. *Environ. Contr. Biol.*, 1978, **16**: 35-40.

Saint-Jalme M., La reproduction chez la caille des blés. Etude expérimentale des cycles saisonniers et de la variablilité interindividuelle. 1990, Thèse, Université des Sciences de Rennes.

Saint-Jalme M., Guyomarc'h J.C.,Hémon Y.A., Acquisitions récentes sur les stratégies reproductrices de la caille des blés. *B.M. ONC,* 1988, **127**: 33-36.

Tsuyoshi H., Wada M., Termination of L.H. secretion in japanese quail due of high and low temperature cycles and short daily photoperiods. *Gen. Comp. Endo.* 1992, **85**: 424-429.

Wada M., Photoinducible phase for gonadotropin secretion ebtrained to dawn in japanese quail. *Gen. Comp. Endo,* 1981, **43**, 227-233.

Wilson W. O., Abplanalp H., Arrington, L.,Sexual development of coturnix as affected by changes in photoperiods. *Poultry sci.* , 1962, **41**, 17-22.

Woodard A.E., Abplanalp H., Longevity and reproduction in japanese quail maintained under stimulatory lighting. *Poultry. Sci.*, 1971, **50**: 3, 688-692.

SIMULATION CHEZ LE RAT DES CARACTERISTIQUES CHRONOBIOLOGIQUES ET ONTOGENETIQUES DES TROUBLES DE L'HUMEUR

SIMULATION IN THE RAT OF THE CHRONOBIOLOGICAL AND ONTOGENETICAL FEATURES OF DEPRESSION

I. SCHELSTRAETE[1], E. KNAEPEN[2], P. DUTILLEUL[3] & M.H. WEYERS[1]

1. Unité de Psychobiologie, UCL, Louvain-La-Neuve, Belgique
2. Département de Psychologie expérimentale, ULg, Liège, Belgique
3. Unité de Biométrie et Analyse des Données, UCL, Louvain-La-Neuve, Belgique

RESUME

Un nouveau modèle potentiel de la dépression endogène, basé sur l'hypothèse d'une relation entre des dérèglements du système circadien et les troubles de l'humeur, est proposé. De jeunes rats (groupe EXP) ont subi durant la période néonatale (1 à 18 jours postpartum) des *Zeitgeber* atypiques. Le groupe contrôle (CTRL) a été soumis à des cycles standard. Testés à l'âge adulte, les rats EXP manifestent par rapport aux rats CTRL une réactivité émotionnelle différente dans plusieurs situations expérimentales : une perte de poids suite à un transport répété, un déficit d'apprentissage, une hypoactivité dans un *open-field*, une augmentation de la durée d'immobilité dans le test de la nage forcée, une diminution du temps passé sur les branches ouvertes lors d'une épreuve de *plus-maze*. Enfin, une analyse spectrale des rythmes de l'activité motrice et alimentaire (boisson) a révélé principalement une altération des fréquences ultradiennes. Certaines différences ont été compensées par une administration chronique de lithium. Des arguments en faveur d'une origine chronobiologique de ces différences ont été obtenus en étudiant le comportement maternel de femelles soumises aux indicateurs atypiques. Les mères du groupe expérimental ne semblent différer des femelles contrôles que par une modification de la phase et de l'amplitude de plusieurs items comportementaux et non par une modification de la quantité de soins accordés aux jeunes. L'ensemble de ces différences, et principalement la compensation des déficits par le lithium, nous permettent de proposer cette manipulation comme simulation potentielle des troubles de l'humeur.

SUMMARY

The approach suggests a new model of endogenous depression based on the hypothesis of a relationship between disturbances in the circadian system and mood disorders. During the neonatal period (days 1-18 postpartum) rats were submitted to atypical Zeitgeber conditions. When tested as adults and compared with a control group which had always been kept in standard conditions, the experimental group manifested greater emotional reactivity. The evidence for this was a comparative loss of weight following repeated transporting, a learning deficiency, hypoactivity in an open-field, an increase in the duration of immobility in a forced swimming test and a decrease in the time spent on the open arms of a plus-maze. Certain of the abnormalities found were offset by chronic administration of lithium.

These results led to further testing and when the maternal behaviour of females under atypical Zeitgeber conditions was looked at, it was found that there were modifications in the phase and amplitude of several behavioural items but not in the amount of care given to the young. This had an effect on the development of motor and drinking rhythms in the young and a spectral analysis showed the circadian rhythm development of these cycles to be retarded. These anomalies in the development of the circadian system would seem to have had an effect on the emotional robustness of the animals.

All of these observations, and especially that of the effect of lithium, allow us to put forward this experiment as a possible simulation of mood disorders.

1. INTRODUCTION

Depuis plusieurs années, l'étude des rythmes circadiens de patients dépressifs a montré de nombreuses modifications de leurs rythmes. Les troubles rythmiques les plus souvent observés sont les variations diurnes anormales de l'humeur, l'éveil au petit matin (Papousek, 1975; Wehr & Goodwin, 1983), une avance de phase du premier épisode de sommeil REM (Feinberg, 1982) et des perturbations des rythmes de sécrétions hormonales (Halbreich *et al.*, 1987; Linkowski *et al.*, 1985). Par ailleurs, les antidépresseurs ont une action spécifique sur la fonction circadienne. Wirz-Justice & Campbell (1982) ont montré un effet des tricycliques et des IMAO sur la période en libre cours et sur la phase des rythmes de neurosécrétions. Outre les caractéristiques typiquement circadiennes, les troubles de l'humeur ont depuis longtemps été associés à des perturbations temporelles marquées dans les formes saisonnières ou bipolaires de la maladie, ou encore dans le ralentissement psychomoteur.

Les critères diagnostiques du système de classification proposé dans le DSM III R sont la présence d'humeur dépressive, une perte d'intérêt ou de plaisir, un retard psychomoteur ou une agitation, un sentiment de mal-être, un sentiment de culpabilité, des pensées suicidaires, une diminution des capacités de concentration, une perte d'énergie, une diminution de la libido, une perturbation du sommeil et de l'appétit. Le diagnostic d'une dépression endogène implique la présence d'un des deux premiers critère associés à au moins quatre autres pendant 15 jours.

Les différentes hypothèses étiologiques actuellement les plus retenues ont mis en exergue une multitude de facteurs plutôt qu'un seul agent causal bien défini. Une vulnérabilité à la dépression serait acquise suite à l'accumulation de facteurs de risques (Brown & Harris, 1978; Akiskal, 1985). Ces facteurs seraient entre autres une privation sociale précoce, un état de stress chronique, une personnalité introvertie, des facteurs héréditaires (revue dans Willner, 1985). D'autre part, selon Ehlers *et al.* (1988) et Healy & Williams (1988), le facteur précipitant principal serait une altération de la structure des facteurs psychosociaux qui agissent normalement comme synchroniseurs, suite à des événements tels qu'un deuil, la perte d'un emploi, etc. Les individus dépressifs présenteraient une vulnérabilité particulière à ces changements des rythmes sociaux qui les conduiraient à un état de désynchronisation ou d'entraînement non conforme.

Par les résultats présentés ci-dessous, nous nous proposons d'apporter une contribution à l'étude de la fonction des troubles des rythmes circadiens dans les dépressions endogènes. La simulation consiste en une perturbation du développement du système circadien de rats durant la période néonatale en vue d'obtenir des animaux adultes présentant une pathologie des systèmes de régulations temporelles et de pouvoir ainsi étudier les relations entre les troubles circadiens et d'éventuels troubles de la réactivité émotionnelle. La perturbation s'opère par une exposition de ratons, uniquement durant la période d'allaitement (18 premiers jours postpartum), à des *Zeitgeber* environnementaux atypiques. Des expériences antérieures ont montré que seule l'application des *Zeitgeber* atypiques durant la période néonatale aboutissait à des modifications psychobiologiques à l'âge adulte (Knaepen & Weyers, 1988, 1989). Après 4 à 5 mois de conditions standard débute une série de tests comportementaux dont la plupart sont couramment utilisés pour mesurer la réactivité émotionnelle. Les tests de l'*open-field* et du *plus-maze* mesurent plus spécifiquement une réaction de crainte ou d'anxiété face à un environnement nouveau. Le test de la nage forcée est utilisé pour simuler un état dépressif chez les rongeurs (revue dans Willner, 1991). Dans certaines expériences, le lithium, substance chronotrope utilisée en clinique comme stabilisateur de l'humeur (Schou, 1992), a été administré aux rats durant la période de test. Par ailleurs, dans le but de préciser les conditions dans lesquelles les ratons se développaient, le comportement maternel de femelles soumises aux conditions expérimentales ou standard.a été observé.

2. PROTOCOLES EXPERIMENTAUX (Figure 1)

A la naissance, les ratons de nichées nées dans une période de 12 h furent échangés entre les différentes mères puis placés dans une salle contrôle (CTRL) ou expérimentale (EXP) jusqu'au 19ème jour postpartum. Les conditions contrôles étaient des cycles de lumière (8h-20h; 400-0 Lux) et de température (8h-20h, 25-19°C) en phase. Dans les conditions expérimentales, les cycles utilisés étaient d'amplitude standard mais maintenus en opposition de phase et décalés simultanément de 180° tous les trois jours. Le 19ème jour, jour du sevrage, les ratons étaient placés en salle d'élevage en conditions standard. Les tests furent réalisés à l'âge de 4 ou 5 mois. La méthode utilisée pour les tests d'*open-field*, de *plus-maze* et de nage forcée (expériences 2, 3 et 4) est celle décrite de manière classique dans la littérature; pour les expériences 1 et 5, il peut être trouvé dans Knaepen & Weyers (1988, 1989) et Schelstraete *et al.* (1992).

2.1. Expérience 1 : Knaepen (1989b)

Dans cette expérience, un total de 32 rats CTRL et de 32 rats EXP des deux sexes furent soumis consécutivement à partir de l'âge de 130 jours à 10 jours d'isolement social, 5 jours d'éveil systématique et de transport, et 3 jours d'apprentissage visuel à renforcement négatif (labyrinthe en Y). Les variables étudiées étaient la croissance pondérale (du jour 130 au jour 146), les rythmes d'activité et de prise de boisson durant la semaine de transport, et la cinétique d'apprentissage dans le labyrinthe. Dans chaque groupe, la moitié des rats recevaient de la nourriture standard; pour l'autre moitié, du carbonate de lithium (40 mg/kg/jour) était ajouté à celle-ci.

2.2. Expérience 2 : *Open-field*

Dix rats mâles de chaque groupe, EXP et CTRL, furent observés pendant 5 min dans un *open-field* après avoir été placés au préalable en cycle inversé durant 15 jours. Le test a été réalisé en lumière rouge pendant la scotofraction. Les variables retenues étaient l'activité locomotrice, l'exploration, le nombre de redressements et de toilettages.

2.3. Expérience 3 : *Plus-maze*

Des rats mâles du groupe CTRL (N=13) et du groupe EXP (N=12) furent testés dans un *plus-maze* qui est un labyrinthe en croix constitué de deux branches fermées munies de parois latérales et de deux branches ouvertes. L'appareil est surélevé de 70 cm au-dessus du sol. Le test dure 8 min durant lesquelles le nombre d'entrées et le temps passé dans les différentes branches sont enregistrés.

2.4. Expérience 4 : Nage forcée

Quinze rats mâles de chaque groupe ont été utilisés dans ce test. Celui-ci consiste à placer pendant 15 min les rats dans un cylindre rempli d'eau à 25°C. Un second test de 5 min se déroule 24 h plus tard, durant lequel la durée d'immobilité est chronométrée.

2.5. Expérience 5 : Comportement maternel

Le comportement maternel des femelles des groupes CTRL et EXP a été observé régulièrement toutes les deux heures au cours du nycthémère et de manière répétée tous les 3 jours durant les 18 premiers jours (Schelstraete *et al.*, 1992).

3. ANALYSES STATISTIQUES

Les analyses statistiques des résultats de l'expérience 1 sont décrites dans Knaepen (1989). En ce qui concerne les expériences 2 et 3, les différences entre groupes (CTRL et EXP) ont été éprouvées par analyse de la variance à un critère de classification (l'appartenance au groupe expérimental). L'approche fut paramétrique ou non paramétrique (sur les rangs), selon que la distribution de la variable concernée obéissait ou non aux conditions de normalité et d'homogénéité des variances requises par l'ANOVA. Pour l'expérience 4, un

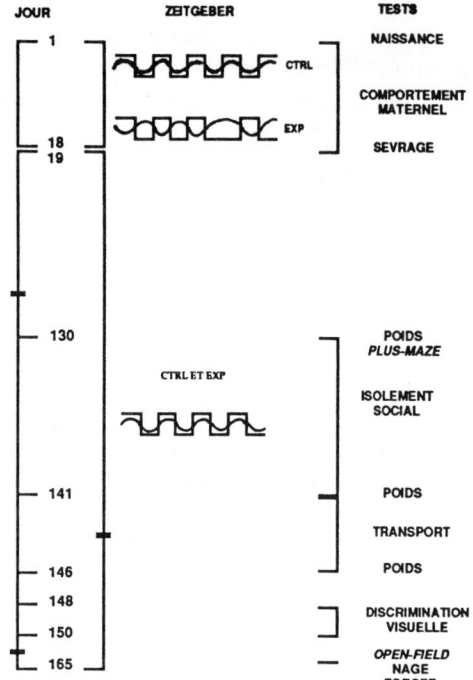

FIGURE 1 : Représentation schématique de la séquence expérimentale. La partie centrale représente les conditions de lumière (onde carrée) et de température (onde sinusoïdale) utilisées. L'isolement social, le transport, la discrimination visuelle et les mesures de poids faisaient partie d'une même séquence expérimentale (Exp.1), alors que l'open-field (Exp.2), le plus-maze (Exp.3) et la nage forcée (Exp.3) étaient des tests indépendants.

FIGURE 1: Schematic representation of the experimental procedure. The central part represents the light (square wave) and the temperature (sinusoïdal wave) conditions used. Social isolation, transporting, visual discrimination and weight measures were parts of the same experimental sequence (Exp.1), whereas the open-field (Exp.2), the plus-maze (Exp.3) and the forced swimming (Exp.4) were independent.

ACTIVITE MOTRICE

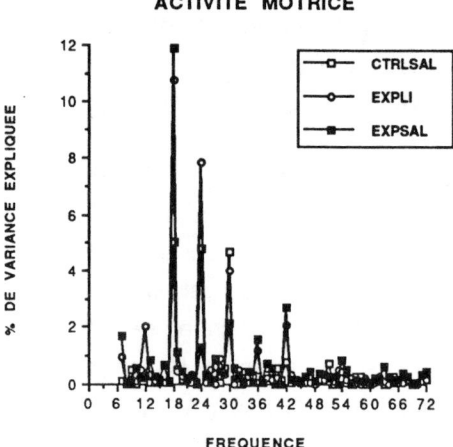

FIGURE 2: Périodogramme calculé à partir du profilogramme moyen de l'activité motrice des rats CTR-SAL, EXP-SAL et EXP-Li durant la session de transport. La série comportait 144 h. Les fréquences 1 à 6 ont été volontairement omises pour mettre en évidence les différences entre les groupes pour les composantes ultradiennes. La pourcentage de variance expliquée pour la fréquence 6 (période 24 h) était de 70% pour les CTR-SAL, 55% pour les EXP-SAL et de 56% pour les EXP-Li

FIGURE 2: Periodogram computed from the mean profilogram for the motor activity of the rats during the transporting session. The series consisted of 144 hours. Frequencies 1 to 6 were voluntarily omitted in order to evidence the differences between groups for the ultradian components. The percent of explained variance for the 6th frequency (period 24 h) was 70% for CTR-SAL, 55% for EXP-SAL and 56% for EXP-Li

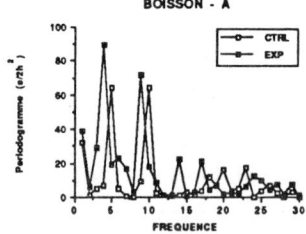

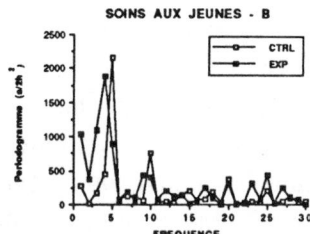

FIGURE 3: Périodogrammes calculés à partir du profilogramme moyen de deux comportements maternels. A représente la prise de boisson de la mère, B les soins donnés aux jeunes. Les séries temporelles comportaient 60 données (12 observations journalière pendant 5 jours). La 5ème fréquence est la période 24 h, la 10ème 12 h. Les deux périodogrammes montrent clairement une forte diminution des amplitudes des 5ème et 10ème fréquences dans le groupe EXP.

FIGURE 3: Periodograms computed from the mean profilogram for the two maternal behavioural items. A represents the mother's activity, B the care for the young. Temporal series consisted of 60 data (12 daily observations during 5 days). The frequency 5 corresponds with the 24 h period, the 10 one with the 12 h period. Both figures clearly show a strong decrease of the amplitudes of the 5th and 10th frequencies in group EXP.

test *t* fut utilisé pour éprouver les différences entre groupes quant à la durée moyenne d'immobilité; une version modifiée du test fut utilisée, de manière à tenir compte de l'hétérogénéité des variances entre groupes. Un test *t* ainsi modifié fut également utilisé pour la durée moyenne des comportements et le poids moyen des jeunes au sevrage dans l'expérience 5. Dans cette dernière expérience, les séquences temporelles des comportements furent soumises à l'analyse du périodogramme de Schuster (Priestley, 1981) et la signification des ordonnées du périodogramme fut évaluée en utilisant les tables de Shimshoni (1971).

Le logiciel utilisé est le SAS (Statistical Analysis System) Version 6. En particulier, les procédures RANK et GLM furent utilisées pour l'analyse statistique des résultats des expériences 2 et 3; la procédure MEANS pour les tests *t* modifiés des expériences 4 et 5, et la procédure SPECTRA du module SAS/ETS (Econometrics & Time Series) pour l'analyse du périodogramme de Schuster et son application aux séquences temporelles de l'expérience 5.

4. RESULTATS

4.1. Expérience 1

L'analyse statistique des résultats a montré pour le groupe EXP placebo une perte de poids de 10% ($p < 0,0001$), une augmentation de l'amplitude des périodes de 2 h à 4 h ($p < 0,0001$), une diminution de l'amplitude des périodes de 5 h à 7 h ($p < 0,001$) et de l'amplitude de la période de 12 h ($p < 0,0001$) et de 24 h ($p < 0,001$) (Figure 2), et une acquisition plus lente de la tâche dans la discrimination visuelle ($p < 0,0001$). Le lithium compense totalement ou partiellement ces différences.

4.2. Expérience 2

Une diminution significative ($p < 0,05$) de l'activité locomotrice a été observée. L'exploration, les toilettages et les redressements ne sont pas modifiés par le traitement précoce.

4.3. Expérience 3

L'analyse statistique des résultats a révélé que durant les quatre premières minutes du test, les rats du groupe EXP passent moins de temps sur les branches ouvertes que les rats du groupe CTRL ($p < 0,001$), et que le pourcentage d'entrées dans celles-ci par rapport au nombre total de branches visitées est plus faible ($p < 0,05$). Par ailleurs, le nombre total de branches visitées durant les 8 min du test est également significativement (p<0,05) moins élévé dans le groupe EXP.

4.4. Expérience 4

La durée d'immobilité est significativement (p<0,05) plus élévée chez les rats du groupe EXP.

4.5. Expérience 5

La durée moyenne des comportements est identique dans les deux groupes à l'exception des soins aux jeunes (p<0,01), mais la différence observée est en faveur du groupe expérimental. Le poids des jeunes au sevrage est semblable dans les deux groupes. Par contre, l'analyse des séquences temporelles des comportements a montré une forte modification des rythmes dans le sens d'un allongement des périodes significatives détectées par l'analyse du périodogramme de Schuster (Figure 3).

5. DISCUSSION

L'ensemble des résultats obtenus a montré une importante modification des comportements des rats du groupe expérimental à l'âge adulte dans les différents tests étudiés. L'analyse des rythmes d'activité motrice et de prise de boisson a révélé principalement une perturbation des fréquences ultradiennes, indiquant une désorganisation du système circadien. La perte de poids suite aux transports, la diminution d'activité dans l'*open-field*, la fréquentation moins importante des branches ouvertes dans le *plus-maze* et la plus grande immobilité dans le test de la nage forcée pourrait résulter d'une plus grande réactivité face à un changement d'environnement et simuler la vulnérabilité aux événements observée dans les états dépressifs. La compensation de certaines différences par le lithium est un premier argument en faveur d'une validation pharmacologique de la simulation proposée.

Par ailleurs, l'observation du comportement maternel des femelles a montré que les mères du groupe EXP étaient fortement perturbées par les *Zeitgeber* atypiques. La perturbation la plus forte a été observée pour les séquences temporelles des comportements, et ce dans leur ensemble, alors que la durée moyenne de ceux-ci n'était affectée que pour les soins aux jeunes mais dans le sens d'une augmentation. Le poids identique des jeunes au sevrage exclut un problème de malnutrition dans le groupe EXP. Plusieurs auteurs tels que Viswanathan (1989) ou Reppert (1985) ont montré que durant la période d'allaitement, la mère est l'agent synchroniseur pour ses jeunes. Il semble donc que les ratons expérimentaux souffrent, non pas d'une réelle privation de soins mais d'une privation de *Zeitgeber* les empêchant de développer leur système circadien comme celui des CTRL. En effet, des premiers résultats d'une étude en cours semblent montrer que le rythme circadien de l'activité motrice et de la prise de boisson apparaît plus tardivement chez les ratons expérimentaux.

L'ensemble des résultats permet de proposer cette séquence expérimentale (perturbation des rythmes au cours de l'ontogenèse et tests à l'âge adulte) comme simulation potentielle des troubles de l'humeur.

6. REFERENCES

Akiskal H.S., Interaction of Biologie and Psychologie Factors in the Origin of Depressive Disorders. *Psych. Scand.*,1985, **71**: 131-139.

American Psychiatric Association, *Diagnostic and Statistical Manual of Mental Disorders*, 3rd ed rev. 1987, American Psychiatric Press, Washington, DC.

Brown G.W., Harris T., *Social Origins of Depression.* 1978, Tavistock, London.

Ehlers C.L., Frank E., Kupfer D.J., Social *Zeitgebers* and Biological Rhythms. *Ach. Gen. Psychiatry.*, 1988, **45**: 948-952.

Feinberg M., Gillin D.C., Caroll B.J., Greden J.F., Zis A.L., EEG Studies of Sleep in the Diagnosis of Depression. *Biol. Psychiat.*, 1982, **17**: 305-316.

Halbreich U., The Circadian Rhythm of Cortisol and MHPG. In *Depressives and Normals in Chronobiology and Psychiatric Disorders.* A. Halaris, Ed. 1987, Elsevier, New York, Amsterdam, pp. 49-73.

Healy D., Waterhouse J.M., Reactive Rhythms and Endogenous Clocks. *Psychol. Med.*, 1991, **21**: 557-564.

Knaepen E., Weyers M.H., Adult Susceptibility Induced by Preweaning Shifts of *Zeitgeber* in Rats (I). *Physiol. Behav.*, 1988, **44**: 763-767.

Knaepen E., Weyers M.H., Adult Susceptibility Induced by Preweaning Shifts of *Zeitgeber* in Rats (II). *Physiol. Behav.*, 1989 a, **46**: 443-447.

Knaepen E. Altération du comportement de l'adulte induite par manipulation précoce des *Zeitgeber* chez le rat et normalisation par le carbonate de lithium. Thèse de Doctorat, Université Catholique de Louvain, 1989b.

Linkowski P., Mendlewicz J., Leclercq R., et al., Neuroendocrine Rhythms in Major Depressive Illness. In *Sleep 84.* Koella W.P., Ruther E., Schulz H. Eds. 1985, Gustav Gisher, Stuttgart, pp. 131-133.

Papousek M., Chronobiologische Aspecte der Cyclothymie. *Forschr. Neurol. Psychiatr. Grenzgebiete*, 1975, **43**: 381-440.

Priestley M.B. *Spectral analysis and time series*. 1981, Academic Press, London.

Reppert S.M. Maternal Entrainment of the Developing Circadian System. *Ann. N.Y. Acad. Sci.*, 1985, **453**: 162-169.

SAS Institute Inc., *SAS/ETS® User's Guide*, Version 6, First Ed. 1988, SAS Institute Inc., Cary.

SAS Institute Inc., *SAS/STAT® User's Guide*, Version 6, Fourth Ed. 1989, SAS Institute Inc., Cary.

Schelstraete I., Knaepen E., Dutilleul P., Weyers M.H., Maternal Behaviour in the Wistar Rat under Atypical *Zeitgeber*. *Physiol. Behav.*, 1992, **52**: 189-193.

Schou M., Lithium prophylaxis in perspective. *Pharmacopsychiat.*, 1992, **25**: 7-9.

Shimshoni M., On Fisher's Test of Significance in Harmonic Analysis. *Geophys. J. R. Astron. Soc.* 1971, **23**: 373-377.

Viswanathan N., Presence-Absence Cycles of the Mother and not Light-Darkness are the *Zeitgeber* for the Circadian Rhythm of Newborn Mice. *Experientia*, 1989, **45**: 383-385.

Wehr T.A., Goodwin F.K., Biological Rhythms in Manic Depressive Illness. In *Circadian Rhythms in Psychiatry*. Wehr T.A., Goodman F.K. Eds. 1983, Pacific Grave, CA, Boxwood, pp. 129-184.

Willner P., *Depression: A Psychobiological Synthesis?* 1985, Wiley, New York.

Willner P., *Behavioural Models in Psychopharmacology: Theoretical, Industrial and Clinical Perspectives*. 1991, Cambridge University Press, Cambridge

Wirz-Justice A., Campbell I., Antidepressant Drugs Can Slow or Dissociate Circadian Rhythms. *Experientia*, 1982, **38**: 1301-1309.

Rythmes chez l'homme

Human rhythms

MISE EN EVIDENCE D'UN ENTRAINEMENT DES CYCLES D'EVEIL NOCTURNE DE L'HOMME PAR LES CYCLES LUNAIRES RADIATIF ET DE POSITION.

ARE THE LUNAR RADIATIVE AND POSITION CYCLES RESPONSIBLE FOR THE ENTRAINMENT OF THE PERIODIC AWAKENINGS OF THE MAN NIGHT SLEEP ?

Pierre BRICAGE

Faculté des Sciences et Techniques,
Université de Pau et des Pays de l'Adour,
64000 Pau, France

abstract

The night sleep of a human being comprises several successive cycles. Each ends with a special state of sleeping during which the sleeper dreams (Jouvet, 1974). At the end of each cycle the sleeper awakes a very short time, but he is usually not of that aware! Immediately he forgets this awakening and he starts again a new cycle until his final waking. If questioned during each time of awakening, he can describe his previous dream like a series of images (Dement & Guilleminault, 1974). 2 adults (man, woman) and 2 children (boy, girl), without parentship, volunteers, have recorded the schedule of their falling asleep, night awakenings (only if they had a dream in mind at this times) and final waking, during 4 years. Each one freely did go to bed, wake up and stand up without time constraint, when they wanted. All were carrying out a very regular life, within their family, in the country. The bedrooms, without light-screening, were not heated. The moon cycles were red in ephemerides. The statistical analysis of the temporal series (Von Eye, 1990) was carried out with a multi-software package: for file recordings "DBase", "EasyPlot" for plottings and adjustments, "IBF2XK" for estimations of correlations of multivariate data analysis with "Tri-Deux" (Jambu, 1991, Rovine & Von Eye, 1991). The longitudinal study of each individual has been going on for more than 30x the time length of the period of the rhythms (Reinberg, 1971), however never did the awakening recordings disturb the sleep quality of the volunteers. While self-observed they never presented any difficulty of falling asleep again after each awakening recording. The night cycle length LC (between 2 waking states), from a night to another, changes with cyclic variations. A longest/shortest cycles driving effect is highlighted due to the lunar radiative cycle (synodic revolution, 29.5 days of lunar apparent phases: new moon, first quarter, full moon, last quarter): **figure 1**. If the lunar light is screened off this entrainment effect disappears: **figure 2**. If turning the lunar light on it reappears. Cosinor simulations only partially account for this effect and 2 other effects of driving are evidenced too: **figure 3**. They are due to changes of the moon position: height changes with reference to the stars (tropic revolution of 27.3 days: ascent, descent phases), distance changes with reference to the earth (apogee, perigee: anomalistic revolution of 27.6 days). Multi-sine regressions (comparison of the data with those awaited within cosinor simulations) can not account for all the effects. Only a multivariate analysis of statistical pattern recognition and cluster analysis (Perone & al., 1992) can depict the data: **figure 4.** The moon runs <u>along epicycloids</u> in the multi-variate plan (in which the night cycles change in length): **each sensitive individual behaves like a fixed earth point which is always looking at the moon during the earth is turning round.**

The day length seasonal changes modulate the cycle length lunar entrainment: both the longest and shortest cycles are lengthening from the winter solstice to the summer one (via the vernal equinox), but shortening from the summer solstice to the winter one (via the autumnal equinox). Compared to the adults of the same rhythm, (driving-insensitive or -sensitive), the children have only a lengthened duration of sleep with more cycles. With everyone, at every season, later was the night falling asleep, earlier was the morning waking up.

résumé

Chez l'homme, une nuit de sommeil comporte plusieurs cycles successifs <u>terminés par un éveil</u>. Leurs durée et nombre varient d'une nuit à l'autre. Pour certains individus ces cycles sont <u>entraînés</u> par le cycle radiatif des phases lunaires apparentes. Après occultation de cet éclairement l'effet disparaît. Il réapparaît avec lui. D'autres effets sont liés aux cycles des variations de hauteur et de position de la lune par rapport à la terre. Certains individus sont insensibles à ces effets.

1 Introduction
1.1 Les états nocturnes successifs de sommeil, rêve et éveil.

Des milliers d'enregistrements ont permis d'établir le profil d'une nuit de sommeil chez l'homme: selon les individus, selon les nuits, 3 à 8 épisodes successifs de sommeil ou <u>cycles</u>. Chaque cycle se termine par une phase de sommeil paradoxal pendant laquelle le dormeur rêve (Jouvet, 1974). Pendant cette phase, alors que le dormeur est arrivé à la limite de l'éveil, il est beaucoup plus difficile à éveiller que dans n'importe quel autre état du sommeil. Mais il s'éveille un très court instant à la fin de chaque cycle. Il n'est pas habituellement conscient de cet éveil, il l'oublie immédiatement et recommence un nouveau cycle, jusqu'à son éveil définitif. Interrogé pendant un de ces instants d'éveil, l'individu peut décrire son rêve comme une suite d'images (Dement & Guilleminaut, 1974). Pour une durée totale de sommeil de 7h à 9h la durée totale de ces très courts instants d'éveil n'est que de quelques minutes. Le temps d'endormissement du début de nuit (depuis l'extinction de la lumière) est aussi de quelques minutes. La durée moyenne d'un cycle est de 90mn (Dement & Guilleminault, 1974).

1.2 Quels effets biologiques d'origine lunaire connaît-on ?

Des rythmes de période égale ou sous-multiple de celle des cycles lunaires sont identifiés chez l'homme (Mikulecky & al., 1986), les mammifères (Tsai & al., 1989), les animaux (Birley & Charlwood, 1989) et les végétaux (Spruyt & al., 1987), aux niveaux cellulaire (Cornelissen & al., 1986), moléculaire (Schweiger & al., 1986) et des populations (Rossiter, 1991).

Les effets de la lune sur l'homme sont controversés. La pleine lune n'aurait pas d'influence sur les phases d'agitation ou de déficience cognitive des personnes âgées (Cohen-Mansfield & al., 1989). Des variations de fréquence des suicides, synchronisées avec le cycle radiatif lunaire, ne seraient pas statistiquement significatives (Rogers & al., 1991). Seuls certains états anormaux de l'esprit humain, affectant le comportement agressif, suivraient un cycle lunaire synodique (Thakur & al., 1987). Les autres effets "lunaires" observés seraient liés à la croyance de l'individu en ces effets (Danzl, 1987). Pourtant les variations de la faible lumière lunaire (cycle radiatif) influencent l'activité des mammifères (Alkon & Saltz, 1988) et gouvernent un compteur physiologique circa-lunaire (Brown, 1988) indispensable à la survie des mammifères nocturnes (Erkert, 1989). L'influence de la lumière (Franke, 1986) ou de la position de la lune est bien connue sur le comportement de reproduction des êtres planctoniques (Erez & al., 1991), elle peut être reproduite au laboratoire (Saigusa, 1988). D'autres changements lunaires sont perçus par des êtres vivants dont ils modulent l'activité (Lohmann & Willows, 1987).

L'homme serait-il un être vivant particulier ? Serait-il indépendant des changements de sa biosphère périodiquement affectée par des influences lunaires ? Le rythme temporel et spatial des pluies (Ghayoo, 1986; Hanson & al., 1987) suit un cycle synodique, les changements électriques atmosphériques (Mehr, 1989), l'activité lithosphérique (Shirley, 1988) aussi. Ou des difficultés d'interprétation viendraient-elles de celles de choix et d'observation des sujets (Binkley & al., 1990) ?

2 Matériels et méthodes

L'expérience a porté sur 4 volontaires, (2 adultes, homme et femme, 1 garçon et 1 fille, non-pubères). Pendant 4 ans ils ont noté les heures de leur coucher, de leurs éveils nocturnes (uniquement si à ce moment ils avaient un rêve en tête), et de leur éveil final. Les heures, lues sur des montres à affichage digital, ont été notées à la minute près. Ils se couchaient et se levaient librement, sans contrainte, quand ils en avaient envie. Les éveils des enfants étaient en plus notés par des adultes. Tous menaient une vie très régulière, dans leur cadre familial, à la campagne. Les chambres étaient non-chauffées et sans rideaux. Les phases de la lune ont été obtenues à partir d'éphémérides. L'analyse statistique des séries temporelles (fichiers sous "DBaseIII") a été réalisée avec les logiciels "EasyPlot" (ajustements, tracé de fonctions périodiques), "Tri-Deux" (analyse factorielle des correspondances), "IBF2XK" (analyse statistique inférentielle, estimation des probabilités des corrélations factorielles).

LC cycle length (lasted time between 2 awakenings) in mn, **maxi** for the longest cycle, **mini** for the shortest cycle of the same night (the first and the last ones for 85% nights), each awakening ends a cycle, class-interval 5mn (the lower limit included, the higher one excluded), **j** date in days.
LC durée du cycle, en mn entre 2 éveils successifs, cycle le plus long **maxi**, **mini** cycle le plus court d'une même nuit (premier et dernier cycles dans 85% des cas), chaque éveil marque la fin d'un cycle, intervalle de classe 5 mn (borne supérieure exclue, inférieure comprise), **j** date en jours.

a. Individuals indifferent to the variations of the night surrounding: no periodicity, constant cycle length (1 women, 1 boy, no related).

a. Individus indifférents aux variations nocturnes de l'environnement: pas de variation de la durée des cycles d'éveil, constante (1 femme et 1 garçon, non apparentés).

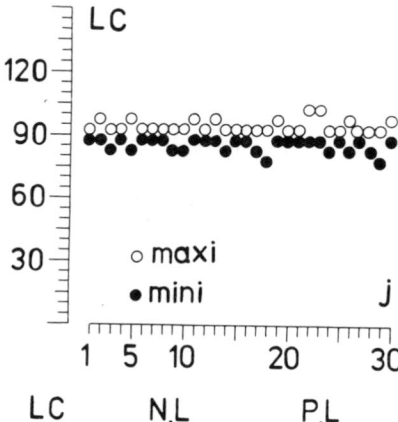

b. Individuals sensitive to these variations (1 man, 1 girl, not related): at the full moon **PL**, at the new moon **NL**, 2 peaks are bursting periodically, each 29.5j+0.5j (lunar radiative cycle), 2 to 4 other ones are repeating with a shorter period.

b. Individus sensibles à ces variations (1 homme, 1 fille, sans parenté), 2 pics se répètent **NL** à la nouvelle et **PL** la pleine lune, tous les 29.5j+0.5j (cycle radiatif lunaire), 2 à 4 autres pics se répètent avec une période plus courte.

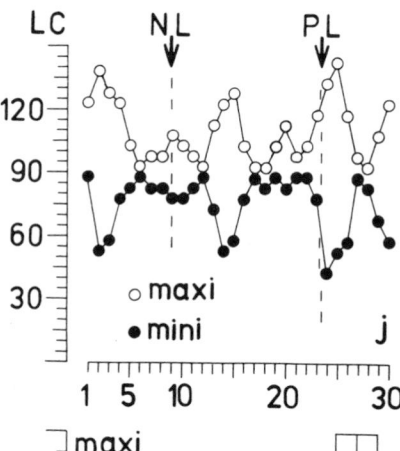

c. Relationship between the longest and shortest cycle lengths of a sensitive individual densimetric scale: **1** 1 or 2 nights, **2** 3 or 4 nights, **4** 5 to 8, **8** 9 to 16, **16** more than 16 (621 couples **maxi/mini**).

c. Relation sur **621 nuits** entre durées du plus long et du plus court cycle (individu sensible). densitogramme: **1** 1 ou 2 nuits, **2** 3 ou 4 nuits, **4** 5 à 8 nuits, **8** 9 à 16 nuits, **16** plus de 16 (621 couples **maxi/mini**).

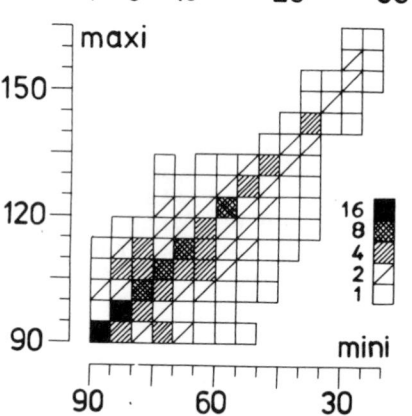

184

figure 3 Factorial projection of a multivariate analysis: apparent lunar revolutions. Cycles de révolution de la trajectoire lunaire apparente projetée dans un plan d'analyse factorielle. By definition of the classes of the variables describing the night changes, the intersection point of the factorial plan axis represents a zone of equilibrium in which no change occurs. The days of each lunar cycle are condensed in that point excepted for the peculiar days of the obvious lunar effects (apogee or perigee, new ou full moon, ascent/descent or descent/ascent passages).

a. Effect of position of the moon compared to the earth (anomalistic revolution of 27.6 days): effect of earth-moon distance.
apogee cyclic route: **APO** (in black: **0** apogee, from **–3** to **0** days before apogee point, from **0** to **+3** days after); perigee cyclic route: **PERI** (in white: from **–3** to **0** days before, **0** apogee point, from **0** to **+3** days after).

a. Révolution anomalistique (cycle de 27.6j): variation de distance de la lune par rapport à la terre cycle de passage en apogée (distance la plus éloignée) **APO** en noir: **0** apogée, **–3** à **0** avant, **0** à **+3** après cycle de passage en périgée (distance la plus proche) **PERI** en blanc: **0** périgée, **–3** à **0** avant, **0** à **+3** après.

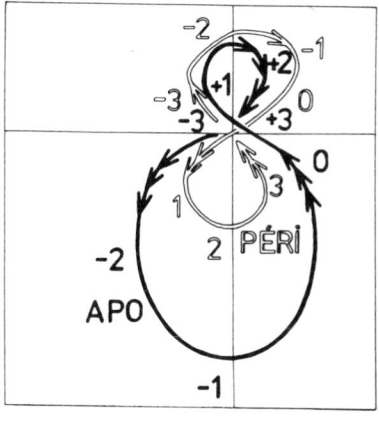

b. Effect of height of the moon on the horizon: tropic revolution with reference to the stars (27.3 days).
cyclic routes: **DESC>ASC** from descent to ascent, in black (**0** crossing point, days of descent ending from **–3** to **0**, from **0** to **+3** days of ascent beginning) **ASC>DESC** in white from ascent to descent (**0** crossing point, from **–3** to **0** days of ascent ending, from **0** to **+3** first descent days.

b. Révolution tropique (cycle de 27.3j): variation de hauteur de la lune sur l'horizon.
     cycle de passage de descendance en ascendance: **DESC>ASC** en noir **–3** à **0** avant le passage, **0** à **+3** après le passage, cycle de passage d' ascendance en descendance: **ASC>DESC** en blanc **–3** à **0** avant le passage, **0** à **+3** après le passage.

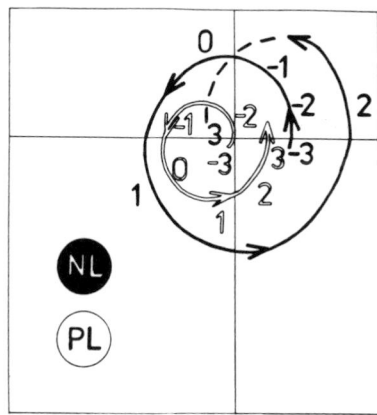

c. Moon radiative cycle: apparent phases of synodic revolution about the earth, from west to east, 29.5 days with reference to the sun.
0 passage point, **–n** n days before, **+n** n days after.

c. Révolution synodique (cycle de 29.5j des phases apparentes: variation de la luminosité): passages, à la pleine lune **PL** en blanc, **NL** à la nouvelle lune en noir, **0** moment du passage, **–n** et **+n**, jours avant et après.

185

Highlighting by its dis-
appearance of the radia-
tive driving effect and
underlining of the other
driving effects:
superposition of 30 days
successive periods (**1**
first one, **2** next one).
METHOD Dark bedrooms,
with double-curtains and
shutters, not heated.
LC j maxi mini see fig 1
Disappearance of the **NL**
and **PL** peaks, 2 remain
of shorter period, they
shift temporally of **d**.

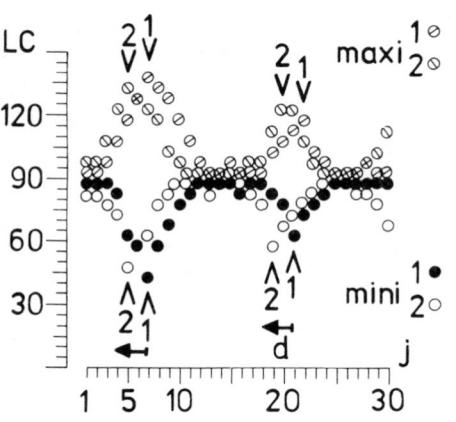

figure 2   Effets non-
radiatifs d'entraînement:
superposition de périodes
successives (**1** première
période de 30j, **2** période
suivante).
METHODE chambres obscures
(volets et double-rideaux
noirs), non chauffées.
LC j maxi mini voir fig 1
les pics **PL NL** de pleine
et nouvelle lune disparus
il reste **2** (cet exemple)
à 4 pics se décalant de **d**
de périodes plus courtes.

figure 4 Effects of the lunar
revolutions on the length of
the awakening cycles (**see the
legends in figures 1 & 3**):
The comparison of the results
observed (figure 1) with the
awaited ones with simulations
showed that sine adjustments
partially fitted: the curves
were shifted with dissymmetry
in amplitude. Multi-variate
analysis allow to "dissect"
each revolution event in different periodic components
acting separately in driving.
All plotting points represent
correlationships of the facto
-rial plan (figure 3) at the
probability of at least 90%.

Effets des cycles lunaires
sur la durée des cycles nocturnes d'éveil (**voir légendes
des figures 1 & 3**):
les points des courbes sont
les corrélations, à 90%, du
plan factoriel (figure 3).

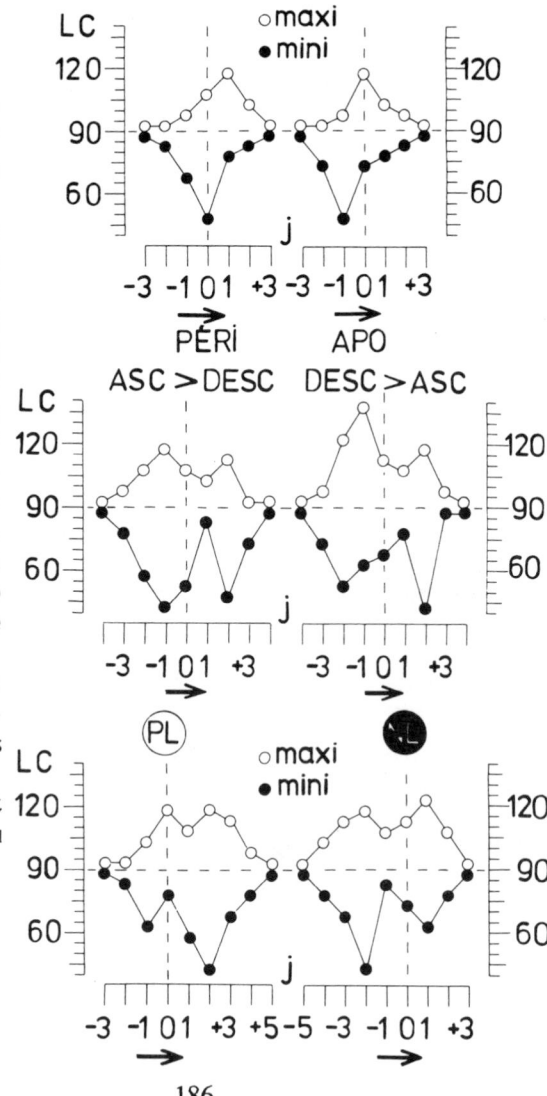

186

3 Résultats

3.1 Influence du cycle de variation de l'éclairement lunaire ?

Pour chaque individu, l'étude longitudinale a duré plus de 30 fois la durée de la période des rythmes (Reinberg, 1971). Les mesures n'ont jamais perturbé la qualité du sommmeil des volontaires qui n'ont jamais eu de difficulté à se rendormir après chaque éveil. Progressivement, ils ont pris du plaisir à cet exercice leur permettant de se souvenir à leur réveil de leurs rêves et ont recruté des adeptes! Au cours d'une nuit, la durée des cycles varie. Leur nombre et leur durée varient d'une nuit à une autre. Pour certains individus ces variations sont cycliques: **figure 1**. Dans 85% des nuits, le cycle le plus long est le premier, le plus court est le dernier, et plus le cycle le plus long est long plus le plus court est court. Les cycles d'éveil sont entraînés par le cycle radiatif lunaire (phases apparentes, révolution synodique de 29.5 jours: nouvelle lune, premier quartier, pleine lune, dernier quartier). Certains individus y sont insensibles. Pour les sensibles, cet effet disparaît avec l'occultation de l'éclairement lunaire (les pics de pleine et nouvelle lunes disparaissent, les autres pics de la figure 1 persistent): **figure 2**. Il réapparaît avec lui.

3.2 Influence de la hauteur et de la position de la lune ?

La méthode du cosinor (Reinberg & Gervais, 1972) ne rend que partiellement compte de cet effet; il peut exister 4 autres pics (2 autres effets d'entraînement) indépendants du cycle radiatif. Peuvent-ils être simulés par 2 régressions sinusoïdales de périodes égales à celles des cycles lunaires de variation de la hauteur (révolution tropique de 27.3 jours: ascendance et descendance) et de la position (révolution anomalistique de 27.6 jours: apogée, périgée) par rapport à la terre ? Dans le plan de projection de l'analyse factorielle, les trajectoires apparentes de la lune sont des épicycloïdes, comme celle décrite par la lune dans le système solaire où elle décrit une ellipse autour de la terre qui décrit une autre ellipse autour du soleil: **figure 3**. Tout se passe comme si l'individu était un point fixe terrestre qui suit de son regard la lune dans son mouvement. Si on tient compte simultanément de tous ces effets, dans le cadre d'un modèle cosinor on observe des écarts entre les effets attendus et ceux observés pour 15% des nuits, celles correspondant aux moments d'interactions entre cycles lunaires (pleine lune et périgée, apogée et descendance...). Seule l'analyse multivariée permet d'en rendre compte et de séparer ces effets d'interaction: **figure 4**.

3.3 Effet additionnel des variations d'éclairement solaire ?

L'analyse des distributions du nombre de cycles par nuit, de la durée du plus long et du plus court, de la durée des nuits, met en évidence pendant l'année une variation périodique de la position des modes: comme si les variations de la durée du jour modulait l'amplitude des effets lunaires. On observe moins de cycles (de 6 à 5), un allongement des plus longs (90-95mn au solstice d'hiver, 105-110mn à l'équinoxe de printemps, 110-115mn au solstice d'été) et une réduction du total du sommeil (de 8h30-9h à 7h30-8h), avec l'augmentation de la photopériode (du jour le plus court au plus long). Cet effet s'inverse lors

187

de la diminution de la photopériode (du jour le plus long au plus court). Pour les cycles courts il y a 3 modes: 90-85mn, 60-55mn, 40-35mn. Ce dernier n'est observé que pendant les jours courts: à partir de l'équinoxe d'automne, avec une fréquence maximale au solstice d'hiver. La présence d'un effet solaire témoigne de la cohérence physiologique des résultats. Pour tous les individus plus l'endormissement est tardif, plus l'éveil matinal est tôt, indépendemment de la saison.

4 Discussion

Il est démontré -que des réactions humaines sont influencées par l'intensité et la nature spectrale d'un flux lumineux (Déribéré, 1973), -que des rythmes lunaires et solaires sont des facteurs de génération exogène de rythmes circadiens (Brady, 1979). Pourtant, l'influence de la luminosité ou de la position de la lune (Frédérick, 1978), sur les cultures ou sur l'homme (Prémont, 1987) est très controversée. La lune renvoie vers la terre jusqu'à 7% de la lumière solaire qu'elle reçoit (UV, visible, rayons X). Cette lumière lunaire varie dans un rapport de 1 à 12. Elle équivaut au premier quartier à celle d'une ampoule de 15 watts à 15m de l'observateur (Frédérick, 1978). Est-ce suffisant pour induire une réponse physiologique? L'intensité lumineuse de pleine lune équivaut à celle d'un jour couvert à l'ombre (Déribéré, 1973); les jours de pleine lune, par ciel clair, ne dit-on pas qu'on y voit comme en plein jour? Plus que l'intensité absolue ce sont les variations relatives d'intensité qui importent: les rythmes à déterminisme exogène naissent d'un entraînement par des fluctuations d'intensité d'un facteur du milieu de vie! Chez l'homme endormi, le pourcentage des bruits donnant une réponse cardiovasculaire est plus élevé qu'au cours de l'éveil, et leur intensité efficace, beaucoup plus faible (Muzet, 1989, 1990), varie en fonction de l'état de sommeil, et de la nature qualitative et quantitative des perturbations externes (Muzet, 1989, 1990). N'en est-il pas de même pour la lumière ? Ces résultats ne sont pas contraires à ceux d'études de la rythmicité de l'attention (Lambert, 1990). Ils pourraient même expliquer ceux, contradictoires, obtenus lors d'études des fluctuations ultra-diennes (modèle de Kleitman: "Basic-Rest-Activity Cycle"). Le nombre de cycles et la durée de la nuit, proportionnelle, ne sont pas des variables discriminantes de l'analyse factorielle (**figure 3**).

conclusions et questions

Au rythme endogène de 90mn (Dement & Guilleminault, 1974) se superposent des effets lunaires d'entraînement expliquant la diversité du nombre et de la durée des cycles: un lié au mouvement de la lune par rapport à la terre (apogée/périgée), un lié au mouvenent de la lune par rapport au couple terre-soleil (cycle radiatif), un lié au mouvement du couple terre-lune sur le fond du ciel (ascendance et descendance). En l'absence d'interactions entre eux, le cycle le plus long est le premier, le plus court est le dernier. Par rapport aux adultes, les enfants de même rythme (sensibles ou insensibles à l'entraînement) ont un sommeil plus long avec plus de cycles.

La nuit a disparu des villes. Un citadin serait-il sensible à l'effet du cycle radiatif ? Qu'en serait-il, pour un sujet en orbite terrestre, des effets anomalistique et tropique ? Ces effets n'ont pu être mis en évidence que par une étude, longue, <u>longitudinale</u>. Dans un groupe, où coexistent des individus de rythmes différents, aucune étude transversale, courte, n'aurait pu les observer. Si lors d'un voyage d'est en ouest le décalage horaire est bien supporté, n'est-ce pas parce que <u>la référence lunaire</u> n'est que retardée, par l'allongement du jour apparent, et retrouvée la nuit qui suit (Franke, 1986) ? Au contraire, si le décalage d'ouest en est est souvent mal supporté, n'est-ce pas dû à la réduction apparente du jour qui fait que l'effet lunaire "attendu" est passé ? Si une partie d'un cycle lunaire est "sautée", pour la retrouver il faut attendre le cycle suivant... pour chaque effet (**figure 4**)!

bibliographie (including a review about moon effects)

Alkon P.U., Saltz D., Influence of season and moonlight on temporal-activity patterns of indian crested procupines., <u>J. mammalogy</u>, 1988, **69**: 71-80.

Binkley S., Tome M.B., Crawford D., Mosher K., Human daily rhythms measured for one year., <u>Physiol. & Behavior</u>, 1990, **48**: 293-298.

Birley M.H., Charlwood J.D., The effect of moonlight and other factors on the oviposition cycle of malaria vectors in Madang, Papua New Guinea., <u>Ann. tropical Medicine & Parasitol.</u>, 1989, **83**: 415-422.

Brady J., Daily, tidal, lunar and annual rhythms. **In** <u>Biological Clocks.</u>, Edward Arnold, London, 1979, p. 5-20.

Brown F.M., Common 30-days multiple in gestation time of terrestrial placentals., <u>Chronobiol. Internat.</u>, 1988, **5**: 195-210.

Cohen-Mansfield J., Marx M.S., Werner P., Full moon: does it influence agitated nursing home residents?, <u>J. Clin. Psychol.</u>, 1989, **45**: 611-624.

Cornelissen G., Broda H., Halberg F., Does Gonyaulax polyedra measure a week ?, <u>Cell biophysics</u>, 1986, **8**: 69-85.

Danzl D.F., Lunacy., <u>J. emergency medicine</u>, 1987, **5**: 91-95.

Dement W.C., Guilleminault C., Les troubles du sommeil., <u>La Recherche</u>, 1974, **42**: 120-129.

Déribéré M., L'éclairage en liaison avec les rythmes biologiques., <u>Bull. GERB</u>, 1973, **1**: 5-12.

Erez J., Almogi-Labin A., Avraham S., On the life history of planktonik foraminifera: lunar reproduction cycle in Globigerinoides sacculifer., <u>Paleoceanography</u>, 1991, **3**: 295-306.

Erkert H.G., Lighting requirements of nocturnal primates in captivity: a chronobiological approach., <u>Zoo biol.</u>, 1989, **8**: 179-191.

Franke H.D., Resetting a circalunar reproduction rhythm with artificial moonlight signals: phase-response curve and moon-off effect., <u>J. comparative physiol.</u>, 1986, **159**: 569-576.

Frédérick R., <u>Influence de la lune sur les cultures.</u>, La Maison Rustique, Paris, 1978, 158 p.

Ghayoo H.L., Temporal fluctuations of daily rainburst and the cycle of the lunar year., <u>J. Climatol.</u>, 1986, **6**: 83-95.

Hanson K., Maul G.A., Mc Leish W., Precipitation and the lunar synodic cycle: phase progression across the United States., <u>J. climate & applied meteorol.</u>, 1987, **26**: 1358-1362.

Jambu M., Exploratory and Multivariate Data Analysis., Academic Press, 1991, 474 p.

Jouvet M., Le rêve., La Recherche, 1974, 46: 515-527.

Lambert C., Les rythmicités de l'efficience attentionnelle., Bull. GERB, 1990, 22: 8.

Lohmann K.J., Willows A.O.D., Lunar-modulated geomagnetic orientation by a marine mollusk., Science, 1987, 235: 331-334.

Mehr P., Lunar phases and atmospheric electric field., Adv. in atmo. sci., 1989, 6: 239-246.

Mikulecky M., Zaviacic M., Halberg F., Kubacek L., Valachova A., Cosinor demonstration of circatrigintan/circavigintan biorhythm in cell component volume of female urethral ejaculate., Chronobiologia, 1986, 13: 155-159.

Muzet M., Les effets du bruit sur le sommeil., C.R.Soc.Biol., 1989, 183: 437-442.

Muzet M., Les effets de l'environnement physique sur le sommeil., Bull. veille-sommeil, 1990, 3: 5-7.

Perone S.P., Petesch R., Chen P.H., Spindler W.C., Deshpandé S.L. Multivariate analysis of data from fabrication, testing and operation of a large lead/acid peak-saving battery., J. Power Sources, 1992, 37: 379-402.

Prémont A., Les mystères de la lune. Ses influences sur notre comportement., RTL Edition, Luxembourg, 1987, 170 p.

Reinberg A., Remarques méthodologiques pour la chronobiologie humaine., Bull. GERB, 1971, 3: 11-21.

Reinberg A., Gervais P., Circadian rhythms in respiratory functions, with special reference to human chronophysiology and chronopharmacology., Bull. Physio-path. resp., 1972, 8: 663-675.

Rogers T.D., Masterton G., Mc Guire R., Parasuicide and the lunar cycle., Psychol. medicine, 1991, 21: 393-397.

Rossiter A., Lunar spawning synchroneity in a freshwater fish., Naturwissenschaften, 1991, 78: 182-184.

Rovine M.J., Von Eye A., Applied Computational Statistics in Longitudinal Research., Academic Press, London, 1991, 237 p.

Saigusa M., Entrainment of tidal and semilunar rhythms by artificial moonlight cycles., Biol. Bull., 1988, 174: 126-138.

Schweiger H.G., Berger S., Kretschmer H., Morler H., Halberg E., Sothern R.B., Halberg F., Evidence for a circaseptan and a circasemiseptan growth response to light/dark cycle shifts in nucleated and enucleated Acetabularia cells, respectively., Proc. Nat. Acad. Sci. US, 1986, 83: 8619-8623.

Shirley J.H., Lunar and solar periodicities of large earthquakes: southern California and the Alaska-Aleutian Islands seismic region., Geophysical J., 1988, 92: 403-420.

Spruyt E., Verbelen J.P., De Greef J.A., Expression of circaseptan and circannual rhythmicity in the imbibition of dry stored bean seeds., Plant Physiol., 1987, 84: 707-710.

Thakur C.P., Thakur B., Singh S., Kumar B., Relation between full moon and medicolegal deaths., Ind. J. medic. res., 1987, 85: 316-320.

Tsai T.H., Scheving L.E., Sanchez de la Pena S., Marques N., Halberg F., Circaseptan (about 7-day) modulation of circadian rhythm in corneal mitoses of Holtzman rats., Anatomical Record, 1989, 225: 181-188.

Von Eye A., Statistical Methods in Longitudinal Research. II Time Series and Categorical Longitudinal Data., Academic Press, London, 1990, 312 p.

EFFECT OF TIME OF DAY ON THE FREE RECALL OF A FILMED EVENT.

L'EFFET DE L'HEURE DU JOUR SUR LE RAPPEL LIBRE D'UN EVENEMENT FILME.

M. Diges, M. E. Rubio & C. Rodríguez

Facultad de Psicología
Universidad Autónoma de Madrid
28049 Madrid, Spain

ABSTRACT

The present study examines the effects of time of day on the free recall of a filmed event, and also on the arousal (self-reported fatigue and vigour, and oral temperature). Subjects were exposed to a filmed traffic accident at 10:15, 13:30, and 16:00 and after they were asked to write their recall of the event. While no significant effect of time of day on arousal variables was observed, subjects at 10:15 and 13:30 tended to recall more accurately than at 16:00. In addition, the recollective experience expressed in the subjects' reports indicated that at 16:00 memories were more unreal than at 10:15 and 13:30. Morningness-Eveningness dimension was statistically controlled, showing that individual differences counteracted the effect of time of day on recall.

RESUME

Les effets de l'heure du jour, "vía arousal", sur la mémoire sont loin d' être clairs, malgré les nombreuses recherches publiées sur ce sujet. La course temporelle de l' "arousal" dépend de l'indice considéré. De plus, certaines tâches de mémoire se réalisent mieux le matin; toutefois il semble que le soir joue en faveur d'autres. Cette recherche porte sur l'effet de l'heure du jour sur le rappel libre et sur l'expérience remémorative d'un événement filmé. Parallèlement, on a étudié les effets de l'heure du jour sur l'"arousal", ce dernier se mesurant par les rapports de fatigue et de vigueur des sujets et par la température orale de ceux-ci. Cependant, les variables d'"arousal" ne montraient pas certains effets de l'heure du jour, mais les sujets de 10:15 et 13:30 avaient tendance à se rappeler avec plus d'exactitude que les sujets de 16:00. D'autre part, l'expérience remémorative exprimée dans les rapports des sujets indiquait qu' à 16:00 les mémoires sont plus irréelles qu' à 10:15 et 13:30. Suite au contrôle statistique de la dimension de Matinalité-Vesperalité, il est apparu que les différences individuelles s'opposaient à l'effet de l'heure du jour sur la mémoire.

1.- INTRODUCTION

The effects of time of day on memory are usually attributed to a circadian increase in physiological arousal. Arousal (e.g. as indexed by body temperature) is assumed to rise from a relatively low level in the morning to reach a peak in the evening (Folkard, 1982). Other arousal indicators (self-reported activation and chatecolamine excretion) whose circadian variations are not coincident with that of temperature have been suggested.

Eysenck (1982) points out that chatecolamine excretion and self-reports are more closely related to arousal level than temperature. The above theoretical account of variations in arousal suggest that the increase in arousal would lead to a better performance on memory tasks. But, the pattern of data is difficult to adjust to this function.

Oakhill & Davies (1989) summarise that when required to memorise various sorts of material, subjects engage in different sorts of processing depending on the time of day. Folkard & Monk (1983) have suggested that morning results in better performance for immediate recall, verbatim recall and superficial maintenance processing (e.g., rehearsal), and the afternoon-evening favours the delayed recall, meaning-based recall and deep processing.

But there is increasing evidence that the pattern of effects of time of day, via arousal, on memory is far to be definitively established (Petros, Beckwith & Anderson, 1990; Diges, Rubio & Rodriguez, 1992).

Even more, the relationship between time of day and arousal level is entangled when individual differences are considered. Time of day might not have the same effect in all subjects. Arousal curves of morning- and evening-subjects differ in terms of their slopes and the time at which the acrophase is reached. Because of that, at 10 in the morning the activation level of each subject may depend on this dimension.

The main purpose of this experiment was to examine the effects of time of day on memory of a filmed event. Subjects were asked to write their free recall, so the task involved immediate memory, deep processing and meaning-based recall.

An incidental purpose of the experiment was to evaluate the impact of time of day on arousal as indexed by oral temperature and self-reported Fatigue and Vigour.

2.- METHOD

Subjects: 37 voluntary subjects (28 women and 9 men), all of whom were undergraduate Psychology students.

Materials: Two scales (Fatigue and Vigour) from the Profile of Mood States (McNair, Lorr and Droppelman, 1971) (POMS) were used as subjective arousal estimators. A silent traffic accident film (27 sec duration) was employed as stimulus material. Subjects were asked to write their free recall. These narratives were analysed in terms of accuracy (numbers of micropropositions recalled, distortions) and qualitative aspects (exaggerations, personal judgments, cognitive operations, dubitative expressions, length of the narrative, and so forth). The filmed event could be considered as made up of: Introduction, Complication, and Resolution of the story. Then, scores for each part as well as for the total recall were calculated.

Design: The design involved one between-subjects factor, time of day ("morning" -10.30 h, near Spanish "lunch-time" -13.30 h, "afternoon" -16 h). Subjects were randomly assigned to each time of day. Subjects had also previously completed the Morningness-Eveningness questionnaire (Hörne & Ostberg, 1976, abbreviate Spanish adaptation by Adan & Almirall, 1990). So, individual differences on this dimension could be statistically controlled.

Procedure: Oral temperature and Vigour and Fatigue scales were self-measured at 1h-intervals from the time the subjects got up until 20.00 h. In all cases individual typical scores for test time were used in statistical analyses. Subjects were first shown the film. Immediately, arousal variables were measured, so that they serve as a filling task. Then, eyewitnesses were asked to write their recall in their own words.

Dependent measures of recall: The free recall of subjects was assessed both in terms of accuracy and quality. The **accuracy** of recall was scored by counting the number of sensorial and contextual details (actions and agents) which were correctly remembered, and additionally by counting the number of distortions, that is, inexistent or incorrectly reported details.

The **qualitative** analysis of recall examined aspects such as: the number of exaggerations ("the car smashed..."), the mentioning of personal judgements ("it was the blue car's fault"...,) and dubitative expressions ("maybe..."), the mentioning of mental operations ("I remember that" ..., " Then I thought that"...,); the length of the narrative reported by the subject , by counting the number of words used; and finally, the number of changes in the canonical order of the narrative, that is, any alteration of the usual "Introduction-Complication-Resolution" sequence for a narrative. These qualitative variables were considered as potential suggestions that the memory report would have resulted from an internal origin, additionally to its external or perceptual origin.

3.- RESULTS

Free recall narratives were scored by three independent judges who used the same criteria to assess accuracy and quality of recall. They tried to reach agreement when they did not share the same view, and if agreement could not be reached, the information was eliminated. Scores were calculated for each part of the narrative (Introduction, Complication and Resolution) and for the global report.

Analyses of variance were computed on the arousal measures (Fatigue, Vigour and Temperature) and on each of the recall dependent measures.

3.1.- Arousal variables

No significant main effects were found for any of the arousal variables (Table 1).

AROUSAL VARIABLE	TIME OF DAY			
	10:15	13:30	16:00	F(2,36)
Fatigue	-.02(.88)	-.34 (.60)	-.45 (.54)	1.2563
Vigor	.25 (.96)	.60 (.68)	.38 (.80)	.5920
Temperature	.35 (1.08)	.05 (.68)	-.24 (.87)	1.0875

TABLE 1. Means, (Standard Deviations), and F values of arousal variables as a function of time of day. Moyennes, (Deviations Typiques) et valeurs de F des variables d'arousal en fonction de l'heure du jour.

3.2.- Accuracy of recall

Table 2 shows that a significant main effect of time of day was only found on the accuracy of the complication part, being the recall of subjects significantly more accurate in the morning group than in the afternoon group. No other significant differences were found. Nevertheless, effect of time of day almost reached significance on the recall accuracy of the introduction part (p< 0.07); but in this case the lunch-time group showed the highest recall.

PART OF THE EVENT	TIME OF DAY			
	10:15	13:30	16:00	F(2,36)
Introduction	8.83 (3.19)	10.54 (3.38)	7.75 (1.86)	2.9370
Complication	5.58 (1.31)	4.85 (1.41)	3.92 (1.73)	3.7690*
Resolution	1.67 (1.30)	1.08 (1.19)	2.00 (1.65)	1.4233
Total	16.08 (3.80)	16.46 (4.59)	13.67 (2.96)	1.8799

TABLE 2. Means, (Standard Deviations) and F values of Accuracy of Recall for Introduction, Complication and Resolution parts as for the Total event (*=p< .05). Moyennes, (Deviations Typiques) et valeurs de F de l'exactitude pour le rapel de l'Introduction, le Noeud et le Dénouement de l'événement ainsi comme pour le Rappel Total.

3.3.- Qualitative variables

An ANOVA computed on each of the qualitative aspects measured in the free recall showed a significant main effect of time of day on Mental Operations both in the Complication part and in the Total Event (Table 3) being the "afternoon" group which obtained the highest values, although no significant differences between groups were observed.

195

QUALITATIVE VARIABLES		TIME OF DAY			
		10:15	13:30	16:00	F(2,36)
Mental Operations	Introduction	.33 (.49)	.23 (.60)	.92 (1.38)	2.0432
	Complication	.00 (.00)	.15 (.38)	.92 (1.44)	4.0229
	Resolution	.00 (.00)	.08 (.28)	.00 (.00)	.9189
	Total	.33 (.49)	.46 (.88)	1.83 (2.55)	3.4096
Length	Total	103.17 (28.9)	97.62 (50.1)	93.42 (41.4)	.1678
Order Changes	Total	.33 (.65)	.23 (.44)	.23 (.45)	.1344

TABLE 3. Means, (Standard Deviations) and F values of Qualitative Variables of recall for Introduction, Complication and Resolution parts, as for the Total Event (*=p <.05). Moyennes, (Deviations Typiques) et valeurs de F pour les variables qualitatives du rappel de l'Introduction, le Noeud, et le Dénouement de l'événement ,ainsi comme pour le Rappel Total.

4.- EFFECT OF MORNINGNESS-EVENINGNESS DIMENSION

The effects of time of day on memory may depend upon whether the individual is a morning- or evening-type. Would it be possible that differences along morningness-eveningness dimension could affect some of our results?. Taking it into account, subjects were asked to fill in the morningness-eveningness questionnaire before starting the experiment. Individual differences are usually considered as error variance in an experiment, but ANCOVA allows to remove the variability of the scores due to differences in the selected covariate. The subsequent ANCOVA was computed on the scores on morningness-eveningness.

The analyses revealed that after removing that variance, the effect of time of day on Introduction Accuracy became significant, $F_{(2,33)}=3.845$ (p=.032). This dimension seems to modulate other expected effects of time of day on recall, as shown by the observed increase in the F value for Total Accuracy, even though its probability value did not reach significance (p=.103).

5.- DISCUSSION

Results obtained here indicate that time of day does not affect any of the arousal variables considered. The arousal measures were taken just after the film was exposed to the subjects, and it is possible that the film itself had raised the tonic arousal level of subjects, so that differences do not appear. In fact, all subjective arousal scores at the test-time were higher than their respective means. This was not the case for temperature (Table 1), which agrees to Eysenck's remark that temperature is not very reliable to indicate arousal.

Johnson & Raye (1981) proposed that memory representations resulting from internal sources (imagination, dreams) differ from those product of external sources (perception) in that "internal" memories contain less sensorial and contextual details and more mentioning of cognitive or mental operations than "external" memories. The distinction has been proved useful to distinguish between real and suggested memories (Schooler et al., 1986). Assuming this distinction we had measured both aspects of recall, namely Accuracy (details) and Mental Operations. Results showed that the "morning" group recalled more details (Table 2) and mentioned less mental operations (Table 3) in the Complication part than the "afternoon" group. Mental Operations was also affected by time of day when considering the recall of the Total event, even tough the "afternoon" group was not significantly higher than the "morning" group. Hence, the "morning" group seemed to show a more real (perceived) memory and the "afternoon" group a more "internal" (imagined) memory.

Nevertheless, when Introduction part was considered, the "lunch-time" group showed the highest accuracy although the time of day effect only reached significance in the case of computing the ANCOVA. That is, when variability intra-group is lowered removing differences due to morningness-eveningness, what means that this dimension was counteracting time of day effects. So, morningness-eveningness must be taken into account in studying time of day effects. The same could be said about the Total accuracy (for which the "afternoon" group performed the worst), even though the increase in its F value did not reach significance.

Clearly, the most impressive result was that the "afternoon" group seemed to show the more unreal (less accurate and with more internal characteristics) memory of the event. However, the three groups wrote a similar number of words to describe their memory and also they related the event in its correct sequence.

6.- CONCLUSIONS

The most striking conclusion of this experiment was that different times of day were not related to differences in arousal (as indexed by two self-reported measures and by temperature).

But differences in memory performance at different times of day did exist: In the "afternoon" the memories are more unreal and less perceptive than in the "morning" or in the "lunch-time", so that our results showed that differences in memory performance along the day did not seem to be related to different levels in arousal.

But with respect to the relationships between memory and time of day, a general conclusion to be drawn is that there is an oversimplification on the assumption that the morning is better for immediate and verbatim recall and superficial processing, and the afternoon-evening is better for delayed and meaning-based recall and deep processing. The task used in the present study shares some " characteristics" of both the morning and the afternoon-evening, but it was better remembered 8 in the morning than in the afternoon.

REFERENCES
Adan, A. , Almirall, H. , Adaptation and Standarization of a Spanish version of the morningness-eveningness Questionnaire: individual differences, *Personality and Individual Differences,* I990 , II: 1123-1130.

Diges, M., Rubio. M.E., Rodríguez, C., Eyewitness memory and time of day. In F. Lösel, D. Bender and T. Bliesener (Eds.): *Psychology and Law,* Berlin: Walter de Gruyter, 1992.

Eysenck, M. , *Attention and Arousal. Cognition and Performance.,*Berlin: Springer-Verlag, 1982.

Folkard, S, Circadian rhythms and human memory. In F.M. Brown and R.C. Graeber (Eds.): *Rhythmics aspects of behaviour,* Hillsdale: LEA, 1982

Folkard, S., Monk, T., Chronopsychology: Circadian rhythms and human performance. In A. Gale and J.A. Edwards (Eds.): *Physiological correlates of human behavior,* London: Academic Press, 1983.

Hörne, J.A., Ostberg, O., A self-assessment questionnaire to determine morningness-eveningness in human circadian rhythms, *International Journal of Chronobiology,* 1976 , **4**: 97-110.

Johnson, M., Raye, C. , Reality Monitoring, *Psychological Review,* 1981,**88**: 67-85.

Oakhill, J. , Davies, A. , The effects of time of day and subjects' expectations on recall and recognition of prose materials, *Acta Psychologica,* 1989, **72**:145-157.

Petros, T., Beckwith, B., Anderson, M., Individual differences in the effects of time of day and passage difficulty on prose memory in adults, *British Journal of Psychology,* 1990, **81**: 63-72.

Schooler, J., Gerhard, D. , Loftus, E. , Qualities of the Unreal, *Journal of Experimental Psychology: Learning, Memory and Cognition,* 1986, **12**: 171-181.

AKNOWLEDGEMENTS

This research was supported by the DGCICYT Grant PB89-0170-CO3O1 to M. Diges and by a U.A.M. Precompetitive Group Grant to M.E. Rubio and C. Rodríguez.

LES RYTHMES ATTENTIONNELS : VARIABILITE ENDOGENE OU EXOGENE ?

ATTENTION RHYTHMS : ENDOGENEOUS OR EXOGENEOUS VARIABILITY ?

S. Estaún, E. Añaños (*) et S. Zaragoza,

Laboratori de psicologia General, Departament de Psicologia de l'Educació
Universitat Autònoma de Barcelona
08193 Bellaterra.
(*) Laboratori de Psicologia, Departament de Psicologia, Universitat de Girona,
Plaça Sant Domènec, 9, 17071 Girona.

Résumé

Nous nous proposons d'étudier les rythmes circadien et infradien de l'attention et spécialement l'incidence de facteurs exogènes dans leur structuration. Deux groupes de 34 sujets chacun (1 et 2) ont passé l'épreuve Toulouse-Piéron en 36 modèles, pendant cinq jours consécutifs (jeudi, vendredi, lundi, mardi et mercredi) cinq fois par jour (9:15-10:45-12:15-14:15-16:15), dans leur milieu habituel : la classe. Toutes choses égales, la seule différence entre les deux groupes est l'institutrice.

Les résultats montrent l'existence d'un rythme circadien attentionnel. D'autre part les résultats obtenus tout au long de la semaine ne montrent aucun rythme infradien, par contre ils révèlent un effet d'apprentissage. Entre les deux groupes il y a une différence statistiquement significative à 10:45 du matin et cette différence est une tendance dans les résultats du mercredi. D'autre part, l'incidence de l'institutrice a été interprétée dans un sens lié à la réussite, car les courbes rythmiques sont presque parallèles.

Abstract

Attention has been subject of study since the origins of scientific Psychology (Sikorski, 1879). Recently Beugnet-Lambert (1985, 1988), Testu (1989), among others, have been researching attention. The results of their work are not always consistent.

The work developed with children shows a circadian rhythm slowly structured. Beugnet-Lambert and Testu showed a weekly rhythm according to week days.

We investigated the influence of the teacher as a variable while holding the classroom conditions constant (schedule, assignature, age of the children – of 5 y.o., and permanence in the same school – 3 years). Thus we had two different groups of children (34 subjects each one) with the same characteristics except for the teacher.

The test we used is a variation of the test of Toulouse-Piéron (36 different models). We applied it during six days (wednesday, thursday, friday, monday, tuesday and wednesday) ; and in five different moments in the scholar schedulein intervals of 1:30 hours, except for the lunch-break (9:15 ; 10:45 ; 12:15 ; 14:45 ; 16:15). The first day (wednesday) is a pratice day when the children learn the task and the results are not used. The place where the test was run was the classroom, where all other activities are done. The test was applied by the teacher with the help of two researchers.

The results (fig. 2 and 3) show a circadian rhythm but not a weekly rhythm, and the curve is significant for both groups of children. The absence of the hypothetized weekly rhythm is interpreted as a result of the learning of task.

The difference among the groups (significant only at 10:45 in wednesday) can be taken as result of the different teacher, as an exogen synchronizator for the demand of the task performance, but it doesn't seem to have any influence on the rhythm constitution.

1. Introduction

Les rythmes circadiens de l'efficience attentionnelle ont fait l'object de nombreuses études chez l'adulte et chez l'enfant. Ainsi sous la dénomination de "fatigue" on peut trouver des études très anciennes comme celles de Sikorski (1879), Winch (1911, 1912), Heck (1913) et Laird (1925), parmi d'autres auteurs.

Plus récemment, nous pouvons trouver Blake (1967), avec une tâche de barrage des "E" dans un texte ; Hughes et Folkard (1976) qui demandent de détecter des zéros en caractère gras, parmi des zéros minuscules ainsi que d'autres auteurs. Tous acceptent que l'efficience attentionnelle s'améliore tout au long de la journée et qu'elle commence à décroître dans la soirée, en accord et parallèlement à la courbe de la température corporelle. Bien sûr, il y a certaines différences entres les résultats obtenus. Celles-ci sont expliquées par les diverses méthodologies employées.

Beugnet-Lambert (1985, 1988) montre qu'en situation scolaire, l'efficience attentionnelle au cours de la journée varie selon le jour de la semaine, la saison et aussi la personnalité des enfants. Folkard et al. (1976) avaient déjà montré que la fluctuation attentionnelle tout au long de la journée est fonction aussi, du degré de complexité de la tâche (barrer 2, 4 et 6 lettres d'un texte) de telle sorte qu'apparaît une inversion de l'acrophase du cycle entre la tâche la moins complexe (2 lettres) et celle la plus complexe (six lettres). Testu (1979, 1982, 1986, 1989), utilisant divers tests de performance académique en accord avec l'âge et le niveau de scolarisation de l'enfant, il obtient des résultats très semblables à ceux obtenus par Beugnet-Lambert. Le mardi et le vendredi – bien qu'ils présentent une très grande variabilité –, sont les meilleurs jours de la semaine. Nous-même avec des enfants de cinq et six ans (Estaún, 1992), nous avons obtenu des résultats semblables en ce qui concerne le rythme circadien de l'attention, mais certaines différences apparaissent compte tenu du rythme infradien ou hebdomadaire, selon l'âge des enfants (ainsi à cinq ans le mardi et le vendredi donnent les meilleurs résultats, tandis qu'à 6 ans c'est le vendredi la meilleure journée). Il faut remarquer que l'organisation hebdomadaire des horaires scolaires en France diffère de l'organisation espagnole (mercredi est jour férié en France, par contre on travaille le samedi matin ; en Espagne, samedi et dimanche sont deux jours fériés, le reste sont des journées à temps complet).

D'autre part, Luria (1979 -1975-) parle d'un processus de développement de l'attention. Celle-ci doit progresser d'une attention involontaire (sous le contrôle des stimulus exogènes : le réflexe d'orientation), jusqu'à une attention volontaire (sous le contrôle du sujet). Ce processus est le fruit de la maturation de l'organisme, mais aussi de l'influence du milieu et de l'interaction milieu-organisme.

Beugnet-Lambert (1988) analyse plus particulièrement l'interaction milieu-maturation et, après analyse bibliographique des apports de différents auteurs sur ce thème (quelques uns favorables au milieu, d'autres à la maturation) donne la conclusion suivante : "Il apparaît encore que la mise en place des rythmes s'avère bien interdépendante des processus maturatifs endogènes et des phénomènes environnementaux." (p. 159)

Il ne faut pas oublier la dimension pratique de l'attention – l'école, l'ergonomie, ... Elle doit être toujours présente car le manque d'attention des enfants à l'école est une plainte assez commune des enseignants. Parfois ce manque d'attention peut-être le résultat de la fatigue, mais il peut aussi révéler cette oscillation rythmique dont la manifestation en groupe montre des caractéristiques bien différentes de sa manifestation individuelle.

2. Objectif

Nous avons proposé d'étudier l'incidence du milieu dans la structuration du rythme circadien et infradien de l'attention.

Notre hypothèse de travail peut être énoncée de la manière suivante : si la structuration du rythme attentionnel est fonction de l'interaction milieu-sujet (maturation ou organisme), alors l'efficience attentionnelle de deux groupes scolaires, toutes choses égales sauf une, montrera des rythmes circadiens et infradiens (hebdomadaires) différents selon leur période et leur amplitude.

3. Méthodologie ´

Sujets. Deux groupes de 34 enfants (groupes 1 et 2 respectivement), scolarisés depuis l'âge de trois ans dans le même Centre restent à l'école toute la journée, déjeuner compris, de neuf heures du matin à cinq heures de l'après-midi.

Preuves. Trente six modèles différents selon les principes du test Toulouse-Piéron, d'un seul signe à barrer, ont été mis au point et proposés aux enfants.
La durée du test est de cinq minutes.

Plan du travail. Le test Toulouse-Piéron a été effectué cinq fois par jour (9:15 ; 10:45 ; 12:15 ; 14:45 ; 16:15) à intervalles réguliers d'une heure et demi sauf l'intervalle correspondant au déjeuner, et pendant six jours (mercredi, jeudi, vendredi, lundi mardi, mercredi). La première journée était une journée de préparation, apprentissage et habituation à la tâche. Voir table 1.

Rythmes infradiens				
Jeudi	Vendredi	Lundi	Mardi	Mercredi
Rythmes circadiens				
9:15	10:45	12:15	14:45	16:15

Table 1. Plan du travail

La raison pour retenir la coupure du week-end (samedi et dimanche) répond au besoin de s'approcher le plus possible des conditions des études françaises (Beugnet-Lambert, Testu) et de vérifier si le rythme infradien répond plutôt au rythme hebdomadaire socioculturel (lundi-dimanche), ou plutôt à celui d'une tâche qu'on doit réaliser pendant un certain intervalle temporel.

Critères de correction ou évaluation des résultats. La tâche est évaluée en : correcte, erreur ou omission, tel que le signalent les normes de Toulouse et Pièron.

Passage des tests. On a décidé de retenir la salle de classe comme la meilleure place pour effectuer les tests car c'est le lieu normal où l'enfant réalise son travail scolaire. Une seconde décision a été celle de demander à l'institutrice d'être la personne qui va donner les instructions et effectuer les tests avec l'aide de deux assistants, pour mieux contrôler leur exécution. Trois jours à l'avance nous avions visité l'école et les enfants et nous nous étions familiarisé avec eux.

Les instructions données aux enfants pour l'exécution des tests sont celles de Toulouse-Piéron : "Vous devez barrer le plus vite possible, tous les signes égaux à celui qui est en tête de la page. Allez bien et vite !".

Analyse des résultats. On utilisera les tests statistiques Anova du programme SPSS aussi bien pour le rythme circadien que pour le rythme infradien.

4. Résultats

La figure 1a/ et b/ montre la distribution de l'ensemble des résultats obtenus par les deux groupes, selon les heures de passage des tests et selon le jour de la semaine.

Comme on peut l'apercevoir dans la figure 1 manquent les résultats du mardi à 16 heures, car ce jour là, les enfants sont partis avec l'institutrice avant cinq heures de l'après-midi (activité scolaire en dehors de l'école).

Si l'on regarde ces résultats globaux selon les heures de passage des tests et le jour de la semaine, nous trouvons une rythmicité circadienne et une rythmicité infradienne. Comme le montre la figure, la rythmicité circadienne ne suit pas la courbe de la température corporelle car l'acrophase de l'efficience attentionnelle se place vers midi. Par contre le mardi est le jour où nous pouvons trouver les meilleurs résultats de la rythmicité infradienne.

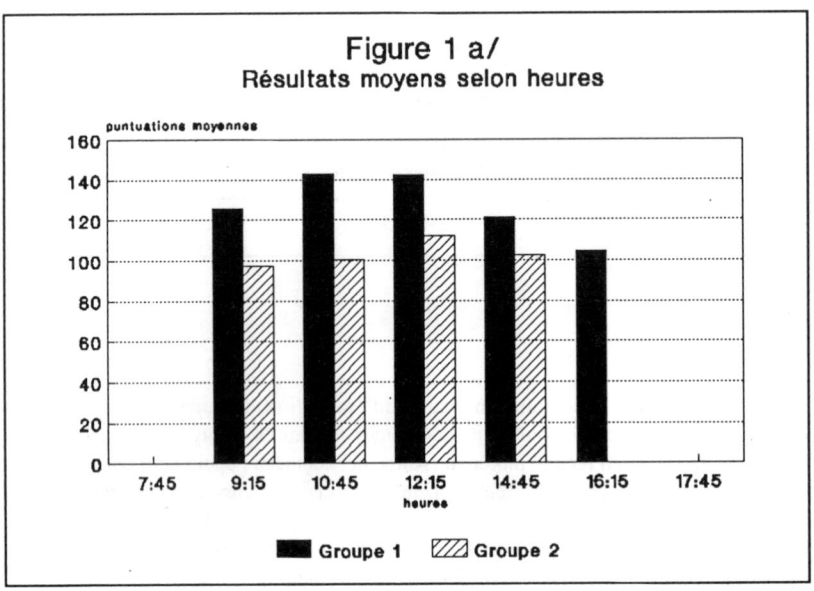

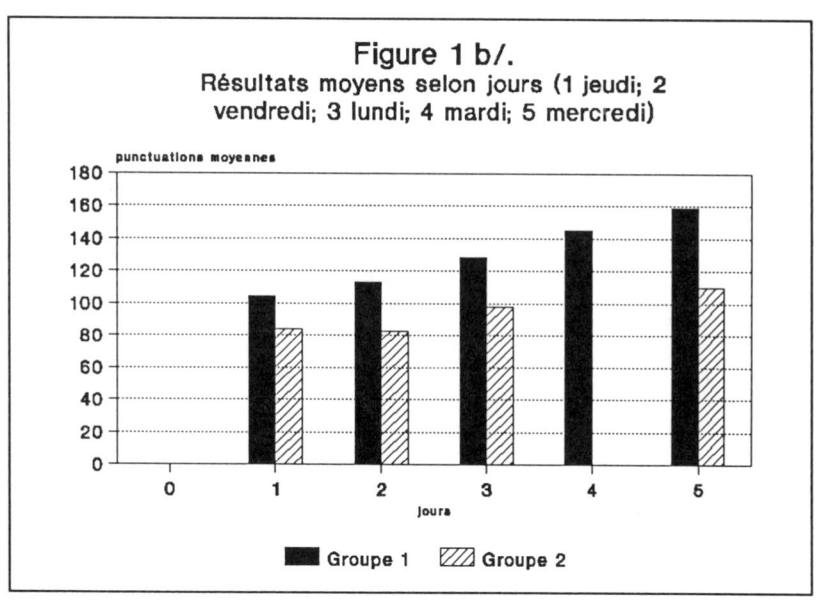

Figure 1 b/.
Résultats moyens selon jours (1 jeudi; 2 vendredi; 3 lundi; 4 mardi; 5 mercredi)

La figure 2 a/ montre la rythmicitié circadienne avec un pic de 10:45 à 12:15 pour le groupe 1, tandis que pour le groupe 2 le pic est à 12:15 après une croissance faible. Les résultats entre les deux groupes diffèrent significativement à 10:45. Les deux courbes sont presque parallèles.

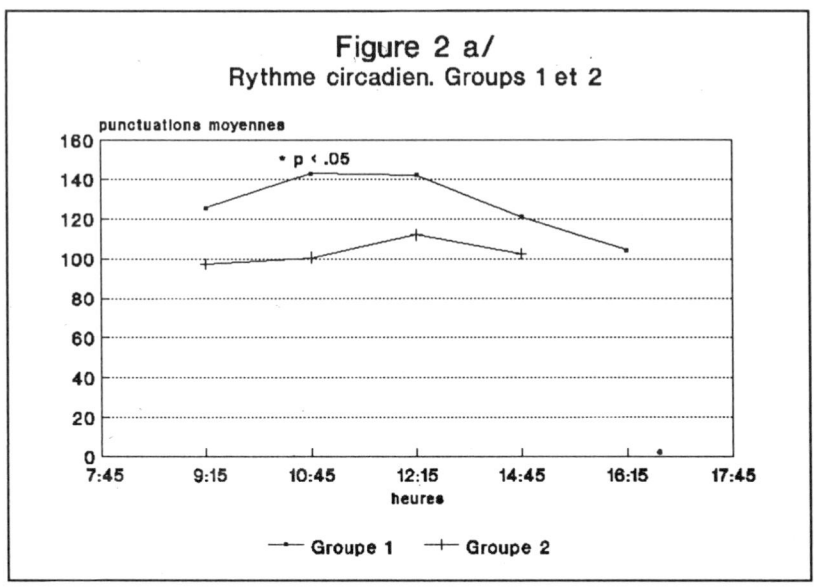

Figure 2 a/
Rythme circadien. Groups 1 et 2

D'autre part, la figure 2 b/ montre la rythmicité infradienne des deux groupes, malgré l'absence des résultats du mardi. Bien que les courbes soient presque parallèles, on peut observer que le mercredi est le jour des meilleurs résultats pour les deux groupes. C'est aussi le jour où apparaissent les différences significatives du point de vue statistique. En tout cas les résultats du groupe 1 sont meilleurs que ceux du groupe 2.

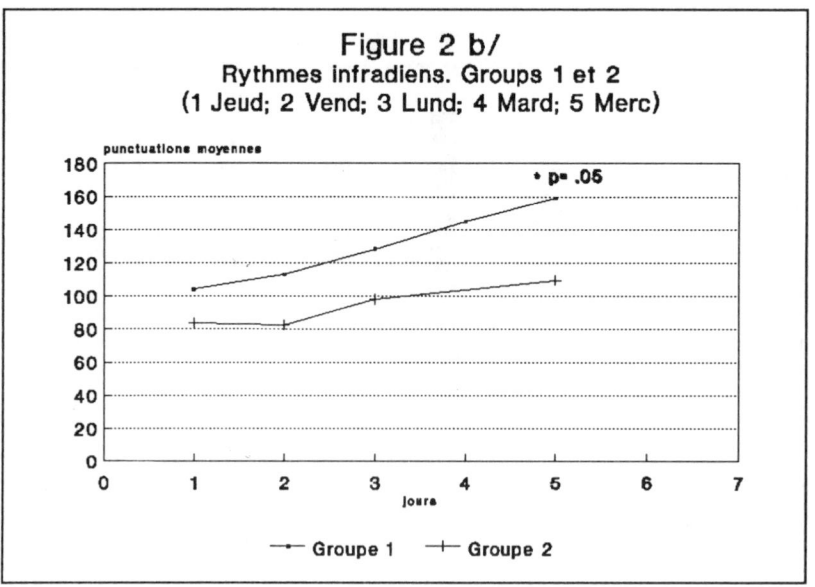

Figure 2 b/
Rythmes infradiens. Groups 1 et 2
(1 Jeud; 2 Vend; 3 Lund; 4 Mard; 5 Merc)

5. Discussion des résultats

Nos résultats sont cohérents sur le thème de la rythmicité circadienne, mais ils diffèrent à propos de la conviction du parallélisme entre température et vigilance. Pour les deux groupes d'enfants l'efficience de l'attention descend l'après-midi, et certainement cette descente se ralentit – selon la figure 2 a/ – à 16:15. Nous nous demandons, et croyons légitimement, qu'il existe un effet de moindre exigence scolaire l'après-midi. Les activités prévues dans les deux groupes de cette école, se prêtent à une moindre exigence au travail. L'idée est partagée par beaucoup d'enseignants et pourtant on peut penser aux conséquences de cette conception.

Une deuxième question que nous nous posons est de savoir si l'on trouverait les mêmes résultats si l'on pouvait effectuer les tests d'attention de Toulouse-Piéron à chaque heure et demi, même chez l'enfant, jusqu'au moment du coucher.

Il faut retenir que ce rythme circadien est un rythme scolaire et aller plus loin ne nous semble guère prudent.

A propos du rythme infradien que montrent nos résultats, il nous semble que celui-ci répond plus à un rythme de travail qu'à un rythme hebdomadaire. Bien que le mercredi soit une journée d'apprentissage, les résultats s'améliorent lentement le jeudi et le vendredi. C'est le lundi qu'ils montrent une bonne réussite, suivi encore d'une amélioration jusqu'au mercredi. Les questions qui se posent fondamentalement sont de deux types : l'un est de savoir si cette amélioration est le résultat d'un apprentissage, l'autre regarde plutôt l'aspect d'une automatisation de la tâche : l'enfant a besoin de plus d'une journée pour automatiser l'exécution de la tâche, cela arrive, dans notre cas, la troisième journée… Nous constatons que l'expérience finit juste au moment du pic, nous ne savons pas si ce pic sera un plateau, ou s'il va descendre pour différentes raisons (par exemple la monotonie de la tâche). Dans le cas du rythme infradien nous ne nous accordons pas avec les résultats trouvés par Beugnet-Lambert, ni avec ceux de Testu.

L'aspect qui nous concerne plus directement est celui de l'incidence des synchroniseurs exogènes et en particulier le travail de l'institutrice qui nous semble très important. Les deux groupes présentent des résultats presque parallèles en rythmes infradiens et à l'exception du mercredi ne présentent pas de différence significative. Ce fait montre un effet d'apprentissage – ou faut-il penser que les enfants du groupe 1 sont meilleurs que ceux du groupe 2 ? – et seulement à partir d'une explication nous pouvons dire que cet effet d'apprentissage joue un rôle important dans la capacité d'attendre, et que celle-ci peut être aidée au moyen d'un aménagement du milieu. C'est ici où l'institutrice joue un rôle très important.

Si l'on s'attend à une rythmicité circadienne, alors le déplacement du pic du groupe 2 vers midi permet de penser à l'existence d'une rythmicité endogène, et qu'un facteur exogène pousse vers une croissance et une synchronisation de l'efficience.

6. Conclusion

Nous pouvons conclure très précisément sur les trois aspects qui viennent d'être mentionnés.

La première conclusion qu'il faut tirer c'est à l'évidence qu'il y a un rythme circadien de la journée scolaire. Nous ne pouvons aller plus loin et dire que cette rythmicité correspond à toutes la journée d'activité scolaire et périscolaire de l'enfant.

La deuxième conclusion est très humble, nous n'avons pas trouvé de rythmicité infradienne dans les limites de notre travail. Plus encore, nos résultats permettent de penser plutôt à un effet d'apprentissage.

La troisième conclusion que nous pouvons faire, c'est d'accepter l'influence de l'élément "Institutrice" comme un élément exogène qui aide à structurer la rythmicité attentionnelle, soit par sa personnalité, soit par l'aménagement du milieu.

7. Références bibliographiques

Beugnet-Lambert C., Vigilance et Cognition : approche chronopsychologique de l'attention, Thèse doctorat de Psychologie. Université de Lille 3, 1985.

Beugnet-Lambert C., Lancry A. et Leconte P., Chronopsychologie. Rythmes et activités humaines, Presses universitaires de Lille, 1988.

Blake M.J.F., Time of day effects on performance in a range of tasks, Psychonomic Science, 1967, 9, 349-350.

Estaún S., Attention rhythms in 5 and 6 years old school children. In Diez-Noguera A., Cambras T., Chronobiology and chronomedicine : Basic research and applications, Frankfurt, Peter Lang, 1992.

Folkard S., Knauth P., Monk Th., Rutenfranz J., The effect of memory load on the circadian variation in performance efficiency under a rapidlyrotating shift system, Ergonomics, 1976, 10 479-488.

Heck W.H., A second study of mental fatigue in relation to the daily school program, Psych. Clin., 1913, 7, 29-34.

Hughes D.G. et Folkard S., Adaptation to an 8-h shift in living routine by membersof a socially isolated comunity, Nature, 1976, 264, 432-434.

Laird D.A., Relative performance of college students as conditioned by time of day of week, J. Exper. Psychol., 1925, 3, 50-63.

Luria A.R., Atención y Memoria, Barcelona, Fontanella. 1979 (orig. Ediciones de la Univ. de Moscou, 1975).

Sikorski J., Sur les effets de la lassitude provoquée par les travaux intellectuels chez les enfants d'âge scolaire, Ann. Hyg. Publ., 1879, 2, 458-464.

Testu F., Les rythmes scolaires, Rev. Franç. Pédag., 1979, 47, 47-57.

Testu F., Variations journalières et hebdomadaires de l'activité intellectuelle de l'élève, Monog. Franç de Psychol. CNRS, 1982.

Testu F., Diurnal variations of performances and information processing, Chronobiologia, 1986, 13, 4, 319-328.

Testu F., Chronopsychologie et rythmes scolaires, Paris, Masson, 1989.

Winch W.H., Mental fatigue during the school-day as mesured by arithmetical reasoning, British Jour. Psychol., 1911, 4, 315-341.

Winch W.H., Mental fatigue during the school day as mesured by inmediate memory, J. Educ. Psychol., 1912, 3a, 18-28.

Winch W.H., Mental fatigue in day school childrens mesured by inmediate memory, J. Educ. Psychol., 1912, 3 part. II, 75-82.

THE PERCEPTION OF TEMPORAL INFORMATION FROM THE EARTH'S MAGNETIC FIELD

LA PERCEPTION DE L'INFORMATION TEMPORELLE A PARTIR DU CHAMP MAGNÉTIQUE TERRESTRE

F. Gillard,

INSERM U 86,
Centre de Recherches Biomédicales des Cordeliers,
75270 Paris cedex 06, France

Abstract

A large variety of living organisms are able to detect directional information from the earth's magnetic field. In addition, some of them can "sense" the more or less regular circadian variations of the field strength providing to them daily and seasonal time cues different from the photoperiod. Two receptors for the detection of the time information from magnetic field have been proposed: magnetite crystals and retinal and pineal photoreceptors. The melatonin rhythm generating system called by Semm "magnetic photoneuroendocrine vegetative system" can be influenced by magnetic stimulation which reduces the nocturnal melatonin synthesis in pineal gland. The magnetic fluctuations, like those of light, would regulate the suprachiasmatic nucleus circadian clock. A circadian oscillator located within *Xenopus* retina regulates retinal melatonin and dopamine rhythms, suggesting that a second synchronization by magnetic variations may occur in the eyes. In the retina, indeed, magnetic stimuli reduce nocturnal melatonin and diurnal and nocturnal dopamine secretion. The light-to-dark transition period seems to be the essential time to allow the synchronization of the ocular circadian clock with the earth's magnetic field variations. For the detection of the earth's magnetic field time cue, the hypothesis of the visual pigments as magnetodetectors stays an open question

Résumé

Le champ magnétique a été récemment reconnu comme l'un des signaux contribuant à la régulation des horloges biologiques. Beaucoup d'êtres vivants, bactéries, végétaux animaux sont capables de détecter l'information directionnelle du champ magnétique terrestre et d'établir un compas magnétique pour s'orienter dans l'espace. De plus, certains d'entre eux peuvent aussi percevoir les variations plus ou moins circadiennes de la source ionosphérique du champ qui influent sur son intensité. Ces variations apporteraient une information journalière et saisonnière sur le temps différente de la photopériode. Deux candidats à la détection de l'information temporelle ont été étudiés : les cristaux de magnétite (oxyde de fer) et les photorécepteurs de l'organe pinéal et de la rétine. Les pinéalocytes répondent aux stimulus magnétiques en diminuant la synthèse nocturne de la mélatonine dans l'organe pinéal. Chez le Rat, les expérimentations indiquent que cet effet inhibiteur sur la mélatonine dépendrait de la détection préalable de photons lumineux par le système visuel. Possible magnétodétecteur, le pigment visuel, la rhodopsine, serait photoactivé jusqu'à l'état excité triplet qui lui conférerait les propriétés anisotropiques permettant son interaction avec un champ magnétique. En accord avec cette hypothèse, on a mis en évidence que les stimulus magnétiques diminuent la mélatonine nocturne non seulement dans l'organe pinéal, mais aussi dans la rétine in vivo et in vitro. Actuellement l'intérêt se porte sur la détection de l'information temporelle par le "système magnétique photoneuroendocrinien végétatif" de Semm qui semble être, chez les Mammifères, la voie rétino-hypothalamique influencée par la photopériode. Ces variations périodiques du champ magnétique influenceraient, comme celles de l'éclairement, l'oscillateur des noyaux suprachiasmatiques de l'hypothalamus. De plus, certaines expérimentations montrant que les stimulus magnétiques diminuent la secrétion de la mélatonine nocturne et de la dopamine nocturne et diurne dans la rétine suggèrent que les variations périodiques du champ magnétique terrestre pourraient également influencer le rythme circadien d'un oscillateur intra-rétinien découvert chez le Xénope. Cette désynchronisation du cycle lumière-obscurité par le champ magnétique terrestre semble vérifiée par des expériences qui déterminent les effets du champ au moment des transitions de phase entre la lumière et l'obscurité. Selon ces études, la détection de l'information directionnelle et temporelle du champ magnétique terrestre liée à la détection d'impulsions lumineuses pose le problème d'une photoactivation du pigment visuel suivie d'une désensibilisation. Les processus de désensibilisation de la rhodopsine inhibant la phototransduction (phosphorylation de la rhodopsine et liaison de l'arrestine) seraient-ils impliqués dans la détection du signal magnétique ?

Introduction

The earth's magnetic field, after light, has recently been recognized as an important factor involved in the regulation of biological rhythms. A large variety of living organisms, bacteria, plants, animals are able to detect directional information (magnetic compass) from the earth's magnetic field. But, more mysterious behaviour, some of them can sense the small magnetic fluctuations of the field which cause more or less regular circadian variations of the field strength providing to them, as a crude calendar, daily and seasonal time cues distinct from the photoperiod (Gould,1984 ; Semm,1988).

Many behavioural studies on migratory animals show, during migrations, they have restlessness activities and use the earth's magnetic field as a time cue ("Zugunruhe") (Mc Millan,1972 ; Semm. et al.,1980). Brown and Scow (1978) demonstrated that rodents are influenced by 24 hour and 26 hour cycles from weak magnetic fields. Gould's behavioural studies (1984) revealed that worker honey-bees can use such time sense. In their homes, dark, enclosed cavities, they are isolated from more typical cues, like sunrise, sunset, circadian variations in temperature and humidity. But they can respond to the earth-strength magnetic field which would deliver to them, in almost total darkness, a similar time information, as a substitute of the photoperiod.

Two possible reception schemes have been proposed for the detection of the time information from magnetic field : the magnetite crystals (iron deposits) and the retinal and pineal photoreceptors.

During the past decade, studies concentrate on photoreceptor cells and on the photoneural regulation of the pineal gland by the melatonin rhythm-generating system (Semm et al., 1980, 1988 ; Cremer-Bartels et al., 1983, 1986). The effects of earth-strength magnetic field on electrical and hormonal activities suppress pineal function and melatonin signal. The natural light-dark driven melatonin cycle disappears. The neuroendocrine axis (Klein et al., 1972) called by Semm (1988) "magnetic photoneuroendocrine vegetative system", especially involved in circadian rhythmicity, can be influenced by magnetic stimulation (Demaine and Semm, 1986) which reduces the nocturnal melatonin synthesis in pineal gland. The magnetic fluctuations, like those of light, would regulate the suprachiasmatic nucleus circadian clock.

Furthermore, the identification by Besharse et al. (1988) of a circadian oscillator located within the eye of *Xenopus laevis* synchronized by the photoperiod and whose circadian rhythm is regulated by the variations of melatonin and dopamine levels in retina, suggests that a second synchronization by magnetic variations may occur in the eyes. In retina, indeed, magnetic stimuli reduce nocturnal melatonin (Cremer-Bartels et al., 1983, 1984) and dopamine secretion (Olcese et al., 1988, 1989).

1. The small magnetic fluctuations of the ionosphere

The earth's magnetic field has three components (Delcourt, 1990). The first component is a large relatively static field generated inside the earth, which could be compared to a giant magnet. The other components are located outside the earth. One comes from the ionosphere and the other from the earth's crust and superior earth's coat of the field, rich in magnetic rocks. These rocks possess magnetic induced or remanent deposits composed of magnetite.

Gould (1984) reports that the first component "is a large magnet... When stable , the earth's magnetic field varies in a more or less regular way from the magnetic equator, where the field lines are horizontal (i.e. parallel to the earth surface) and the field strength is roughly 25,000 gamma, to the magnetic poles where the lines are vertical and the strength is 60,000 gamma. The intensity of the horizontal and vertical components of the field decreases and increases, respectively."

The component of the earth's magnetic field which is involved in the detection of time information comes from the superior part of the atmosphere. Ionosphere contains electrically charged particles carried by the jet streams. " This flow of ions creates an inductive field, whose regular circadian variations in field strength are on the order of 10-100 gamma, depending on season and latitude " (Gould, 1984). " The jet streams are displaced north and south because of the daily heating and cooling of the atmosphere, and we can observe on the ground a more or less regular circadian variation of the intensity of the magnetic field " (Semm,1988). These authors suggest that the nearly circadian rhythmicity in magnetic field intensity could be used as a time cue.

2. Magnetite crystals as magnetic field detectors

Living organisms possess ferrimagnetic deposits, known to be magnetite crystals (Fe_3O_4) (Gould, 1984). Their caracteristics look like these rocks rich in magnetic minerals from the earth crust and the superior earth coat (the third component of the earth magnetic field).
Biologically synthesized permanent magnets in the form of magnetite were first discovered in the dental cappings of chitons *(Polyplocophora)* (Lowenstam, 1962). The possible link between magnetite and magnetic field detection came with the discovery of magnetite in honey-bees by Gould et al. (1984). Such crystals producing this particular magnetosensitivity are present in various species. Magnetotactic bacteria and algae use earth magnetic lines as a directional information for moving and orienting (Frankel et al., 1979 ; Frankel, 1986). But, if we look further in the course of evolution, we observe new consequencies of this perception.

Behavioural studies by Kirschwink and Gould (1981) in birds and insects demonstrate that a large variety of organisms can detect magnetic field direction which influences their orientation in space (map sense). Indirect but reproducible evidence suggests, however, that bees and birds can also respond to the very minute changes in its intensity (superparamagnetic crystals of honey-bees, single-domains of birds). The honey-bee's responses to magnetic field have been identified by Kuterbach et al. (1983) in a tissue having magnetic properties. Bees possess magnetite crystal in their abdomen located in cells closely associated with the nervous system. They contain large crystals that are probably made of the iron-storage protein ferrodoxin, the synthetic precursor of magnetite in chitons (Kirschvink and Lowenstam, 1979). Its mineralization in specific areas may be associated with the ability of these animals to respond to the direction and intensity of magnetic field (Kirschvink and Gould, 1981). However, it is difficult to know whether honey- bees detect the earth's magnetic field temporal information.

3. Responses of pineal cells to changes of the ambient magnetic field

Semm et al. (1980) showed that magnetic stimuli alter the electric activity of individual pineal cells in guinea pigs and homing pigeons (Demaine et al., 1985). In the rat, another species in which the pineal gland responds to artificial changes in magnetic field, Reuss et al. (1983) obtain differents types of electric responses. In addition, melatonin formation in the rat pineal was shown to be depressed by low magnetic stimulation (Welker et al., 1983). Biochemical studies on the effects of an earth-strength magnetic field on melatonin and the activity of its synthesis enzymes, serotonin-N-acetyltransferase (NAT) and hydroxyindol-O-methyltransferase (HIOMT) were necessary.

Melatonin, the major secretory product of the pineal organ, is generated by the N-acetylation and O-methylation of serotonin. The biosynthetic pathway is controlled by NAT, which is activated by the nocturnal release of norepinephrine from sympathetic nerve terminals that invade the pineal from the superior cervical ganglion.

During the past decade, most experimental techniques consisted in obtaining various orientations by rotation of the horizontal or vertical component of artificial magnetic fields to demonstrate the "magnetosensitivity" of the pineal gland. Those experiments reveal that the pineal gland of mammals is magnetosensitive in terms of spatial orientation (Semm et al., 1980). Exposure to an artificial magnetic field with a direction differing by 90° from that of the earth influences the orientation of the animals. The new orientation (magnetic compass) can alter circadian rhythm, producing a phase shifting and the desynchronization of the natural light-dark cycle. Weak electromagnetic stimuli have therefore been shown to modify some behavioural responses which are sensitive to circadian phase (Rudolph et al., 1985).

A study by Welker et al. (1983) demonstrated that magnetic field stimuli could inhibit nocturnal NAT activity and decrease melatonin content in the rat pineal. An inversion of the horizontal component of the magnetic field for as little as 15 minutes had significant effects on these parameters in unrestrained animals. Rather unexpectedly, it was also shown that, 24 hours following the onset of a continuous artificial magnetic field, pineal melatonin synthesis returned to control levels, but if the artificial magnetic field was stopped after 24 hours, pineal function thereafter was inhibited. Therefore, it seems that it was the change, itself, of the magnetic field stimuli that the animals perceive.

Recent investigations by Reiter and his group (Lerch et al., 1991) confirm these results. They can obtain a response of the pineal organ which markedly decreases its capacity to synthesize melatonin, in producing rapid changes of the intensity of the field with eddy currents induced by rapid rises and decays of artificials magnetic fields. Their experiments may be extrapolated to the circadian variations of the intensity of the natural magnetic field.

212

4. Evidence for the involvement of the visual system in mediating magnetic field effects on pineal melatonin synthesis in the rat

Furthermore, Olcese and Reuss (1985) show that in albino rats the visual system, i.e. the eye, is the mediator for magnetic field effects on pineal organ. They demonstrated that the inhibitory effects of an earth-strength magnetic field on albino rat pineal melatonin synthesis is dependent on optic input. The perception of magnetic field stimuli may be rather similar to the manner by which light pulses are perceived (Olcese et al., 1988). Their results confirm Leask's (1977) theory which suggests that light is necessary for magnetic field detection.

Leask proposed a specific, paramagnetic mechanism. It includes photo-inducible electron transfer processes and represents an application of optical pumping which depends on the presence and detection of radiation in the visible region of the spectrum. It is an optical / radiofrequency double resonance process involving the lowest excited molecular triplet state of the rhodopsin molecule. Photoexcitation of rhodopsin until the triplet state induces a magnetic moment. The relevance of this is that the energy variations of triplets states with field is anisotropic. These new properties make the interaction with any magnetic field possible. Leask suggests that magnetic detection takes place in the eyes, in the molecules of the retina, as an adjunct of the normal processes of vision. Magnetosensitivity would not appear without light impulses.

5. Magnetic stimuli detection is related to light detection

In quails, the pineal organ is direcly photosensitive. Cremer-Bartels et al. (1983, 1986) show that a 50% decrease or increase of the earth's magnetic field reduces the level of the enzymes HIOMT and NAT in the pineal organ and in the retina in vivo and in vitro. Magnetic stimuli reduce melatonin synthesis in the pineal organ but also in the retina.To test Leask's theory, Olcese and Reuss (1986) exposed adult male rats in dim red light to a single nocturnal magnetic stimulus consisting in a 50 degree rotation of the horizontal magnetic field component. Pineal enzyme activities were significantly inhibited in animals exposed to the magnetic stimulus only when dim red light was present, but not in the dark. Magnetic information would therefore initially be available in the visual system.

These investigations indicate 1) that light is necessary for magnetic detection in general; 2) that the visual system and its connections are involved in this detection. They suggest that the detection initially takes place in the retina which would mediate magnetic field effects on pineal function; 3) according to Semm (1988), the visual system detects the inclination of the natural magnetic field. This message is conveyed to the cortical areas involved in the integration of the magnetic compass. Furthermore, the new information is transmitted to the paraventricular nucleus, the superior cervical ganglia and then to the pineal organ which associates it to the time cue. Pineal organ responds by lowering nocturnal melatonin. This effect alters the natural light-dark melatonin rhythm.

Semm et al. (1986) demonstrated that neurons which are sensitive to direction, when the eyes are illuminated by light of different wavelenghts, exhibit peaks of magnetic responsiveness at 503 and 582 nm. They identified neurons responding with significant changes in electrical activity to gradual inversion of one component of the natural magnetic field. These cells belong to the nucleus of the basal optic root (nBOR) which is a part of the accessory optic system. They are sensitive to an object moving through their receptive fields. These cells are classified into two major groups, movement sensitive cells, which project to the oculomotor area, and direction selective cells which project mainly to the vestibular system. Directionally selective cells respond optimally to a spot moving in a prefered direction, and are inhibed by motion in the opposite direction. The correlation between the direction selectivity to both photic and magnetic stimuli observed in the nBOR units was also found in the responses of cells of the stratum griseum and stratum fibrosum superficialis of the optic tectum. Semm and al. suggest that directionality in the transfer of photic information depends on excitatory retinal photoreceptor "units" having the same preferred direction as the tectal cells with which they are connected.

Those results in accessory optic system and optic tectum further confirm that magnetic stimuli detection depends of light perception in the retina. According to these data, is the integration of magnetic field temporal information involved also, like photic stimuli, in vision processes ? The response is given by Semm.

6. Neural pathway for magnetic stimuli

Semm (1988) suggests that two magnetic detection systems take place in photoreceptors and that magnetic information is transformed into an hormonal and/or neural output. The neural magnetic compass leading to magnetic field directional information seems to integrate photic, magnetic and vestibular information. The second system that Semm calls magnetic photoneuroendocrine " vegetative" system seems to be the retinohypothalamic pathway involved in the control of circadian rhythms. The question is to know whether both these systems are invoved in vision processes.

Magnetic stimuli seem to be mediated by the monosynaptic pathway from the retina which leaves optic nerves at the level of the optic chiasm and terminates in the suprachiasmatic nucleus (Klein, 1985). In mammals, optic impulses influence melatonin secretion in the pineal gland through a nervous pathway from the retina via the suprachiasmatic nucleus, the paraventricular nucleus and the sympathetic innervation of the pineal gland from the superior cervical ganglion. Like photic stimuli, the magnetic stimuli involved in temporal information would follow this pathway and terminate in pineal organ, thus influencing the regulation of circadian rhythmicity. At the opposite of photic stimuli, pineal organ responds to magnetic stimuli by lowering melatonin synthesis. This system would be associated to the melatonin generating system involved in the regulation of circadian rhythms, controlled by the oscillators of the suprachiasmatic nucleus. Circadian variations of magnetic field intensity would desynchronize this oscillator from the photoperiod by decreasing nocturnal melatonin in the pineal gland. The day/night melatonin rhythm disappears.

7. A circadian oscillator in the retina, regulating retinal melatonin rhythms

Various metabolisms in the retina are rhythmic processes controlled by the photoperiod. An interesting model for demonstrating the circadian nature of several aspects of retinal metabolism is represented by *Xenopus laevis* eyecups where another circadian oscillator has been discovered (Besharse, 1982). The interaction between light-cycle and endogenous oscillators is know now to regulate or modulate differents aspects of photoreceptor turnover. This field of chronobiological research has revealed the important place of other synchronizers such as the earth's magnetic field. In cultured *Xenopus* eyecups, the oscillator regulates retinal melatonin synthesis which is stimulated at night. It also plays a part in the temporal relationship of light and darkness involved in the control of rod disk shedding, related itself to the day/night cycle and rhythms of dopamine and melatonin (Besharse et al., 1988).

Furthermore, investigations by Olcese et al. (1988) reveal, in rats exposed to acute rotation of the horizontal magnetic field component, a significant decline of nocturnal catecholamine levels in the retina and, particularly, dopamine. But what is more significant is the diurnal reduction of dopamine revealed by others experiments by Olcese and al. (1989).

It would be interesting to correlate the reduction of retinal melatonin secretion by magnetic stimuli observed by Cremer-Bartels et al. (1983, 1984) and the reduction of dopamine induced by magnetic stimuli observed by Olcese et al.

Previous investigations by Olcese et al. (1988) demontrated that stimulation of the retina by light was necessary to mediate the effects of magnetic stimuli on mammalian pineal gland. Olcese et al. have found that magnetic stimuli induce a significant decrease in retinal dopamine on the pathway utilized by photic information, but also alternatively on others pathways coming directly to retinal amacrine cells. They found that magnetic stimuli induce decrease in retinal dopamine without altering NAT activity. This result seems to be in contrast to their assumption that the retina was a part of magnetic field-detecting system influencing either the melatoninergic system of the retina, or the catecholaminergic system which is influenced itself by melatonin.

Pharmacological analyses by Besharse and Cahill (1991) on circadian clock of cultured *Xenopus* eyecups, using selective catecholamine receptor agonists and antagonists, give a response to this question. Their experiments indicate that the retinal dopaminergic pathways are in their last metabolic steps connected to the melatonin-generating system and then to the circadian oscillator. It could be, perhaps, possible to show that magnetic stimuli decrease nocturnal dopamine secretion, and also nocturnal melatonin secretion in the retina. Furthermore, retinal melatonin and dopamine levels vary during the day/night cycle. These levels are both very low during the phase transition periods, i.e. dark-to-light or light-to-dark transitions (Besharse et al., 1988). Because magnetic stimuli can produce such low hormonal levels, these stimuli could be able to desynchronize this oscillator from the photoperiod and to induce phase shifts with the circadian variations of the intensity of the earth's magnetic field.

8. The light-to-dark transition is an essential phase transition period

The transition periods seem therefore to be the essential time to allow the synchronization of the ocular circadian clock with the earth's magnetic field which seems, according to the above results, to produce nearly the same effects on these hormonal secretions.

For a different purpose, Raybourn (1983) had already taken interest to the phase transition periods. He has demonstrated that direct-current magnetic fields alter the electrophysiological properties of turtle retinas in vitro, specifically during these short periods. "The magnetic susceptibility of the human visual system is manifested by magnetophosphenes induced in the retina by alternating-current magnetic fields. Direct-current magnetic fields do not elicit magnetophosphenes but influence certain spacially ordered biological systems, including the visual photoreceptors, through a physical realignment of diamagnetically anisotropic molecules".

Raybourn's experiments on turtle retinas examine whether or not direct-current magnetic fields (weak magnetic fields) can produce changes in retinal sensitivity. The animals were maintained under a rigorous diurnal light-dark cycle for a minimum of two weeks before the studies. Then, the experiments were conducted at different times throughout the diurnal cycle, including different light-dark cycle phases and phase transition periods. Using extracellular microelectrodes placed in the thin layer of vitreous humour remaining in the eyecup, Raybourn observed a short-term reduction of the electroretinographic b-wave responses. His results suggested that direct-current magnetic fields have a significant but brief suppressive effect on the extracellularly monitored, light-elicited ionic current fluxes. This effect was only obtained after the offset of ambient lightening in the diurnal light-dark cycle : the response of the turtle retina to photic stimuli occurred, specifically, during the transition from light-to-dark.

So, magnetic field effects are more easily revealed during phase transitions between light and dark. But the problem of the initial mechanisms for magnetic field detection for which light seems to be prerequisitive stay unresolved. Is the rhodopsin molecule itself capable of magnetodetection ? What happens after the light wavelenghts involved in magnetic field detection are absorbed by rhodopsin ? When the visual pigment is photoactivated, do this lead to a complete phototransduction process or to incomplete photoreceptor activation ? It is possible that magnetic stimuli transduction including the time cue, could be dependent from regulatory mechanisms which stop the phototransduction and desensitize the visual pigment (i.e. rhodopsin phosphorylation and arrestin-binding). Or do the retinal magnetodetector lie in the level of membrane polarization of photoreceptor cells resulting from the phototransduction process ?

Conclusion

The small magnetic fluctuations of the ionosphere could be a time cue which completes the regulation of biological rhythms by photoperiod and contributes to adaptation of vertebrates to cyclic environmental changes. The influence of magnetic fields on pineal and retinal hormones, especially during the light to dark transition period, is a promising way to understanding their effect on circadian rhythm regulation. A key for magnetic desynchronization of photoperiod could also be found in the interplay of the specific proteins which capture and tranduce photic signals in retinal photoreceptors. Are the factors involved in rhodopsin desensitization contributing in the capacity of rhodopsin to detect magnetic stimuli? Interactions with regulatory proteins could be involved in coupling phototosensitive molecules to detection of magnetic field variations.

References

Besharse J.C., *Prog. Retinal Res.* , 1982, **1**: 115.
Besharse J.C., Iuvone P.M., Pierce M.P., *Prog. Retinal Res.*, 1988, **7**, 21.
Brown F.A., Scow K.M.J., *J. Interdisc. Cycle Res.*, 1978, **9**, 137.
Cahill G.M., Besharse J.C., *J. Neurosci.*, 1991, **11**, 2959.
Cremer-Bartels G., Krause K., in: *Biophysical Effects of Steady Magnetic Fields*,
G. Maret, N. Boccara, J. Kiepenheuer, Eds, *Proceedings in Physics*, 1986, **11**, 107.
Cremer-Bartels G., Krause K., Küchle H.J., *Graefe's Arch Clin. Exp. Ophthalmol.*,
    1983, **220**, 248.
Cremer-Bartels G., Krause K., Mitoskas G., Brodersen D., *Naturwiss.* ,1984, **71**, 567.
Delcourt J.J., *Magnétisme Terrestre. Introduction.* Masson, Paris, 1990.
Demaine C., Semm P., *Neurosci. Lett.* ,1985, **62**, 119.
Frankel R.B.,Blakemore, R.P.,Wolfe R.S., *Science*, 1979, **203**, 1355.

Frankel R.B., in: *Biophysical Effects of Steady Magnetic Fields.* G. Maret, N. Boccara, J. Kiepenheuer, Eds, *Proceedings in Physics* ,1986, **11**, 107.

Gould J.L., *Am. Sci.* ,1980, **68** ,256.

Gould J.L., *Ann. Rev Physiol.* ,1984, **46**, 585.

Kirschvink J. L., Lowenstam H.A., *Earth Planet. Sci. Lett.* , 1979, **44**, 193.

Kirschvink J.L., Gould, J.L., *BioSystems* ,1981, **13**, 181.

Klein D.C., Weller J.L., *Science* ,1972, **177**, 532.

Kuterbach D.A., Walcott B., Reeder R.J., Frankel R.B., *Science* , 1982, **218**, 695.

Leask M.J.M., *Nature*, 1977, **267,** 144.

Lerchl A., Nonaka K.O., Reiter R.J., *J. Pineal Res.* ,1991, **10**, 109.

Lowenstam H.A., *Geol. Soc. Am. Bull.* ,1062, **73,** 435.

McMillan J.P., *J. Comp. Physiol.* ,1972, **79**, 105.

Olcese J., Reuss S., Vollrath L., *Brain Res.* ,1985, **333**, 382.

Olcese J., Reuss S., Semm P., *Life Sci.* , 1988, **42**, 605.

Olcese J., Hurlbut E., *Brain Res.* ,1989, **498**, 145.

Raybourn M.S., *Science,* 1983, **220** , 715.

Reuss S., Semm P., Vollrath L., *Neurosci. Lett.* ,1983, **40,** 23.

Reuss S., Olcese J., *Neurosci. Lett.* , 1986, **64,** 97.

Rudolph K., Kräuchli, K. Wirz-Justice A., Feer H., *Physiol. Behav.* ,1985, **32,** 505.

Semm P., Semm P., Schneider T., Vollrath L., *Nature,* 1980, **288,** 607

Semm P., Demaine C., *J. Comp.Physiol.,* 1986, **159**, 619.

Semm P.,*Prog. Clin. Biol. Res.* ,1988, **257,** 47.

Welker H.A, Semm, P., Willig R.P., Commentz J.C. Wiltschko W., Vollrath, L., *Exp. Brain Res.* , 1983, **50,** 426.

CIRCADIAN VARIATION OF LYMPHOCYTE SUBPOPULATIO MAN BLOOD: RELATIONS WITH LEVELS OF ACTH, CORTI LACTIN, AND HUMAN GROWTH HORMONE IN PLASMA

VARIATIONS CIRCADIENNES DES SUBPOPULATIONS L TAIRES DANS LE SANG HUMAIN: RELATIONS AVEC ACTH, PROLACTINE, ET HUMAN GROWTH HORMONE (hGH) ᴅANS LE PLASMA

T.O. Kleine[1], R. Hackler[1,2], K. Ehlenz[2], P. Zöfel[3] and J. Albrecht[4]

[1] Med. Zentrum für Nervenheilkunde, Funktionsbereich Neurochemie, University of Marburg, Germany;
[2] Med. Zentrum für Innere Medizin, Abteilung für Endokrinologie und Stoffwechsel, University of Marburg, Germany;
[3] Hochschulrechenzentrum, Abteilung Anwendung, University of Marburg, Germany;
[4] Becton Dickinson GmbH, Heidelberg, Germany.

Abstract

Significant circadian variations in total T lymphocytes and their subsets $CD4^+3^+$, $CD4^+45R^+$, $CD8^+3^+$, $CD4^+8^+$, respectively TCR α/β^+ and TCR $\gamma\delta^+$ cells, and $CD19^+$ B cells as well were detected in venous blood of three healthy males during a 48 h sampling period by flow cytometric measurements using monoclonal antibody reagents. The variations were not caused by diurnal hematocrit alterations. Insignificant diurnal variations were observed for NK cells, $CD15^+56^+3^+$ T cells, $CD19^+5^+$ B cells and activated B and T cell subsets ($CD69^+$, $HLA-DR^+$) as well as for granulocytes and monocytes; the dimension of variations was more marked than imprecision of the methods applied. Although frequency of significant variations and peak times of the white cells and their subsets varied in the three subjects, an inverse relation between plasma cortisol (and ACTH) concentrations and numbers of T lymphocytes and their subsets were observed. Number of NK cells might be influenced by prolactin (and hGH) contents in plasma and $CD69^+$ activation of $CD3^+$ T lymphocytes by hGH concentrations.

Résumé

Des variations circadiennes significatives des T lymphocytes totales et de leurs subpopulations $CD4^+3^+$, $CD4^+45R^+$, $CD8^+3^+$, $CD4^+8^+$, c'est à dire des cellules TCR α/β^+ et TCR $\gamma\delta^+$, ainsi que $CD19^+$ B lymphocytes étaient détectées dans le sang veineux de trois hommes en bonne santé pendant une période de collection de 48 heures. Flow cytométrie était employée avec des anticorps monoclonales marqués. Les variations n'étaient pas provoquées par l'altération diurne de hématocrite. Des variations diurnes insignificatives étaient observées aux NK cellules, $CD15^+56^+3^+$ T et $CD19^+5^+$ B cellules, B et T subpopulations activées ($CD69^+$, $HLA-DR^+$), mais aussi aux granulocytes et monocytes. La dimension des variations observées était plus grandes que les imprécisions des méthodes employées. Quoique la fréquences des variations diurnes significatives et les peak dates des leucocytes et de leurs subpopulations étaient différentes dans les trois personnes, une relation inverse entre la concentration de cortisol (et ACTH) dans le plasma et le nombre des T lymphocytes et de leurs supopulations se mettait en évidence. La quantité des NK cellules pourrait être influencée par la concentration de prolactine (et de hGH) dans le plasma, l'activation ($CD69^+$) des T lymphocytes ($CD3^+$) par la concentration de hGH.

roduction

Previous studies show evidence that magnitude of the immune response varies with time of day (1) under normal and diseased conditions (2) being influenced by paracrine, endocrine, and autocrine environments of immune cells (3). As hormones of the endocrine environment (e.g. the pituitary hormones adrenocorticotropin (ACTH), human growth hormone (hGH), prolactin) and hormones of target organs (e.g. cortisol) exhibit diurnal variations (4-7), we studied circadian variations of white blood cells (immune cells) in relation to plasma levels of four hormones in humans to find out possible interactions in vivo. As immune cells are influenced by the endocrine environment of blood as well as by paracrine and autocrine factors regulated by neural signals, this study may be useful to understand interactions between the brain and the immune system in humans.

2. Materials and Methods

2.1 Collection of samples

Venous EDTA-blood samples were obtained at intervals of 4 h from 3 healthy male volunteers (A: 27 , B: 36 , C: 55 years old) over a period of 2 days by disposable indwelling cannula of FEP Teflon (B. Braun, Melsungen, Germany). The subjects performed normal daily activities and slept in the laboratory.

2.2 Hormone analysis

Venous EDTA blood samples were centrifugated and kept frozen at -70^0C immediately after taking blood for subsequent analysis of the following hormones:
Adrenocorticotropin (ACTH) (ng/l) with immunoluminometric assay (ILMA) (Henning, Berlin, Germany),
CORTISOL (µg/L) with enzyme immunoassay TDx (EIA) (Abbot, Wiesbaden, Germany),
HUMAN GROWTH HORMONE (hGH) (ng/l) with immunoradiometric assay (IRMA) (Medgenix, Ratingen, Germany),
PROLACTIN (µg/l) with immunoradiometric assay (IRMA) (Serono, Freiburg, Germany).
All analysis showed interassay coefficients of variation (CV) of ≤10%.

2.3 Cell analysis

Total white blood cells, erythrocyte and platelet counts as well as hemoglobin and hematocrit determinations were performed in Cell-Dyn 1600 (Sequoia Turner Corp., Mountain View, USA) with a daily imprecision of <5% coefficient of variation (CV) (8). For flow cytometric analysis of granulocytes, monocytes, lymphocytes and their subpopulations aliquots of the blood samples were stained with different combinations of monoclonal antibodies (see table 1) followed by a RBC lysis using 1 x FACS Lysing solution. Prepared samples were analysed using a FACScan flow cytometer and Simulset software (Becton Dickinson, Heidelberg, Germany) as described (9,10). Interassay coefficient of variation (CV) for high and low cell counts ranged between 2% and 13% (8).

220

Table 1 : Combinations of FITC- and PE-conjugated monoclonal antibodies used for analysis of lymphocyte subsets

Table 1 : Combinations des anticorps monoclonales marqués par FITC et PE pour l'analyse des leucocytes et des subpopulations lymphocytaires

Reagent	FITC-conjugated monoclonal antibody	PE-conjugated monoclonal antibody	type of leucocyte determined
A*	Anti-HLE-1 (CD45)	Leu-M3 (CD14)	lympho-, granulo-, monocytes
B*	IgG$_1$ (murine)	IgG$_{2a}$ (murine)	negative control
C*	Anti-Leu-4 (CD3)	Anti-Leu-12 (CD19)	total B, T cells
D*	Anti-Leu3a (CD4)	Anti-Leu-2a (CD8)	CD4$^+$8$^+$ T cells**
E*	Anti-Leu-4 (CD3)	Anti-HLA-DR	HLA-DR$^+$ T cells
F*	Anti-Leu-4 (CD3)	Anti-Leu-11c (CD16) + Anti-Leu-19 (CD56)	total NK cells, CD16$^+$56$^+$3$^+$ T cells
G	Anti-Leu-3a (CD4) + Anti-Leu-4 (CD3)	Anti-Leu-2a (CD8)	CD8$^+$3$^+$ T cells**, CD4$^+$3$^+$ T cells
H	Anti-Leu-12 (CD19)	Anti-Leu-23 (CD69)	B CD69$^+$ cells
I	Anti-Leu-4 (CD3)	Anti-Leu-23 (CD69)	T CD69$^+$ cells
K	TCR 1 $\alpha\beta$	Anti-Leu-4 (CD3)	total $\alpha\beta^+$ T cells
L	TCR 1 $\alpha\beta$	Anti-Leu-23 (CD69)	$\alpha\beta^+$ T CD69$^+$ cells
M	TCR $\gamma\delta$-1	Anti-Leu-4 (CD3)	$\gamma\delta^+$ T cells
N	Anti-Leu-18 (CD45RA)	Anti-Leu-3a (CD4)	CD4$^+$45RA$^+$ T cells
O	Anti-Leu-12 (CD19)	Anti-Leu 1 (CD5)	B CD5$^+$ cells

* ready-to-use reagents, Simultest^{TM}, Becton Dickinson
** CD8$^+$3$^+$ = [reagent G (CD4$^+$8$^+$ + CD8$^+$3$^+$)] - [reagent D (CD4$^+$8$^+$)] (10)

2.4. Statistical evaluation

Statistical evaluation of hormone concentrations and of numbers of red and white cells and their subpopulations was performed using the methods of Nelson et al. (11), which tested fitting sine curves to the data from each subject with respect to significance of circadian rhythm and giving mesor, peak time and amplitude.

3. Results and Discussion

3.1 Daily variation of hormones and cell types in blood

Concentrations of prolactin, human growth hormone (hGH), adrenocorticotropin (ACTH), and cortisol determined in peripheral venous blood from three healthy subjects during a two days period (Table 2), were within the reference ranges (12-15); they differed from each other and showed maximum deviations between 48% and 353% from the median values. This cannot be explained by the interassay imprecision of detection methods showing coefficients of variaition (CV) of $\leq$ 10%. White blood cell counts state within reference ran-

Table 2: Daily ranges of hormones, white cells and their subsets in peripheral venous blood of three healthy male subjects.

Table 2: Variations diurnes des hormones, des leucocytes et leurs subpopulations dans le sang veineux des trois hommes en bonne santé.

Hormones, white cells and subsets	Subject A median range	Subject B median range	Subject C median range
Prolactin µg/l	8.3 4.4-22.3	9.6 6.5-14.3	8.6 5.9-11.6
hGH ng/l	664 320-1,262	146 124-515	855 618-2,147
ACTH ng/l	16.3 12.5-33.8	18.1 9.2-41.7	16.8 12.5-24.9
Cortisol µg/l	72 16-122	61 36-257	92 35-142
Leucocytes M/l	5,950 4,850-6,700	6,6650 5,200-7,050	4,900 3,550-6,800
Granulocytes M/l	3,220 2,450-3,600	3,560 3,033-3,855	3,190 2,194-4,900
Monocytes M/l	525 369-640	365 227-470	540 384-640
Lymphocytes M/l	2,317 2,010-2,680	2,595 1,927-3,120	1,330 1,048-1,470
CD3$^+$ T cells M/l	1,697 1,363-1,990	1,820 1,203-2,380	818 630-1,180
CD3$^+$69$^+$ T cells M/l	100 50-340	80 20-160	70 35-150
HLA-DR$^+$ CD3$^+$ T M/l	175 130-210	170 100-250	100 55-190
$\alpha\beta^+$ T cells M/l	1,695 1,297-1,910	1,775 1175-2220	765 577-1060
$\alpha\beta^+$ T CD69$^+$ M/l	152 40-370	135 30-330	110 25-190
$\gamma\delta^+$ T cells M/l	53 40-80	35 35-500	40 39-100
CD4$^+$3$^+$ T cells M/l	1,135 903-1,340	1,264 773-1,555	660 497-1080
CD4$^+$45RA$^+$ T M/l	457 350-615	470 227-690	180 104-330
CD8$^+$3$^+$ T cells M/l	542 450-710	570 413-720	160 123-250
CD4$^+$3$^+$/CD8$^+$3$^+$	1.94 1.70-2.63	2.14 1.87-2.38	4.04 3.82-4.50
CD4$^+$8$^+$ M/l	20 20-50	30 20-30	12 10-30
CD16$^+$56$^+$3$^+$T M/l	30 20-50	50 30-60	90 60-170
NK cells M/l	315 200-513	553 410-620	275 56-580
CD19$^+$ B cells M/l	250 160-290	225 155-260	225 160-330
CD19$^+$69$^+$ B M/l	50 20-130	30 20-90	70 20-110
CD 19$^+$5$^+$ B M/l	65 27-130	70 30-90	65 38-100
Hematocrit ml/ml	374 357-423	439 424-458	392 382-430

ges (16,17) during the period of investigation (Table 2) ; only subject C revealed low leukocyte counts (Table 2). Maximum deviations from median values ranged between 69%
and 154%. Especially deviations of total lymphocytes were small (74%; 120%); but they
were higher than interassay imprecision of flow cytometry methods applied (8). Values of
lymphocyte subsets were mostly within reference ranges available (18); values of CD8$^+$3$^+$
of subject B and C were at lower level and subject C had a low number of CD3$^+$. Maximum
deviations of large lymphocyte subsets were similar or higher like those of total lymphocytes; but they increased substantially with small subsets (e.g. 39%; 279%). These deviations
could not be explained by the imprecisions of 6% and 21% CV observed with lymphocyte
subsets by flow cytometry (8). The same was true for deviations with determinations of
erythrocytes, hemoglobin, hematocrit, and platelets in the blood samples exhibiting higher
values than CV of interserial imprecision (< 5%) (values not shown).

Summerizing, substantial variations in concentration of four hormones (prolactin, hGH,
ACTH, cortisol) and of white blood cells with their subsets found in peripheral venous blood
from three healthy subjects during a two-day collection period were not caused by imprecision of the detection methods used. Therefore, circardian variations have to be discussed.

3.2 Circadian variation of hormones and cells in blood

As listed in table 2 substantial variations of all the white blood cells and their subsets were
found over 48 h period of the study with three healthy subjects. However, only few alterations exhibited a significant (p <0.05) circadian variation with the statistical procedure applied here (11):
Total lymphocytes (Fig. 1), CD3$^+$ T lymphocytes (Fig. 6), TCR $\alpha\beta^+$cells (Fig. 3; major
subset of T lymphocytes), CD4$^+$3$^+$ helper T cells (Fig. 4), CD8$^+$3$^+$ suppressor T cells

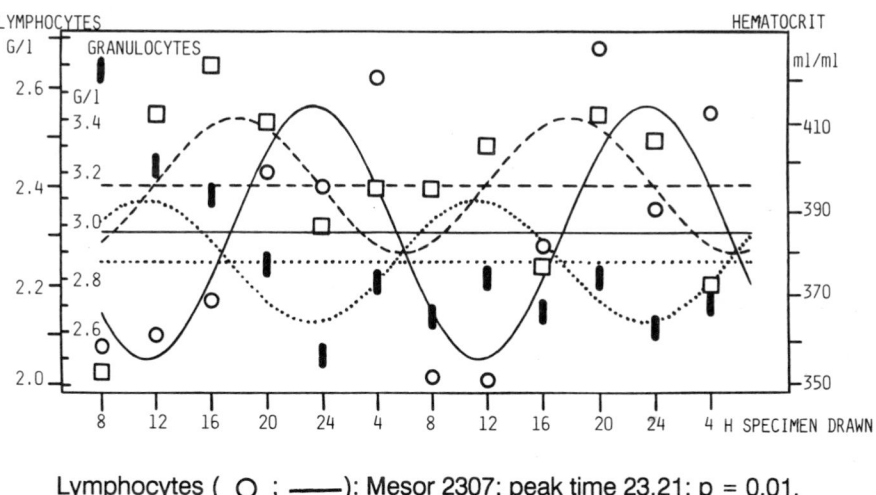

Lymphocytes (O ; ———): Mesor 2307; peak time 23.21; p = 0.01.
Granulocytes (□ ; – – –): Mesor 3150; peak time 17.52; p = 0.17.
Hematocrit (▌ ; ••••): Mesor 379; peak time 11.17; p = 0.10.

Fig. 1: Circadian variation of total lymphocytes, granulocytes, and hematocrit in venous
blood from subject A.

Fig. 1: Variations diurnes des lymphocytes totales, des granulocytes et du hématocrite
dans le sang veineux de la personne A.

223

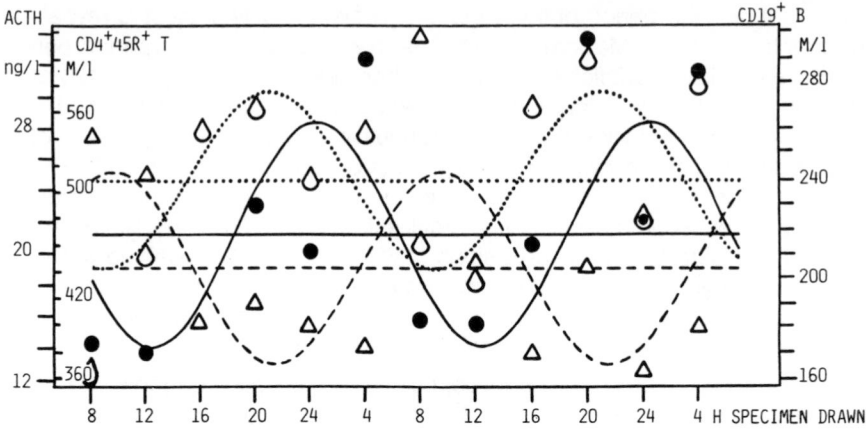

CD19+ B cells (○ ; ••••): Mesor 240; peak time 21.01; p = 0.05.
CD4+45R+ T cells (● ; ——): Mesor 468; peak time 00.26; p = 0.06.
ACTH (△ ; ----): Mesor 19.0; peak time 9.32; p = 0.05.

Fig. 2: Comparison of circadian variations of CD19+ B cells, CD4+45R+ T cells and plasma ACTH in venous blood from subject A.

Fig. 2: Comparaison entre variations diurnes des cellules CD19+ B, CD4+45R+ T et ACTH dans le sang veineux de la personne A.

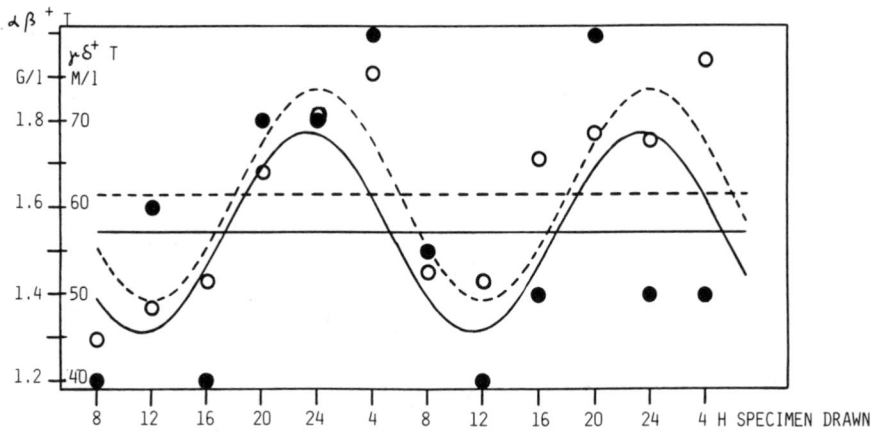

αβ+ T lymphocytes (○ ; ----): Mesor 1628; peak time 00.01: p = 0.01.
γδ+ T lymphocytes (● ; ——): Mesor 57; peak time 23.16; p = 0.17.

Fig. 3: Circadian variation of αβ+ T lymphocytes and γδ+ T lymphocytes in venous blood from subject A.

Fig. 3: Variations diurnes des αβ+ T lymphocytes et γδ+ T lymphocytes dans le sang veineux de la personne A.

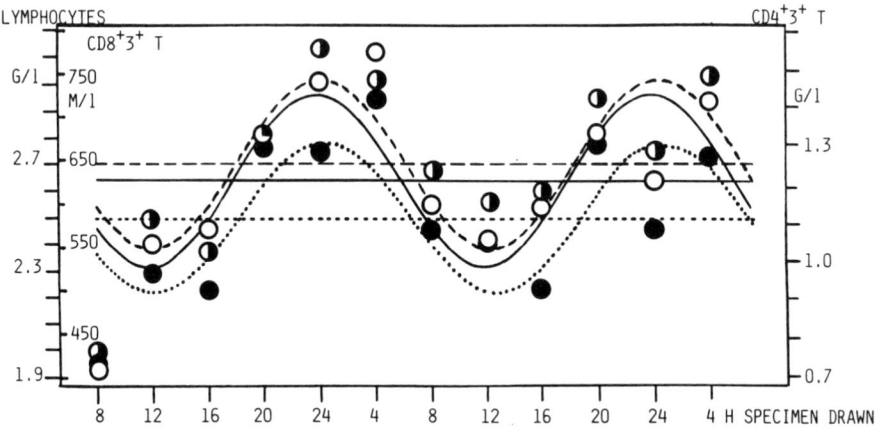

Lymphocytes (O ; ——): Mesor 2636; peak time 23.50; p = 0.03.
CD4+3+ T cells (◐ ; ---): Mesor 1255; peak time 23.59; p = 0.03.
CD8+3+ T cells (● ; ••••): Mesor 584; peak time 00.05; p = 0.05.

Fig. 4: Circadian variation of total lymphocytes, CD4$^+$3$^+$ T and CD8$^+$3$^+$ T cells in venous blood from subject B.

Fig. 4: Variations diurnes des lymphocytes totales, CD4$^+$3$^+$ T et CD8$^+$3$^+$ T cellules dans le sang veineux de la personne B.

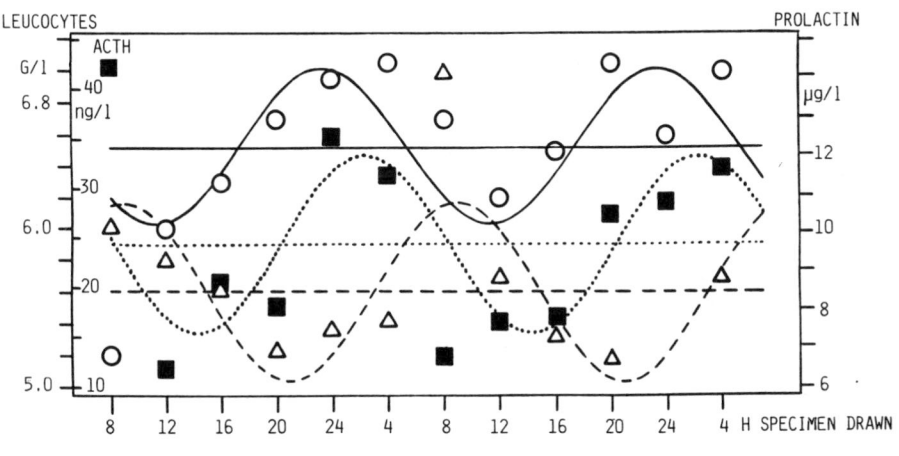

Leukocytes (O ; ——): Mesor 6521; peak time 23.19; p = 0.06.
ACTH (△ ; ---): Mesor 19.9; peak time 8.58; p = 0.01.
Prolactin (■ ; ••••): Mesor 9.7; peak time 2.20; p = 0.06.

Fig. 5: Comparison of circadian variations of leukocytes and plasma ACTH, respectively prolactin in venous blood from subject B.

Fig. 5: Comparaison entre variations diurnes des leucocytes et ACTH, respectivement prolactine dans le sang veineux de la personne B.

225

(Fig. 4) were significant with subjects A, B, whereas CD4$^+$45R$^+$ T cells were significant only with subject A (Fig. 2), CD4$^+$8$^+$ T cells with subject B, respectively . Peak time of circadian variation lay around 24.00 h. Similar findings have been reported (19) although some authors detected earlier peak times between 21.00 h and 23.00 h (20-22) as it was found here with TCR γδ$^+$ cells, activated T cells (CD3$^+$ HLA-DR$^+$) and CD16$^+$56$^+$3$^+$ T (mediator of MHC non-restricted cytotoxicity (10)) exhibiting no significant diurnal variance. B lymphocytes had a peak time at 21.00 h with subject A (Fig. 2) (cf. 20), but at 24.00 h was also reported (23). With subject B diurnal variation was not significant, but peak time lay around 21.00 h (also with CD19$^+$5$^+$ B cells, a fetal-type lymphocyte subset (24)). NK cells which only show insignificant diurnal variations with all 3 subjects, indicated a peak time around 11.00 h (Fig. 7) (cf. 21). Granulocytes and monocytes had peak times between 17.00 h and 20.00 h (Fig. 1) with insignificant diurnal variations as described (25, 26). Erythrocytes, hemoglobin, hematocrit and platelets also exhibited diurnal variations (some significance not shown) with peak times between 10.00 h and 12.00 h.

Cortisol levels and numbers of B lymphocyte, respectively of T cells and their subsets exhibited striking inverse relations in peripheral blood (maximum-minimum peak time difference 12 to 15 h) in subject A (not shown) as has been reported (21); it was around 18 h in subject B (Fig. 6); in subject C no relationship was found. As corticosteroids produce a decrease of T and B cells (and of monocytes as well) 4 to 6 h after administration to humans in vivo (27,28,29), elevated cortisol levels in vivo may produce lymphopenia either by sequestration in bone marrow and/or redistribution of the cells out of the circulation. However, peak time difference with ACTH levels was between 13 to 15 h in subjects A and B (Figs. 2, 5) indicating other regulatory mechanisms because ACTH appears to influence lymphocyte functions directly (inhibition) (3). Moreover, ACTH and cortisol showed periodicity in oscillations of 55-140 min, or 95-180 min, respectively (7), thus cortisol peaks preceding ACTH ones. Therefore, our data collected in 4 h intervals, do not reflect the true situation of hormone oscillations in vivo. Further experiments with shorter sampling intervals have to be done to differentiate micro and macro pulses of ACTH (6) and their effect on cortisol levels in humans.

hGH release exhibited a weak circadian modulation (4) and it appeared to be linked to sleep as prolactin release was (5). We found prolactin peak times around 2.00 h in all three subjects (Fig. 5), wherase that of hGH was around 7.00 h (subjects A, C, Fig. 7) or 21.00 h (subject B). As both hormones develop stimulatory effects to lymphocytes (3) they may be involved in NK cell regulation which exhibited an insignificant peak time around 11.00 h only in subjects A and C. Moreover, activated CD3$^+$69$^+$ T cells showed an insignificant peak time around 3.00 h only with subject B, thus indicating an activation within 18 h (cf. 30) probably by hGH. HLA-DR activation of T lymphocytes takes longer time (cf. 30) and thus did not show any significant diurnal variation in subjects A, B, C. Finally, the diurnal variations of T lymphocytes and their subsets found here were not caused by hematocrit alterations. Further investigations also including parameters of the paracrine and autocrine environment of blood, have to be done with a greater number of subjects to understand interactions between the brain and the immune system in humans.

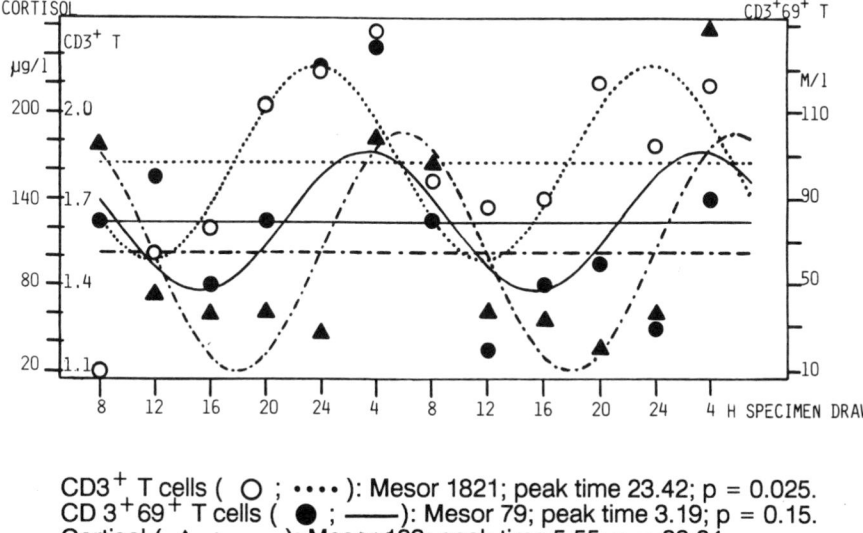

CD3⁺ T cells (O ; ••••): Mesor 1821; peak time 23.42; p = 0.025.
CD 3⁺69⁺ T cells (● ; ——): Mesor 79; peak time 3.19; p = 0.15.
Cortisol (▲ ; —·—): Mesor 103; peak time 5.55; p = 00.04.

Fig. 6: Comparison of circadian variations of CD3$^+$ T lymphocytes, respectively CD3$^+$69$^+$ T cells and of plasma cortisol in venous blood from subject B.

Fig. 6: Comparaison entre variations diurnes des CD3$^+$ T lymphocytes, respectivement CD3$^+$69$^+$ T cellules et de cortisol dans le sang veineux de la personne B.

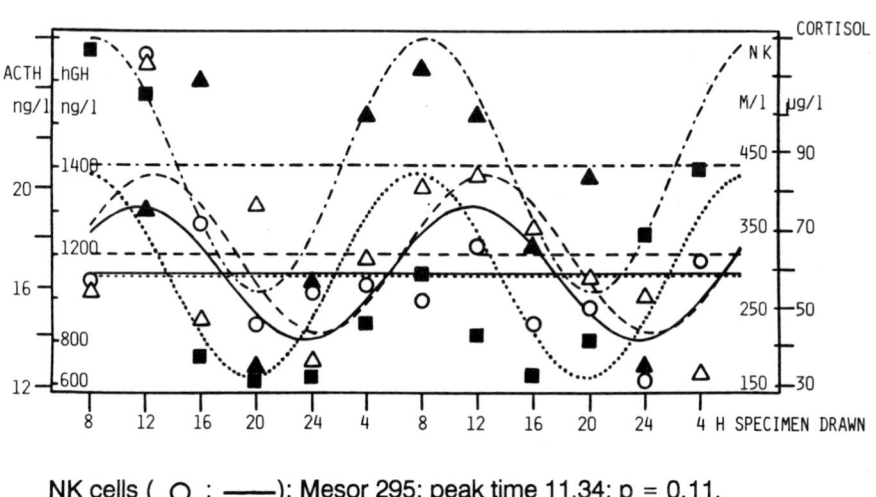

NK cells (O ; ——): Mesor 295; peak time 11.34; p = 0.11.
hGH (■ ; ••••): Mesor 1101, peak time 7.42; p = 0.08.
ACTH (△ ; – – –): Mesor 17.3; peak Time 12.36; p = 0.07.
Cortisol (▲ ; —·—): Mesor 87; peak time 8.17; p = 0.05.

Fig. 7: Comparison of circadian variations of NK cells and plasma hGH, respectively of ACTH and cortisol in venous blood from subject C.

Fig. 7: Comparaison entre variations diurnes de NK cellules et hGH, respectivement de ACTH et cortisol dans le sang veineux de la personne C.

227

4. References

1. Pownall R., Knapp M.S., Immune responses have rhythms: are they important? Immunology Today, 1980, VII-X.
2. Linkowski P., Mendllewicz J., Kerkhofs M., Leclercq R., Golstein J., Brasseur M., Copinschi G., van Cauter E., 24-Hour profiles of adrenocorticotropin, cortisol, and growth hormone in major depressive illness: effect of antidepressant treatment, J. Clin. Endocrinol. Metabol., 1987, 65: 141-152.
3. Ader R., Felten D., Cohen N., Interactions between the brain and the immune system. Annu. Rev. Pharmacol. Toxicol., 1990, 30: 561-602.
4. Krieger D.T., Aschoff J., Endocrine and other biological rhythms. In: Endocrinology (DeGroot L.J. ed.), Grune and Stretton, New York, 1979, 2: 2079.
5. Follenius M., Brandenberger G., Simon C., Schlienger J.L., REM sleep in humans begins during decreased secretory activity of the anterior pituitary, Sleep, 1988, 11: 546-555.
6. Carnes M., Kalin N.H., Lent S.J., Barksdale C.M., Brownfield M.S., Pulsatile ACTH secretion: variation with time of day and relationship to cortisol, Peptides, 1988, 9: 325-331.
7. Follenius M., Simon C., Brandenberger G., Lenzi P., Ultradian plasma corticotropin and cortisol rhythms: time-series analyses, J. Endocrinol. Invest., 1987, 10: 261-266.
8. Kleine T.O., Hackler R., Albrecht J., Der Einfluß des Probenalters und der Entnahmezeit bei der Bestimmung von Leukozytenpopulationen im Vollblut mittels FACScan, Cell-Dyn 1600 und visueller Differenzierung, Klin. Lab., 1992, 38: 308-309.
9. Kleine T.O., Albrecht J., Vereinfachte Durchflusszytometrie von Liquorzellen mit FACScan, Lab. med., 1991, 15: 73-78.
10. Kleine T.O., Hackler R., Albrecht J., Monitoring of cellular immunoreactivity in human central nervous system: adaptation of flow cytometry to lymphocyte subpopulations in cerebrospinal fluid (CSF), in: Recent Advances in Cellular and Molecular Biology (Wegmann R.J., Wegmann M.A., eds) Peeters Press, Leuven, Belgium, 1992, 3: 59-67.
11. Nelson W., Tong Y.L., Halberg F., Methods for cosinorrhytmometry, Chronobiologia, 1979, 6: 305-323.
12. Müller E.E., Prolactin-lowering and releasing drugs. Mechanism of action and therapeutic applications, Drugs, 1983, 25: 399-432.
13. Loraine J.A., Bell E.T., Hormone assays and their clinical application, Churchill Livingstone, Edinburgh, 1976.
14. Jaffe B.M., Behrman H.R., Methods of hormone radioimmunoassay, Academic Press, New York, 1979.
15. Riad-Fahmy D., Read G.F., Hughes I.A., Corticosteroids,. in: Hormones in Blood (Gray C.H., James V.H.T. eds.), Academic Press, London, 1983, 4: 285-315.
16. Theml H., Pocket Atlas of Hematology: Morphological Diagnosis for the Clinician, Thieme Verlag, New York, 1985.
17. Bessman J.D.., Automated Blood Counts and Differentials, The John Hopkins University Press, Baltimore, Maryland, 1986.
18. Reichert T., DeBruyere M., Deneys V., Tötterman T., Lydyard P., Yuksel F., Chapel H., Jewell D., Van Hove L., Linden J., Buchner L., Lymphocyte subset reference ranges in adult caucasians, Clin. Immunol. Immunopath., 1991, 60: 190-208.
19. Knapp M,S,, Pownall R., Lymphocytes are rhythmic: is this important? Brit. Med. J., 1984, 289: 1328-1330.

20. Bertouch J,V,, Roberts-Thomson P,J., Bradley J., Diurnal variation of lymphocyte subsets identified by monoclonal antibodies, *Brit. Med. J.*, 1983, 286: 1171-1172.
21. Ritchie A.W.S., Oswald I., Micklem H.S., Boyd J.E., Elton R.A., Jazwinska E., James K., Circadian variation of lymphocyte subpopulations: a study with monoclonal antibodies, *Brit. Med. J.*, 1983, 286: 1773-1775.
22. Malone J.L., Simms T.E., Gray G.C., Wagner K.F., Burge J.R., Burke D.S., Sources of variability in repeated T-helper lymphocyte counts from human immunodeficiency virus type 1-infected patients: total lymphocyte count fluctuations and diurnal cycle are important, J. Acquired Imm. Def. Syndr., 1990, 3: 144-151.
23. Abo T., Kumagai K., Studies of surface immunoglobulins on human B lymphocytes, *Clin. exp. Immunol.*, 1978, 33: 441-452.
24. Mix E., Correale J., Olsson T., Kostulas V., Fredrikson S., Höjeberg B., Link H., Zur Bedeutung der Fetaltyp-Lymphozyten im Liquor von Patienten mit entzündlichen ZNS-Erkrankungen, *Lab. med.* 1991, 15: 79-81.
25. Saunders A.M., Sources of physiological variation in differential leukocyte counting, *Blood Cells*, 1985, 11: 31-48.
26. Signore A., Cugini P., Letizia C., Lucia P., Murano G., Pozzilli P., Study of the diurnal variation of human lymphocyte subsets, *J. Clin. Lab. Immunol.*, 1985, 17: 25-28.
27. Slade J.D., Hepburn B., Prednisone-induced alterations of circulating human lymphocyte subsets, *J. Lab. Clin. Med.*, 1983, 101: 479-487.
28. Yu D.T.Y., Clements P.J., Paulus H.E., Peter J.B., Levy J., Barnett E.V., Human lymphocyte subpopulations. Effect of corticosteroids, *J. Clin. Invest.* 1974, 53: 565-571.
29. Fauci A.S., Dale D.C., The effect of in vivo hydrocortisone on subpopulations of human lymphocytes, *J. Clin. Invest.* 1974, 53: 240-246.
30. Chen J.H., Prince H., Buck D., Phodes K., An early activation antigen on human lymphocytes, *Fed. Proc.*, 1988, 2(5): A1214.

TIME-DEPENDENT OPPOSITE REACTIONS IN MAN ON INTERDIU
ANNUAL VARIATIONS OF DAY-LIGHT

DES REACTIONS CONTRAIRES DE L`HOMME, SELON LES VARIAT
JOURNALIERES ET ANNUELLES DE LUMIERE

L. Klinker
Germany, W-2381 Busdorf, Schulstr. 1

Summary

Vital functions in man as metabolism, immunity and vegetative
parameters underlie light-induced uni-modal annual rhythms.
    They are overlapped by bi-modal annual rhythms with disorders
in human regulation at spring and autumn, by 7- and 14-day rhythms
and by interdiurnal variations in human state of health.
These phenomena will be influenced by day-light too, however with
opposite reactions at different times. The cause for these
phenomena may be positive and negative phase-shifts between a
light-sensitive and one or more inert oscillators in man.

Résumé

Les fonctions vitales humaines telles que le métabolisme, les
défenses immunitaires et le système végétatif sont soumises aux
rythmes annuels d`indice de lumière.
    A ceux-ci se superposent les rythmes semi-annuels, les rythmes
d`une durée de 7 et 14 jours et des troubles de santé jour après
jour.
Ces phénomènes sont également influencés par la lumière, avec
toutefois des réactions contraires selon des périodes differentes.
Probablement les variations positives de la durée du jour et de la
luminosité au printemps, de même celles qui sont négatives en
automne, sont la source de ces rythmes semi-annuels.
Les troubles de santé, jour après jour, sont causés en été par les
rares jours sombres, et en hiver par les rares jours lumineux.
Un jour lumineux réduit, pendant une moité du rythme de 14 jours,
l`amplitude du rythme diurne, tandis qu`il l`augmente pendant
l`autre moité.
La cause de ces réactions contraires semble être liée à des
différences positives ou négatives entre les phases d`un
oscillateur sensible à la lumière, et d` un oscillateur
insensible.

1. Introduction

Circadian rhythms in human organisms are determined endogenously.
As most animals man use the "Zeitgeber" light to synchronize his
biological clocks to geophysical surrounding. Former researchs
(Aschoff et al 1969, Wever 1979) let postulate the existence of a
light-sensitive and one or more inert clocks. From all extern
geophysical factors day-light is the most constant one to realize
a continuous adaptation of human regulation to astronomical day.
But there are remarkable variations in duration and in brightness
of day-phase over the year in most regions of the earth and
moreover interdiurnal variations in the same order by changing
weather-conditions. Now, the question is what happens by these
modifications in the system biological clocks - "Zeitgeber" light
and what do they mean for human state of health.

al and interdiurnal variations of day-light and of
man state of health

.1 Annual rhythms

Most of uni-modal annual rhythms in metabolism, immunity and
vegetative parameters in man are induced or synchronisized by day-
light (Hildebrandt 1962, Klinker and Jordan 1976). For example the
mean pupil-width of two groups of probands living in Middle-Europe
and in Antarctica vary with solar hight and reach their maxima at
solstice in summer (fig. 1), reflecting a dominant sympathic tone.

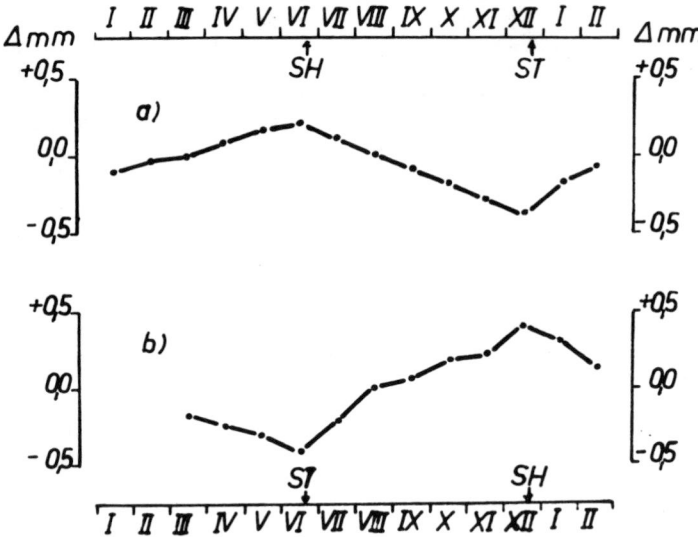

Fig. 1: Annual variations of pupil-width in man at Baltic Sea and
at Antarctica
Variations annuelles de la dilation de la pupille chez des
sujets de la côte baltique, et en Antarctide

2.2 Opposite reactions of human regulation to variations of
day-light

The influence of day-light on man reflected in annual rhythms is
overlapped by three time-dependant opposite reactions to
interdiurnal and rapid annual variations of day-length and
brightness.

2.2.1 Meteoropathological events

In the study of interdiurnal disturbances in human state of health
by weather changes (the so-called meteoropathological events) it
is necessary to eliminate the influence of annual rhythms by
analyzing each month of a year separately to avoid automatic
correlations. This premise was realized in 20 long-time series.
Only four of them reflected an influence of temperature, while 16
investigations prove the dominant role of interdiurnal light-

variations for the evocation of meteoropathological events
(Klinker 1989).
In Central Europe the seldom bright days in winter and the seldom
dark days in summer induce such disturbances as may be seen in
fig. 2 for dental inflammations.

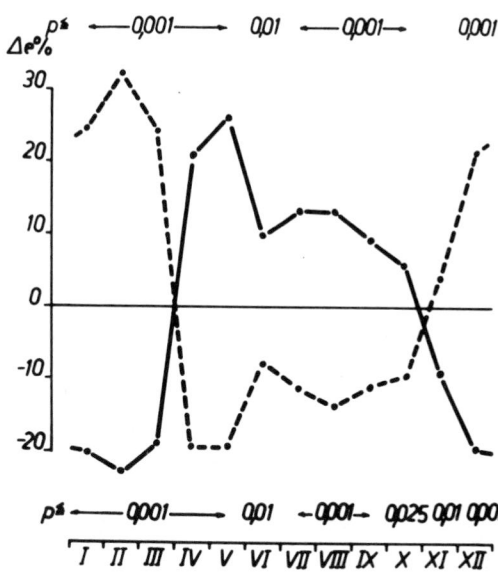

Fig. 2: Monthly deviations in frequency of inflammations at
        dark (——) and bright (- - - -) days from a random
        distribution. p: error-probability
        Différences mensuelles de fréquence d`inflammations
        dentaires d`une distribution normale pendant les
        jours lumineux (- - - -) et les jours sombres (——)
        p: probabilité d`erreur

An interpretation can be given with experimental results (Piazena
and Klinker 1991) about the intensity of interdiurnal variations
of brightness and effective day-length by weather-changes. For
example, brightness can vary from day to day between 3 000 lx and
20 000 lx at noon in winter and between 6 000 lx and 110 000 lx in
summer. Day-length outdoors can change up to 4 hours for
intensities ≥ 1 000 lx and up to 6 hours for ≥ 5 000 lx. That
means, the weather-induced variations of effective L/D-proportion
are in the same order as those during a flight from Europe to
North-America.

2.2.2 Fortnight rhythms

The analysis of three time series with daily measurements of acral
rewarming time each hour between 4 °° and 12 °° local time
(Klinker and Jordan 1976) by 5 probands had following results:
Firstly, there is a regular change within a fortnight period of
positive and negative correlations between deviations of daily
means of rewarming times from their overlapping averages and the
interdiurnal changes of daylight. Secondly, there are regular
changes between negative and positive correlations in the phase of
diurnal rhythm of rewarming time and its average amplitudes (7-day
rhythm).

233

2.2.3 Bi-modal annual rhythms

In many time-series about morbidity, cure-efficiency (Klinker 1975) and physiological parameters (Klinker 1987) detected annual rhythms were superimposed by bi-modal ones. An example is given in fig. 3 for a long-time serie about cold-pressure-test.

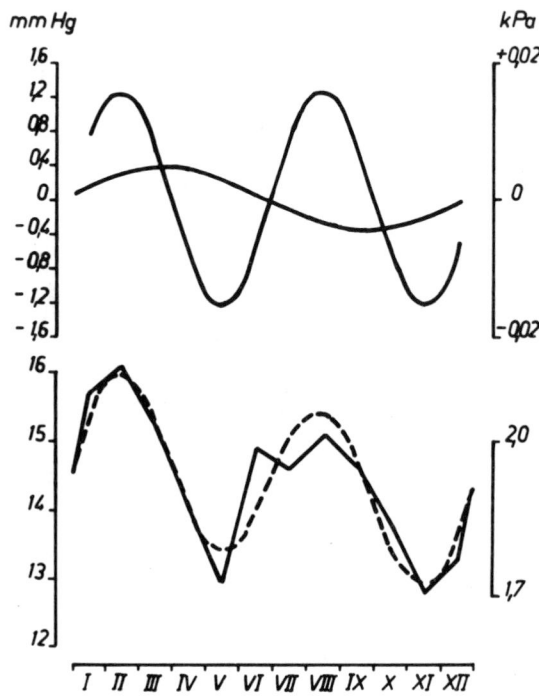

Fig. 3: Annual variations of blood-pressure during "cold-pressure-test"
Upper part: uni-modal and bi-modal annual rhythms
Lower part: sum of both analysed rhythms above (- - -) and real values (——)

Variations annuelles de l'élévation de la tension artérielle au "cold-pressure-test"
En haut: Rythmes annuels et semi-annuelles
En bas: Somme des rythmes en haut (- - -) et mesures réelles (——)

For this and 6 further physiological parameters, measured at South cost of Baltic Sea (Klinker 1987), the extremes of this rhythms are fixed to February/March and August/September.
Thermal conditions scarcely change at the end of summer and winter in the region of Southern Baltic Sea.
With regard to the dominant influence of day-light on uni-modal annual rhythms and on meteoropathological events too, bi-modal rhythms also may be induced by light. The seasonal variations of daily light-phases (Piazena and Klinker 1991) and of brightness have their greatest gradients at these times, what may provoke adaptive difficulties in the system "Biological clocks - Zeitgeber

light".

With an identical influence of light in spring and autumn in spite
of a positive gradient of daylight in spring and a negative one in
autumn we have to notice a third opposite reaction in man to day-
light.

3. Discussion

Results about dissociations between different biological clocks
for shift-workers and for man flying in direction of latitudes
(transmeridian desynchronism), leading to disturbances in human
state of health, let suppose a similar mechanism for all phenomena
represented just before.
A common explanation seems possible by postulating a light-
sensitive clock with a large range of entrainment which controls
by phase-coupling an inert second one with small range of
entrainment.
The first clock will adapt to time-shifts of day-light within
relative short time, the second clock more slowly. The results in
section 2.2.2 let suppose that the phase of sensitive clock
oscillates with an about fortnight rhythm around that of the inert
clock. The result are regular changes of positive and negative
phase differences between both oscillators leading to an about 7-
day-rhythm as advances and delays in phase of the first oscillator
cause identical disregulations.
Within both half-periods of fortnight rhythm a bright day involves
phase-advances of sensitive clock. That means an increase of
dissocation in one half-period and a decrease in the other.
Within the fortnight period there will be no integral entrainment
of the inert clock. But from winter to summer phase-advances of
sensitive clock entrain the inert one with a certain time-lag
(Klinker 1989). This time-lag may be largest during equinox with
maximum gradients of day-light, leading to the bi-modal annual
rhythms with opposite phase-differences between both clocks in
spring and autumn. For meteoropathological events this model
allows following interpretation: In summer with dominating bright
days both clocks switch on with beginning of day. A further bright
day will scarcely influence the phase of both clocks. But a dark
day leads to a phase-lag of light-sensitive clock and to a
dissociation between both oscillators.
In winter there will be an opposite process.

4. Conclusions

Three opposite reactions in man to variations of day-light may be
explained by dispersing phase shifts of independent oscillators
within diurnal rhythm leading to temporal disorders. For bi-modal
annual rhythms and meteoropathological events must be postulated a
different sensitivity of both clocks to "Zeitgeber" light, for
fortnight rhythms moreover a regular phase-oscillation of one
clock to the other.

References

Aschoff, J.,   Circadiane Periodik des Menschen unter dem
Pöppel, E.,   dem Einfluß von Licht-Dunkel-Wechseln,
Wever, R.   Pflüg. Arch. 306,1969, 58-70

Klinker, L.   Jahresrhythmische Einflüsse auf Kurergebnisse
                  im Ostseeküstenbereich der DDR,
                  J. interdiscipl. Cycle Res. 7, 1975, 262-265

Klinker, L.   The influence of Light on Human Regulation,
Jordan, H.   J. interdiscipl. Cycle Res. 7, 1976, 203-214

Klinker, L.   On uni-modal and bi-modal annual rhythms in man
                  Chronobiology amd Chronomedicine,
                  Peter-Lang-Verlag Frankfurt 1987, 407-412

Klinker, L.   Zum Einfluß des natürlichen Tageslichtes auf die
                  menschliche Regulation,
                  Z. ges. Hyg. 35, 1989, 196-202

Piazena, H.   Zur zeitlichen und geographischen Variation der
Klinker, L.   Tageshelligkeit und der Hellphasendauer,
                  Z. Meteorol. 41, 1991, 316-320

Wever, R.   The circadian System of Man,
                  Springer-Verlag New York-Heidelberg-Berlin 1979

236

MELATONIN CIRCADIAN RHYTHM IN HEALTHY AND IUGR COMPLICATED PREGNANCIES

RYTHME CIRCADIEN DE LA MELATONINE AU COURS DES GROSSESSES NORMALES OU PRESENTANT UN RETARD DE CROISSANCE INTRA-UTERIN

C.MAGGIONI, R.ANTINOZZI*, G.BENZI, S.ACERBONI, S.BERTACCA, C.CARLUCCI, M.FERRARIO°

Il Clinica Obstetric-Ginecologica - Università di Milano Italia
°Dipartimento di statistica-Clinica del Lavoro-Università di Milano Italia
*Laboratorio di analisi chimico-cliniche e microbiologiche - Ospedale S.Anna Como Italia

The pineal gland may act as a neuroendocrine trasducer.Melatonin (MLT) changes during mestrual cycle has been described and animal studies have suggested that MLT could play a luteotrophic effect,but in human pregnancy the Melatonin (MLT) role is not clearly understood. In this study we attempt to clarify the MLT circadian rhythm during human pregnancy and the possible effect on fetal growth.

25 subjects during the third trimester of pregnancy were hospitalized and submitted to the same regimen of life with dark periods between 22 and 6hr, and meals at 7hr, 12hr, and 19hr.

11 patients with a pregnancy complicated by intra-uterine growth retardation (IUGR) were compared to 14 healthy controls (CC); the diagnosis of IUGR was made on the basis on the fetal growth pattern and confirmed by a baby weight at birth lower then the 5°percentiles corrected for sex,gestational age and national standards.No others pathology were identified in theses fetus and their mothers.None of the women was receiving drugs.Blood was drawn every 4 hours and the hormonal assay was performed by R.I.A. methods (Medical System).The temporal series were processed by 1) computing the means ± SE of each time point and constructing the time dependent profiles and 2) by fitting a cosine curve.The differences between the two groups was tested by t-test (two ways) and non parametric test (Hotelling t-squared) and a p value lower than 0,5 has been accepted as significant.

The results shows an increase in MLT values in pregnancy of 3-4 times the non-pregnant values (MESOR =121,23 pg/ml and 118,8 pg/ml for the IUGR and CC group respectivly); the increase is more prominent in nightime. A circadian variability is preserved in pregnancy, although a significant rhythm is present only on a group basis. The differences between the two groups are not statistically significant, while the IUGR group exhibit larger intragroup circadian variations.

These results suggest a pineal involvement in pregnancy but the MLT may not directly effect in utero development of the fetus.

RÉSUMÉ

Ce travail a pour but d'étudier l'évolution du rythme circadien de la mélatonine (MLT) durant la grossesse et d'évaluer son impact possible sur la croissance fœtale.

Vingt cinq femmes ont été hospitalisées durant le dernier trimestre de la grossesse et soumises au même régime photopériodique (nuit de 22 h à 6 h), avec des repas pris à 7, 12 et 19 heures. Quatorze femmes constituaient le groupe contrôle, et onze un groupe présentant un retard de croissance intra-utérine confirmé à la naissance par le poids de l'enfant. Un prélèvement sanguin était effectué toutes le 4 heures et les hormones testées par la méthode R.I.A. (Medical System). Les séries temporelles ont été construites par moyennage et appréciées par la méthode du cosinor. Les 2 groupes ont été comparés par une méthode non paramétrique (t^2 de Hotelling). Une valeur de p ¡ 0,05 était considérée comme significative.

Les résultats montrent un accroissement des valeurs de la MLT 3 à 4 fois plus importante pendant la grossesse par rapport a la femme non gestante, et plus particulièrement la nuit. Le rythme circadien persiste durant la grossesse quoique significatif pour le seul groupe contrôle. Les 2 groupes ne diffèrent pas significativement, mais la dispersion apparait moins importante dans le groupe contrôle.

In all mammals, including humans, Melatonin (MLT) is involved in temporal organisation and synchronises the endocrine rhythms to the light/dark cycle.

This hormone has been shown to mediate the antigonadotropich effect of photoperiods in species with a seasonal reproductive cycle. Although photoperiods do not seem to be important for human reproduction, an inverse relationship in pineal gland and ovarian secretion is reported at least in northern countries with a strong seasonal contrast in luminosity (1).

Changes in the Melatonin secretion pattern has been described during menstrual cycle (2) and increased levels of Melatonin has also been described during amenorroic state or anorexia nervosa.

The MLT role during human pregnancy has not been clarified. Increased enzymes of pinealocytes during gestation and increased MLT values compared to non pregnant values has been reported by Birau (3). An increased trend in a longitudinal study with a positive correlation between MLT and gestational age has been described by Kivela (4) but nothing is known in pathological pregnancies.

In this study we attempt to analyse the MLT circadian rhythm during normal healthy pregnancy and to understand the eventual effect on foetal growth, comparing the rhythm in healthy pregnancies and pregnancies complicated by IUGR.

MLT exhibit a circadian pattern secretion, characterised by the highest values during nigh time and low levels during the day (5; 6; 7) we take into account the temporal variation and we quantify the rhythm using a chronobiologic approach.

The pineal possibly acts as a neuroendocrine traducer and play a role in internal time perception.

In order to better understand the temporal pattern of MLT we study on the same subjects and at the same times the cortisol rhythm and the MLT rhythm in both group.

238

Methods

25 patients were evaluated at the third trimester of normal pregnancy, 14 were healthy controls cases (CC), 11 were pregnancy complicated by Intra-Uterine Growth Retardation (IUGR).

The diagnosis of IUGR was made by the growth rate pattern monitored by ultrasounds and by a baby weight at birth lower than the 5° percentile corrected for sex, gestational age and national standards. None the foetus was carrying malformations.

No women were affected by medical disease, including hypertension or receiving drugs; all were hospitalised and submitted to the same regimen of life - with dark period between 22 and 6 hour, meals at 8-12-19 hour.

Hormonal measurements

The blood was drawn every 4 hours and immediatly centrifuged and stored at -40° C.

Cortisol assay was performed by R.I.A.The Melatonin assay was performed by radioimmuno-assay with extraction with diethylether p.A. and the recovery in serum was between 80-95%, as measured with (3H) Melatonin.

Chronobiological and statistical analysis

Row data were processed by: 1)Computing trasverse measures of central location and dispersion (means ± SE) of the mean of each time point and constructing the time dipendent profiles.

2)By single cosinor analysis.This method fit a cosine function $(Y=M+A+\cos(\omega t+\Phi))$ on the data with a period of 24 hours.

The coefficients of the formula represent the parameter of the rhythm: MESOR = the midline estimating statistic of rhythm; Ampitude is the extent of fluctuation; Acrophase= the timing of the crest (peak) related to the local midnight.

Individual rhythmometric parameters were summarized by using the procedures provided by the population mean cosinor statistical package, in order to obtain the group related estimates with their dispersive limits and to test differences between the two groups.

Two way analysis of variance (ANOVA) was used to investigated the repeated measures to test between group differences in the hourly hormone patterns.

The differences in the rhythmometric parameters between the two groups has been tested by the student t-test for unpaired data and p value lower than 0,05 has been accepted as significant.

Results

The two groups were comparable for mean age, parity, smoke and social habits.

Tab. 1: Demographic and obstetric characteristics in the two groups.

	NORMAL			IUGR				
	n.	$\bar{x}$	SD	n.	$\bar{x}$	SD	t-test	p.
AGE	14	33.3	5.71	11	28.1	2.87	0.78	n.s.
GESTATIONAL AGE	14	35.35	2.49	11	33.7	2.41	1.65	0.1115
FETAL WEIGHT	13	3065.38	391.4	11	2048.18	448.72	5.93	<0.001
MATERNAL BMI	14	3.23	3.23	11	20.63	2.02	0.11	0.9063
WEIGHT INCREASE	14	10.29	2.54	11	10.59	1.37	-0.34	0.7299

Tab. 2:

		NORMAL		IUGR		p
		n.	%	n.	%	
SMOKING	YES	7	50.0	7	63.6	n.s.
	NO	7	49.9	4	36.4	
PREGNANCY	1	6	42.8	6	54.5	n.s.
	> 1	8	57.2	5	45.4	
PARITY	1	4	28.57	3	27.27	n.s.
	> 1	10	71.43	8	72.7	

The daily concentration of serum of MLT and Cortisol (mean ± SE) are higher compared to the reported values of non pregnant reported values. The MLT daytime values are significantly lower than the nightime. The Cortisol morning rise is present in all the subjects.

The fig. 1,2,3,4 show the individual variability for MLT and Cortisol for each subject: larger interindividuals variations are evident for MLT values but not for Cortisol; a clear time trend is visible for each hormones which justify the cosinor analysis.

FIG.1: Individual 24 h variability for Melatonin during the III trimester of healthy pregnancies (n=14).

Variabilité circadienne de la Melatonine au cours du III trimestre de grossesses normales (n=14).

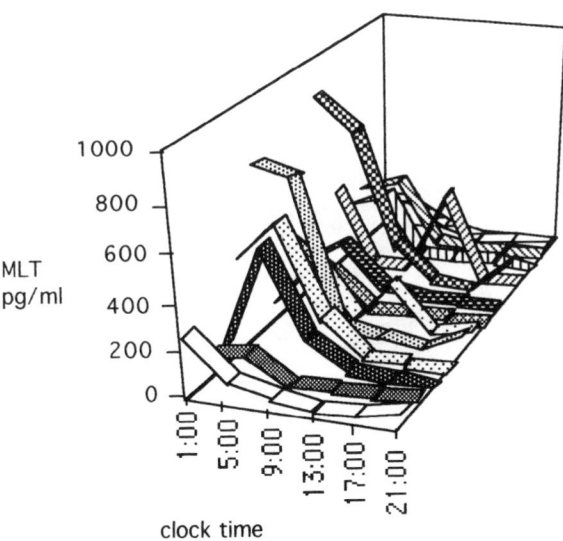

FIG. 2: Individual 24 h variation for Melatonin in pregnant women during the III trimester of trimester of pregnancy, complicated by IUGR (n = 11).

Variabilité circadienne de la Melatonine au cours du III trimestre de grossesses pathologiques (IUGR, n = 11).

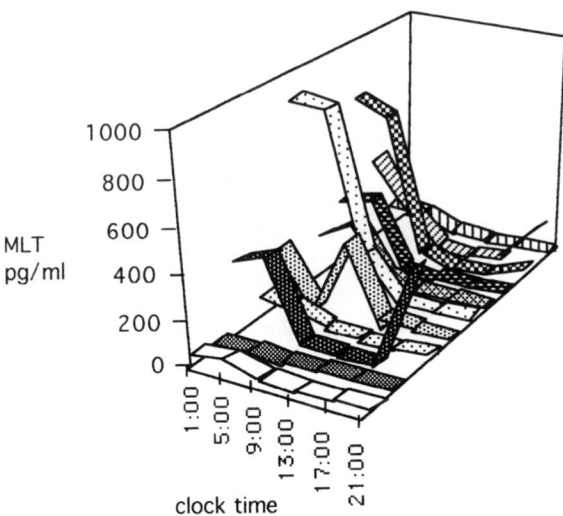

241

FIG. 3: Individual 24 h variability for Cortisol during the III trimester of clinically healthy pregnancies (C.C. n=14).

Variabilité circadienne de la Cortisol au cours du III trimestre de grossesses normales (C.C. n =14).

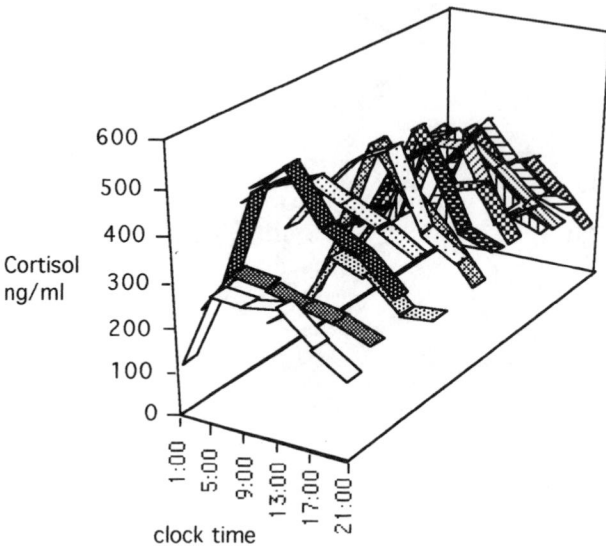

FIG. 4: Individual 24 h variation for Cortisol in pregnant women during the III trimester of pregnancy, complicated by IUGR (n = 11).

Variabilité circadienne de la Cortisol au cours du III trimestre de grossesses pathologiques (IUGR, n = 11).

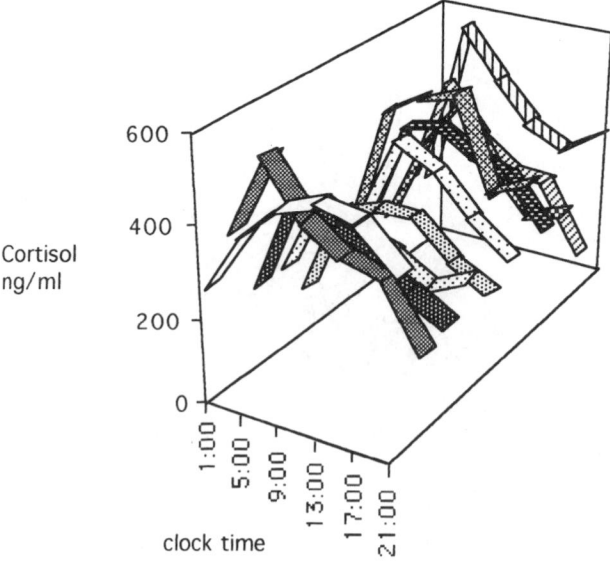

FIG.5: Circadian variation of Melatonin in healthy pregnancy, C.C. group (n = 14) and in pregnancy complicated by IUGR (n = 11).

Variabilité circadienne de la Melatonine au cours de grosseses normales, C.C. group (n=14) et au cours de grossesses pathologiques (IUGR, n=11).

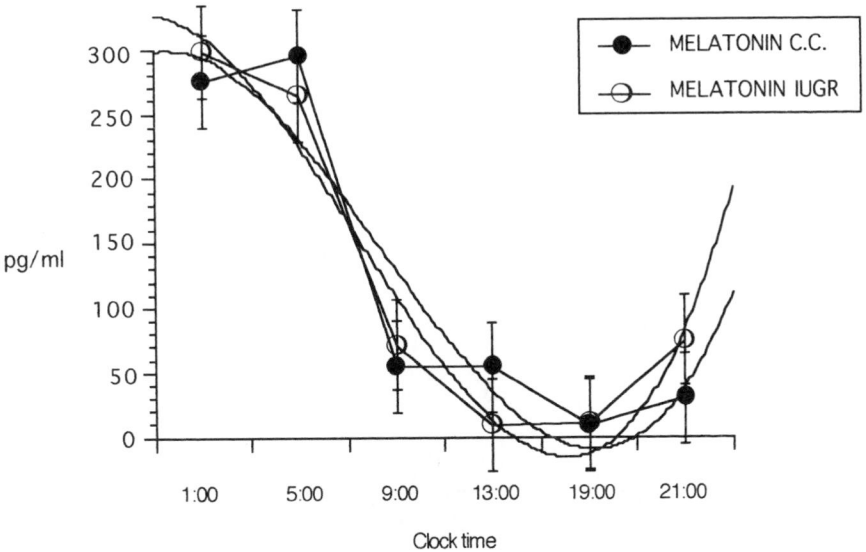

Tab.3: MLT RHYTHM PARAMETERS, rhythm circadienne de la MLT

	HEALTHY CONTROL			IUGR			t-test	p
	n.	$\bar{x}$	SE	n.	$\bar{x}$	SEM		
MESOR (SE)	14	119.53	± 22.98	11	121.24	± 31.25	-0.045	n.s.
AMPL ITUDE (95%CL)	14	147.41	47.90; 249.18	11	155.77	12.43; 299.42	-0.218	n.s.
ACROPHASE	14	-38	-25.0; -64.0	11	-29	-339.0; -68.0	-1.53	n.s.
PR	14	68		11	75			
p value	14	<0.005		11	0.0341			

Hotelling Multiple t-test = n.s.

A group circadian rhythm (τ = 24 hr) is statistically significant for both groups, but on an individual basis, a rhythm is statistically detectable only for Cortisol (p=0,01).

No differences in MESOR and Amplitude between the two groups are statistically significant for MLT (Table 3) and Cortisol.

The Cortisol Achrophase is constant in both groups. The MLT Achrophase in the IUGR group precedes the CC Achrophase but the difference is not significant. MLT peak always precedes the Cortisol peak in all cases.

FIG. 6: Comparison of circadian profiles of different hormones during the III trimester of clinically healthy pregnancies (C.C. n = 14) and pregnancies complicated by IUGR (IUGR, n = 11).

Variabilité circadienne de la Melatonine et de la Cortisol au cours du III trimestre de grossesses normales (C.C. n=14) et de grossesses pathologiques (IUGR, n=11).

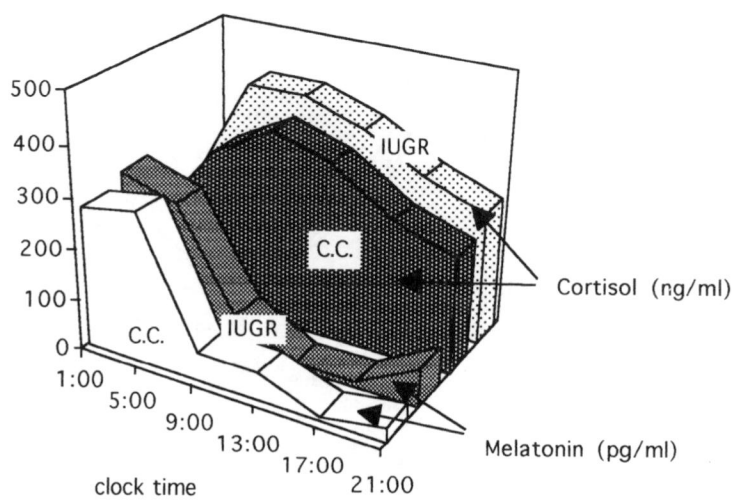

Discussion

Peripheral MLT is largely derived from the pineal gland and it is considerate to be a good index of pineal function (8). Plasma MLT reflects the pineal secretions (9) and in contrast to many others hormones its secretion appears in a apulsatile manner (10).We can assume that this 6 time points study may reflect the circadian changes in an approximately good way.

The exposure in the night to artificial light of half an hour or one hour may partly suppresses the MLT secretion, but in this study the light exposure for blood drawing lasted only few minutes and we believe it's irrelevant to MLT rhythm.

In this study we found that plasma MLT circadian variations are preserved during pregnancy, but the daytime values and specially the nightime values, are surprisingly higher than the non pregnant.

Changes in pineal and plasma MLT levels have been reported in different species in relation to the reproductive cycle.

244

In humans increased MLT levels (4 times) has been reported in anorexia nervosa (11) and in hypothalamic amenorrea (12).

Changes during menstrual cycle with increased levels during luteal phase (13; 2)and a peak value during ovulation are reported by same authors but not by others (12; 14) who found only a seasonal change.

Since exist a great within individual variability, it is possible that small series are not adequate to describe hormonal changes - or studies based on a single time point may not describe accurately the MLT increase since daytime levels are generally low.

It is possible that so high LT levels during pregnancy may have an antigonadotrophic effect or it may play an immunosuppressive role.It may have an effect on depressing locomotor activities, inhibit the plasma aggregation, inducing analgesia. Animal studies have suggested that MLT is not directly involved in the parturition time regulation or in uterine contractile activity rhythm (15) on rhesus macaque, but it could play a lutheotrophic effect on ewes (16).

In this study we can only consider that MLT is not directly correlated to the foetal growth since we found the same MLT rhythm present in both groups (CC and IUGR) and the rhythm parameters are not statistically different.

Finally we compare the MLT rhythm and the cortisol rhythm.

It has been reported that cortisol and MLT secretion are closely linked; however, the rhythm can be readily dissociated (17).

We already investigated the cortisol rhythm and we know that it's stable throughout pregnancy, we use it as reference in the evaluation of MLT temporal variability.

In this study we found that cortisol rhythm is preserved in pregnancy complicated with IUGR.

No differences exist between the two groups on cortisol rhythm parameters.

We see also that the MLT phase is the same in both group and similar to the non pregnant women.

We conclude that in pregnancies the phase relationship between cortisol and MLT is preserved, although the higher absolute values of these hormones (compared to non-pregnant status).

This association appears to be peculiar of pregnancy since in patients with hypercortisolism of different aetiology, MLT rhythm has been reported to be abolished(18), or normal (19).

An increased MLT daytime production and a normal rhythm is reported by Fèvre-Montange, in idiophatic hemochromatosis with normal cortisol rhythm. MLT plasma levels are reduced or normal in adrenal hyperplasia (20) and normal after bilateral adrenalectomy (Vaughan,1989).

Recently (21), the analysis of cortisol ultradian frequencies and the effect of external stimuli (such as food intake or stress) on cortisol and MLT rhythm, suggest that the correlation between their peaks is not a dependent one, but must depend as a third factor. Pregnancy is a state of hypercortisolism with increased cortisol levels (22-23).

This combination of high MLT and cortisol levels with maintained and linked circadian rhythms suggests similarities between pregnancy, hypothalamic amenorrhea in athletes and lean stressed women and anorexia nervosa,in both of which increased cortisol and MLT secretion cortisol response to CRH and tissue refractoriness to cortisol has been reported .

In this two conditions we postulated that increased MLT and cortisol are secondary changes related to body weight loss.The analogy with pregnancy suggests that similar hormonal patterns may be,at least partly for the weight gain normally observed in pregnant women.

In this study we add the observation that the foetal weight gain is not a factor in the maternal MLT -Cortisol regulation,since the same levels and rhythms parameters are described in the IUGR and healthy pregnancies.

If we consider that MLT crosses the placenta and thereby influence the foetal clock,this results open new perspective in the foetal maternal relationship.

Conclusions

These results provide evidence that MLT circadian oscillation is preserved during pregnancy but we found increased plasma levels and more inter-individual fluctations. The cortisol-MLT peak link is preserved .

These data suggest a possible neuroendocrine involvement in the control of pregnancy ; although it doesn't seem that MLT changes during human pregnancy may directly effect the in utero development of the foetus.

1. Kauppila A, Kivelä A, Pakarinen A, Vakkuri O., Inverse seasonal relationship between melatonin and ovarian activity in humans in a region with a strong seasonal contrast in luminosity., *J Clin Endocrinol Metab.*, 1987, 65: 823-28.

2. Wetterberg L, Arendt J, Paunier L, Sizonenko PC, Van Donselaar C, Heyden T., Human serum melatonin changes during the menstrual cycle., *J Clin Endocrinol Metab.*,1976, 42: 185-88.

3. Birau N, Meyer C, Dlubis J, Peterssen U., Maternal serum melatonin during normal pregnancy., *IRCS Med Sci,* 1984, 12: 45

4. Kivelä A., Serum melatonin during human pregnancy., *Acta Endocrinologica*, 1991, 124: 233-37.

5. Lynch HJ, Wurtman RJ, Moskowitz MA, Archer MC, Ho MH, Daily rhythm in human urinary melatonin., *Science*, 1975, 187: 169-71.

6. Pelham R.W., Vaughan G.M., Sandock K.L. and Vaughan L.M., 24-hour cycle of melatonin-like substance in the plasma of human males., *J Clin Endocrinol Metab.*,1973, 37: 341-349.

7. Wetterberg L., Melatonin in humans: physiological and clinical studies. *J Neural Transm* (suppl), 1978, 113: 450-452.

8. Arendt J., Mammalian pineal rhythms., Pineal Research Reviews, 1985, 3: 161-213.

9. Grota LJ, Holloway WR, Brown GM., 24-hour rhythm of hypothalamic melatonin immunofluorescence correlates with serum and retinal melatonin rhythms., *Neuroendocrinology*, 1982, 34: 363-68.

10. Trinchard-Lugan I, Waldhauser F., The short term secretion pattern of human serum melatonin indicates apulsatile hormone release., *J Clin Endocrinol Metab.*, 1989, 69: 663-69.

11. Tortosa F., Sagara Y., Puig-Domingo M., Okatani Y., Peinado M.A., Yamanaka S., Oriola J., Kiriyama T., Webb S.M., De Leiva A., Enhanced circadian rhythm of melatonin in anorexia nervosa. Determination of plasma 5-hydroxytryptophan, 5-hydroxytryptamine, 5-hydroxyindoleacetic acid, tryptophan and melatonin by high-performance liquid chromatography with electrochemical detection., *Acta Endocrinol,* 1989, 120 (5):574-578.

12. Brzezinski A, Lynch H.J., Seibel M.M., Deng M.H., Nader T.M., Wurtman R.J., The circadian rhythm of plasma melatonin during the normal menstrual cycle and in amenorrheic women., *J Clin Endocrinol Metab.*, 1988, 66: 891.

13. Brun J., Claustrat B., David M., Urinary melatonin, LH, oestradiol, progesterone excretion during the menstrual cycle or in women taking oral contraceptives., *Acta Endocrinol.,* 1987, 116 (1):145-149.

14. Kivela A, Kauppila A, Ylostalo P, Vakkuri O, Leppaluoto J., Seasonal, menstrual and circadian secretions of melatonin, gonadotropins and prolactin in women., *Acta Physiol Scand.,* 1988, 132: 321-27.

15. Matsumoto T., Hess D.L., kaushal K.M., Valenzuela G.J., Yellow S.M., Ducsay C.A., Circadian myometrial and endocrine rhythms in the pregnant rhesus macaque: effects of constant light and timed melatonin infusion., *Am J Obstet Gynecol.,* 1991, 165: 1777-1784.

16. Wallace J.M., Robinson J.J., Witzell S., Aitken R.P., Effect of melatonin on the peripheral concentrations of LH and progesterone after oestrus, and on conception rate in ewes. *J. Endocrinol.,* 1988, 119 (3): 523-30.

17. Fevre-Montange M., Estour B., Abou-Samra A.B., Bajard L., Tourniaire. Twenty-four hour melatonin secretory pattern in men with idiopathic hemochromatosis., *Psychoneuroendocrinology*, 1983, Vol. 8, No. 3: 321-326.

18. Soszynski P., Pucilowska J., Misiorowsski W., Baranowska B., Wetterberg L., Melatonin secretion in secretion in patients with thyroid disorders, Cushing's syndrome and with hypogonadotropic hypogonadism.
EPSG Newslett, 1987, Supp 7, 132 (Abs) I*V Colloquium of the EPSG*, Modena.

19. Piovesan A., Terzolo M. , Borretta G., Torta M., Buniva T., Osella G., Paccotti P., Angeli A., Circadian profile of serum melatonin in Cushing's disease and acromegaly., *Chronobiology International,* 1990, Vol. 7, No. 3: 259-261.

20. Waldhauser F, Frisk H., Krautgasser-Gaparotti A., Schober E, Wieglmaier C., Serum melatonin is not affected by glucocorticoid replacement in congenital adrenal hyperplasia., *Acta Endocrinologica,* 1986, 111: 355-361.

21. Rivest R.W., Schulz P., Lustenberger S., Sizonenko P.C., Differences between circadian and ultradian organization of cortisol and melatonin rhythms during activity and rest., *J Clin Endocrinol Metab.*, 1989, 68: 721-729.

22. Okamoto E., Takagi T., Makino T., Sata H., Nishino E., Mitsuda N., Sugita N. Otsuki Y. and Tanizawa O. Immunoreactive corticotropin-releasing hormone. Adrenocorticotropin and cortisol in human plasma during pregnancy and delivery and postpartum. *Horm Metabol Res* 1989; 21: 566-572.

23. Nolten W.E., Eleveted free cortisol index in pregnancy: possible regulatory mechanisms. *Am. J. Obstet. Gynecol.* 1981, 139: 492-498.

CIRCADIAN PATTERN FOR DEATH BY SUICIDE: A CHRONORISK AREA FOR SUICIDE?
RYTHME CIRCADIEN DES SUICIDES: IL EXISTE UN "CHRONORISQUE" POUR LES SUICIDES?

R.Manfredini*, S.Caracciolo§, A.Tomelli□, M.Gallerani¬, D.Dal Monte¥ and C.Fersini*.

Istituto di Medicina Interna*, Cattedra di Psicologia§ ed Istituto di Medicina Legale e delle Assicurazioni¥, Università di Ferrara; Servizio di Medicina d'Urgenza¬ e Unità Operativa del Parasuicide Multicentric Study, WHO - Servizio di Salute Mentale□, Arcispedale S.Anna, U.S.L. 31 di Ferrara, Italia.

ABSTRACT

Together with several other medical emergencies, also suicidal behavior has been investigated under the chronobiologic point of view with the aim of defining possible chronorisk areas, but results have not been univocal. 181 consecutive suicides occurred between 1 January 1984 to 31 December 1990 in the district of Ferrara, Italy, were considered. 40 cases, in which the precise hour of death was not defined, were then excluded. The total of 141 cases included 101 males (mean age 57.4 ± 18.8 years) and 39 females (mean age 60.7 ± 21 years). The data were analyzed by means of single cosinor. A significant circadian rhythmicity was found for total cases (f: h. 12.18, p = 0.006) and males subgroup (f: h. 11.33, p = 0.039), but not for females. No circannual periodicity was found. Variations of mood and social activities, and changes in endogenous rhythms of neurotransmitters may play a role in determining the peculiar circadian pattern.

RESUME'

L'organisation temporelle de plusieurs facteurs biologiques pourrait contribuer à l'apparition de maladies déterminées, et à ce sujet, on a récemment décrit un rythme circadien pour le système cardiovasculaire. Pour ce qui concerne les intentions de se suicider, différentes études ont enquêté sur les rythmes saisonniers, mais les résultats n'ont pas été univoques. Au contraire, les analyses sur les rythmes circadiens sont très limitées.

Cette étude a évalué 181 cas consécutifs de suicide qui se sont vérifiés dans la Ville de Ferrara, dans la période Janvier 1984 - Décembre 1990. 41 épisodes ont été exclus de l'analyse parce qu'il n'a pas été possible de définir exactement le moment de la mort. Les autres 140 épisodes (101 mâles, âge moyen 57,4 ± 18,8 ans, et 39 femelles, âge moyen 60,7 ± 21 ans) ont été groupés en 24 intervalles d'1 heure chacun, et ils ont été analysés avec la méthode du single cosinor.

Un rythme circadien a été montré soit pour l'échantillon entier (Ø: h. 12.18, p = 0.006), soit pour les mâles (Ø: h. 11.33, p = 0.039). Dans notre analyse on n'a pas repéré des rythmes circannuels pour les suicides.

INTRODUCTION

Temporal factors influence many daily activities, and they may influence occurrence of medical diseases as well. In these last years a temporal organization has been demonstrated for several acute cardiovascular events, ie, myocardial infarction (1) and sudden death (2). Suicidal behavior (attempted suicide and suicide) has also been investigated from this point of view. Variations by season have been reported either for parasuicide (3-4) and suicide (5-8) occurrence, with peaks in late spring and late autumn, although several authors did not confirm these findings (9-10). On the other hand, a few studies have attempted to examine variation in either attempted suicide (11-12) and suicide (10, 13) occurrence by time of day.

MATERIAL AND METHODS

1. Subjects

A consecutive unselected series of 181 suicides (mean age 58.4 ± 19.5) in the period between 1 January 1984 and 31 December 1990 in the district of Ferrara, Italy (population: about 400,000) was considered in this study.. Time of death was defined by the coroner within a variability range of +/- 1 hour. 41 cases, in which it was not possible to ascertain the hour of death with sufficient reliability, were excluded from the study. Thus, the final sample of 140 cases included 101 males (mean age 57.4 ± 18.8 years) and 39 females (mean age 60.7 ± 21 years).

2. Statistical analysis

Time of death of each case has been categorized into 24 1-hour increments, eg, 06.00 to 06.59 reported as 6 a.m., and into 12 1-month increments, starting from 21 December. The time-qualified frequency series were analyzed by means of single cosinor (14), in which a least-square minimization is used and a cosine function is fitted to the data. A bivariate statistical confidence region is computed with at least 95% probability of containing the actual amplitude and acrophase of the rhythm (95% C.L. = 95% confidence limits). The t-test for unpaired data, Chi-square test and Fischer test were used for conventional comparison statistics. The level of significance was always fixed at $p < 0.05$.

RESULTS

Results of cosinor analysis are summarized in table I and figure 1. A statistically significant circadian rhythmicity was found for the total sample (f: h. 12.18, p = 0.006), for males subgroup (f: h. 11.33, p = 0.03), but not for females subgroup (f: h. 13.41, p = n.s.). No circannual rhythmicity was found.

TABLE 1. Summarized results of circadian periodicity of death by suicide.
TABLEAU 1: Rythme circadien du suicide.

	n	%R	amplitude	MESOR	acrophase	95%C.L.	p
total	140	100.0	2.60	5.83	12.18	9.13/15.23	0.006
males	101	70.7	1.74	4.21	11.33	7.04/16.02	0.003
females	39	29.3	0.96	1.62	13.41	-	n.s.

DISCUSSION

The circadian results are consistent with those reported by other authors (10, 13). In particular, the available data about suicide by time of day from Williams et al. and Maldonado & Kraus fall well within the 95% confidence limits of our study (table 1), so giving firm support to the existence of a chronorisk area for suicide in late morning - early afternoon. Conversely, no circannual periodicity was demonstrated.

On one hand, it is somewhat difficult to give a clear reason accounting for the peculiar circadian pattern. A general explanation of the psychological mechanisms of changes in mood, as well as daily modifications due to involvement in social activities, has sometimes been hypothesized, with a specific role for serotonin (5-HT) and catecholamines . The observation that early afternoon hours are characterized by lowered 5-HT and increased catecholamines levels, although merely speculative, is highly suggestive and deserves further inquiries. So our result of a significatively higher incidence of suicidal behavior in this "chronorisk" area could be discussed in light of hormonal correlation to be furtherly studied in the future.

On the other hand, regarding the negative results for circannual periodicity, we suggest that environmental factors, eg, ambient temperature and sunlight duration, may play a significant role on suicidal behavior (15) and therefore may explain the not univocal results of previous studies performed in different localities.

In conclusion, even if the complicated psychobiological circumstances involved and the underlying mechanisms are still far to be fully known, the recognition of a clearly identified chronorisk for suicide may provide useful insights towards strategies of prevention.

Fig.1 Polar plot (A) and cartesian axis (B) representation of circadian rhythm of suicide (total sample considered)

Fig.1 Représentations polar et cartésienne du rythme circadien des suicides (l'échantillon entier est considéré).

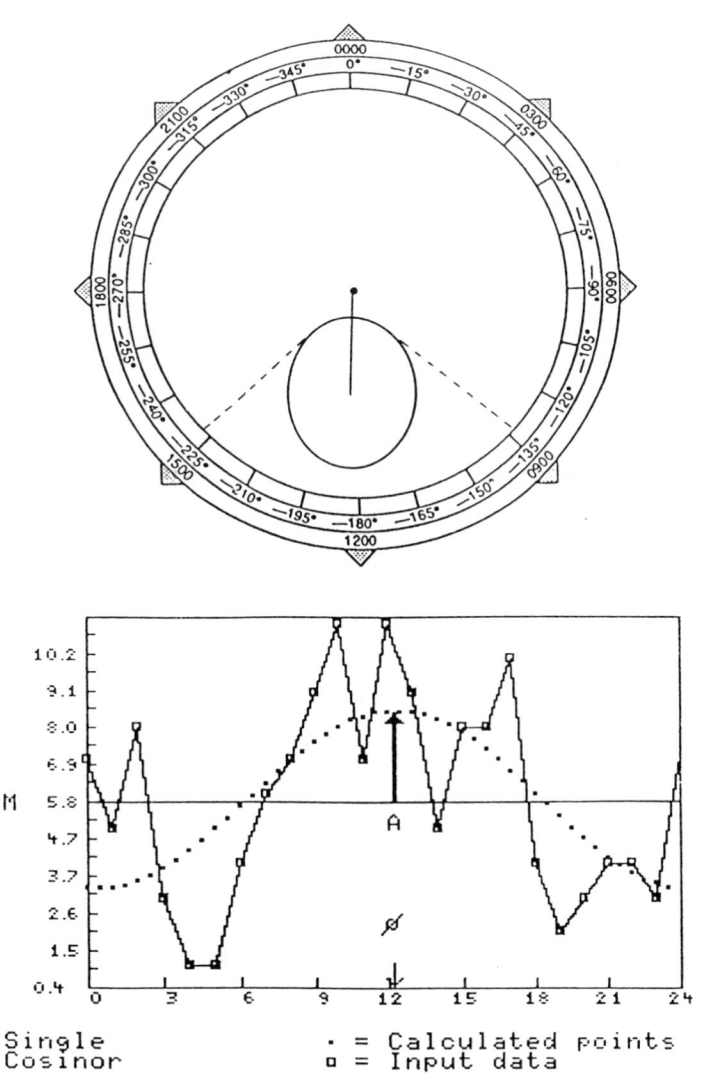

REFERENCES

1) Muller J.E., Stone M.D., Turi Z.D., et al., Circadian variation in the frequency of onset of acute myocardial infarction, *N. Engl. J. Med.*, 1985, **313**:1315-22.

2) Muller J.E., Ludmer P.L., Willich S.N., et al., Circadian variation in the frequency of sudden cardiac death, *Circulation*, 1987, **75**:131-8.

3) Haberhauer G., Fries W., Zur Epidemiologie von Selbstmordversuchen, *Z. Gesamte Inn. Med.*, 1991, **46**:654-6.

4) Masterton G., Monthly and seasonal variation in parasuicide. A sex difference, *Br. J. Psychiatry*, 1988, **158**:155-7.

5) Lester D., Frank H.L., Sex differences in the seasonal distribution of suicides, *Br. J. Psychiatry*, 1988, **153**:115-7.

6) Micciolo R., Zimmermann-Tansella C., Williams P., Tansella M., Seasonal variation in suicide: is there a sex difference?, *Psychol. Med.*, 1989, **19**:199-203.

7) Stefanini P., Biggeri A., Geddes M., Comodo N., Analysis of temporal distribution of suicides. Methodological notes on comparison of dates of death and dates of suicidal act, *Epidemiol. Prev.*, 1990, **12**:23-9.

8) Mc Cleary R., Chew K.S., Hellsten J.J., Flynn-Bransford M., Age- and sex-specific cycles in United States suicides, 1973 to 1985, *Am. J. Publ. Health*, 1991, **81**:1494-7.

9) Popoli G., Sobelman S., Kanarek N.F., Suicide in the State of Maryland, 1970-80, *Public Health Rep.*, 1989, **104**:298-301.

10) Maldonado G., Kraus J.F., Variation in suicide occurrence by time of day, day of week, month and lunar phase, *Suicide Life Threat. Behav.*, 1991, **21**:174-87.

11) Motohashi Y., Circadian variation in suicide attempts in Tokyo from 1978 to 1985, *Suicide Life Threat. Behav.*, 1990, **20**:352-61.

12) Caracciolo S., Manfredini R., Tomelli A., et al., Parasuicide by deliberate self-poisoning in the emergency department: evidences for a circadian rhythm, in Ferrari G., Bellini M., Crepet P. (eds) *Suicidal behaviour and risk factors*, Monduzzi Ed., 1990, 699-704.

13) Williams P., Tansella M., The time for suicide, *Acta Psychiatr. Scand.*, 1987, **75**:532-5.

14) Nelson W., Tong Y.L., Lee J.K., Halberg F., Methods for cosinor-rhythmometry, *Chronobiologia*, 1979, **6**:305-23.

15) Souetre E., Wehr T.A., Dovillet P., Darcourt G., Influence of environmental factors on suicidal behavior, *Psychiatry Res.*, 1990, **32**:253-63.

CIRCADIAN RHYTHMICITY IN THE TIME OF ONSET OF ACUTE GASTROINTESTINAL BLEEDING
RYTHME CIRCADIEN DES SAIGNEMENTS GASTROINTESTINAUX AIGUS

R.Manfredini*, M.Gallerani·, R.Salmi¤, G.Calò·, M.Pasin*, P.L.Pareschi· and C.Fersini*.

Istituto di Medicina Interna*, Università di Ferrara; Servizio di Medicina d'Urgenza· e II Divisione Medica¤, Arcispedale S.Anna, U.S.L. 31 di Ferrara, Italia.

ABSTRACT

In these last years, chronobiological study of clinical manifestations of medical diseases led to the identification of specific "chronorisk" areas for several pathologic events. 369 consecutive patients, admitted into the Emergency Room of S.Anna Hospital of Ferrara for an acute gastrointestinal bleeding through a 3 years period (1988-1990), were studied. 287 subjects (182 males, 105 females) presented an upper gastrointestinal tract bleeding (UGB) and 82 (44 males, 38 females) presented a lower gastrointestinal tract bleeding (LGB). In 270 cases the hour of onset of bleeding was defined with a reliable precision and data were analyzed by means of single cosinor. A significant circadian rhythmicity was found both for UGB (Ø: h. 13.50, p = 0.003) and LGB (Ø: h. 12.22, p < 0.001).

RÉSUMÉ

L'analyse chronobiologique des manifestations cliniques de quelques maladies a permis l'identification de "chronorisque" pour certaines d'entre elles. En ce qui concerne par exemple le système cardio vasculaire, on a décrit un rythme circadien de l'apparition de l'infarctus myo-cardique, de la mort subite et de l'embolie pulmonaire fatale. La présente étude a évalué 369 sujets admis consécutivement, durant une période de 3 ans (1988-1990), pour une hémorragie gastro-intestinale à l'hôpitale de Ferrare. 287 sujets (182 hommes et 105 femmes) présentaient une hémorragie de la partie supérieure de l'appareil gastroentérique, et 82 sujets (44 hommes et 38 femmes) de la partie inférieure. 20 épisodes (17/287 de la partie supérieure et 3/82 de la partie inférieure) ont été exclus de l'analyse faute de pouvoir définir exactement le moment du début du saignement. Les 'episodes ont été groupés en 24 intervalles d'1 heure chacun, et ont été analysés avec la méthode du cosinor. Un rythme circadien a été montré aussi bien pour les saignements de la partie supérieure (: h. 13.50, p = 0.003), que pour ceux de la partie inférieure du tractus gastro-intestinal (: h. 12.22, p ¡ 0.001).

INTRODUCTION

Acute gastrointestinal bleeding (AGB) is an important cause of morbidity and mortality (1). The concept of "chronorisk" involves identification of a greater risk of morbidity and mortality which recurs in relation to cyclic changes in environmental or biological rhythms. Several medical emergencies have been chronobiologically investigated, since that any clue to the increased likelihood of a given event can heighten suspicion and shorten the time of effective action. Significant circadian rhythms have been recognized for several cardiovascular diseases, i.e., acute myocardial infarction (2), sudden cardiac death (3), and fatal pulmonary embolism (4). This study was so aimed to define wheter AGB may present a peculiar temporal organization.

MATERIAL AND METHODS

1. Subiects

This prospective study included all out-of-hospital patients presenting an acute gastrointestinal bleeding admitted into the Emergency Room of S.Anna Hospital of Ferrara from 1 'January 1988 through 31 December 1990. S.Anna Hospital is the sole mandated responder for all out-of-hospital medical emergencies within the city limits and suburban area (population: about 200,000) and is also the sole transport service for such emergencies. Due to the emergency service organization and the restricted intervention area, the average time of arrival into the Emergency Room from anywhere in the city is around 5-15 minutes from the moment of receiving the call. Time of bleeding was determined either by patients theirselves, witnesses, or health care personnel. Patients with blood dyscrasia or inflammatory bowel disease were excluded; the origin of bleeding was determined by means of clinical and instrumental examinations. The total sample of 369 subjects included 287 upper gastrointestinal tract bleeding (UGB) (182 males, 105 females) and 82 lower gastrointestinal tract bleeding (LGB) (44 males, 38 females). 20 cases (17 of 287 UGB, and 3 of 82 LGB), in which it was not possible to time-specify bleeding episodes to within 30 minutes from onset, were excluded.

1.1 Statistical analysis

Bleeding episodes have been categorized into 24 1-hour increments, eg, 06.00 to 06.59

reported to 6 a.m. The time-qualified frequency series were analyzed by means of single cosinor (5), in which a least-square minimization is used and a cosine function is fitted to the data. A bivariate statistical confidence region is computed with at least 95% probability of containing the actual amplitude and acrophase of the rhythm (95% C.L.= 95% confidence limits). The t-test for unpaired data, Chi-square test and Fischer test were used for conventional comparison statistics. The level of significance was always fixed as $p < 0.05$.

RESULTS

Results of cosinor analysis are summarized in table 1 and reported in figure 1. A statistically significant circadian rhythm was shown either for UGB (Ø: h. 13.50, p = 0.003) and LGB (Ø: h. 12.22, p < 0.001).

Table 1.   Summarized results of circadian periodicity of acute gastrointestinal bleeding.
Tableau 1. Rythme circadien des saignements gastrointestinaux aigus.

	n	amplitude ±SE	MESOR ±SE	acrophase h.min.±SE	95% C.L.	p
UGB	270	5.29±1.35	11.25±0.95	13.50±0.58	11.02/16.38	0.003
LGB	79	2.61±0.55	3.29±0.39	12.22±0.48	10.08/14.36	<0.001

DISCUSSION

A relation between circadian activity patterns and the induction of stress ulcer has been reported (6). Moreover, circadian rhythms of several functions, eg, intragastric pH, gastrin, pepsinogen and gastric mitotic index have been observed to be different in patients with duodenal ulcer in comparison to normal subjects (7). The results from the present study are consistent with those reported by Ergun & Rigas (8) who found, however, a significant circadian rhythmicity only for LGB. The existence for a chronorisk for AGB seems so to be confirmed, even if it is uncertain whether the time of bleeding manifestation is the actual time of its occurrence. Nevertheless, it is somewhat difficult to explain why this temporal area may result at risk for gastrointestinal bleeding. On one hand, a different circadian mucosal vulnerability to ulcerogenesis has been demonstrated in animals (9). On the other, the ASA-induced gastric damage is higher in the morning, in spite of the higher evening acid secretory rates and the hypothesis of an acid-dependent mechanism of ASA-induced damage (10). Moreover, peculiar circadian rhythmicities have been demonstrated for coagulation and fibrinolysis (11-12), leading to either haemorrhage or thrombosis.

In conclusion, even if the specific biological and physiopathological mediators of the cycle are not fully known, physicians can put to practical use the recognition of a clearly identified chronorisk for AGB.

Fig. 1 Polar plot representation of circadian rhythm of acute gastrointestinal bleeding (a: UGB; b: LGB)

Fig. 1 Reprèsentation polar du rythme circadien des saignements gastrointestinaux (a: UGB; b: LGB)

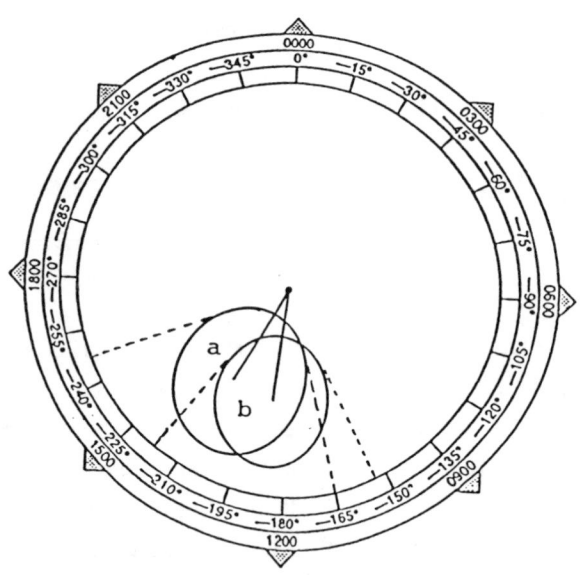

REFERENCES

1) Shaffner J., Acute Gastrointestinal Bleeding, *Med. Clin. North Am.*, 1986, **70**:1055-86.

2) Muller J.E., Stone M.D., Turi Z.D., et al., Circadian variation in the frequency of onset of acute myocardial infarction, *N. Engl. J. Med.*, 1985, **313**:1315-22.

3) Muller J.E., Ludmer P.L., Willich S.N., et al., Circadian variation in the frequency of sudden cardiac death, *Circulation*, 1987, **75**:131-8.

4) Gallerani M., Manfredini R., Ricci L., et al., Sudden death from pulmonary thromboembolism: chronobiological aspects, *Eur. Heart J.*, 1992, **13**:661-5.

5) Nelson W., Tong Y.L., Lee J.K., Halberg F., Methods for cosinor-rhthmometry, *Chronobiologia*, 1979, **6**:305-23.

6) Ackerman S.H., Shindledecker R.D., Chronobiological factors in experimental stress ulcer, *Chronobiol. Int.*, 1987, **4**:3-9.

7) Tarquini B., Vener J.K., Temporal aspects of pathophysiology of human ulcer disease, *Chronobiol. Int.*, 1987, **4**:75-89.

8) Ergun G.A., Rigas B., Circadian periodicity of the time of onset of acute lower gastrointestinal bleeding, *Progr. Clin. Biol. Res.*, 1990, **341**B: 221-8.

9) Ventura U., Carandente F., Montini E., Ceriani T., Circadian rhythmicity of acid secretion and electrical function in intact and injured rat gastric mucosa. The relation of timing of ulcerogenesis, *Chronobiol. Int.*, 1987, **4**:43-52.

10) Moore J.G., Goo R.H., Day and night aspirin induced gastric mucosal damage and protection by ranitidine in man, *Chronobiol. Int.*, 1987, **4**:111-6.

11) Andreotti F., Kluft C., Circadian variation of fibrinolytic activity in blood, *Chronobiol. Int.*, 1991, **8**:336-51.

12) Labrecque G., Soulban G., Biological rhythms in the physiology and pharmacology of blood coagulation, *Chronobiol. Int.*, 1991, **8**:361-72.

CHRONOTYPOLOGIE, RYTHME CIRCADIEN DE LA FREQUENCE CARDIAQUE ET SOMMEIL NOCTURNE.
CHRONOTYPOLOGY, HEART RATE CIRCADIAN RHYTHM AND SLEEP PATTERNS.

J. Taillard, M. Drogue et J. Mouret

Unité Clinique de Psychiatrie Clinique - CHS le Vinatier
95, bd Pinel
69677 Bron cedex - FRANCE -

Résumé

Dans des domaines comme la psychiatrie et la cardiologie, l'analyse du rythme circadien de la fréquence cardiaque permet d'objectiver certains troubles et de proposer des thérapeutiques adaptées. Les examens chronobiologiques ambulatoires de routine ne permettent pas de contrôler les synchroniseurs mais la prise en compte de la tendance comportementale individuelle à être "du matin" ou "du soir", qui modifie certains paramètres chronobiologiques (en particulier la phase), permet d'éviter des erreurs dans l'interprétation des résultats. Afin d'étudier cette influence comportementale sur les rythmes biologiques, nous avons enregistré pendant 48 heures la Fréquence Cardiaque (FC) moyenne par minute et le Sommeil des nuits correspondantes, chez 18 volontaires sains actifs de sexe masculin et d'age moyen de 41 ans.
La morphologie et la phase du rythme circadien de la FC varient en fonction du chronotype, ce qui n'est pas le cas pour la structure du sommeil nocturne. Tandis que la FC des sujets du matin (M-types) présente une variation journalière bimodale (2 pics diurnes) elle est proche d'un signal carré chez les sujets du soir (E-types). Cette différence morphologique est objectivée, dans les résultats du cosinor, par une légère avance de phase du rythme circadien de la FC des M-types par rapport à celui des E-types. Ces résultats seront discutés en fonction de l'effet masquant du cycle veille/sommeil préférentiel.

Abstract

The chronobiological structure of individuals is of a peculiar importance in several medical fields such as psychiatry, neuroendocrinology, gynaecology and cardiology. Even though the environmental zeitgebers are out of control when outpatients live according to their usual schedules, the later depend not only upon social factors but also upon modulations by individual life-styles, namely "morningness" or "eveningness" . In order to avoid possible misinterpretations of chronobiological this study was designed in order to evaluate the influence of this chronotypology on the sleep patterns and heart rate (HR) circadian rhythm of healthy subjects engaged in their normal life routines. The time course of HR is quite similar to that of central temperature and can be easily studied through an ambulatory device providing mean HR levels per minute (IFC 85, ESSILOR). The HR of 18 healthy male volunteers (mean age : 41 years) was monitored during 48 hours and their sleep was recorded during the corresponding nights in laboratory. Using a french translation of Horne and Otsberg questionnaire the subjects were classified as belonging to the morning (M-type), intermediate (I-type) or evening (E-type) group (6 subjects per group). After a smoothing procedure, the HR chronograms were validated by ANOVA for repeated measures and Scheffe test. Individual HR chronobiological parameters were analysed by the Single Cosinor. Whereas sleep patterns (visual scoring) did not differ according to chronotypology, this was not the case for the shape and phase of the circadian HR variations. In M-types the daily HR variation appears as bimodal (2 diurnal peaks at 9:00 and 14:00) whereas, in E-types, it can be considered as a square-wave without peak or trough.

Our results will be discussed in order to stress the importance of taking into account this chronotypology, which modulates the time serie waveforms, in order to avoid possible misinterpretations of chronobiological series.

1. Position du problème et rappels des données de la littérature

Une cause de variations interindividuelles souvent négligée dans les études chronobiologiques est la typologie matinale ou vespérale des sujets. Il est pourtant connu que chez les M-types les rythmes biologiques (température,...) et l'alternance veille/sommeil (vigilance, heures préférentielles de lever et coucher,...) sont en avance de phase par rapport à ceux des E-types. La prise en compte de cette dimension dans toute étude chronobiologique effectuée dans les conditions normales de vie devient indispensable surtout lorsque les résultats font référence à d'éventuelles modifications de phase entre deux populations. Ceci est d'autant plus important que les relations entre rythme circadien de la température et sommeil paradoxal (SP) devraient conduire les E-types à avoir une propension à produire du SP en début de nuit plus faible que les M-types (Czeisler, 1980). Les résultats des rares études qui ont testé cette hypothèse sont souvent contradictoires. Tandis qu'Ishihara (1987) confirme cette relation en observant, chez les E-types, des latences de SP plus longues que celles des M-types, Kerkhof (1991) rapporte que, par rapport aux M-types, les E-types présentent des latences de SP légèrement plus courtes associées à des niveaux nocturnes de température légèrement plus élevés, des difficultés d'endormissement et une réduction du temps de sommeil. Pour Foret (1985) le sommeil nocturne ne varie pas en fonction du chronotype.

Face à cette hétérogénéïté de résultats, nous nous sommes donc attachés à étudier, dans les conditions normales de vie et par le biais d'enregistrements simultanés de la FC et du sommeil nocturne les caractéristiques de la variation journalière de la FC de sujets du matin et de sujets du soir et la possible influence de cette typologie comportementale sur le cycle veille/sommeil .

2. Sujets

Cette étude a porté sur 18 volontaires sains de sexe masculin ayant donné leur consentement éclairé. Les sujets ne devaient pas présenter de trouble subjectif du cycle veille/sommeil et suivaient des horaires classiques de travail. Le travail posté (2/8 et 3/8) et le travail de nuit étaient exclus. Le nombre de sujets par chronotype étant fixé à six, l'inclusion des sujets dans l'expérimentation était fonction du score obtenu au questionnaire de Horne (1976). Un sujet qui présentait un score de 42 au questionnaire de Horne, dépassant ainsi les limites qui vont de 16 et 41, a toutefois été inclu comme E-type. L'âge d'inclusion prévu devait être compris entre 30 et 60 ans, mais deux sujets plus jeunes, de typologie vespérale, ont été inclus (27 et 29 ans). La population (âge moyen 40.7 ± 7.9 ans) était composée de 3 groupes :

- 6 M-types d'âge moyen de 42.0 ± 9.7 ans (33-59 ans)
- 6 I-types d'âge moyen de 45.5 ± 3.5 ans (42-52 ans)
- 6 E-types d'âge moyen de 34.67 ± 5.1 ans (27-42 ans)

3. Méthodes

La FC moyenne par minute a été enregistrée en continu et en ambulatoire pendant 2 périodes successives de 24 heures à l'aide d'un IFC 85 (ESSILOR). Les deux nuits de sommeil correspondantes ont été enregistrées en laboratoire. Après lissage des données par la méthode des moyennes mobiles, les chronogrammes de la FC de chaque chronotype ont été validés à l'aide d'ANOVA à mesures répétées suivies du test de Schéffé. Les paramètres chronobiologiques ont été estimés par la méthode du Cosinor Individuel (Nelson, 1979). L'interprétation visuelle des tracés polygraphiques a été faite sur une base d'une minute en fonction des critères de Rechtschaffen et Kales (1968). Le test H de Kruskal-Wallis suivi du test non paramétrique de Newman-Keuls a été utilisé pour comparer les paramètres chronobiologiques et les paramètres de sommeil des divers groupes

4. Résultats

4.1. Variation journalière de la FC chez les Sujets du Matin (FIGURE 1)

La FC présente deux pics situés respectivement à 9 heures (p<0.01) et 14 heures (p<0.05) et une période de valeurs basses entre 1 et 6 heures avec un creux situé à 5 heures (p<0.01).

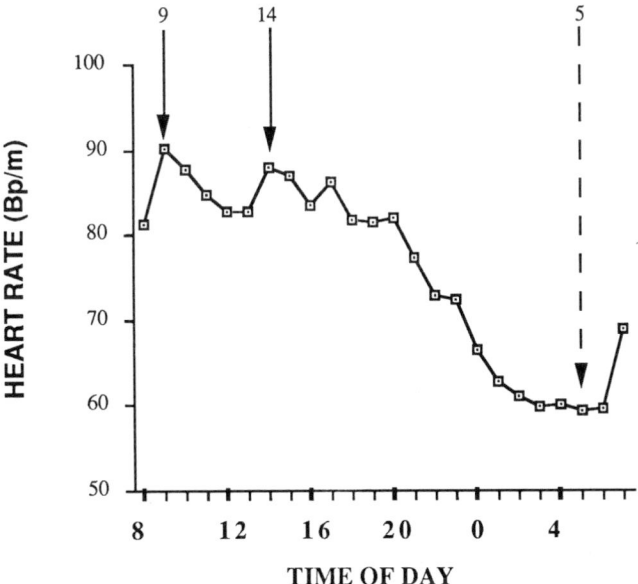

Figure 1 : chronogramme de la FC chez les M-types (heure légale)
Les flèches indiquent les pics (trait plein) et creux (trait pointillé)

Figure 1 : Heart rate chronogram in M-types (local time)
Arrows indicate significant peaks (Solid line) and troughs (Dotted line)

263

4.2. Variation journalière de la FC chez les Sujets Intermédiaires (FIGURE 2)

La FC présente un seul pic localisé à 14 heures (p<0.05) et une période de valeurs basses de 3 à 6 heures avec un creux situé à 5 heures (p<0.01).

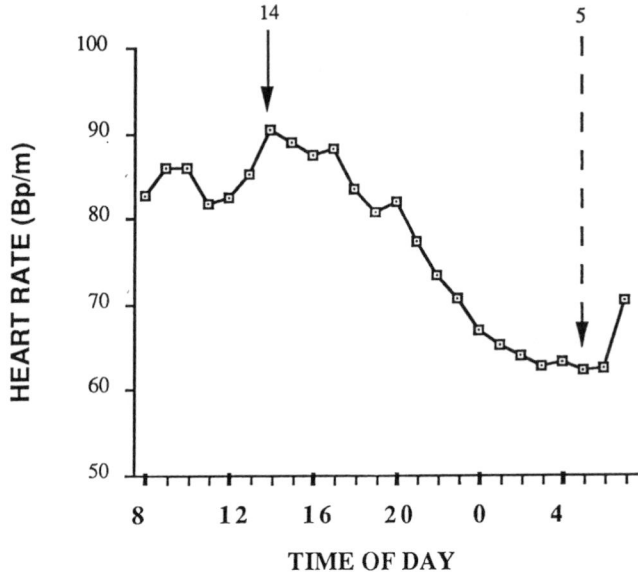

Figure 2 : Chronogramme de la FC chez les I-types (heure légale)
Les flèches indiquent le pic (trait plein) et le creux (trait pointillé)

Figure 2 : Heart rate chronogram in I-types (local time)
Arrows indicate significant peak (Solid line) and trough (Dotted line)

4.3. Variation journalière de la FC chez les Sujets du soir (FIGURE 3)

Bien que la variation globale soit validée à un seuil de significativité inférieur à 0.001, la FC ne présente aucun pic ou creux significatif au cours de la journée. D'après ces données la variation journalière moyenne de la FC des E-types se rapprocherait d'un signal de forme plus ou moins carrée.

4.4. Comparaisons des paramètres chronobiologiques de la FC en fonction du chronotype (TABLEAUX 1)

Le Pourcentage de Rythme (PR), l'Amplitude et le Mésor ne diffèrent pas d'un chronotype à l'autre. Il existe, par contre, une tendance non significative (p=0.06) en ce qui concerne l'Acrophase qui, chez les M-types et les I-types (respectivement 14:51.±0.4 et 14:43±0.7) serait plus précoce que chez les E-types (16:10±1.3). Il est intéressant de noter que, pour ces paramètres chronobiologiques classiques, l'écart-type est toujours plus important chez les E-types que dans les autres chronotypes.

264

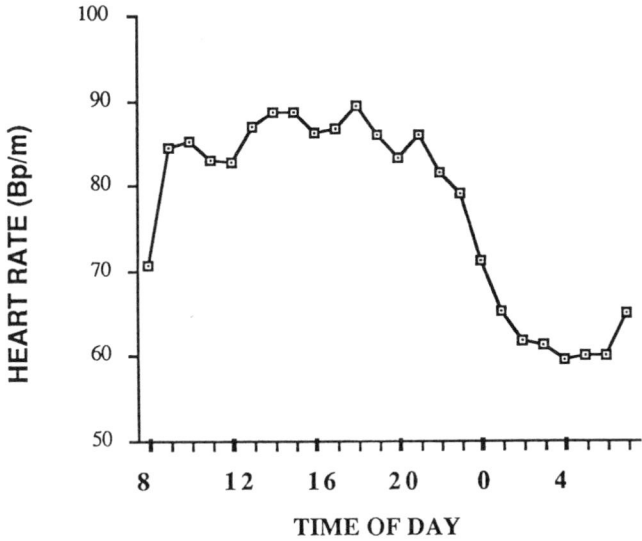

Figure 3 : chronogramme de la FC chez les E-types (heure légale)
Ni pic ni creux validé.

Figure 3 : Heart rate chronogram in E-types (local time)
Neither peak nor trough validated.

4.5. Comparaison des paramètres de sommeil en fonction du chronotype (TABLEAU 1.)

De manière globale, les différences typologiques sont confirmées par les enregistrements : les E-types s'endorment plus tard (p<0.03) et se réveillent plus tard (p<0.03) que les M-types et I-types.
Ces différences d'horaires n'influencent pas la structure du sommeil qui, pour la quasi-totalité des paramètres, est similaire dans les 3 typologies. Seul le sommeil Delta, en valeur absolue, est plus important chez les E-types que chez que les M-types et les I-types (p=0.036). Lorsque le sommeil Delta est exprimé en pourcentage de TST (Delta %) cette différence n'est plus significative.

5. Discussion

5.1. Caractéristiques de la variation journalière de la FC liées au chronotype

Dans cette étude nous confirmons d'une part l'influence de la typologie matinale ou vespérale sur le décours temporel de la FC (Taillard 1990) et, d'autre part, l'indépendance de l'amplitude, des Mésor et des PR de la FC vis à vis de cette typologie. Alors que chez les M-types la variation journalière de la FC est caractérisée par la présence d'un pic prédominant à 9 heures et d'un pic secondaire à 14 heures, un seul

265

	M-TYPES n=6	I-TYPES n=6	E-TYPES n=6	KW p
Paramètres de FC (Cosinor)				
Mésor	75 ± 6.6	76 ± 4.5	77.2 ± 10.1	
Amplitude	26 ± 3.8	26 ± 7.4	30 ± 10.5	
Acrophase (H:mn)	14:51 ± 0.4	14:43 ± 0.7	16:10 ± 1.3	p<0,06
PR %	63.5 ± 9.3	70.6 ± 7.6	65.8 ± 6.6	
Paramètres de Sommeil				
TST	386 ± 29.5	397 ± 19.9	402 ± 35.6	
TWT	43 ± 11.6	50 ± 13.1	46 ± 22.1	
Stage 1	53 ± 16.2	53 ± 13.6	45 ± 2.1	
Stage 2	223 ± 30.9	242 ± 20.8	221 ± 16.9	
Delta	29 ± 23.3	20 ± 19.1	50 ± 9.6	P<0,04
Delta %	7.7 ± 6.1	5.2 ± 5.0	12.9 ± 2.2	
REM	81 ± 16.7	81.6 ± 24.5	83.8 ± 15.6	
REM %	20.9 ± 3.1	21.3 ± 5.8	20.7 ± 2.8	
REM Latency	71 ± 17.4	71 ± 32.2	66 ± 12.2	
Sleep Latency	9.2 ± 5.0	10.9 ± 7.6	12.3 ± 11.9	
IWT	26 ± 8.9	32 ± 10.5	26 ± 15.8	
SEI	89.8 ± 2.9	88.7 ± 3.0	89.6 ± 4.7	
Sleep Onset (H:mn)	23:02 ± 30	23:52 ± 29	0:52 ± 29	p<0,03
Wake onset (H:mn)	6:38 ± 23	6:57 ± 35	7:57 ± 38	p<0,03

Tab. 1 : **Comparaison entre les chronotypes des paramètres de la Fréquence cardiaque et du sommeil. Moyenne ± SD. KW : test de Kruskal-Wallis.**

PR % : pourcentage de rythme
TST : Temps de sommeil total. TWT: Temps d'éveil total. Delta : stades 3 + 4. REM : sommeil paradoxal. Delta % et REM % : stades exprimés en pourcentage du TST. REM Latency : latence d'apparition du premier épisode de REM, calculée à partir du début du stade 2, les éveils intercurrents étant déduits. Sleep Latency : latence d'endormissement, de l'extinction des lumières au début du premier épisode de stade 2. IWT : Temps d'éveil intra nuit. SEI : index d'efficacité du sommeil, expression en pourcentage du temps de sommeil par rapport au temps passé au lit, l'éveil matinal étant limité à 10 minutes. Valeurs exprimées en minutes sauf pour les pourcentages.

Tab. 1 : *Comparison between chronotypes of Heart rate parameters and sleep indices. Mean±SD. KW : Kruskal-Wallis test*

PR % : *rhythm percentage.*
TST : Total sleep time. TWT : Total wake time. Delta : sum of stages 3 and 4. REM : Rapid eye movement sleep. Delta % and REM % : stages expressed in percentage of TST. REM latency : time from the beginning of the first episode of stage 2 sleep to the first REM sleep episod, minus interoccuring wakefulness. Sleep latency : time between the moment when lights are switched off and the occurence of the first episod of stage 2 sleep. IWT : Intra sleep wake time. SEI : sleep efficiency index, percentage of time spend asleep versus time in bed, the morning awakening duration being limited to 10 minutes. Values are expressed in minutes unless otherwise stated.

pic, localisé à 14 heures, est observé chez les I-types. Dans ces deux chronotypes il n'existe qu'un seul creux significatif localisé à 5 heures du matin. Chez les E-types, par contre, la variation est seulement globale, sans pic ni véritable creux statistiquement significatif.

Il est évident que, pour la majorité des M-types, les horaires préférentiels correspondent à ceux des principaux synchroniseurs psycho-sociaux. Ces sujets pourraient donc représenter le meilleur modèle de la variation physiologique de la FC. Si cela était le cas, l'expression du rythme circadien de la FC, dans des conditions normales de vie, serait donc bimodale, avec un pic matinal (10 heures) et un pic situé en début d'après midi (14 heures).

Chez les E-types, par contre, les horaires préférentiels ne sont plus en phase avec les synchroniseurs psycho-sociaux imposés. En effet, chez les E-types, le coucher est toujours avancé du fait d'un réveil précoce imposé et du besoin en sommeil. Ce déphasage, qui dans tous les cas correspond à une avance de phase artificielle, va donc tendre à masquer l'expression du rythme circadien de la FC, en particulier son creux physiologique qui peut-être masqué par l'augmentation d'activité physique qu'engendre le lever. De plus, chez les E-types, l'absence d'un pic matinal pourrait dépendre des horaires de lever imposés par le travail. En effet si, dans cette typologie, ces horaires de lever coincident avec le creux circadien de la FC, le pic matinal sera masqué et ne se traduira que par une faible élévation de la FC au réveil. De ces observations, il est possible de conclure que la variation journalière de la FC dépendrait, contrairement à ce qui a été souvent suggéré, d'avantage d'un comportement endogène que de la synchronisation exogène du rythme activité-repos.
Outre ces aspects de synchronicité entre horloge interne et synchroniseurs, l'absence de creux, mais aussi de pic, peut résulter des larges écart-types observés pour chaque moyenne horaire. Cette dispersion serait en partie liée à la grande plage des heures de lever imposées par les contraintes sociales qui, variant de 6:30 à 8:40, entraîne, suivant les E-types, une avance de phase du cycle veille/sommeil plus ou moins importante. Le déphasage entre "horaires endogènes" et "horloges exogènes" n'étant pas le même pour tous les sujets, il devient évident qu'une analyse macroscopique telle que nous l'avons réalisée n'est plus entièrement pertinente.

Ces observations concernant les E-types confirment les travaux démontrant la grande adaptabilité de leurs rythmes biologiques à des changements d'horaires. De ce fait même, le rythme circadien spécifique de la FC des E-types ne pourrait s'exprimer que dans des conditions de vie règlées par leurs seules préférences (Ex : vacances).

Dans tous les cas, par rapport à notre méthodologie, une analyse microscopique individuelle et la mise en évidence de plusieurs pics nous renseigneraient sur ces différences chronobiologiques individuelles de façon plus précise.

5.2. Interaction rythme circadien de la FC et sommeil

La morphologie de la variation journalière de la FC ne modifie pas la structure du sommeil. Les E-types présentent un sommeil nocturne similaire à celui des M-types. La légère avance de phase entre le rythme préférentiel et le rythme exogène Activité/Repos imposé, observée chez les E-types, n'entraîne pas de modification fondamentale du sommeil. Cette observation confirmerait la flexibilité adaptative des rythmes biologiques des E-types par rapport à des horaires non préférentiels.

5.3. Estimation du chronotype

A notre connaissance, il s'agit de la première étude qui, dans une population masculine active d'âge moyen de 40 ans, s'attache à évaluer l'influence du chronotype sur le rythme circadien de la FC et sur les paramètres de sommeil. Ainsi que nous l'avons signalé, il a été difficile de recruter des sujets de typologie vespérale dans ce type de population, ce qui nous a conduit à inclure des sujets dont le score matin/soir était limite ou des sujets plus jeunes. Qui plus est, les scores de nos E-types au questionnaire de Horne les classaient comme sujets modérément du soir (score compris entre 30 et 42).

Cette difficulté à trouver des E-types dans une population non étudiante, active et "d'âge mur", peut dépendre de deux facteurs. Soit, comme le précisait Horne (1976), son questionnaire n'est plus adapté chez les sujets "d'âge mur", soit les E-types choisissent des horaires de travail proches de leur préférence physiologique (ex : travail de nuit, travail en dehors des horaires classiques ...) ce qui impliquait leur exclusion de l'étude.

Il est évident, en effet, que les impératifs sociaux et familiaux d'une population non étudiante modifient considérablement les réponses au questionnaire et aboutissent à une réduction du nombre de E-types et à une augmentation du nombre de I-types. Il n'est donc pas impossible que la population de I-types soit composée de E-types déphasés, ce qui, si cela était le cas, entraînerait un biais dans l'étude des rythmes biologiques des I-types et des E-types.

Dans tous les cas, une telle possibilité peut induire un biais considérable dans nos résultats et expliquer, peut-être, la non-homogénéité des résultats de la littérature.

6. Conclusion

Nos résultats mettent en évidence une rythmicité circadienne de la FC dont les caractéristiques sont spécifiques aux différents chronotypes. Jusqu'ici seules les variations de la température et de certaines hormones avaient été corrélées à ces typologies d'organisations comportementales, et nos résultats démontrent que, dans les conditions normales de vie, la variation nycthémérale de la FC semble bien être le reflet du rythme circadien de la température. En effet, les modalités d'évolution de la température en fonction des typologies sont tout à fait parallèles à celles que nous mettons en évidence pour la FC.

Nos résultats confirment la nécessité de prendre en compte le chronotype dans toute étude chronobiologique où un posible déphasage des rythmes biologiques peut être caractéristique d'une pathologie, telle une population dépressive par rapport à une population dite de contrôle.

Remerciements

Les auteurs remercient le CHS "Le Vinatier" (Bron) pour avoir accepté d'être le promoteur de cette étude, en conformité aux décrets du Comité Consultatif de Protection des Personnes dans la Recherche Biomédicale.

Bibliographie

Czeisler C.A., Weitzman E.D., Moore-Ede M.C., Zimmerman J.C., Knauer R.S., Human sleep : its duration and organisation depend on its circadian phase. *Science* 1980, **210**:1264-1267.

Foret J., Benoit O., Bouard G., Sleep and body temperature in morning and evening people. *Sleep* 1985, **8**:311-318.

Horne J.A., Ostberg O., A self-assessment questionnaire to determine morningness-eveningness in circadian rhythms. *Int. J. Chronobiol.* 1976, **4**:97-110.

Ishihara K., Miyasita A., Inugami M., Fukuda K., Miyata Y., Difference in sleep-wake habits and EEG sleep variables between active morning and evening subjects. *Sleep* 1987,**10**:330-342.

Kerkhof G.A., Differences between morning-types and evening-types in the dynamics of EEG slow wave activity during night sleep. *Electroencephalogr. Clin. Neuro* 1991, **78**:197-202.

Nelson W., Tong Y., Lee J.K., Halberg F., Method for cosinor-rhythmometry. *Chronobiologia* 1979, **6**:305-323.

Rechtschaffen A., Kales A., A manual of standardized terminology, techniques and scoring system for sleep stages of human subjects.Washington: Public health service publications, 1968, vol 204.

Taillard J., Sanchez P., Lemoine P., Mouret J., Heart rate circadian rhythm as a biological marker of desynchronisation in major depresssion : a methodoligical and preliminary report. *Chronobiol. Int.* 1990, **7**:305-316.

RYTHME CIRCADIEN DU SODIUM ET POTASSIUM SALIVAIRE HUMAIN
CIRCADIAN RHYTHMS OF HUMAN SALIVARY SODIUM AND POTASSIUM

T. Todisco, G.M. Sini, S. Baglioni, S. Strano, S. Romano, M. Dottorini, M. Romagnoli, A. Eslami, F. M. De Benedictis et E. Todisco

Pulmonary, Chemo-clinical, Pediatric Divisions, University Hospital of Perugia; Department of Physics, University of Modena and Clinical Methodology "La Sapienza" University, Rome Italy

KEY-WORDS

Circadian rhythm of salivary sodium, salivary Na^+

Rythme circadien du sodium salivaire, le sodium salivaire

ABSTRACT

The need to improve methods of chronobiological studies has stimulated the research of normal circadian rhythms suitable for autorhythmometry.
Considering that salivary secretion is under autonomic control we tried to verify the hypothesis that the salivary cation concentration is regulated by some circadian rhythm.
Forty-five normal young subjects, synchronized day and night, were studied over 48 hrs at 4-hour intervals. A fixed dietary intake of electrolytes was established. Salivary and serum electrolytes were measured as well as plasma aldosterone.
A statistically ignificant circadian rhythm for salivary sodium was demonstrated. No other circadian rhythms were detected for salivary or serum electrolytes. A shift span of 45 degrees was observed between the plasma circadian rhythm of aldosterone and salivary sodium.
We conclude that: (i) sodium in saliva should be accepted as an endogenous circadian rhythm; (ii) the circadian rhythm of salivary sodium is not directly controlled by aldosterone; (iii) the voluntary collection of saliva produces profuse salivation useful for autorhytmometry.

RÉSUMÉ

La nécessité d'améliorer les méthodes d'études des phénomènes chronobiologiques a stimulé la recherche de rythmes endogènes normaux utilisables pour l'auto-rythmométrie.

Compte tenu du fait que la secrétion salivaire est principalement contrôlée par le système neuro-végétatif, nous avons essayé de vérifier l'hypothèse d'une régulation circadienne des sécrétions salivaires du sodium et du potassium.

L'étude a été effectuée sur 45 sujets normaux et sur 552 échantillons prélevés toutes les 4 heures pendant 2 jours consécutifs. Tous les sujets étaient dans une situation de synchronisation nycthémérale. L'alimentation a été standardisée avec un contenu constant d'électrolyte. Le volume de la salive et les concentrations plasmatiques et salivaires en sodium et potassium ont été mesurés. La concentration plasmatique d'aldostérone a été mesurée toutes les 12 heures. Les résultats ont été évalués statistiquement par la méthode du cosinor.

Le chronogramme moyen et les courbes d'interpolation sinusoidales correspondantes démontrent qu'il existe un rythme circadien du sodium salivaire, et que sa concentration est maximum entre minuit et 4 h du matin, et minimum entre entre midi et 20 h.

Le chronogramme moyen du potassium salivaire montre une tendance à la variation circadienne, mais non statistiquemement significative. Aucune variation circadienne du sodium n'a été observée dans le sérum. La variation circadienne du potassium sérique a une acrophase entre minuit et 4 h du matin, mais ce rythme n'est pas statistiquemement significatif. La courbe circadienne de l'aldostérone plasmatique n'est pas synchronisée avec celle du sodium salivaire (glissement de phase: 45 degrés).

En conclusion, ce travail met en évidence des données inédites et intéressantes sur la physiologie salivaire :

1. Le rythme circadien du sodium salivaire a été clairement démontré et devrait celui-ci donc rejoindre le groupe des variables biologiques circadiennes.

2. Le chronogramme du sodium salivaire et de l'aldostérone plasmatique ne coincident pas. Ceci pourrait signifier que ce n'est pas l'aldostérone qui contrôle le rythme du sodium salivaire.

3. Chez tous les sujets il a été observé une abondante sialorrhée spontanée durant le prélèvement. Ce phénomène facilite l'utilisation de ce nouveau chrono-marqueur pour l'auto-rythmométrie.

1. INTRODUCTION

The need to improve the approach to the study of chronobiologic-type phenomena has stimulated research on endogenous pace-makers (1). These rhythms could be used for therapeutic purposes (2). At present, the greatest problem is identifying periodic functions which are practical for the physician and acceptable to the patient.

Recently, the use of urinary electrolyte circadian rhythms have been proposed as chrono-markers because they are easily measured in clinical laboratories (3). However urinary flow is under polyfactorial and polyhormonal control but not under direct autonomic nerve control. As salivary secretion is regulated exclusively by the autonomic nervous system which produces vasoconstriction or vasodilation, we attempted to verify the hypothesis that salivary cations are regulated by circadian rhythms. Each gland is supplied by both parasympathetic and sympathetic nerves and are controlled by the superior and

inferior salivary nuclei which are found in the brain stem near the junction of the medulla and pons.
Parasympathetic signals from these nuclei to the salivary glands produce vasodilation and profuse watery secretion, which is high in osmolarity but low in protein.
The salivary nuclei receive stimulation from peripheral receptors and the central nervous system.
Sympathetic stimuli from the upper cervical ganglion produce vasoconstriction and the stimuli from the submaxillaries produce a reduced salivary secretion, high in protein content but low in osmolarity. Atropine also decreases salivation (4). Hence, it is possible that the circadian variation in autonomic control may account for the diurnal rhythm of salivary cations.

2. MATERIALS AND METHODS

Forty male and 5 female healthy subjects were studied. Their ages ranged between 23 and 47 years (mean age 29.8±3.9 SD).
All subjects were synchronized to the following schedule: awake from 08:00 to 00:00 and asleep from 00:00 to 08:00
Each subject collected saliva in an airtight glass container and blood samples were taken every 4 hours (04:00, 08:00, 12:00, 16:00, 20:00, 00:00) for two consecutive days. After the average electrolyte meals (habitual intake: K=15-20 mEq/24h; Na=130-180 mEq/24h) they had to wait 90 minutes and rinse their mouth out with water before taking the samples.
Immediately after collection, the salivary volume was measured and then stored at -20 degrees centigrade. All the samples collected were defrosted and assessed on the same day.
The Na+ and K+ saliva concentration (mEq/l) was measured by Flame photometry NOVA 1 Sodium/Potassium Analyzer (NOVA BIOMEDICAL). Plasma aldosterone (ng/dl) was also measured (RIA NV = 4-12 ng/dl).

2.1 STATISTICAL ANALYSIS

(i) Macroscopic analysis: mean values and standard errors (SE) were computed comparing each patient's data for each sampling time during the 48-hour monitoring. An analysis of variances (Anova) was the applied to detect any statistically significant difference among the means. The probability values were also obtained.
(ii) Microscopic analysis: using the single Cosinor method (5) a rhythm-adjusted mean or mesor, with its SE, amplitude (A) and acrophase, both with 95% confidence limits, were thus obtained by population mean cosinor.

3. RESULTS

3.1 MACROSCOPIC ANALYSIS

The mean chronograms (means ±SD) of Na$^+$ and K$^+$ salivary concentration are shown in Fig. 1 and 2, respectively. The sinusoidal interpolating curves computed by mean cosinor have been plotted for comparison.

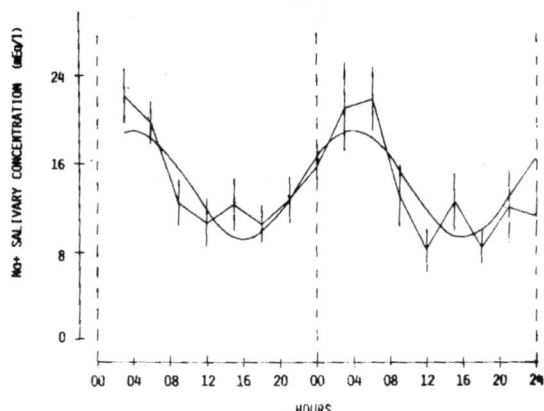

MEAN CHRONOGRAM
AND
SINUSOIDAL INTERPOLATING CURVES

Fig. 1 - The average circadian salivary Na⁺ variation during a consecutive 48-h period observed in normal subjects (ANOVA p<0.001).
Rythme circadien du sodium salivaire pendant 2 jours consecutifs (ANOVA p<0.001).

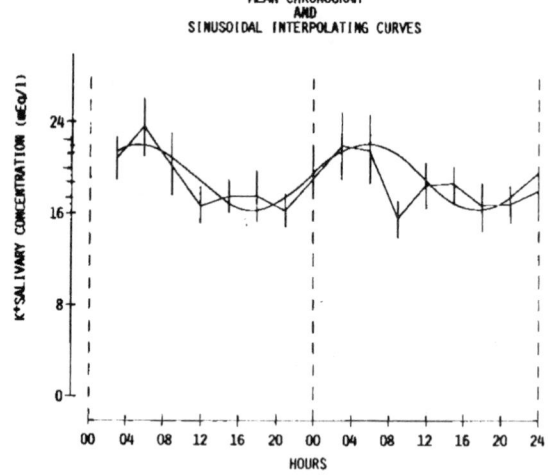

Fig. 2 - Circadian variation of salivary K⁺ in normal subjects (ANOVA p<0.5).
Variation circadien du potassium salivaire chez le sujet normal (ANOVA p<0.5).

274

Repeated measurements for the analysis of variance suggest that only Na+ and not K+ have a constant time pattern (p<0.001 and p<0.5, respectively).
Mean chronograms of plasma sodium and potassium show no statistically significant circadian rhythms for plasma cations.

3.2 MICROSCOPIC ANALYSIS

The mean cosinor results for salivary cations and plasma aldesterone (PA) are shown in Table 1. Na+ and PA concentration presented a highly significant circadian rhythm (p<0.001). The K+ concentration presented a circadian rhythm which was not statistically significant (p<0.5).
PA concentration presented a circadian rhythm (p<0.001) with the acrophase occurring in the late morning (08:00). A phase shift of 45 degrees in respect to the acrophase of Na+ was observed.
Both acrophases occur in the early morning (04:02 for Na+, 05:34 for K+) suggesting a temporal correlation in the secretion mechanism.
The 95% confidence ellipse of both circadian rhythms are shown in Fig. 3.

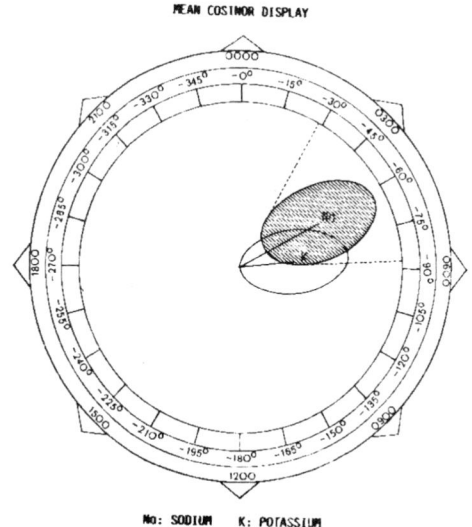

MEAN COSINOR DISPLAY

No: SODIUM   K: POTASSIUM

Fig. 3 - Polar plot of the circadian variation of sodium and potassium in human saliva: a significant (p<0.001) circadian variation was demonstrated for salivary sodium concentration.
Chronogramme polaire du sodium e potassium salivaire: on peut noter un rythme circadien du sodium salivaire avec sa acrophase a' 4 heures du matin.

275

Table 2 shows the salivary cation composition range in respect to that of plasma measured simultaneously. The salivary K+/Na+ ratio ranges between 2.8 and 1.1 whereas the corresponding values in the plasma were 0.02-0.03.

4. DISCUSSION

The daily saliva volume is about 1-1.5 litres. The parotid (serous), sublingual and submandibular (mixed) and buccal glands (mucosal) secrete 0.5-7.5 cc/min. This study confirms the cationic composition of normal saliva: while the concentration of Na+ is lower than that found in plasma (1/28 to 1/4), the concentrations of K+ are higher (4/1 to 8/1). This saliva-plasma gradient is possible by mechanisms of active Na+ resorption and K+ secretion in the excretory tubules of the salivary glands. However, although aldosterone increases tubular Na+ and Cl- reabsorption and K+ secretion, the control of salivary volume is exclusively under the autonomic nervous system. Dryness of the fauces during adrenergic hypertone and abundant, self-perpetuating salivation following psychosomatic stimulation are commonly observed. While the parasympathetic portion chiefly controls the flow of saliva, the sympathetic portion mainly controls the concentration of the solutes (6).
The present study shows that in normal subjects the control of the electrolyte content in the salivary secretion is under circadian regulation. This is an original observation which deserves correct interpretation: many aspects of neurovegetative life in human beings present a cyclic behaviour (ultra-, infra- or circadian) - i.e. secretion and plasmatic concentration of certain hormones like cortisol (7), aldosterone (8), systemic arterial pressure (9), nocturnal vagal hypertonia leading to increased bronchial tone (10,11).
The fact that the salivary Na+ circadian rhythm is highly statistically significant in the early morning suggests that the prevalent sympathetic influence in the morning, together with other acrophases, such as cortisol, circulating catecholamine (12), and aldosterone (8), account for the circadian rhythm of salivary sodium. The sympathetic nervous system influences the concentration. Salivary solutes are also under the control of a variety of vasodilator polypeptides belonging to the kinine family (13,14,15). Genetical factors are also important in the regulation of glandular secretions. For example, in cystic fibrosis there is an altered permeability to cloride ions across the luminal membrane of the mucosal epithelial cells which involves the submandibular acinar cells. This causes an alteration in the salivary solute concentration which is genetically determined, as recently shown (16).
The discovery of a new circadian rhythm is only the starting point for clarifying the roles played by any physiological component of the biological time structure.
The circadian rhythm of salivary sodium is a new and interesting biological rhythm. Its physiological meaning and its potential clinical importance requires further study.

ACKNOWLEDGEMENTS

The authors would like to thank Madame L. Josette Dadrier for
her skilled linguistic assistance and Ms Eva Tikotin for her help
in preparing the manuscript. We would also like to thank Prof.
Halberg for giving us the leading idea in this study.
This study was in part supported by CNR grant 92.01103.CT04.

REFERENCES

1) Halberg F, Johnson EA, Nelson W, Runge W, Sothern R.,
   Autorhythmometry - Procedures for Physiologic Self
   Measurements and Their Analysis, Physiology Teacher, 1972, 1:
   1-11.
2) Haen E, Halberg F., Chronopharmakologie und Chronotherapie -
   von der Experimentellen Forschung zur Praktisch Klinischen
   Anwendung, Dtsch. Arzteblatt., 1985, 82: 3837-3848.
3) Dominguez RCH, Sothern RB, Halberg F, Langevin TR.,
   Variability of Circadian Acrophase of Urinary Potassium
   Escretion as a Potential Marker for Cancer Chronotherapy. In:
   Proceedings of the Second International Symposium
   Chronobiologic Approach to Social Medicine, Florence, 1984:
   313-325.
4) Bullock J, Boyle J, Wang MB, Ajello RR., Physiology, Harwal
   Publishing Company, 1984: 277-278.
5) Tong YL, Lee JK, Halberg F., Number-Weighted Mean Cosinor
   Technique Resolves Phase- and Frequency-Synchronized Rhythms
   with Differing Mesors and Amplitudes, Int. J. Chronobiol.,
   1973, 1: 365-366.
6) Best, Taylor., Physiological Basis of Medical Practice, Ed.
   J.R. Brobeck, 1973:2-22-2-28.
7) Todisco T, Grassi V, Dottorini M., Changes in Pulmonary
   Function and Adrenal Hormone Secretion in Asthmatics over a
   24-Hour Period, Bull. Europ. de. Physiopat. Resp. Clinical
   Resp. Physiol., 1987, 23: 553-555.
8) Laragh JH, Sealey JE, Sommers SC., Patterns of Adrenal
   Secretion and Urinary Excretion of Aldosterone and Plasma
   Renin Activity in Normal and Hypertensive Subjects, Circulat.
   Res., 1966, 18/19(suppl.1):158-174.
9) Haen E, Halberg F., In Vivo Regulation of beta-Adrenoceptors
   in Man: Circadian Correlation to Blood Pressure and Heart
   Rate, Naunyn-Schmiede-Berg's Arch. Pharmacol., 1987, 335: R65.
10) Todisco T, Grassi V, Sorbini CA, Dottorini M, De Benedictis
    FM, Castellucci G, Romano S., Circadian Rhythms of Respiratory
    Functions in Asthmatics, Respiration, 1980, 40: 128-135.
11) Todisco T, Dottorini M., Asthma at Night, Lancet, 1983,
    8320,I:650-651.
12) Descovich GC, Montalbetti N, Kuhl JFW, Rimondi S, Halberg F,
    Ceredi C., Age and Catecholamine Rhythms, Chronobiologia,
    1974, 1: 163-171.
13) Moruzzi G., Fisiologia della Vita Vegetativa, UTET, 1978: 430-
    436.
14) Bell GB, Davidson JN, Scarborough H., Text of Physiology and
    Biochemistry, ESI-Napoli, 1958, 244.
15) Cecil, Textbook of Medicine, WB Saunders Company, 1988, 239.
16) Armstrong J., Cystic Fibrosis - Another Protein out in the
    Cold, Nature, 1992, 358:709-710.

Table 1

POPULATION MEAN COSINOR RESULTS FOR THE GROUP OF 45 SUBJECTS

	p-value	N.obs.	Mesor (S.E.)	Amplitude (95% C.L.'s)	Acrophase (95% C.L.'s) (h, min)
Na+	0.001	552	14.159 (1.2278)	4.84 (2.21:7.46)	04.02 (02.24:05.46)
K+	0.5	552	19.172 (1.1957)	2.91 (0.00:0.00)	05.34 (00.00:24.00)
PA	0.001	506	5.64 (0.61)	2.3* (1.9:4.75)	08:00 (05.00:10.00)

N.Obs. = Total number of observations. N. total des observations.
Na+, K+ = Salivary cations. Cations salivaires.
PA = Plasma Aldosterone. Aldosterone plasmatique.
* = ng/dl for PA. ng/dl pour PA.

Table 2

PLASMA AND SALIVARY SODIUM CONCENTRATIONS IN NORMAL SUBJECTS (RANGE)

Subjects	age	serum mEq/l			saliva mEq/l		
		Na+	K+	K+/Na+	Na+	K+	K+/Na+
45	23-47	139-147	3.5-5.5	0.02/0.03	5-37	14-42	2.8/1.1

Composition electrolitique de la salive chez le sujet normal

Théories et méthodes

Theories and methods

A CONTINUOUS MULTI-USER, MULTITASK ACQUISITION SYSTEM IN CHRONOBIOLOGY: MUSIC

(Module Universel de Saisie Interactive en Chronobiologie)

Bruno Deboux,*, Jacques Beau and Charles Cohen-Salmon**

*Liverpool John Moores University, School of Electrical & Electronic Engineering, Byrom street, Liverpool L3 3AF, ENGLAND.
**Génétique Neurogénétique et Comportement, 45 rue des Saints Pères, 75270 Paris cedex 06, FRANCE, +

Abstract

The **MUSIC** system (Module Universel de Saisie Interactive en Chronobiologie) is a computer based system featuring sensors dedicated to the types of variables analysed. It is more specifically designed to acquire chronobiological information; to that extent, it offers sampling frequencies ranging from 120 seconds to 4 hours and an experiment duration up to several years. It is also interactive, for users are allowed to connect themselves to the system, to observe partial results or to transfer data on floppy disks at any time. Once it is configured, the system automatically acquires data every 120 seconds and, according to their needs, users will then require the allocation (over a specified period of time) of measurement channels necessary to carry out their experiments. Sampling periods greater than 120 seconds are software simulated. At present, 64 channels are available, but this could be easily increased by a factor 4 . In order to achieve a satisfactory security level, a supervisor, may allow authorised acces to the system by issuing passwords.

+ Adress for correspondence and reprints requests

Résumé

Le système MUSIC (Module Universel de Saisie Interactive en Chronobiologie) est un système informatique complété par des capteurs spécifiques du type d'analyse effectuée. Il est destiné au relevé d'information chronobiologiques; à cet égard il offre une possibilité de fréquence d'échantillonnnage allant de 120 secondes à 4 heures et une fenêtre de mesure quelconque pouvant s'étendre sur des années. Il est interactif car les utilisateurs peuvent venir s'y connecter, y observer des résultats partiels ou récupérer des données au moment de leur choix. Le système, une fois lancé à sa création, efffectue des saisie automatiques toutes les 120 secondes et c'est en fonction de leurs besoins que les expérimentateurs vont requérir l'attribution de certaines voies de mesures pour effectuer leurs expériences pendant une durée déterminée. Les échantillonnages de plus longue durée sont réalisés par logiciel. A la fin de l'expérimentation, une fois ces voies libérées, elles redeviennent disponibles pour d'autres études. Actuellement 64 voies sont utilisables mais on peut multiplier facilement par 4. Un superviseur autorise l'accès au système par la distribution de mots de passe afin de garantir au mieux la sécurité du système.

Continuous monitoring over long time periods is a characteristic requirement of systems for biological rhythms measurements. this in turn generates a large amount of data. Existing commercially available systems are particularly deficient in this area and are poorly adapted and or prohibitively priced. Due to this, researchers have been forced to adapt their existing systems (or to design new systems) to suit their own particular requirements[1,2,3]. The design objectives of the current project were different in that several different types of behavioural rhythms were to be investigated. The proposed system is aimed at the acquisition of miscellaneous chronobiological variables. The present work is concerned with the investigation of the general and feeding activities of a mouse.

The experiments of the present investigation could have durations ranging from a few days to several months; therefore, the system must be sufficiently flexible to allow this to be freely (and easily) designed or modified.

In addition, for the purpose of statistical analysis and because of the long periods of time involved, it has proved necessary to be able to perform several simultaneous experimentations. Therefore, the system has been designed to allow simultaneous acquisitions and, by extension, has been designed as multi-user.

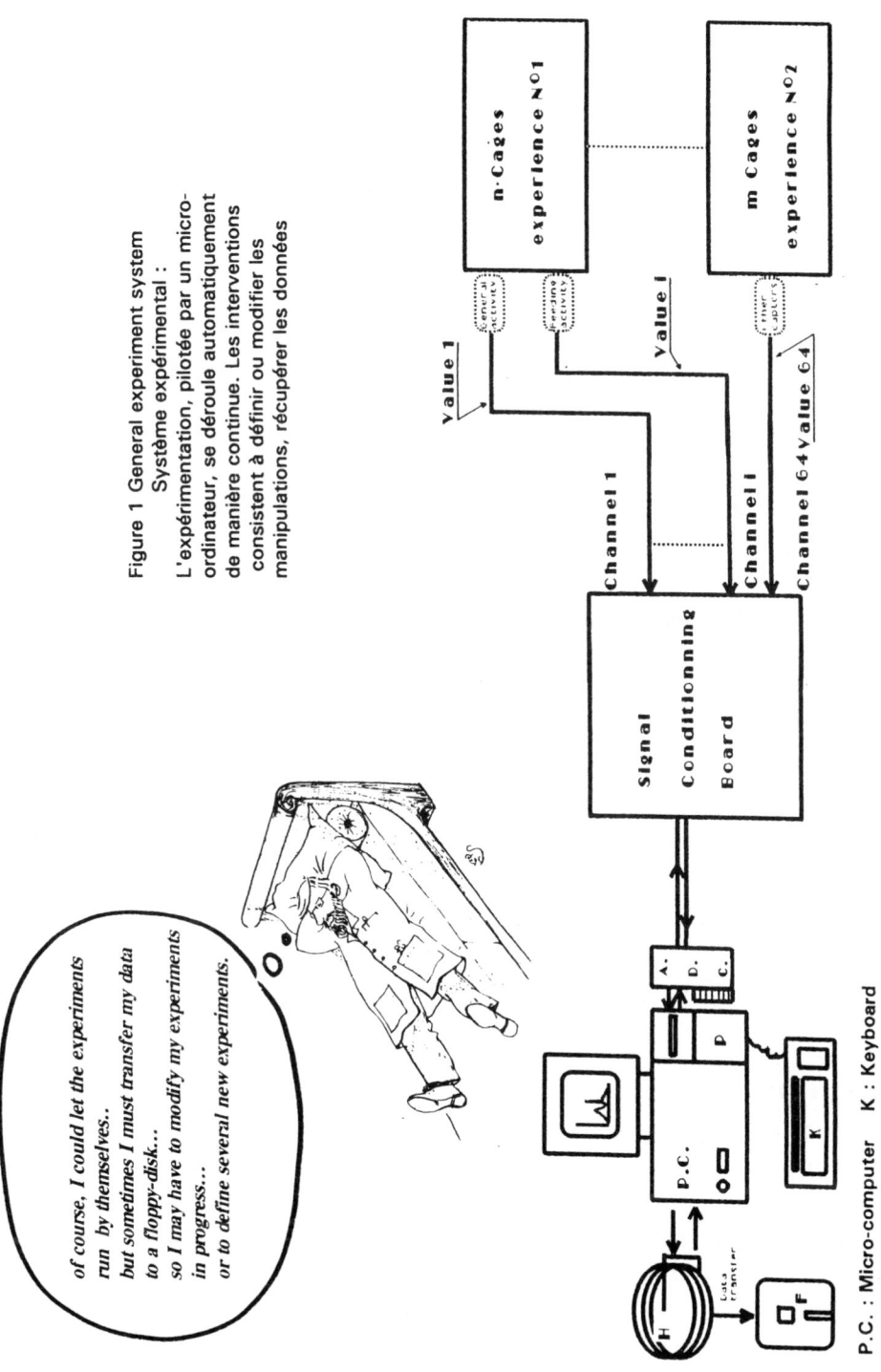

Figure 1 General experiment system
Système expérimental :
L'expérimentation, pilotée par un micro-ordinateur, se déroule automatiquement de manière continue. Les interventions consistent à définir ou modifier les manipulations, récupérer les données

of course, I could let the experiments run by themselves...
but sometimes I must transfer my data to a floppy-disk...
so I may have to modify my experiments in progress...
or to define several new experiments.

P.C. : Micro-computer   K : Keyboard
H : Hard disk   F : Floppy disk
A.D.C. : Analog to Digital Converter
P : Power faylure control unit

283

1 GENERAL EXPERIMENT SYSTEM

Figure 1 clearly shows the MUSIC system operation and its features :
- automatic and continuous data acquisition
- data transfer to floppy disks and/or to the screen
- new experiment configuration
- system management by the supervisor

1-1 Data acquisition

The system has been initially designed to acquire behavioural rhythms, the minimum sampling period being 120 seconds. We will see that, because of the limitations of the computer architecture, it is impossible to use sampling time smaller then 1 minute without in-depth modifications. The sampling time is dependant on the experiment type and could take a value in the range defined by the following relationship:

$$Ts = 2^n \times To \quad \text{where } To = 120 \text{ seconds and } 1 < n < 8$$

which allows us to extensively cover the biological rhythms range from utradian to infradian.

In the current version, the number of channels monitored (each channel corresponds to one variable or one subject) is $N = 64$ but could be easily increased by a factor 4 by adding multiplexing extension boards.

At each instant $(k \times To)$ all the channels are scanned and the sampled values are stored in RAM in a data array behaving as a "virtual" acquisition board. For channels where $n > 0$ (i.e. $Ts > To$) the n consecutive samples are added to create a "virtual" sampling time of $(n \times To)$. Every 4 hours, the resultant data array is stored on the computer hard disk (H). Data is stored in as many files as there are channels in use.

1-2 Acquired data use.

Because the computer works in real time, and in a continuous way, data processing must be performed by an other computer (i.e. delayed processing).To do so, data must be transferred from the hard disk to floppy disks. This operation is started by the operator but is then under the system control which determines timing of file transfers (see 3 Flow chart).

Once the transfer is completed, and after verifying its effectiveness, the transferred data are deleted from the hard disk to free storage space. Considering a storage area of 20 Megabytes and a total of 64 channels sampled every 120 seconds, it is possible to store, without periodical transfer (which is highly indesirable), up to 6 months of continuous experimentation.

1-3 Experimental configuration & protocol

Each researcher has his own access code (i.e. password) associated with his user name both of which are allocated by the supervisor. Once the access code is entered, the researcher can start the information input procedure. The procedure is interrupted by the acquisition process which has the highest priority level. Then, the user is prompted to enter compulsory and optional information.

Compulsory information is:

- user (researcher) name (to allow password checking)
- measurement channels needed (channels currently in use are indicated)
- experimentation starting date and time
- experimentation duration
- sampling frequency of each channel

and the optional information is:

- sensor type in use on each channel
- subject identification
- experimentation type
- etc...

Once the information has been verified, the experiment will automatically begin at the specified time and date. Data is then stored in files with names corresponding to the user name and to the channel number.

1-4 System management by the supervisor

A researcher with an access code can only:

- configure an experiment
- view their data
- transfer their data

the other functions are reserved for use by the supervisor.

The supervisor has also an access code, initially defined by the software and which he can modify. This access code (password) allows him to use the following functions:

- access to the users list (names)

- creation and cancellation of passwords associated with user names

- deletion (after verification) of files when data have been transferred by users

- access to the system to stop experiments, reset the time, check the effects of possible power failures (an uninterruptable power supply avoid this problem).

Apart from the system functions, the keyboard is partially inhibited to avoid accidental experimentations stops.

This low security level system is obviously not designed to cope with repelling "hackers". Actually, it is designed more to limit the consequences of errors made by users or non-authorised people.

2 SIGNAL CONDITIONNING BOARD

Figure 2 represents the electronic part of the acquisition chain. The first element is a sensor which type depends on the monitored variable. In our case, the general activity sensor is an acoustic sensor (crystal microphone) directly in contact with the cage containing the subject (mouse) under monitoring. When the mouse walks on the sawdust, it creates vibrations which are then transformed by the sensor into an electrical signal. The latter is then amplified and filtered. After rectifying, the signal f(t) is send to an integrator that computes:

$$V_s = \int_{nTo}^{(n+1)To} f(t)dt$$

This value represents the mean value of the activity level over To (sampling time). This method allows the system to satisfy, at best, the Shannon sampling theorem [4]. After each acquisition, the integrator is reset by a signal send by the computer.

The same sensor is used to monitor the feeding activity. The noise the animal generates when eating creates high amplitude vibrations (much higher than the general activity ones). A threshold detector allows to send the signal wether to a general activity output or to a feeding activity output.

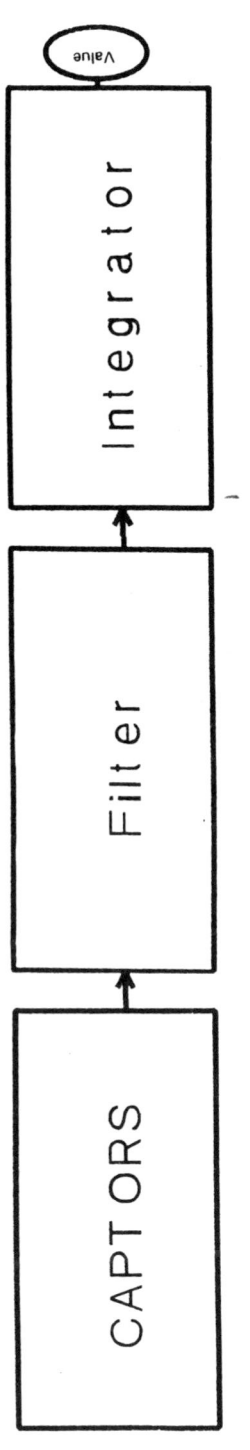

CAPTORS → Filter → Integrator → Value

General activity : a crystal microphone cell is now in use.

Feeding activity : several captor's type
could be used   - crystal microphone,
                - optical detector,
                - general activity captor

with threshold detector.

A band-pass filter is used in order to select the useful badwith.

Compute the mean value of the level of activity over the sampling time.
Value : The result which is going to be acquired.

Figure 2 Signal conditionning board
Dispositif électronique d'acquisition.
Il est constitué d'un capteur réalisé par un détecteur de vibrations dans le cas de la mesure de l'activité; ce même dispositif permet de relever la prise de nourriture par une détection de seuil. Un filtrage assure la sélection de la bande utile et protège du bruit de fond. Un intégrateur vrai calcule la valeur moyenne du signal sur une durée inter-échantillonnage.

287

Even if the filtering eliminates most of the background noise, a phonic isolation of the experimentation room (or of the cages) is required. However, these conditions usually have to be met to ensure correct biological rhythms monitoring.

3 FLOW CHART

Simplified system operation is described by the flow chart (Figure 3). The main loop (drawn in dotted lines) represents the "normal" system operation. i.e. without any requests from the users or the supervisor. This loop is based on a periodical comparison between the present time and the next acquisition time (H.Acq.). At each acquisition, an "authorised hour" (H.Aut.) is computed. The time interval (H.Acq.- H.Aut.) corresponds to the time required to safely complete a data transfer from the hard disk to the floppy . Hence, any request occurring after H.Aut. is delayed until the end of the acquisition process. Of course, new H.Acq and H.Aut. are evaluated after each acquisition.

In the case of the experiment configuration process, acquisitions are driven using the interrupt routine I.T.. Considering the speed at which the channels scanning and resetting are performed, it is fair to say that the interrupt process does not disturb the user; In addition, a message is printed on the screen signalling the acquisitions. Under this operation mode, the main difficulties are due to the fact that D.O.S. functions possibly used are not re-entrant.

The software is written in QUICK C™ and some functions (e.g. acquisition process) from the measurements software package LABWINDOWS™ have been integrated.

4 CONCLUSION

The system described is aimed at the in real time acquisition of chronobiological data over long periods of time. It is capable of simultaneously performing several types of experiment, thus is also multi-user. With the 64 measurement channel featured by the basic package (up to 256 using multiplexing extension boards) it is possible to complete in a short lapse of time a large number of tests. The sampling speed allows the researcher to investigate ultradian rhythms (greater than 4 minutes) as well as infradians and even circadians with for ultimate limit the researcher's patience...

Figure 3 Flow chart
Organigramme

La boucle principale, en trait discontinus, effectue la saisie des données
en l'absence de requêtes de l'expérimentateur. Dans le cas où celui-ci
effectue une intervention cette dernière est interrompue pour effectuer
périodiquement les saisies. Dans le cas d'un transfert celui-ci n'a lieu que
si sa durée ne risque pas d'empiéter sur l'heure d'acquisition suivante.

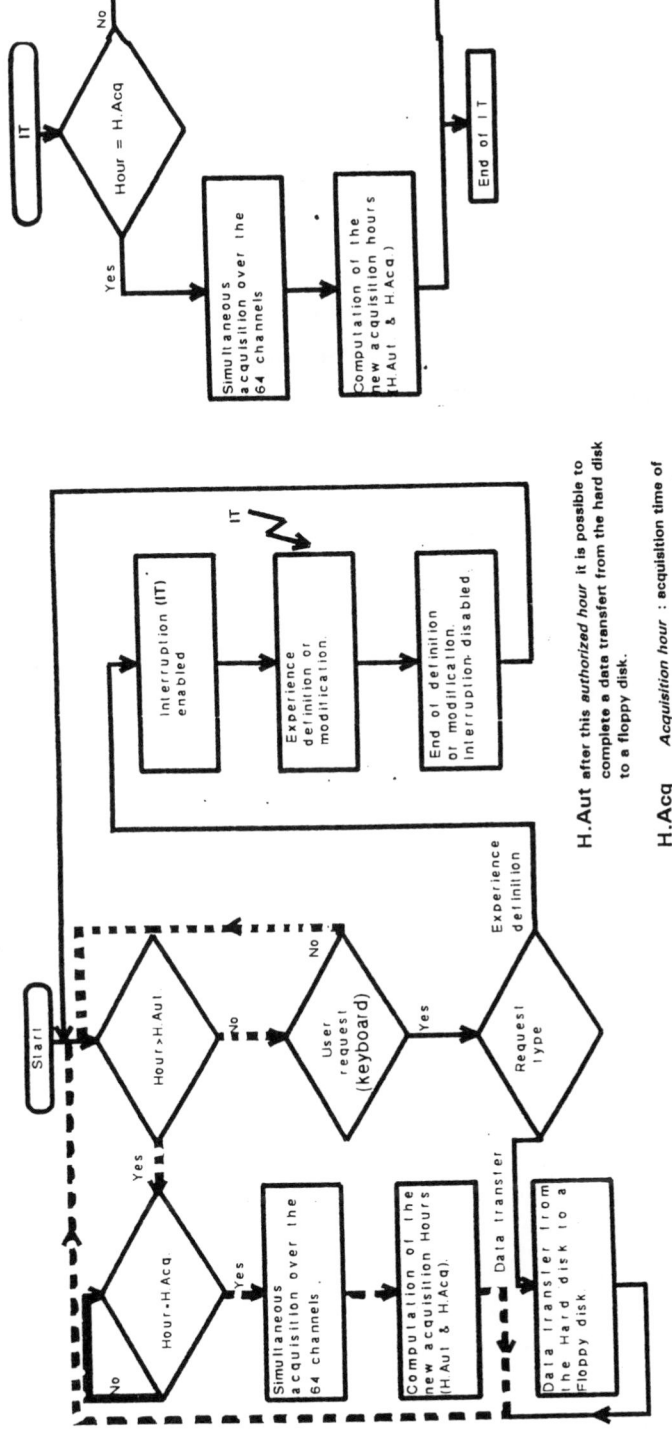

H.Aut *after this authorized hour* it is possible to
complete a data transfert from the hard disk
to a floppy disk.

H.Acq *Acquisition hour* : acquisition time of
the 64 values.

5 REFERENCES

1 - Dumortier B. Les méthodes modernes d'actographie, Conférence SFECA (Société Française d'Etude du Comporetment Animal), Paris 30 Novembre 1968.

2 - Clique A. Rythme biologiques en zone intertidale : réalisation d'un actographe optique géré par micro-ordinateur et appliqué à l'étude de l'activité locomotrice de *palemon seratus* et *palemon elegans*. Diplôme de l'Ecole Pratique des Hautes Etudes, Paris 5 Juillet 1988.

3 - Beau J. Microcomputer-driven digital data processing of mouse actograph activity, Physiol. & Behav., 1986, 38 (3); 435-441.

4 - Beau J. The thermometer and the calorimeter, or the best choice for data acquisition in sampling of biological rhythms, Chronobiol. Interr., 1990, 7 (4); 341-347.

UNE SPECULATION SUR LA STRUCTURE ATOMIQUE DU TEMPS
A SPECULATION ON THE ATOMIC STRUCTURE OF TIME.

A. Laforgue

Faculté des Sciences
B.P.347
51062 Reims Cedex, France.

Résumé. Curieusement, la Science n'a jamais recherché si le temps obéissait au principe de l'atomisme. C'est pourtant conforme à l'expérience. Une espèce n'évolue pas au cours d'une génération. Un corpuscule considéré pendant un temps infiniment court possède une énergie totalement indéterminée et son mouvement n'est pas intelligible. Ainsi le paradoxe de Zénon d'Elée demeure toujours vrai.

Chaque biorythme introduit un cycle de retard dans l'enchainement des causes et des effets, ce qui permet de le considérer comme un tronçon insécable du temps contrairement à l'ensemble des phénomènes périodiques. En Physique, l'unité élémentaire de longueur, si elle existe, détermine par transformation de Lorentz une unité élémentaire de temps.

La structure du temps implique que les équations des lois de la nature sont des équations aux différences finies. C'est seulement à une échelle suffisemment réductrice qu'elles peuvent être approchées par les équations différentielles communes.

Mais toucher à la structure du temps, c'est aussi toucher à la structure de la causalité expérience mentale difficile. Ici, nous tentons de montrer que les atomes de temps, maillons des chaines causales sont le fondement du hasard objectif qui gouverne en particulier la Thermodynamique ou l'Evolution biologique.

Nous concluons en appelant à la révision du domaine de validité de toutes les lois qui admettent à travers la différentielle du temps, l'instant infiniment court comme réalisable. Nous expliquons aussi que la Chronobiologie correspond par rapport à la Biologie du temps continu à un progrès comparable au passage de la Physique du continu à la Physique atomique.

Summary:
1. Introduction. Time is a quantity, measure of which arises from equality and sum. Does it possess "atoms", i.e. indivisible parts?

On the other hand, time operates change. The present determines approximately the future. That "causality principle" is very straining as it concerns physical relationships. E.g. the wave equation of the systems is obliged to show up non relativistic. More generally all quantity should be derivable with respect to the time from the causality principle. Hence time should be a continuous parameter.

Actually time as quantity and time as parameter should coincide. But any physical quantity is suspected to exhibit an atomic structure. The problem is crucial for Biology which shows not only how time parameter produces changes but how change produces time quantity (Laforgue 1993). Chronobiology which brings into evidence insecable structures is particularly concerned.

Atomic structure of time has never been searched in the modern science despite the same has been performed for other important quantities even the length (Eddington) Maybe, time was excepted as the parameter of causality. If modifying time structure, logic is modified.

In this work, mental experiment shows that time structure and causality rules can be simultaneously modified. Logical discussion, then factual discussion take place. Finally we search how nature laws are modified from that.

2.Logical arguments for atomically structured time.

2.1. From universal derivability with respect to time, it follows that an arbitrary little time is supposed always exist. That is clear in a deterministic view (Costa de Beauregard) which may be not the true.

2.2.Chance against causality: If present could rigorously determine future, where would take place chance, occurence of which is evident? Following common opinion, chance is a crossing between two causal series, results of which are imputed to our lock of knowledge and of power..If so ,chance were subjective. Notwithstanding chance is worked out to demonstrate physical laws (statistical thermodynamics)or biological laws (Darwinian evolution).Probability treatises define axiomatically the aleatory variable (Tortrat).That means chance is objective.

Ditinguishing between objective and subjective chance is not easy as shows history of science. If time is structured, chance is always objective.

2.3.Presentation of a differed causality principle. Assuming time to be structured, time links form each causal chain. Some independancy of chains comes from the diversity of the links, and if equal, that they do not coincide. Chance would be objective and could fund natural laws.

Time differential equations should be replace by finite differences equations.

Finally the objectivity of chance would be confirmed by retarded causality principle.

2.4.The paradox of Zeno of Elea. In our terms "Atom time is so short that a darted arrow does not move at any instant". Analog assertion for biological evolution is clear. Because genotype and phenotype are distinct, a species cannot evolve during any generation. In mechanics ,from the fourth relationship of Heisenberg an undeterminable energy is associated to a zero time, and motion is not intelligible; that is practically the same as it does not exist. The paradox of Zeno is yet valid. Its one solution is to consider that an arbitrary short time does not correspond to any real thing.

3.Factual arguments supporting the idea of atomic structure of time.

The best argument is the atomism as funding principle of physics. We have examined successively its main aspects in general case and in the case of time.

4.Atomic structure of time and laws of nature.

4.1.The time atoms. The retarded causality principle, the interaction between causal chains, are qualitatively the same for physical or biological sciences but the results differ extremely in quantity.

4.2.Wave mechanical equations for a structured time. We have written the finite differences which should replace the members of the Schrödinger equation and we have shown how from this equation the interpretation of quantum mechanics can be completely modified (Laforgue 1992)

4.3.Macroscopic time depending laws.. The equation (1) , if replacing the last member by any operator, is convenient for all sort of phenomena and could be treated in the same way.

5.Conclusion.

Our mental experience had success discussing simultaneously structure of time and rule of causality. Following facts are proved:

1° Time resists to partitioning

 Causality has a specific retard for any chain

 Chance comes from the structure of time

2° Laws with time derivatives are to examine as concerns thir validity domain

3° Biological causality differs drastically from the physical causality by the importance and the diversity of the atoms of time

Chronobiology is an essential progress with respect of the continuous time biology, as well atomic physics was an essential progress with respect to the conventional physics.

1.INTRODUCTION.

Le temps est une grandeur physique mesurable à partir de l'égalité et de l'addition,ce qui implique seulement que les notions de coïncidence et de répétition soient claires.
Admet-il des "atomes",c'est-à-dire des parties qu'on ne peut diviser,comme il en est pour la masse,la quantité d'électricité,le moment angulaire,le flux lumineux...,ou est-il essentiellement continu?

Le temps opère le changement.Or le présent détermine (à une certaine approximation) le futur. Ce "principe de causalité" est très contraignant vis àvis des équations de la Physique.Un exemple célèbre est l'équation d'onde des systèmes de corpuscules à laquelle le principe de causalité impose une forme non-relativiste. Une contrainte plus générale est de pouvoir dériver toute autre grandeur par rapport au temps qui doit alors être un paramètre continu.

La pratique des Sciences implique la coïncidence entre la grandeur temps et le paramètre temps. Et pourtant toute grandeur est soupçonnée de posséder une structure atomique.

Le problème est particulièrement crucial pour la Biologie qui montre non seulement comment le paramètre temps produit le changement,mais aussi comment le changement produit la grandeur temps (Laforgue A.,1993). La chronobiologie qui fait apparaître des structures insécables est au centre du problème.

Il peut sembler étrange que la structure atomique du temps n'ait jamais été recherchée par les modernes alors qu'une structure a été recherchée pour toutes les autres grandeurs importantes. Même la longueur,qui pourtant avait servi à élaborer le continu mathématique, n'a pas échappé à cette recherche. L'idée d'une longueur élémentaire émise par Eddington est de temps à autre reprise.

L'exception faite pour le temps vient sans doute de ce qu'il est non seulement une grandeur expérimentale mais aussi le paramètre de la causalité. Toucher à sa structure revient à toucher aux fondements logiques des raisonnements.

Dans ce travail ,nous réalisons cette expérience mentale préliminaire.Nous montrons qu'on peut de façon cohérente modifier simultanément la connaissance de la grandeur temps et les normes de la causalité. Dans cette perspective,nous développons d'abord les arguments logiques, puis les arguments de fait en faveur de la structure atomique du temps; puis nous recherchons comment sa reconnaissance modifierait les équations des lois de la nature.

2.ARGUMENTS LOGIQUES POUR UNE STRUCTURE ATOMIQUE DU TEMPS.

2.1 Nous venons de voir que la mise en oeuvre du principe de causalité conduit à dériver toute grandeur par rapport au temps,donc à penser qu'un écoulement arbitrairement petit de temps est toujours possible. Or cette mise en oeuvre extrêmement naturelle si on imagine un passé et un futur entièrement déployés de toute éternité (Costa de Beauregard, 1962) n'est peut-être pas la bonne.

2.2.Hasard et causalité. Si le présent déterminait en toute rigueur le futur,quelle serait la place du hasard dont nous reconnaissons l'occurence pratique? Selon l'opinion commune (Grand Larousse),"le hasard est une interférence accidentelle entre séries causales,dont les relations sont à chaque instant rigoureusement déterminées mais dont l'indépendance relative n'est imputable qu'à notre ignorance et à notre impuissance". Le hasard serait en quelque sorte subjectif. Pourtant,on lui impute des lois physiques (thermodynamique statistique) ou biologiques (évolution Darwinienne) . Les traités de calcul des probabilités (voir par exemple Tortrat A. 1963) définissent axiomatiquement la "variable aléatoire", ce qui implique tacitement un hasard objectif. Départir entre un hasard imputable à notre ignorance et à notre impuissance et un hasard allant de soi peut être délicat comme le montre l' Histoire des Sciences. Mais la contradiction existe. Nous allons montrer que la structure atomique du temps peut lever cette contradiction.

2.3.Proposition d'un principe de "causalité différée".

Si le temps possède une structure,des maillons de durée non nulle constituent chaque chaîne causale. L'indépendance relative des chaînes proviendrait alors de l'inégalité des maillons de chaînes différentes,ou,s'ils sont égaux, de leur non-coïncidence. Le hasard serait objectif et on comprendrait qu'il fonde des lois naturelles.

Les équations différentielles par rapport au temps seraient remplacées par des équations aux différences finies,qui,à une certaine échelle,seraient indistingables des premières,mais à une échelle plus fine,auraient des conséquences entièrement différentes.

En conclusion, le caractère objectif du hasard,susceptible de fonder des lois naturelles,serait conforté par un *principe de causalité différée*.. Parfois cette introduction de durées insécables dans les chaînes causales,sans avoir fait l'objet d'une réflexion globale a déjà été imposée par l'expérience (cf. Chap. **4**)

2.4.Le paradoxe de Zénon d'Elée.

La plus ancienne interrogation sur la structure du temps,antérieure même à l'atomisme des autres grandeurs (qui en dérive par un détour de pensée (Loqueneux,1987)),est le Paradoxe de Zénon.

Dans les termes de cet article,nous énoncerons"l'atome de temps est suffisamment bref pour qu'au cours de ce temps une flèche lancée soit immobile".Cette intuition est difficile en mécanique. Au contraire elle n'a rien d'étrange pour l'évolution biologique dont le temps est mesurable en générations. Suivant le principe de non-transmission des caractères acquis (distinction du génotype et du phénotype),*une espèce n'évolue pas au cours d'une génération.*

On peut écrire que la vitesse d'évolution d'un caractère x est

$$v= (x_2 - x_1)\ T^{-1}$$

(notations évidentes). Si $T< 1$ génération , $x_2=x_1$, $v=0$.

La durée d'une génération est le tronçon insécable du temps de l'évolution. Dans cet exemple la succession des tronçons insécables du temps n'est pas seulement phénoménologique;ils s'ordonnent en chaînes causales puisque chaque génération donne naissance à la suivante.

Le paradoxe de Zénon est toujours en discussion. Vrai pour cet exemple biologique,il demeure contraire aux équations de notre Physique introduisant les dérivées par rapport au paramètre continu opérant le changement. Mais il ne l'est pas si nous pensons à la grandeur temps susceptible d'une structure discontinue,et si nous remplaçons les différentielles par les différences finies dont l'usage exprime la causalité différée.

On peut du reste montrer qu'un temps infiniment petit est inacceptable en mécanique. Considérons non pas la flèche de Zénon tout entière mais l'une des microscopiques parcelles de matière qui la constituent;appliquons lui la quatrième relation d'incertitude de Heisenberg entre temps et énergie. A un instant de durée rigoureusement nulle,correspond une incertitude nulle et par conséquent,sur l'énergie du mouvement,une incertitude infinie. Or un mouvement dont l'énergie est absolument quelconque n'est pas intelligible.

Il est vrai que "flèche immobile" ou "mouvement inintelligible" ne sont pas tout à fait synonymes. Mais il semble (Loqueneux,1987) que c'était bien la seconde proposition qui était essentielle pour les Eléates. Le paradoxe de Zénon demeure donc vrai même en Physique. Sa seule résolution possible est de refuser toute existence à l'instant de durée nulle.

La conclusion de cette discussion est la même que celle de l'objectivité du hasard: la structure atomique du temps.

3.ARGUMENTS EXPERIMENTAUX EN FAVEUR DE LA STRUCTURE ATOMIQUE DU TEMPS.

3.1. L'atomisme est l'un des principes fondateurs de la Physique (Perrin J.). Son universalité constitue l'argument expérimental essentiel en faveur d'une structure du temps.

Tel qi'il nous apparait aujourd'hui on peut y percevoir quatre affirmations:

A.*Tout mode de fractionnement de la réalité a une limite.*

B.*La structure atomique gouverne les propriétés au voisinage (et parfois loin) de la limite du fractionnement.*

C.*Les tronçons insécables par un mode de fractionnement donné sont identiques et parfois indiscernables.*

D.*Les tronçons insécables par des modes de fractionnement divers peuvent former une suite hiérarchisée de niveaux d'organisation.*

3.2. Structure du temps.

Si, au rebours de l'Histoire des Sciences (où les atomistes succèdent aux Eléates), on applique au temps le principe de l'atomisme, les quatre énoncés précédents ne sont applicables que par une extension de sens des propositions A, B, C, et un rejet de D.

$A/$ Le paramètre temps ne peut offrir de résistance au fractionnement; on ne pourra appeler "atome de temps" une période, ou une pseudo-période, ou une relaxation du simple fait qu'elle existe, ni définir un critère phénoménologique du temps qui doit être considéré comme atome. Par contre, la mise en évidence d'une causalité différée implique un atome de temps. Si un cycle agit sur le suivant c'est avec un retard égal à la durée du cycle entier. Un cycle n'est pas insécable phénoménologiquement mais causalement.

D'un tout autre point de vue, s'il existe un atome de longueur ρ, il définit un atome de temps τ par simple transformation de Lorentz $\tau = \rho c^{-1}$.

La valeur calculée du rayon de l'électron (Sternglass):

$$\rho = 0,5\ e^2\ m_0^{-1}\ c^{-2} = 1,4099\ 10^{-15}\ m$$

pourrait en donner une estimation: $\tau = 0,47\ 10^{-23}$ s.

La cosmologie fait usage de temps exprimés dans l'unité de Planck. A cette échelle (de l'ordre de 10^{-44} s.) est décrite l'inflation de l'Univers à laquelle on ne peut attacher de vitesse (elle serait plus grande que c), ce qui suggère un atome ou corpuscule de temps très petit par rapport à τ. Nous n'en reparlerons pas.

B. En Biologie, tous les phénomènes d'évolution sont reliés aux générations, les phénomènes de physiologie humaine aux battements de coeur etc...

En Physique, s'il existe un atome de temps il modifiera toutes les équations contenant une dérivée par rapport au temps, donc toutes les lois de la Physique à l'échelle de cet atome.

C. En Biologie chaque biorythme est au contraire dispersé autour d'une valeur statistique.

En Physique, il ne peut y avoir qu'une valeur , si elle existe, correspondant à celle de l'atome de longueur.

D. L'organisation de temps insécables imbriqués de façon simple n'a pas d'exemple.

3.3. En conclusion, les atomes de temps, s'ils existent, se présenteraient bien différemment des atomes des autres grandeurs. Ils ne seraient pas des porteurs inaltérables d'un aspect de l'univers, mais seulement le résultat des discontinuités prenant naissance par retard de la causalité ou incertitude du référentiel d'espace.

4. IMPACT DE LA STRUCTURE ATOMIQUE DU TEMPS SUR LES LOIS DE LA NATURE.

4.1. La structure du temps interviendra dans les sciences de la nature de trois façons:

1°. par l'observation des atomes de temps (cf. **3.3.**)

2°. par le principe de causalité différée qui modifie les équations temporelles en substituant des différences finies aux différentielles (cf. **2.3.**)

3°. par l'enchainement de cycles (cf. **3.2**)

Ces trois impacts sont qualitativement les mêmes pour les sciences de la matière et de la vie; ils en diffèrent du tout au tout en grandeur parce que les biorythmes sont lents et sont divers alors que le seul paramètre τ intervient dans les sciences de la matière (nous laissons de côté le temps de la cosmologie).

4.2. Equations de la mécanique quantique pour un temps structuré.

En mécanique de Schrödinger une situation dans l'espace $\psi(M,t)$ variable dans le temps est soumise à un changement se déduisant de sa description spatiale par un opérateur d'espace

$$(1) \qquad \frac{\partial \psi}{\partial t} = \frac{-i\hbar}{2m} \Delta \psi$$

L'équation de Schrödinger fait apparaitre de façon transparente le Principe de causalité puisque (1) permet de prévoir complètement l'évolution à partir de la donnée initiale $\psi(M,O)$. La structure atomique du temps remplace le premier membre de (1) par le quotient de différences finies

295

$$(2) \qquad [\psi(t + \tau) - \psi(\tau)] \; \tau^{-1}$$

Il est logique de remplacer dans le second membre la Laplacienne par le quotient de différences finies

$$(3) \qquad D\psi = 6 \, \rho^{-2}(\psi_s - \psi)$$

(ψ_s valeur moyenne de ψ sur une sphère de centre M et de rayon ρ).

(2) est développable sur l'axe des temps continus

$$(4) \qquad \tau^{-1}(\, \psi_{(\tau)} - \psi_{(0)} \,) = \psi'_{(0)} + 0{,}5 \; \psi''_{(0)}$$

(3) est développable dans l'espace géomètrique

$$D\psi = \Delta\psi + 0{,}05 \, \rho^2 \Delta\Delta\psi + ...$$

Dans l'équation d'amplitude on n'utilise que la correction au moyen de (3).Les solutions numériques sont peu modifiées.Nous avons trouvé des corrections numériques de l'ordre de 10^{-25} en valeur relative.

Mais l'équation d'évolution (1) change de sens par la correction (2) + (4) puisqu'il ne suffit plus de connaitre $\psi_{(M,0)}$ pour en déduire son évolution. Néanmoins l'équation corrigée permet de calculer la fonction en des instants distants de τ formant une chaine. Cela préserve la stabilité structurelle de la théorie en admettant le Principe de causalité différée avec le retard τ

Les équations qui remplacent (1) impliquent que l'on considère la propagationdu phénomène quantique comme une suite d'instants de durée finie associés chacun à un domaine d'espace de dimension finie. Chaque phénomène occupant ce domaine d'espace durant un instant fini est la cause du suivant. On peut comparer un tel processus à la déchirure d'une feuille de papier,fibre après fibre, plutôt qu'au déplacement d'une balle. Ceci nous a conduit à réinterprêter la propagation quantique (Laforgue,1992),ce qui en modifie extrêmement peu les lois.

4.3. Lois temporelles macroscopiques.

L'équation (1) si on remplace le second membre par la généralisation

$$Op(M)\psi$$

n'a aucune raison d'être réservée à la mécanique quantique:toutes sortes de phénomènes l'admettent implicitement. On pourra encore effectuer une correction analogue à (2) pour une chaîne admettant un maillon quelconque τ , ce qui représentera un principe de causalité différée de retard T.

Cela pourra arriver même si au lieu d'un temps extrêmement petit,on considère de longues "molécules" de temps correspondant à un rythme biologique de période T.

5.CONCLUSION.

L'expérience mentale que nous avons tentée a réussi dans la mesure où il a été possible de façon cohérente de discuter simultanément de la structure du temps et des effets de la causalité,les deux restant en correspondance étroite.

Mais elle est restée une simple spéculation et pour conduire à une théorie véritable il faudrait un développement dans un domaine abandonné depuis plus de vingt siècles. Quelques faits semblent pourtant acquis:

1°Le temps comme d'autres grandeurs physiques offre une résistance au fractionnement. Certains phénomènes comme les biorythmes déterminent une suite de temps insécables par rapport au phénomène considéré. C'est le maillon des chaînes causales.

La diversité des maillons, ou leur absence de coïncidence s'ils sont égaux, donne une objectivité au hasard.

2° Les théories qui reposent sur des instants infiniment courts (dérivées par rapport au temps) ou sur le hasard doivent être reconsidérées. Cela comprend toute la Physique mais heureusement les atomes de temps suffisemment petits n'apportent que des corrections très faibles.

3° La causalité biologique diffère de la causalité dans les sciences de la matière par ce qu'elle produit des rythmes grands et divers.

La chronobiologie représente par rapport à la biologie du temps continu un progrès comparable à celui de la Physique atomique par rapport à la Physique des milieux continus.

REFERENCES

Costa de Beauregard   ,Le second principe de la science du temps, Paris

Grand Larousse encyclopédique, en 10 volumes, Tome 5, Paris, 1962.

Laforgue A.,Les brisures de symétrie du temps ,in Solignac 1991, à paraitre *Biotheor.Acta* 1993.

Laforgue   A.,Brisures   de   symétrie   hierarchisant   les   niveaux   d'organisation, *Biotheor.Acta*,1992,2–3,sous presse.

Loqueneux R.,Histoire de la Physique,P.U.F.,Paris,1987.

Perrin J., Les Atomes ,Flammarion,Paris.

Sternglass E.J.,New Techn.and Ideas in Q.M., *Ann.N.Y.Acad.Sci.,* 1986 ,614–617.

Tortrat A.,Traité de Calcul des Probabilités, Masson, Paris , 1963.

LES EVEILS DE LA NUIT : L'ENREGISTREMENT EVEILLOMETRIQUE

F. LAVERGNE
22, rue de l'Odéon
75006 Paris

Résumé

L'éveillomètre est un appareil que nous avons construit en 1988. Il enregistre les signaux d'éveil émis par le sujet quand celui-ci perçoit la stimulation lumineuse. Les périodes de 10 minutes au cours desquelles la lumière n'a pas été perçue par le sujet sont assimilées à des périodes de sommeil comportemental. Le dispositif d'enregistrement permet de calculer la somme des périodes de 10 minutes. Nous appelons cette somme, le temps total de sommeil (T T S). Nous avons comparé le TTS de cinq insomniaques hospitalisés versus neuf bons dormeurs. Les moyennes des deux groupes montrent que les insomniaques présentent moins de sommeil comportemental que les bons dormeurs: 4,25 heures contre 6,78 heures, (moyenne des 3 nuits $p <$ 0,01). Par ailleurs, nous avons demandé aux cinq insomniaques d'attribuer une note de 0 à 10 à la qualité réparatrice de leur sommeil au cours de 37 enregistrements. La note attribuée est bien proportionnelle à la durée de sommeil comportemental (corrélation O,6367 , $p <$ 0,001). Nous proposons d'utiliser l'éveillomètre pour mesurer la durée de sommeil et la fragmentation du sommeil par l'éveil. Le dispositif est peu coûteux. Il peut être utilisé par les sujets à leur domicile. Le chronobiologiste pourra utiliser l'éveillomètre pour des études sur le terrain, de décalage horaire et de travail posté.

NIGHT AWAKENINGS : Wake-o-Meter recordings

The Wake-o-Meter was built in 1988. The purpose of this device is to record awakening signals given by the patient when he/she is conscious of the light stimulus. The 10 mn periods during which the light has not been perceived by the patient are assimilated to behavioural sleep. The recording system allows to calculate the total amounts of 10 mn periods. We call this total amount: Total Time of Sleep (T T S). We made a T T S comparison between five insomniac in-patients and nine good sleepers. Averages of both groups show that insomniac patients do present less behavioural sleep than the good sleepers: 4.25 hours against 6.78 hours, (average of the three nights: $p <$ 0,01). Furthermore, we asked the five insomniac patients to give a mark from 0 to 10 for the restoring quality of their sleep during 37 recordings. The marks given are indeed proportional to the duration of their behavioural sleep (correlation r=0,6367, p < 0,001). We propose to use the Wake-o-Meter to measure sleep duration and sleep fragmentation. The device is inexpensive and can be used by the subjects at home. Chronobiologists will use the Wake-o-meter to study sleep alteration caused by jet lag and shift work.

INTRODUCTION

Le sommeil peut être analysé à partir de ce que dit le sujet ou de ce que montre le tracé électrophysiologique ou encore à partir de ce que l'on observe du comportement du sujet endormi. Dans le domaine du sommeil comportemental, le sujet est son propre observateur quand il signale les éveils dont il a conscience. A l'inverse, le défaut de perception et de réactivité constitue un moyen simple pour identifier le sommeil. Sur les bases d'une "aperception-aréactivité" au cours du sommeil plusieurs dispositifs comportementaux permettent d'évaluer la réactivité du sujet au cours de la nuit. Nous en connaissons quatre:

1- Le dispositif du microswitch repose sur la conscience de se réveiller ou d'être éveillé. Il s'agit pour le sujet de percevoir sa propre activité mentale. Aucune stimulation sensorielle externe n'est utilisée comme témoin de l'éveil. Les sujets doivent signaler la conscience d'être éveillés en appuyant deux fois sur un déclencheur fixé dans la main. (KNAB B., ENGEL R. - 1988) - (RAHM L. et al - 1990). Le signal d'éveil est enregistré instantanément, mais la durée de l'éveil n'est pas connue dans ce dispositif. Effectivement, le sujet signale seulement le début de son éveil. Le dispositif ne comporte pas de signal de fin d'éveil.

2- A l'inverse, l'horloge de FRANKLIN (FRANKLIN J - 1981) et DE KONINCK (DE KONINCK et al - 1988   ) permet de mesurer la durée de l'éveil. L'horloge est conçue pour mesurer le premier éveil de la nuit, c'est-à-dire la latence d'endormissement. L'horloge est mise en route au coucher. Elle est reliée à un déclencheur que le sujet maintient dans sa main en exerçant une pression avec le pouce. Quand le déclencheur est relaché, moment supposé de l'endormissement, l'horloge est arrêtée, donnant ainsi la durée écoulée. La latence d'endormissement donnée par le dispositif correspond bien en moyenne à la durée écoulée pour débuter le stade 2 du sommeil.

3- Le dispositif sonore de OGILVIE et WILKINSON (OGILVIE R.D. et WILKINSON R.T. - 1988) est plus précis et plus contraignant que le microswitch. Les sujets doivent répondre en pressant un déclencheur dans les 4 secondes qui suivent l'émission d'un son faible. Le son est distribué de manière aléatoire, toutes les 16 secondes en moyenne.Le sommeil comportemental est défini ici par l'absence de réponse aux stimuli sonores. L'enregistrement polysomnographique confirme le défaut de réponse au cours du sommeil. La probabilité moyenne de réponse à un stimulus sonore est de 1,6% pendant le stade 2; O,1% pendant le stade 3; 0% pendant le stade 4 et 0,04% pendant le sommeil paradoxal. A l'inverse, la probabilité de réponse est très élevée: 94% pendant l'éveil (stade 0) et 23,5% pendant l'endormissement

(S1). Le signal d'éveil a donc bien lieu de manière quasi-exclusive au cours de l'éveil électrophysiologique et de l'endormissement.

4- L'éveillomètre : Ce dispositif diffère de celui du "microswitch" par l'existence d'un témoin lumineux. Il s'agit de la lumière d'une veilleuse (lumière rouge de 15 watt) qui ne perturbe pas le sommeil du sujet. Lorsque le sujet perçoit la lumière, éventuellement à travers les paupières fermées, il doit signaler cette perception. Le témoin lumineux est important car il devrait permettre de réduire le biais que KNAB et ENGEL ont décrit avec le microswitch. La technique du microswitch repose sur la perception de "se réveiller". Elle implique donc que le sujet ait eu le sentiment de dormir. Or justement les insomniaques ont une mauvaise perception de leur sommeil (MENDELSON. W.B. et al 1986) et omettent, dans la technique du microswitch, de signaler l'éveil parcequ'ils n'ont pas le sentiment d'avoir dormi alors même que ce sommeil est objectivé par la polysomnographie.

Notre expérimentation a pour objectif de vérifier que l'éveillométrie permet bien de distinguer une population d'insomniaques d'une population de bons dormeurs.

METHODOLOGIE

Sujets

Nous avons étudié quatorze sujets: neuf bons dormeurs et cinq insomniaques, après accord du Comité d'Ethique de l'Institut National Marcel Rivière. Les cinq sujets insomniaques sont hospitalisés au pavillon A3 du C.H.S. LA VERRIERE. Les patients présentent une insomnie associée à un syndrome anxio-dépressif pour lequel ils sont traités. Ils répondent au critère d'insomnie secondaire à une cause psychiatrique (DSM III R). L'interrogatoire révèle qu'ils se plaignaient de leur sommeil jugé fragile et insatisfaisant même en dehors de l'épisode anxio-dépressif actuel. La moyenne d'âge des insomniaques est de 48 ans, (l'écart est de 24 à 63 ans). Le groupe est composé de quatre femmes et d'un homme.Les neuf sujets volontaires sains sont de bons dormeurs recrutés parmi des étudiants en médecine, ils sont en moyenne plus jeunes que le groupe d'insomniaques, moyenne d'âge de 22 ans (l'écart est de 19 à 27 ans), le groupe est composé de sept hommes et deux femmes.

PROCEDURE ET MATERIEL

Procédure:

Expérience 1

Les insomniaques et les sujets bons dormeurs enregistrent trois nuits consécutives à l'éveillomètre. L'heure du coucher est fixée entre 22 heures et 23 heures. Les nuits d'enregistrement ont lieu pour les volontaires bons dormeurs à leur domicile et pour les patients insomniaques dans les chambres individuelles auxquelles ils sont habitués à l'hôpital. Les 27 nuits des bons dormeurs sont comparées aux 15 nuits des insomniaques.

Expérience 2

Par ailleurs, les sujets insomniaques poursuivent les enregistrements éveillométriques à différents temps de l'hospitalisation et avec différents traitements. Les cinq sujets totalisent 37 nuits d'enregistrement. Les insomniaques doivent remplir le matin, une heure et demi après le lever, un questionnaire portant sur le sommeil de la nuit. Ils doivent aussi attribuer une note de 0 à 10 à la qualité réparatrice de leur sommeil.. Nous avons étudié les corrélations entre la note que le sujet attribue à son sommeil et les paramètres éveillométriques (L E - T T S - D E).

Matériel: L'éveillomètre

Description du Matériel:

L'éveillomètre est un dispositif comportemental interactif, utilisant une source lumineuse. L'appareil que nous avons construit en 1988 est constitué d'une commande manuelle qui agit sur un témoin lumineux et sur un système d'enregistrement.

Description de l'utilisation:

La commande manuelle permet d'éteindre la lumière, l'extinction de la lumière inscrit un signal sur le système d'enregistrement. La lumière se rallume automatiquement après 10 minutes. Elle reste allumée jusqu'à une nouvelle commande d'extinction.Le sujet doit suivre rigoureusement la consigne qui consiste à éteindre la lumière lorsqu'il perçoit celle-ci.

Analyse des mesures:

L'éveillomètre permet d'enregistrer deux types d'unités: l'unité sommeil et l'unité d'éveil.

1) L'unité de sommeil comportemental (U.S.C.). Une U.S.C. est constituée d'une durée de 10 minutes au cours de laquelle la lumière n'a pas été perçue par le sujet.

2) L'unité d'éveil comportemental (U.E.C.). Une U.E.C. est constitué d'un signal d'éveil émis en réponse à la perception de la lumière. Le signal d'éveil éteint la lumière pour une durée de 10 minutes. La lumière se rallume automatiquement une fois ce temps écoulé, ce qui constitue une borne terminale au signal d'éveil.

Nous avons proposé (LAVERGNE F. et DEVILLIER Ph. - 1989) de décomposer une nuit d'enregistrement en deux parties. D'abord la latence d'endormissement (L E) Elle est constituée de la suite des unités d'éveil qui précèdent la première unité de sommeil. Ensuite la période totale de sommeil (P T S). Cette période commence à la première unité de sommeil et compte la durée jusqu'à la dernière unité de sommeil. La période totale de sommeil se compte en unités d'éveil et en unités de sommeil. Le temps total de sommeil (T T S) représente la somme des unités de sommeil incluse dans la P T

S. La durée d'éveil (D E) représente la somme des unités d'éveils incluse dans la P T S.

Nous étudierons les 3 paramètres éveillométriques suivants:

1- La latence d'endormissement (L E).
2- Le temps total de sommeil (T T S).
3- La fréquence de signal-heure: $F S H = \dfrac{\text{Durée d'éveil} \times 6}{\text{Période totale de sommeil}}$

RESULTATS

Expérience 1:

Nous avons comparé, nuit par nuit, les enregistrements des bons dormeurs avec les enregistrements des insomniaques au moyen du test statistique non- para métrique de Wilcoxon.

La latence d'endormissement (L E)

La latence moyenne d'endormissement est plus élevée chez les insomniaques que chez les bons dormeurs, sans atteindre toutefois, le seuil de significativité. Soit pour la nuit 1 = 86 minutes versus 24 minutes; pour la nuit 2 = 36 minutes versus 20 minutes; pour la nuit 3 = 48 minutes versus 19 minutes (voir tableau 1). On constate que la latence d'endormissement est plus élevée la première nuit que la deuxième dans les deux groupes, ce que nous pourrions appeler "l'effet 1ère nuit". Mais là encore, la différence n'atteint pas le seuil de significativité statistique entre la nuit 1 et la nuit 2.

Le temps total de sommeil (T T S).

La moyenne du temps total de sommeil est très réduite chez les insomniaques par rapport aux bons dormeurs. La différence est significative à $p < 0{,}05$ la première nuit et à $p < 0{,}01$ pour la deuxième et la troisième nuit. Soit pour la nuit 1 = 226 minutes pour les insomniaques versus 401 minutes pour les bons dormeurs; pour la nuit 2 = 278 minutes pour les insomniaques versus 403 minutes pour les bons dormeurs; pour la nuit 3 = 260 minutes pour les insomnia-ques versus 417 minutes pour les bons dormeurs .(Voir tableau 1).
Aucune différence significative n'est retrouvée lorsque l'on compare les nuits entre elles à l'intérieur d'un groupe (bon dormeurs ou insomniaques). En moyenne sur les 3 nuits, les insomniaques dorment 4,25 heures et les bons dormeurs dorment 6,78 heures, ($p < 0{,}01$). Les T T S moyens des nuits 1, 2, et 3 sont assez stables, avec toutefois une légère réduction du T T S pour la première nuit. Dans les deux groupes, la variance diminue de la première nuit à la troisième nuit, ce qui rend compte du meilleur pouvoir discriminatif des nuits 2 et 3 par rapport à la nuit 1.

La fréquence du signal-heure (F S H).

Un signal d'éveil est associé à une unité de 10 minutes. La fréquence du signal-heure prend des valeurs situées entre 0 et 6. La moyenne des F S H est très augmentée chez les insomniaques par rapport aux bons dormeurs. La différence est significative à p < 0,01 pour la première, la deuxième et la troisième nuit. Soit pour la première nuit: = 3,03 s/h pour les insomniaques versus O,97 s/h pour les bons dormeurs; pour la deuxième nuit: = 2,48 s/h pour les insomniaques versus 0,61 s/h pour les bons dormeurs; pour la troisième nuit: = 2,32 s/h pour les insomniaques versus 0,98 s/h pour les bons dormeurs. (Voir tableau 1). La F S H est plus élevée la première nuit par rapport à la deuxième nuit dans les deux groupes, mais la différence n'atteint pas le seuil de significativité.

Expérience 2

Nous avons calculé le coefficient de corrélation entre la note que le sujet attribue à son sommeil et les paramètres éveillométriques (L E - T T S - D E) sur les 37 nuits d'enregistrement des cinq insomniaques.

Avec un test statistique de régression linéaire, nous trouvons un coefficient de corrélation négatif entre la note et la L E (r= - 0,568; p < 0,001) entre la note et la D E (r= - 0,454: p < 0,01). Nous trouvons une corrélation positive entre la note et le T T S (r= + 0,636; p<0,001). Plus le sujet présente un temps total de sommeil important, plus il est content de son sommeil. A l'inverse, plus le sujet présente une latence d'endormissement élevée ou une durée d'éveil élevée, moins il est content de son sommeil.

DISCUSSION

Nous avons fait l'hypothèse que l'analyse du sommeil comportemental devait corroborer le vécu subjectif de la nuit. Les insomniaques se plaignent fréquemment de difficultés d'endormissement, d'éveils nocturnes nombreux, de sommeil instable, insuffisant, non réparateur. Nous pourrions donc attendre de l'éveillométrie qu'elle démontre chez l'insomniaque par rapport aux contrôles, une latence d'endormissement élevée , une durée d'éveil excessive et une réduction du temps de sommeil. La latence d'endormissement, bien qu'élevée chez l'insomnia que, manque de très peu le seuil de significativité statistique mais nous atteignons très nettement le seuil de significativité avec la F S H et le T T S.

Critique de la méthode d'analyse de l'éveil et du sommeil

L'éveil - F S H:

Chaque signal d'éveil compte pour 10 minutes de temps, mais il n'est pas certain que le sujet soit éveillé l'ensemble des 10 minutes. Le sujet peut s'endormir peu de temps après avoir signalé son éveil, un micro éveil électrophysiologique peut entraîner un signal d'éveil qui comptera pour 10 minutes de temps.

A l'évidence, l'éveillométrie majore les durées d'éveil telles qu'elles seraient calculées sur un tracé de polysomnographie. Nous pensons que malgré cette distortion, il persiste un parallèlisme entre l'éveil du sujet et les signaux d'éveils comportementaux. Plus le sommeil est fragmenté, plus l'éveil est long, plus la F S H augmente. Par ailleurs l'on sait que c'est la fragmentation du sommeil qui diminue sa valeur récupératrice (LEVINE B. et al - 1987) (BONNET N.H. -1986) et que le nombre d'éveils d'une nuit est lié négativement à la qualité subjective de ce sommeil et au sentiment de repos (D'HOORE W. et D'HOORE K. - 1990). La F S H apparaît donc comme un paramètre éveillométrique logique pour étudier la stabilité du sommeil. Dans notre étude, ce paramètre permet de distinguer dès la première nuit, le groupe d'insomniaques du groupe de bons dormeurs avec un risque d'erreur inférieur à 0,01.

Le sommeil- T T S:

Le temps total de sommeil apprécie les durées de sommeil par défaut puisqu'il ne comptabilise pas les portions de sommeil parfois contenues dans les U.E.C. L'intérêt du temps total de sommeil est d'être bien défini puisqu'il représente la somme des unités de sommeil et que l'unité de sommeil représente par définition une durée complète de 10 minutes de sommeil comportemental. Le T T S est composé de 100% de sommeil comportemental. Dans notre étude le T T S est très bien corrélé à la note réparatrice que le sujet attribue à son sommeil. (r du T T S = 0,6367; p < 0,001)

Dans l'avenir, nous souhaiterions étudier les paramètres éveillométriques en relation avec les paramètres électro-encéphalographiques afin de démontrer que la F S H est bien proportionnelle à la durée de l'éveil électrophysiologique et à la fragmentation du sommeil; et que le T T S est bien proportionnel à la durée et au maintien du sommeil.

L'analyse du T T S et de la F S H permet de distinguer un groupe d'insomniaques d'un groupe de bons dormeurs. Il s'agit, ici, de deux populations différentes, bien sûr, cliniquement, mais aussi par l'âge et l'on sait que la capacité à dormir se réduit avec l'avance en âge (BENOIT. O. - 1988). Nous regrettons de n'avoir pu dans cette étude contrôler l'âge des sujets et de ne pouvoir présenter un groupe contrôle en comparaison du groupe d'insomniaques. Toutefois, l'on se rappelle que le biais de l'âge n'existe pas dans la deuxième expérimentation où l'on analyse les corrélations entre paramètres éveillométriques et paramètres subjectifs au cours d'une même nuit. Les paramètres éveillométriques sont bien corrélés avec le vécu subjectif de la nuit.

Nous proposons d'utiliser le dispositif éveillométrique comme outil de diagnostique et d'évaluation de l'insomnie.

TABLEAU 1

	LE			TTS			FSH		
	N 1	N 2	N 3	N 1	N 2	N 3	N 1	N 2	N 3
Insomniaques n = 5	86 mn ± 73 mn	36 mn ± 34 mn	48 mn ± 38 mn	226 mn ± 135 mn	278 mn ± 90 mn	260 mn ± 68 mn	3,03 s/h ± 1,1 s/h	2,48 s/h ± 0,70 s/h	2,32 s/h ± 0,77 s/h
Wilcoxon (stat)	NS	NS	NS	$p < 0,05$	$p < 0,01$	$p < 0,01$	$p < 0,01$	$p < 0,01$	$p < 0,01$
Bons dormeurs n = 9	24 mn ± 10 mn	20 mn ± 10 mn	19 mn ± 9 mn	401 mn ± 77 mn	403 mn ± 80 mn	417 mn ± 52 mn	0,97 s/h ± 0,68 s/h	0,61 s/h ± 0,43 s/h	0,98 s/h ± 0,43 s/h

BIBLIOGRAPHIE

BENOIT O. (1988)
Le sommeil normal de l'adulte: organisation et régulation. *Encycl. Méd. Chir. (Paris-France) Neurologie 17025 A, 9 - 1988. 7p*

BONNET N.H. (1986)
Performance and sleepiness as a function of frequence and placement of sleep disruption. *Sleep 23: 263-271.*

DE KONINCK et al. (1988)
A refined switch-activated time monitor for the measurement of sleep onset latency. *Behav. Res. Ther. 26 (3): 271-273.*

D'HOORE W. et D'HOORE K. (1990)
Analyse des relations entre les données polysomnographiques et l'évaluation subjective du sommeil dans un groupe de sujets normaux.
L'encéphale 16: 383-388.

FRANKLIN J. (1981)
The measurement of sleep onset latency in insomnia.
Behav. Res. Ther. 19: 549-556.

KNAB B.; ENGEL R. (1988)
Perception of waking and sleeping: possible implications for the evaluation of insomnia. *Sleep 11,(3): 265-272.*

LANGFORD G.W. et al (1971)
Spontaneous arousals from sleep in human subjects.
Psychon. Sci. 28 (4): 228-230.

LAVERGNE F. et DEVILLIER Ph.(1989)
L'éveillographie et ses applications. *Colloque "psychiatrie et liberté" - Institut National Marcel Rivière - C;H;S; La Verrière - 6 et 7 octobre 1989.*

LEVINE B. et al (1987)
Fragmenting sleep diminishes its recuperative value. *Sleep 10 (6): 590-599.*

MENDELSON W.B. et al. (1986)
A Psychological study of insomnia. *Psychiatr. Res. 19: 267-284.*

OGILVIE R.D. et WILKINSON R.T. (1988)
Behavioral versus E.E.G.-based monitoring of all night sleep/wake patterns.
Sleep 11 (2) 139-155.

RAHM L. et al (1990)
Signaled and unsignaled arousal from sleep in human subjects - 10th congress of the European Sleep Research Society. *Strasbourg, May 20-25.*

——————— EUROPE MEDIA DUPLICATION S.A. ———————
53110 Lassay-les-Châteaux
N° 2728 – Dépôt légal : mars 1993
Imprimé en France